EEN HUIS VOL DROMEN

BARBARA DELINSKY

Een huis vol Dromen

DE KERN BAARN

Oorspronkelijke titel
Shades of Grace
Uitgave
HarperCollins*Publishers*, New York
Copyright © 1995 by Barbara Delinsky

Vertaling
Annet Mons
Omslagontwerp
Julie Bergen
Omslagillustratie
Fotostock BV

ISBN 90 325 0614 05   NUGI 340

Dankbetuigingen

Als regel zijn de eersten die een manuscript van mij te zien krijgen, mijn agent en mijn redacteur. *Een huis vol dromen* vormde echter, vanwege het onderwerp dat erin werd behandeld, een uitzondering hierop. Literatuuronderzoek leverde me feiten op, maar voor inzicht in de emoties die hierbij betrokken waren, vertrouwde ik op gesprekken met een aantal mensen die de ziekte van Alzheimer in hun naaste omgeving hebben meegemaakt. Twee van hen waren zo vriendelijk mijn manuscript te lezen, teneinde de authenticiteit ervan te verzekeren.

De eerste was Anna-Mae Barney, die twaalf jaar lang haar moeder heeft verzorgd. We hebben elkaar toevallig ontmoet toen mijn boek bijna klaar was. Toen ik hoorde dat de naam van haar moeder Grace was, wist ik dat ze mijn boek moest lezen.

De tweede was Margaret Mullen, die als onderzoeksleider aan het Newton & Wellesley Alzheimer Center dagelijks met patiënten en hun familie te maken heeft. Voor mij was Peggy zowel een bron van informatie als een lezer. Voor die patiënten en hun familie vormt ze de dagelijkse bron van steun en troost.

Vandaar mijn dank aan Anna-Mae en Peggy. Eveneens mijn dank aan Karen Solem, die vanaf het begin dol was op dit boek, en aan Steve en de jongens – Eric, Andrew en Jeremy – omdat ze opnieuw zoveel geduld met me hebben gehad.

En heel speciale dank aan mijn tante Sadie. Toen ik in de zesde klas zat, moest ik als huiswerk een opstel over de zon schrijven. Na er urenlang op te hebben geploeterd, stond het huilen me nader dan het lachen. Ze nam me rustig bij de hand en liet me al mijn gedachten hardop uitspreken terwijl zij ze opschreef. Het enige dat ik toen nog hoefde te doen was mijn eigen woorden ordenen en polijsten.

Tot op de dag van vandaag, wanneer ik worstel met een bijzonder lastige passage, denk ik terug aan de kalmte die zij uitstraalde, de manier waarop ze me diep adem liet halen, de voldoening die ze met me deelde.

Ik wenste dat ze die nu ook met me kon delen, want de voldoeningen van mijn leven zijn groter en geweldiger dan een van ons zich ooit heeft voorgesteld. Maar ze leeft in haar eigen, geslonken wereld, en ze herkent me niet meer.

1

Karakter is een eigenschap die het beste tot uiting komt in combinatie met smaakvolle kleding, verfijnde spraak en een waardige houding. Iedere goede marktonderzoeker weet dat de verpakking een aanduiding is van het geschenk binnenin.

– Grace Dorian, in een interview met Barbara Walters

Grace Dorian staarde verbijsterd naar de kranten op haar bureau. Ze had geen idee hoe die daar terecht waren gekomen, geen idee waar ze voor dienden.

Ze rommelde wat in de stapel, op zoek naar aanwijzingen. Geen kranten. Brieven. Sommige waren met de hand geschreven, sommige getypt, sommige op wit papier met briefhoofd, gekleurd schrijfpapier, uitgescheurde blocnotevelletjes.

'Lieve Grace…'

'Lieve Grace…'

'Lieve Grace…'

Denk ná, riep ze inwendig, vechtend tegen de paniek. De mensen schreven haar brieven, veel mensen, te oordelen naar het pakket van de koeriersdienst, dat open op een stoel stond. Het zat propvol met meer van wat er op haar bureau lag. Ze lagen daar met een reden.

Ze legde een hand tegen haar borst en dwong zichzelf kalm te blijven. De muis van haar hand drukte tegen haar bonzende hart. Haar vingertoppen raakten kralen aan.

De kralen van een rozenkrans? Nee, geen rozenkrans. Párels, Grace. Párels.

Haar bange ogen schoten heen en weer op zoek naar iets vertrouwds, en vielen op het mahoniehouten dressoir, de velours gordijnen, de brokaten bank, de lampen van gepolijst koper. De lampen waren nu uit. Het was morgen. Het zonlicht viel op het aubusson-tapijt.

Bevend zette ze haar leesbril op haar neus en bad dat als ze de brieven maar lang genoeg, aandachtig genoeg, bekeek, er iets bij haar zou klikken. Ze bekeek de adressen van de afzenders – Morgan Hill, Californië, Barley, Alabama, Little River, South Carolina, Parma, Ohio. De mensen schreven haar vanuit het hele land. En zij zat in... dit was... zij woonde in... Connecticut. Daar, over de rand van haar bril, elegant gedrukt op een antieke kaart aan de muur. Ze zette haar bril af, liep naar de landkaart, betastte de vergulde lijst, ontleende troost aan de stevigheid ervan en ja, aan het vertrouwde ervan.

Ze woonde in het westen van Connecticut, op het uitgestrekte landgoed dat John haar had nagelaten. Het oorspronkelijke huis was bijna evenveel generaties in zijn familie geweest als de oude zaagmolen. De zaagmolen zweeg nu, was overwoekerd door klimplanten en net zo gebogen als John in zijn laatste jaren, maar wat de tijd de zaagmolen had ontnomen, had hij aan het huis gegeven. Aanvankelijk was het een eenvoudig woonhuis geweest, dat op het westen was gericht, maar het had vervolgens een noordvleugel gekregen en daarna een zuidvleugel. Er was een garage verrezen, die zich had verveelvoudigd. De achterkant van het huis was uitgedijd om een aantal werkkamers te herbergen, waarvan zij nu in de grootste stond, benevens een serre. Achter de serre lag het terras waar ze zo dol op was. Het terras was met natuursteen geplaveid en nu, in april, nog kaal maar veelbelovend. Het ging over in een golvend gazon waarachter de Housatonic stroomde, omzoomd door sparren. Aan het eind van de zomer kronkelde de rivier traag langs de oostgrens van haar grondgebied. Om deze tijd van het jaar stroomde hij snel. Ze kon hem zelfs horen door de ramen met verticale spijlen heen.

Deze dingen waren vertrouwd. En de andere? Ze keek bezorgd naar de deur voordat ze weer naar haar bril greep.

'Lieve Grace. Ik lees je rubriek al bijna twintig jaar, maar dit is de eerste keer dat ik je schrijf. Mijn dochter gaat volgend najaar trouwen, maar mijn ex-man zegt dat als zij wil dat hij haar naar het altaar leidt, de kinderen uit zijn tweede huwelijk ook bij de trouwerij moeten zijn. Het zijn er vijf. Ze zijn allemaal onder de tien jaar en heel wild en brutaal, en ze hebben altijd heel lelijk gedaan tegen mijn dochter...'

'Lieve Grace. Je zult een ruzie tussen mijn vriendje en mij moeten beslechten. Hij zegt dat de eerste man die met een meisje naar bed gaat, haar vanbinnen vormt, zodat het daarna met een andere man nooit meer zo goed is...'

'Lieve Grace. Sommige brieven die jij afdrukt zijn echt te vergezocht om waar te zijn...'

'Lieve Grace. Dank je wel voor het advies dat je hebt gegeven aan de arme vrouw die nooit een bedankje krijgt voor de cadeaus die ze haar kleinkinderen geeft. Want daar heeft ze wel recht op. Ik heb je rubriek uitgeknipt en opgehangen, zodat mijn kinderen het kunnen lezen...'

Grace hield de laatste brief nog even in haar hand, trillend van opluchting, voordat ze hem voorzichtig neerlegde.

Grace Dorian. *De Hartsvriendin.* Natuurlijk.

Als ze bewijzen nodig had, dan waren er de certificaten aan de verste muur, als bewijs voor de toespraken die ze voor professionele organisaties had gehouden, en daaronder lagen stapels plakboeken met artikelen waarin haar landelijk gepubliceerde rubriek werd geprezen. Het pak van de koeriersdienst op de stoel was de laatste zending brieven van lezers uit New York. Tegen het eind van de week zou ze de meeste ervan hebben gelezen, een keuze hebben gemaakt, en vijf columns hebben geschreven.

Hoopte ze.

Maar ze zou het doen. Ze moest wel.

Wat wist Davis Marcoux veel? Hij zei zelf dat hij gewoon een paar alternatieven had afgestreept. Maar hij had het mis. Haar aanvallen waren tijdelijke storingen, misschien piepkleine attaques, die geen blijvende schade aanrichtten. Ze wist nu weer wat die brieven te betekenen hadden. Ze wist wat haar werk was. Ze had alles onder controle.

De telefoon zoemde. Ze schrok op en bleef toen een verwarde minuut lang naar het apparaat staren voordat ze de hoorn opnam. 'Ja?' zei ze tegen de zoemtoon. Haar vinger aarzelde boven een toetsenbord. Ze drukte een knop in en er gebeurde niets; toen een andere en ze kreeg de in-gesprektoon. Ze vroeg zich af welke knop ze nu moest indrukken, toen het gezoem ophield. Ze stond met de hoorn in haar hand en een woedende blik in haar ogen toen de deur openging.

'Ik kan echt niet met deze telefoon overweg, Francine!' snauwde ze. 'Hij is me veel te ingewikkeld. Ik heb er vanaf de eerste dag problemen mee gehad. Wat mankeerde er nou aan die oude telefoons?'

Francine gaf haar een kopje thee en glimlachte. 'De oude telefoon had maar twee lijnen, en wij hebben er vijf nodig.' Ze zette de thee op het bureau en gaf Grace een knuffel. 'Goeiemorgen mam. Slecht geslapen?'

Grace's irritatie verdween. Francine was geen echte doordouwer, maar ze was heel gelijkmatig – een toegewijde dochter, een trouwe vriendin, een bekwame assistente. In deze dingen was Grace gezegend, zoals ze in zoveel dingen gezegend was. Ja, Davis Marcoux moest het beslist bij het verkeerde eind hebben. Ze was niet zo ver gekomen om nu opeens te worden tegengehouden. Gewoon wat tijdelijke kortsluitinkjes, dat was alles, en die hoefden niet eens een fysieke oorzaak te hebben. Alles in aanmerking genomen had ze het volste recht om zich af en toe niet lekker te voelen.

'Ik slaap niet meer zoals vroeger,' zei ze tegen Francine. 'Twee uur hier, twee uur daar. Ze zeggen dat oude mensen niet zoveel slaap nodig hebben. Ik heb 't wél nodig. Maar ik kan het gewoon niet krijgen.'

'Eenenzestig is niet oud,' zei Francine.

Grace was blij met die geruststelling. 'Mijn hoofd is niet meer wat het was.'

Francine ontkende dit eveneens. 'Jouw hoofd is prima, en daarom is er zoveel vraag naar je. Daarvoor belde ik je ook. Annie Diehl heeft net gebeld of je belangstelling had voor een talkshow in Houston.'

Annie Diehl was de publiciteitsagent die door de krant werd betaald om het optreden van Grace te regelen. Dat herinnerde Grace zich heel goed. Ze herinnerde zich eveneens de paniek die ze had gevoeld, de vorige keer dat ze in een vliegtuig zat. Halverwege de vlucht had ze opeens geen flauw idee waar ze naartoe ging, en waarom. De desoriëntatie had niet lang geduurd en werd ongetwijfeld door de hoogte veroorzaakt, maar Grace kon zulke problemen er absoluut niet bij hebben.

'Ik heb al ik weet niet hoeveel talkshows in Houston gedaan.'

'Vier, en de laatste was alweer jaren geleden.'

'Loopt mijn lezerspubliek in Houston terug?'

'Nee.'

'Dan vlieg ik daar liever niet heen. Ik heb hier veel te veel te doen.' Ze keek even naar haar bureau. 'Bovendien zit ik ook nog eens met m'n boek. Ik begin er al veel te laat mee en de hemel mag weten wanneer ik dat moet doen met zes spreekbeurten tussen nu en juni.' Vroeger kon ze in twee dagen de columns voor een hele week produceren, zodat ze nog drie dagen overhield voor wat zij de franje van *De Hartsvriendin* noemde. Alles kostte haar nu meer tijd. 'Waarom hebben we al die promotie-uitnodigingen aangenomen?'

Francine grijnsde. 'Omdat jij het heerlijk vind om eredoctoraten te krijgen.'

'Nou, zou jij dat dan niet vinden, als je er niet een van jezelf had?' kaatste Grace zonder berouw terug. 'Het is heel deprimerend om voortdurend in panels te zitten met mensen die meer titels dan voorletters hebben. Bovendien zijn studenten, zelfs middelbare scholieren, zulke kwetsbare wezens.' Toen ze zich haar kleindochter voor de geest haalde, corrigeerde ze zichzelf. 'Behalve Sophie. Sophie is niet kwetsbaar. Zij is een doortastend kind.'

'Geen kind. Ze is drieëntwintig.'

'En ze is persoonlijk verantwoordelijk voor deze telefoons en voor al het andere hier waar ik niets van begrijp.' Grace wierp een blik vol wanhoop op de computer die op een zijstuk van haar bureau stond. Ze verlangde terug naar haar oude Olivetti.

'Ja, die dingen vormen echt een verbetering,' zei Francine, juist toen Grace het wilde vragen. 'Ze vereenvoudigen mijn werk. Ze vereenvoudigen Sophies werk. En ze vormen een belangrijk visitekaartje voor *De Hartsvriendin.*'

'Omdat ze gecomputeriseerd is?' vroeg Grace ontzet. *De Hartsvriendin* was zachtmoedig en persoonlijk. Ze was informatief maar bewogen, en heel menselijk. Ze was beslist geen machine.

'Omdat ze hedendaags is. Echt mam, wanneer iemand jou naar het gebruik van condooms vraagt, geef je tegenwoordig een ander antwoord dan in de tijd dat het alleen om zwangerschap ging. Je advies verandert met de tijd. Moet je technologie dan niet ook veranderen?'

De zakenvrouw in Grace wist dat dit zo was. Maar ze was een beetje bang voor geavanceerde technologie. Ze sloot de mogelijkheid niet uit dat de complexiteit van de wereld direct verantwoordelijk was voor haar aanvallen van verwarring. Het verstand van een mens bleef niet eindeloos lenig.

Ze glimlachte toen een rode kardinaal en zijn wijfje neerstreken op de voederplank buiten haar raam. 'Goddank zijn er ook dingen die niet veranderen. Het voorjaar komt eraan. Ik ben dol op deze tijd van het jaar. Als alles in bloei staat, beginnen mijn gasten te arriveren. Weet Margaret dat ze moet beginnen de logeerkamers schoon te maken?'

'Ja.'

'Heb jij nieuw tapijt voor de zoldersuite besteld?'

'Jawel.'

'Hoe staat het met de uitnodigingen voor mijn meifeest? Zijn die al gearriveerd?' Ze had kaarten besteld met schitterende handgeschilderde randen die geen enkele computer in een miljoen jaar kon kopiëren, dank u.

'Nog niet.'

'Heb je er al over opgebeld?'

'Nee.'

'Je moet echt bóven op de dingen zitten, Francine. Hoe váák heb ik je dat nu al verteld?'

Het ergste was nog dat Francine zich helemaal niet druk leek te maken. 'De uitnodigingen zijn voor het eind van de week beloofd. Dat geeft ons meer dan voldoende tijd om ze naar de kalligraaf te brengen. Heb jij de gastenlijst al klaar?'

De gastenlijst. Grace keek niet-begrijpend. 'Heb jij die dan niet?'

'Ik niet. Je zat er gistermiddag aan te werken, toen ik wegging. Je zei dat hij vanmorgen op mijn bureau zou liggen.'

'Dan ligt hij daar ook. Je hebt er zeker iets bovenop gelegd.'

'Ik ben net binnen. Ik heb m'n bureau nog niet aangeraakt.'

'Nét binnen?' riep Grace uit. Laatkomen was een ernstige dwaling. 'Het is al over tienen. Kom jij pas zo laat aanzetten?' Ze keek Francine smekend aan. 'En moet je echt in trainingspak op je werk komen?'

'Een sweatsuit zit gewoon lekker.'

'Ze zijn niet geschikt voor een kantoor. Evenmin als...' Ze keek veelbetekenend naar Francines haar, dat op de kruin van haar hoofd was opgestoken op een manier die allerlei plukken omlaag liet vallen. De kleur was lichtbruin, het kapsel sexy en beslist ongeschikt. Korter was veel netter, korter was gewoon veel professionéler.

Francine schraapte haar keel. 'Het is hier niet de effectenbeurs.'

'En toch presenteren we ons met onze kleding aan de wereld. Het is net zo'n visitekaartje als de computer.'

'Jawel, maar de wereld weet het als wij met een computer werken. De wereld weet niet wat ik aan heb.'

'Goddank niet, nee,' mompelde Grace, 'en dat geldt ook voor je dochter.' Ze was ontzet over de meeste kleren die Sophie droeg. Zo'n knap kind. Eeuwig zonde. 'Heb je dan helemaal niets over dat kind te zeggen?'

'Het is geen kind meer. Geen kind,' zong Francine zacht, afwezig, terwijl ze een papier van het dienblad op het dressoir oppakte. 'Hier is je gastenlijst.' Ze fronste. 'Maar hij is nog niet klaar.'

Grace pakte de lijst, en daarna haar bril. Ze zag een heleboel namen. 'Lijkt me prima zo.' Ze gaf hem terug.

'Je hebt hier alleen maar de mensen van de krant. Wat dacht je van uitgevers? Van recensenten? En de media? Ik dacht dat de bedoeling van dit feest was stemming te maken voor je boek. En hoe zit 't met je agent? En met Annie, verdorie?'

'Nou, kijk eens aan,' verklaarde Grace. 'Jij weet precies wie er moet worden uitgenodigd. Stel jij die lijst zelf maar op. Vergeet de buren niet. En Robert.'

'Welke Robert?'

Grace wierp haar een doordringende blik toe in plaats van een schimprede te houden over de armzalige staat van Francines sociale leven.

'Goed, goed,' zwichtte Francine. 'Ik zal Robert uitnodigen, maar alleen als goede vriend. Hij is niet de grote liefde van mijn leven.'

'Als je 'm een beetje de kans geeft, wórdt hij dat,' adviseerde Grace. 'Ik mag 'm wel.' Ze zweeg even. 'Ja. Ik weet het. Ik mocht Lee ook. En het gaat mij allemaal niets aan. Maar dit feest gaat me wel aan. Dus wil jij alsjeblieft zo goed zijn die gastenlijst op te stellen? Daarnaast heb ik de laatste cijfers nodig over mishandeling binnen het huwelijk en over de effecten op lange termijn van liposuctie. Wees een engel en zoek die voor me op.' Ze knikte naar het bureau. 'Ik kom om in het werk.'

'Ik ook,' protesteerde Francine, weliswaar zwakjes. 'Goed. Maar zet dan ook geen keel op wanneer ik per ongeluk iemand niet op de lijst heb gezet.'

'Ik zet nooit een keel op.'

'Nee. Maar je weet je mening altijd duidelijk kenbaar te maken.'

'Nou ja, iemand moet hier de touwtjes toch strak in handen hebben. Ik heb echt een secretaresse nodig.'

'Je hebt er een. Marny Puck. Ze zit verderop in de gang en ze schrijft prachtige bedankbriefjes naar alle mensen die jou schrijven, maar ze heeft niets met jouw privé-leven te maken. Ze stelt geen gastenlijsten op.'

Grace was geschokt. Marny. Natuurlijk. 'Waarom heb ik geen persóónlijke secretaresse?'

Francine glimlachte en liep naar de deur. 'Omdat je mij hebt.' Ze stak haar hand met de lijst omhoog. 'Ik ben zo weer terug.'

Zodra de deur dicht was, ging Grace achter het bureau zitten en haalde een in spiraal gebonden boek uit de bovenste lade. Ze bladerde langs eerder gemaakte aantekeningen naar een blanco pagina. 'Marny Puck', schreef ze met hoofdletters. En eronder: 'Secretaresse. Zit verderop in de gang. Beantwoordt post van lezers.' Vertederd voegde ze eraan toe: 'Een van de mensen van pastoor Jim. Werkt netjes. Is heel gewillig.' Ze voegde er wat zuur aan toe: 'Zuster van Gus, mijn chauffeur. In tegenstelling tot Gus heel fatsoenlijk.'

Op de volgende pagina maakte ze aantekeningen over het gebruik van de telefoon. Francine en Sophie hadden het haar talloze keren uitgelegd. Ze wist hoe ze hem moest gebruiken. Maar af en toe raakte ze gewoon de kluts even kwijt.

Dus noteerde ze wat eenvoudige aanwijzingen, voor alle zekerheid.

Op een derde pagina zette ze – iets dat vijf jaar geleden ondenkbaar was geweest – al haar bezigheden van die dag op een rijtje, voor alle zekerheid.

Iets zelfverzekerder schoof ze daarna het notitieboekje weer in de bovenste lade van het bureau en begon, nu ze toch bezig was, aan de brieven die haar leven bepaalden.

Francine was nauwelijks acht geweest toen *De Hartsvriendin* was geboren. Ze was getuige geweest van de aarzelingen, hoewel er bij haar geen enkele twijfel bestond. Natuurlijk moest Grace een vragenrubriek voor de plaatselijke krant op zich nemen. Gaf ze niet iedereen raad over alles? Kwamen haar vriendinnen daarvoor niet altijd naar haar toe? Stortten ze al hun hartsgeheimen niet bij Grace uit? Deed Francine dat zelf ook niet

Er was iets aan Grace – een directheid, een warmte – dat zelfs bij onbekenden onmiddellijk vertrouwen wekte. Hoe kon je niet iemand in vertrouwen nemen die je met zoveel mededogen aankeek, met zoveel geduld aanhoorde, zo onder de indruk scheen te zijn van alles wat je zei, en altijd goede raad wist? Francine had zichzelf gelukkiger geacht dan al haar vriendinnen, omdat zij een moeder had die ze in vertrouwen kon nemen. De relatie was evenwel niet eenzijdig. Toen *De Hartsvriendin* een groter werkterrein kreeg, werd Francine een bron van inspiratie. Ze was een tiener, ze ondervond dezelfde problemen als waar veel lezers van Grace over schreven. Ze was laat in haar ontwikkeling, en daarna schoot ze uit in de lengte, lang voordat ze vormen kreeg. Ze verafschuwde haar haar, verafschuwde haar neus, verafschuwde haar handen. Ze kreeg pukkeltjes. Ze leed aan onbeantwoorde verliefdheden. Maanden van tevoren maakte ze zich al zorgen over schoolfeesten.

Ja, ze was een bron van inspiratie. Ze kende het verdriet van het met een paar stemmen verliezen bij de verkiezingen voor klassenvertegenwoordiger, ze kende de vernedering van het in de eerste ronde afvallen in een tennistoernooi dat door haar eigen familie werd gesponsord, de teleurstelling van te worden afgewezen voor de beste universiteiten van haar keuze. Ze wist eveneens hoe het was om een moeder te hebben wier beroemdheid in tegenspraak leek met haar eigen middelmatigheid.

Francine was naast Grace als aardetinten naast pastelkleuren, als bruine ogen naast blauwe, als aardig naast mooi, als aards naast hemels.

Francine was domweg niet perfect. Omdat ze niet perfect was, had ze dingen meegemaakt die Grace nooit had meegemaakt. Grace was nooit gescheiden. Grace had zich nooit schuldig gevoeld over Sophies suikerziekte, of omdat ze haar na les thuis had laten komen in plaats van erop aan te dringen dat ze bij vrienden in de stad bleef. Grace begreep niets van Francines behoefte om uit te blinken, of hoe de torenhoge maatstaven van Grace dat onmogelijk maakten. Ze begreep niets van Francines behoefte aan grootouders, ooms, tantes, nichten en neven.

Francine achtte zich in veel opzichten bevoorrecht, maar toch had ze dromen die haar verscheurd achterlieten. Grace begreep niet wat het betekende om je verscheurd te voelen, omdat zij daar nooit last van had gehad. Zij zag de wereld in absolute eenheden. Je hield greep op je leven door keuzes te maken en die na te komen.

Maar ondanks al deze verschillen was Grace er altijd geweest wanneer Francine haar echt nodig had. Dus liep ze terug naar haar bureau om met de gastenlijst aan de slag te gaan. Wat de cijfers over mishandeling binnen het huwelijk en liposuctie betrof, was Sophie de persoon voor de statistiek, maar Francine wilde haar niet wekken. De cijfers konden wachten.

Francine voelde zich niet helemaal gerust met betrekking tot de uitnodigingen en daarom belde ze naar de kantoorboekhandel waar ze ze had besteld. De eigenaar beloofde de kunstenaar die de randen schilderde te bellen en Francine daarna terug te bellen. Intussen, terwijl ze de telefoon tussen schouder en kaak klemde en namen aan de gastenlijst toevoegde, belde ze Annie Diehl. 'Grace gaat op dit moment liever niet naar Houston,' legde ze zo vriendelijk mogelijk uit, maar Annie was toch een tikje nijdig.

'Het is een goede show.'

'Dat weet ik. Maar het komt nu ongelegen. Er zijn nu afstudeerplechtigheden. De volgende week is het werkelijk een gekkenhuis.'

'Dit is televisie, Francine. De publiciteit is tien keer zo groot als bij afstudeertoestanden.'

'Vertel dat maar aan Grace, dan kan ze je de les lezen over het belang van kwaliteit boven kwantiteit. Beloof je Houston een andere keer?'

'Ze zullen heel teleurgesteld zijn. Ik heb hun verteld dat ze vrij was. Betekent dit dat ze voor juli niets wil doen? Voor daarna kan ik geen boekingen garanderen. Na de vierde ligt alles plat.'

'Dat is best,' zei Francine zo luchtig mogelijk, hoewel ze een hekel had aan ultimatums. Het plaatste haar altijd tussen twee vuren. En meestal kreeg zij alle schuld in de schoenen geschoven. 'We hebben hier nog van alles te doen. Mijn excuses aan Houston.'

Annie maakte een niet zo beschaafd geluid waar Grace nog meer bezwaar tegen zou hebben gemaakt dan Francine – en Francine zou zich heel gekwetst hebben gevoeld als de eigenaar van de kantoorboekhandel op dat moment niet had gebeld om te zeggen dat de uitnodigingen aan het begin van de week klaar zouden zijn.

Francine was ontzet. 'Vólgende week? We hadden afgesproken dat ze aan het begin van déze week klaar zouden zijn.' Grace had gelijk. Ze had eerder moeten bellen om dit te controleren.

'Kunstenaars zijn wel eens aan stemmingen onderhevig.'

'Dat zijn schrijfsters van columns ook,' merkte Francine op. Ze vond het geen leuk idee om Grace te moeten vertellen dat de uitnodigingen te laat zouden komen.

'Waarom laat u de illustrator ze niet meteen naar uw kalligraaf sturen?'

En als het werk nou eens niet goed genoeg was? Francine vond dat scenario nog minder leuk. 'Grace moet ze eerst zien. Laat uw illustrator ze maar direct naar ons sturen.'

Gefrustreerd hing ze op. Grace wilde graag dat de dingen precies volgens plan verliepen. Ze zag *De Hartsvriendin* als een elegante vrouw die haar handschoenen aantrok, waarbij iedere beweging kalm en beheerst was. Het was Francines werk om dat image te bewaren. Helaas was de rest van de wereld niet zo efficiënt als Grace Dorian.

Of zoals Grace vroeger was, dacht Francine met een blik op de onvoltooide gastenlijst, maar voordat ze ermee verder kon gaan, rinkelde de telefoon weer.

Het was Tony Colletti, Grace's redacteur bij de krant. 'Wat is er met deze column aan de hand, Francine?'

'Welke column?'

'Die van volgende week woensdag, over gasten die allergisch zijn voor de katten van hun gastvrouw. Het slaat echt nergens op.'

Toen Francine het voor het eerst had gelezen, had zij ook gevonden dat het nergens op sloeg. De arme Grace had iets verkeerd gedaan op de computer. In plaats van hem zoals gebruikelijk een klein beetje bij te schaven, had Francine de hele column herschreven en hem door Sophie met de rest laten versturen.

Nee. Sophie had hem niet verstuurd. Sophie was weg geweest. Dus had Francine hem verstuurd. Dus moest ze er zelf een rommeltje van hebben gemaakt.

Ze wilde dit echter niet tegen Tony zeggen en verklaarde daarom: 'O lieve help. Dan heb je vast iets gekregen dat weg had gemoeten.'

'Dat is mijn lot in dit leven met betrekking tot jou.'

'Tony!'

'Ik heb Knicks-kaartjes voor zondagmiddag.'

Francine zuchtte.

'Oké. Laat de Knicks maar zitten. Wat dacht je van een brunch? Dat is praktisch. Je moet toch eten.'

Ze maakte geen geluid.

'Oké. Laat die brunch maar zitten. Hoe snel kun je die verdomde column op mijn scherm krijgen?'

'Twee minuten als ik het zelf kan doen, een beetje meer als ik hulp nodig heb. Ik zal je in elk geval nog even bellen, oké?'

Ze legde de telefoon neer, zette haar computer aan en zocht het betreffende bestand op. Het verwarde origineel van Grace verscheen op het scherm. Ze zocht verder, toen weer terug, ging toen naar de directory, doorzocht die en bekeek andere bestanden om te zien of het herschreven stuk daar misschien terecht was gekomen.

De telefoon ging. 'Ik heb 'm niet gekregen,' mekkerde Tony.

'Natuurlijk niet. Ik heb 'm nog niet verzonden. We hebben een technisch probleem. Ik heb gezegd dat ik je terug zou bellen.' Ze hing op.

Wanhopig vertrok ze naar de zuidvleugel van het huis. Ze had Sophie nodig. Haar oppiepen was sneller geweest, maar Francine vond het altijd heel knus om haar dochter zelf wakker te maken. Vooropgesteld dat Sophie alleen was.

Francine aarzelde, besloot het risico te nemen, liep verder. Ja, ze had een gastenlijst die ze moest voltooien. Ja, ze had van de koeriersdienst een pak gekregen dat net zo dik was als dat van Grace. Ja, Tony zat in al zijn macho-glorie te wachten tot er iets op zijn scherm verscheen.

Maar ze had altijd tijd voor Sophie, die, ondanks de kleine steken van Grace, de kroon op Francines werk was. Sophie was een genie. Ze was mooi, en pittig, en kwetsbaar, ja dat ook. Moeders wisten die dingen.

Tijd die ze aan Sophie besteedde was altijd goed besteed, en als dit betekende dat Francine achterliep wanneer ze naar haar bureau terugkeerde, dan was dat ook prima. Hoe drukker ze het had, hoe minder ze stilstond bij dingen die ze niet kon veranderen.

Sophie was in dat opzicht anders dan haar moeder. Zij stond onwillekeurig wel stil bij dingen die ze niet kon veranderen. Het waren dingen die haar gedrag bepaalden. Ze vond het heerlijk om dingen die niet veranderd konden worden te dwarsbomen wanneer ze maar kon.

Dat was een van de redenen dat ze nog in bed lag. Haar wekker was een uur geleden afgelopen. Omdat het een werkdag was, had ze hem afgezet en was ze weer in slaap gevallen.

'Sophie? Wakker worden, liefje.'

Het zachte gefluister van haar moeder had een herinnering uit het verleden kunnen zijn, als het dringende geschud aan haar schouder niet zo echt was geweest. Op Francines oprechte smeekbede deed ze een oog een klein eindje open.

'Ik ben in de computer een column kwijtgeraakt. Tony is briesend en ik heb overal gezocht. Kun jij even komen kijken?'

Sophie deed haar oog dicht. Ze voelde hoe het matras bewoog, en daarna de aanraking van Francines heup.

'Kom op, kindje. Ik zou je niet wakker maken als het geen spoedgeval was. Ik heb de hele column herschreven, maar ik heb het origineel verstuurd. Echt iets voor mij, hè? Dus Tony wrijft zich in de handen. Hij vindt 't heerlijk als ik iets fout doe.'

'Hij is gewoon nijdig omdat jij niet met 'm uit wilt.'

'Nou, geef me eens ongelijk. Hij heeft het emotionele niveau van een kind van twee en de arrogantie van tien mannen. We zouden elkaar binnen het uur naar de keel vliegen, en niet uit hartstocht, lieverd.'

'Jammer,' zei Sophie geeuwend. 'Hartstocht is een geweldige uitlaatklep.'

Er viel een stilte, daarna een aarzelend: 'Was het gezellig gisteravond?'

'Hmm.'

'Met Gus.'

'Hmm.' Ze rekte zich uit.

'Ik maak me zorgen over je, lieverd.'

Dat wist Sophie en ze vond het heel vervelend. Maar Gus wond haar op. Hij vervulde de perverse behoefte die ze had om de duivel te verzoeken en haar neus op te halen voor sociale beperkingen. Haar verhouding met Gus maakte Grace razend. Dat was op zich al een reden om ermee door te gaan.

Maar ze hield wel rekening met haar moeder. Dus raapte ze al haar energie bij elkaar en stapte uit bed. 'Maak je geen zorgen, met mij gaat alles best.' Ze rommelde in de laden van haar kleerkast.

'Gave pyjama,' merkte Francine op.

Sophie was naakt. 'Zit heel lekker.' Ze trok een slipje, zwarte legging en een zwarte bustier aan.

Francine zuchtte. 'Grace's favoriete outfit.'

Sophie grijnsde. 'Weet ik.'

'Je bent slecht.'

'En toch hou je van me.'

'Vergeet je injectie niet.'

Sophie negeerde deze opmerking. Ze haalde een borstel door haar haar en duwde er een kam onder de juiste hoek in om de gewenste graad van asymmetrie te bereiken, en hing daarna haar oor vol met de rij oorbellen die Grace écht mooi vond. Na een korte stop in de badkamer om de smaak van de scampi van de vorige avond weg te spoelen – en ja, om haar diabetes te behandelen – wenkte ze Francine naar de hal.

'Insuline?' drong Francine aan.

Sophie gromde bevestigend.

'Heb je eerst gemeten?'

'Ja, ja,' mopperde ze. 'Hoe heb ik me op college ooit weten te redden zonder dat jij boven op mijn gezondheid zat?'

'Dat heb ik me vaak afgevraagd.'

Sophie ventileerde haar frustratie door met lange passen weg te lopen. Francines bezorgdheid irriteerde haar niet half zoveel als de ziekte zelf. Toen op haar negende de diagnose was gesteld, had ze zich een abnormaal wezen gevoeld. Zo voelde ze zich af en toe nog steeds.

Ze vond het niet erg om door haar moeder wakker te worden

gemaakt om op zoek te gaan naar verdwenen bestanden, want het omgaan met computers was niet abnormaal. Het verschafte haar het gevoel dat ze greep op de dingen had. Een expert zijn in iets – vooral iets dat Grace zich niet eigen kon maken ook al hing haar hele leven ervan af – maakte dat ze zich machtig voelde.

'Ik heb het hele ding herschreven,' mompelde Francine. 'Als ik 't opnieuw moet doen, ga ik gillen.'

Sophie ging achter Francines computer zitten. 'Misschien wordt het tijd om er iemand bij in te huren. Dit is niet de eerste column die je in de afgelopen maanden hebt moeten herschrijven.'

'Het is wel de eerste die ik ben kwijtgeraakt.'

'Niet kwijtgeraakt. Je hebt 'm gewoon verkeerd opgeslagen. Hij moet ergens zijn.'

'Tenzij ik 'm per ongeluk heb gewist.'

Maar Sophie had die kans tot het absolute minimum teruggebracht toen ze het systeem had opgezet. Ze riep het reservebestand op en begon hierin te bladeren.

'Allergieën voor katten,' hielp Francine.

'Waarover,' peinsde Sophie terwijl ze bezig was, 'wij geen van beiden iets weten, omdat we nooit een kat hebben gehad. En kan het ons iets schelen? Nee.'

'Natuurlijk wel.'

'Zegt Grace. Soms vraag ik me af waar we eigenlijk mee bezig zijn.'

'Het werk? Dat is lang niet slecht. Je vriendinnen benijden je erom. Dat heb je zelf gezegd.'

'Ze benijden me om het werk. Ik benijd hen om hun vrijheid.'

'Maar het scheelt toch een stuk dat je in je eigen deel van het huis woont?'

'Ja. Nee. Ik weet het niet.' Ze had een eigen huis binnen het huis, compleet met keuken en fitness-ruimte, perfect wanneer ze vriendinnen op bezoek kreeg. Maar het was toch anders dan samen met die vriendinnen in een flat wonen – en daarnaast waren er nog de insuline-injecties en de bloedsuikertests, en de voortdurende waakzaamheid die haar in sociaal opzicht tot een zonderling maakte.

Francines hand lag zacht op haar haar. 'Je hóefde niet terug te komen.'

'Toch wel.' Afgezien van haar gezondheid, die thuis gemakkelijker onder controle te houden was, was Grace er. Liefde-haat, liefde-haat. 'Ik maak ook deel uit van het bedrijf. Het gaat om Dorian, om de Dorian-vrouwen. Ik kan het niet uitleggen. Aha. Kijk eens aan.' Ze leunde achterover in de stoel. 'Allergie voor katten. En daar weet Grace ook niets van. Dus hoe heeft ze die column kunnen schrijven?'

'Dat heeft zij niet gedaan,' bracht Francine haar in herinnering. 'Maar ik, met de hulp van mijn favoriete dierenarts.'

'Met wie je wel uit wilt gaan, maar niet wilt trouwen. Tom is de aardigste kerel die er bestaat. Maar Grace is niet tevreden over zijn stamboom. Is dat het?'

'Gedeeltelijk.'

'En voor de rest?' Ze begreep zonder meer wat de droge blik van haar moeder betekende. 'O! Hij is te tam. Gus zou je vast beter bevallen.'

Francine trok een wenkbrauw op. 'Wil je dit voor mij naar Tony sturen, lieverd? O, en Grace heeft de laatste gegevens nodig over echtelijke mishandeling en liposuctie. Maar ga alsjeblieft eerst ontbijten.'

Sophie stuurde de column naar Tony en wilde juist uit principe het ontbijt uitstellen toen Grace uit haar werkkamer te voorschijn kwam. 'Sophie. Je had me materiaal over incest beloofd.' Ze wapperde met een brief. 'De slachtoffers blijven me vragen wat ze moeten doen. Het wordt tijd dat ik dit onderwerp weer behandel.'

'Dat heb je net gedaan', zei Sophie. 'Het stond vorige week in de krant.'

'Nee hoor.'

'Ze heeft gelijk, Grace,' bracht Francine te berde vanaf haar bureau aan de andere kant van de kamer. 'Die post moet daar een reactie op zijn.'

'Het is máánden geleden dat ik iets over incest heb gedaan,' hield Grace vol.

'Ik zal het even laten zien,' bood Sophie aan, blij dat ze kon bewijzen dat Grace het bij het verkeerde eind had. 'Ik heb het gisteren uitgeknipt.'

'Lieve help, Sophie, je ziet eruit alsof je net uit je bed komt rollen. Francine?' smeekte Grace.

Francine bracht Grace terug naar haar kantoor. 'Ze gaat zich straks verkleden.'

'In zo'n uitrusting op dit kantoor verschijnen, getuigt van net zulke slechte manieren als je neus in een servet snuiten. Alsjeblíeft, Francine. Práát met haar!'

Het gesprek stierf weg. Sophie leunde met haar heupen tegen het bureau en wachtte, klaar om strijd te leveren als Grace weer mocht verschijnen. Maar Francine kwam alleen terug.

Ze legde haar armen om Sophies schouders. 'Dat was voorspelbaar.'

Sophie toonde geen enkel berouw. 'Ik vind 't leuk om haar op stang te jagen.'

'Nou, dat lukt je dan aardig. Ze vraagt me steeds maar waar dat lieve meisje is gebleven dat ze vroeger op haar schoot hield. Ze zegt dat ze je niet terugkent.'

Het gevoel was wederzijds. Sophie had geweldige herinneringen aan gezellige tijden met haar grootmoeder, wanneer ze met z'n tweeën op stap waren, boeken lazen, de bossen verkenden, lachten. Haar grootvader had slechts een bijrol gespeeld; oma was vanaf het begin de grote ster geweest. Ze was dol op haar geweest en Grace op haar. De gedachte dat de Dorians onoverwinnelijk waren, was haar met de paplepel ingegeven. Toen was oma Grace geworden en was er een eind gekomen aan de verwennerij. Er kwamen verwachtingen. De realiteit brak door.

Toch waren sommige dingen niet veranderd, zoals de macht van de naam Dorian. 'Ik ben echt niet zo veranderd,' zuchtte Sophie. 'Als dat zo was, had ik hier nu niet gezeten.'

'Ik ben blij dat je er bent.'

Dat was in elk geval een troost, dacht Sophie. Francine had een medestander nodig. Sophie was de enige die ze had.

'Heb je 't koud?' vroeg Francine terwijl ze Sophies blote armen wreef.

Sophie schudde haar hoofd. 'Hoe kan Grace die column over incest zomaar zijn vergeten? We hebben hem dagenlang besproken.'

'Ze heeft heel veel columns geschreven. De ene gaat over in de andere.'

'Maar het was pas vorige week. Ze is niet meer zo scherp als vroeger.'

'O, ze is echt nog wel scherp. Ze vroeg me zojuist nog of jij die oude speeches, waar ze vorige week om had gevraagd, al te voorschijn hebt gehaald. Ze is het niet vergeten.'

Sophie maakte zich los. Op weg naar de deur zei ze over haar schouder: 'Het spitten in dossiers is echt het vervelendste deel van dit werk. Het is stom en het is vervelend, daar heb je echt geen graad van Columbia University voor nodig.'

'Ik zal het wel doen als je dat liever hebt.'

'Nee, nee,' zei Sophie. Dan deed ze het liever zelf.

'Doe het nu, dan is het maar gebeurd,' stelde Francine voor. 'Maar ga eerst ontbijten.'

Sophie liep door de gang naar haar ontbijt, maar niet omdat haar moeder wilde dat ze dit deed, en níet omdat de dokters het haar hadden voorgeschreven. Ze ging ontbijten – op haar dooie gemak – omdat alles beter was dan die stomme dossiers doornemen.

Onder Margarets waakzame oog at ze een gekookt ei, een stuk toost, een banaan. Haar derde kop koffie was koud geworden tegen de tijd dat ze de krant had gelezen – bij wijze van alibi – en daarna zat ze zich af te vragen, zoals ze zich iedere morgen afvroeg, wat ze in 's hemelsnaam hier thuis deed. Haar vriendinnen zaten in New York, Washington, Atlanta, Dallas, hadden frivole eerste baantjes, liepen feestjes af. Ze had bij hen kunnen zijn. In plaats daarvan woonde ze weer bij haar moeder en grootmoeder in het huis waarin ze was opgegroeid. En het ergste was nog dat ze het uit eigen beweging deed.

Bij wijze van straf daarvoor trok ze zich in de archiefruimte terug om Grace's oude toespraken op te zoeken, waarna ze ze op datum en inhoud in de computer invoerde. Daarna trok ze voor de warmte – en zeker niet omdat Grace een bustier schandalig vond – een trui aan. Ze had eveneens op de computer de laatste gegevens over mishandeling binnen het huwelijk opgezocht.

Ze pauzeerde voor de lunch, niet omdat ze honger had, maar omdat bij Grace de lunch een ritueel was. Het was altijd een maaltijd van drie gangen – salade, hoofdgerecht, en fruit. Sophie hoefde er niet bij na te denken dat ze moest wachten tot Grace begon of dat ze haar bestek van buiten naar binnen moest gebruiken, of haar mond met haar servet moest betten, niet afvegen. Die dingen waren voor haar inmiddels vanzelfsprekend.

Waar ze wel over nadacht was dat sommige andere dingen ook vanzelfsprekend moesten zijn. Ze was boos toen Grace pardoes aankondigde dat ze haar reservering voor 4 juli op Martha's Vineyard had afgezegd. Niet dat Sophie had willen gaan, omdat haar eigen vriendinnen iets in Easthampton hadden geregeld, maar Francine had zich op het uitstapje verheugd.

Ze was boos toen Grace even later vertelde dat *Architectural Digest* het huis wilde fotograferen. 'Mijn deel van het huis,' specificeerde ze, waarna ze de noodzakelijke voorbereidingen begon op te sommen. Niet dat Sophie wilde dat haar kamers ook werden gefotografeerd. Ze woonde erin en dat was te zien. Voor Francines kamers gold hetzelfde. Grace's gedeelte van het huis was perfect, net als Grace zelf. Dáár werd Sophie nijdig om.

Ze smaakte enige voldoening toen Legs de keuken binnenrende, lelijk als de nacht maar heel lief, zoals alle hazewindhonden, verlangend naar een beetje liefde van Francine. Grace sprong op en begon te mopperen, alsof het de eerste de beste straathond was die naar binnen was geslopen. Haar opwinding duurde slechts tot Francine Legs naar buiten bracht, maar was toch heel geslaagd.

Maar Sophie kreeg ook haar deel toen ze op wilde staan om weer aan het werk te gaan en Grace haar recht in de ogen keek en zei: 'Ik wilde gisteravond met de auto weg, maar toen ik Gus ging zoeken, was hij nergens te vinden.'

'We zijn gaan dansen.'

'Danst hij?'

'Reken maar. Kijk, zo…' Ze stak haar armen in de lucht en maakte kronkelbewegingen van haar schouders tot haar knieën.

Grace keek Francine aan. 'Maak jij je hier geen zorgen over?'

Francine glimlachte. 'Ik ben jaloers. Ik heb me nooit zo kunnen bewegen.'

Grace wierp hun een geringschattende blik toe en vertrok, maar niet na gezegd te hebben: 'Ik wil dat hij vanavond thuis is, als ik hem bel.'

Deze woorden bleven een frustrerend uur lang in Sophies hoofd weerklinken. Daarna liet ze alles liggen wat net zo goed morgen kon worden gedaan, hulde zich van top tot teen in leer, en vertrok naar de garage.

Grace dronk als altijd om vier uur thee. Pastoor Jim O'Neill hield haar daarbij gezelschap, als altijd wanneer zijn verplichtingen hem dat toestonden. Francine kwam even langs voor ze weer aan het werk ging.

Grace had weinig zin weer aan het werk te gaan. Ze had een aantal uren stevig doorgewerkt, maar de inspanning van het zich concentreren, van haar gedachten met alle geweld een andere kant uitsturen dan die van de rauwe angst die haar die morgen had overvallen, had zijn tol geëist. Ze had een hardnekkige hoofdpijn. Noch de thee, noch het gezelschap van Jim had daar iets aan kunnen veranderen.

Toen ze hem bij de deur had uitgezwaaid, doolde ze door het huis, maar de vrees bleef haar achtervolgen, even hardnekkig als de hoofdpijn, maar angstaanjagender.

Ze wilde praten, maar dat kon ze niet.

Ze wilde werken, maar dat kon ze niet.

Ze wilde slapen, maar dat kon ze niet.

Dus haalde ze haar wollen jas uit de kast, zette een baret op, trok haar met bont gevoerde handschoenen aan, en ging op zoek naar Gus.

Hij was niet in de garage. Hij was evenmin in het huis zelf of in de plantenkas of in de cottage die hij met zijn zuster deelde. Hij reageerde helemaal niet op zijn pieper.

Maar Grace wilde eropuit. Ze vond dat ze haar best had gedaan een chauffeur te vinden en daar niet in was geslaagd, en daarom liep ze terug naar de garage, schoof achter het stuur van de Mercedes en reed de oprijlaan uit, opgetogen over het alleen-zijn en het feit dat al haar gedachten weer helder waren.

2

Ontkenning is voor de onschuldige de manier om naar
morgen te verschuiven wat vandaag te veel pijn doet om
toe te geven.

– Grace Dorian, in De Hartsvriendin

'Grace? Ben je er weer, Grace?'
Grace werd wakker en zag het knappe gezicht van Davis Marcoux. Ze fronste en keek om zich heen. Haar ogen werden groot toen ze witte lakens, een wit gordijn, een wit plafond zag. Ze was niet thuis, dat begreep ze in elk geval. Háár huis was niet zo steriel. Voorzover ze wist was dit evenmin de spreekkamer van Davis.
'Waar ben ik?' vroeg ze verontrust.
'In het ziekenhuis, nog steeds op de spoedopname. Je hebt je hoofd een flinke klap verkocht.'
Toen hij dit zei, voelde ze iets kloppen. Haar tastende vingers vonden een gaaskompres hoog op haar voorhoofd. 'Wat is er gebeurd?'
'Je hebt een aanrijding gehad met je auto.'
'Ik?' Ze probeerde het zich te herinneren, maar het bonzen van haar hoofd verhinderde dit. 'Ik heb nog nooit een ongeluk gehad.'
'Dan was dit het eerste. Je bent door het rode licht gereden.'
'Ik rij nooit door rood licht. Hoe heb ik m'n hoofd gestoten?'
'Je bent ermee op het stuur terechtgekomen toen je een andere auto raakte.'
Toen zíj een andere auto raakte? Ze probeerde het zich te herinneren, maar er kwamen alleen wat flarden van angstige gedachten boven – het gevoel verdwaald te zijn, geen greep op de situatie te hebben, in paniek te raken. 'Wat is er met de andere auto gebeurd?'
'Volledig in de prak, voorzover ik heb gehoord, maar de bestuurder had geen schrammetje.'

'Goddank.' Ze slaakte een zucht. In de prak? 'Reed ik dan zo hard?'

'Weet je dat niet meer?'

Tja, nu hij het zei. Ze herinnerde zich hoe báng ze was geweest omdat ze zo snel reed, en hoe ze had geprobeerd vaart te minderen.

'Wat is er gebeurd?' vroeg Davis, zachter nu. Zijn stem klonk intiem op een manier die deed denken aan andere gesprekken die ze hadden gevoerd.

Grace was snel op haar hoede. Ze had nog steeds geen zin in die andere discussies. 'Ik kan me niet herinneren dat ik een stoplicht heb gezien. Dat zat vast achter de bomen.'

'Je zat op de kruising van South Webster en Elm. Het is daar naar alle kanten open.'

Maar ze hield vol. 'Het was de avondschemering. We weten allebei hoe verraderlijk het licht dan kan zijn.'

'Dat is waar. Is het daardoor gekomen?'

'Nou, dat móet wel. Ik was vast niet door een rood stoplicht gereden als ik dat had gezien.'

'En stel dat je het nou eens wél had gezien, maar dat je niet wist wat het betekende?'

Ze keek hem woedend aan. 'Ik weet heel goed wat een rood licht betekent, dank je.'

'Nu wel, ja. Maar stel dat je gedesoriënteerd was.'

'Dat was ik niet. Ik was alleen maar een beetje in de war. Ik wist even niet goed waar ik was. Ik heb waarschijnlijk geprobeerd het straatnaambordje te lezen toen het licht op rood sprong. Die andere auto moet heel snel zijn opgetrokken.'

'De andere auto was de derde auto die bij die kruising door het groene licht reed, zo lang stond 't al op rood.'

'Nou, dan was het gewoon een ongeluk.' Ze weigerde van een mug een olifant te maken. 'Dat overkomt iedereen wel eens.'

'Maar stel dat er gewonden waren gevallen? Hoe had je dát gevonden?'

'Vreselijk,' antwoordde ze eerlijk.

'Ik heb je gewaarschuwd voor autorijden.'

'Ik doe het ook niet vaak. Maar mijn chauffeur was er niet en ik wilde eropuit. Dus reed ik zelf.'

'En nu lig je hier.'

'Een ongeluk, dokter Marcoux. Een heel gewoon ongeluk.'

'Ik maak me zorgen over de oorzaak.' Hij zweeg even. 'Heb je al met je familie gepraat?'

Grace's ogen werden groot. Haar familie zou een verklaring willen. 'Weten ze dat ik hier ben?'

'Je dochter zit buiten te wachten. Ze is meegereden met de ambulance. Een van je buren heeft het ongeluk zien gebeuren. Hij heeft haar vanuit zijn auto gebeld.'

Grace had het kunnen weten. De vloek van de goede bedoelingen. Niets bleef nog lang geheim.

Ze kneep haar ogen even dicht tegen het gebons in haar hoofd, dat ongetwijfeld nog werd verergerd door het gebons van haar hart. Ze haalde langzaam adem en keek de dokter weer aan, nu behoedzaam. 'Wat heb je hun verteld?'

'Alleen maar dat je niet ernstig gewond was. Maar dat betekent nog niet dat de situatie niet ernstig is.'

Ze hield zijn blik vast. 'Dat is hij ook niet.'

'Grace.'

'Je hebt met al je tests niets bewezen,' ging ze er snel tegenin. 'Dat zei je zelf. Je hebt gewoon een paar alternatieven weggestreept.'

'Meer dan een paar. Je symptomen zijn klassiek.'

Ze gebaarde met een hand. 'Vergeetachtigheid is onvermijdelijk op mijn leeftijd.'

'Maar herhaalde aanvallen van desoriëntatie niet. Dat was de reden waarom je in eerste instantie naar mij toe bent gekomen. Wat er met jou in de auto is gebeurd, is typerend voor lijders aan Alzheimer.'

'Ik heb geen Alzheimer.'

'Stel dat de inzittenden van de andere auto gewond, of nog erger, gedood waren? Stel dat jíj was gedood?'

'Mijn nalatenschap is keurig geregeld.'

'Daar gaat het niet om. Het gaat erom dat je familie moet weten wat er aan de hand is.'

Grace schudde haar hoofd. 'Ik wil ze niet in paniek brengen met een diagnose die zo weinig doorslaggevend is als die van jou.'

Hij keek haar berispend aan. Ze wendde haar blik af.

'Heb je 't aan pastoor Jim verteld?' vroeg hij rustig.

Haar ogen schoten terug. 'Welzeker niet.'

'Hij zou het willen weten. Misschien kan hij helpen.'

'Helpen waarmee?' riep Grace. 'Mij helpen voeren wanneer ik niet meer zelf kan eten? Mij bij de hand nemen wanneer ik niet meer weet waar ik naartoe ga? Mij vertellen wie hij is wanneer ik me zijn naam niet meer kan herinneren?' Ze wees op haar borst. 'Ik heb over deze ziekte gelezen. Ik heb 'm níet.'

Davis schoof zijn handen in zijn zakken en keek fronsend naar de vloer. Grace probeerde zijn gedachten te raden toen hij zich omdraaide en op de rand van het bed ging zitten. Zijn hoofd was gebogen, hij hield zijn rug naar haar toegekeerd. 'Weet je familie van deze aanvallen van jou?'

'Nee.'

'Dus ze weten ook niets van al je onderzoeken?'

'Ik heb hun verteld dat ik naar vrienden in de stad ging.'

Hij keek haar over zijn schouder aan. 'Laat mij het hun vertellen. Ik zal uitleggen hoe ik tot mijn conclusies ben gekomen. Ze kunnen het ermee eens zijn of niet.'

'En als ze het ermee eens zijn?' vroeg Grace, haar grootste angst onder woorden brengend. 'Als ze het ermee eens zijn, zullen ze me heel vreemd aan gaan kijken. Ze zullen alles verdacht vinden wat ik doe. Ze zullen iedere misser een etiket geven, of die nou wel of niet iets met de ziekte te maken heeft. Het gaat zichzelf in stand houden.'

'Je kunt hen niet in onwetendheid laten. Hebben ze geen veranderingen in je gedrag opgemerkt?'

'Ze zijn heel toegeeflijk voor me. Ik ben eenenzestig.'

'Eenenzestig is niet oud.'

Grace vond het lang niet zo leuk om dat uit de mond van Davis Marcoux te horen als van Francine.

'Ze zullen het vroeg of laat moeten weten,' zei hij.

'Niet als jouw diagnose fout is,' hield ze vol.

'Stel – heel even maar – dat mijn diagnose níet fout is. Moet je familie er dan niet op worden voorbereid? Uit wat je me zo hebt verteld, begrijp ik dat je dochter en jij een heel hechte band hebben. Zou zij dit niet willen weten?'

'Dit doodvonnis? Ze zal verpletterd zijn.'

'Ze is geen klein kind meer.'

'Ze zal verplétterd zijn,' herhaalde Grace. 'Ik spreek uit ervaring.'

Ze had tegen dit gevoel van verplettering gestreden vanaf het allereerste moment dat ze haar symptomen met de ziekte van Alzheimer in verband had gebracht, en dat was maanden en maanden voordat ze Davis Marcoux ooit had gezien. Ze las de kranten. Ze las tijdschriften. Ze ontving een toenemend aantal brieven van lezers van haar rubriek over dit onderwerp. Ze wist van de narigheid die de ziekte weldenkende burgers bracht, en de manier waarop het gezin eronder leed. Verplettering was nog veel te zwak uitgedrukt.

'Je begrijpt het niet. Mijn hele familie draait om mij. Mijn carrière vormt de spil van de familie Dorian. Hoe moet ik hun vertellen dat daar misschien een eind aan komt? Je hebt het zelf gezegd. Ik kan nog jarenlang niets anders merken dan af en toe een beetje verwarring.'

'En hoe zit het dan met het ongeluk dat je hebt gehad? Stel dat je dochter of kleindochter bij je in de auto had gezeten.'

'Dan hadden zij achter het stuur gezeten. Ik rij nooit, tenzij ik niemand anders heb om dat voor me te doen.'

'Dat is nog geen excuus,' vermaande hij, maar zijn manier van doen bleef vriendelijk, zodat Grace het nog moeilijker vond om alles te ontkennen. Ja, haar gezin draaide om haar, maar ze waren haar ook heel dierbaar. Als zij ervoor verantwoordelijk was dat hen iets overkwam, dan zou ze het zichzelf nooit vergeven.

Ze sloot haar ogen en drukte haar vingertoppen tegen haar hoofd. 'Ik kan dit nu even niet verwerken.'

'Je dochter zit buiten te wachten om te horen hoe het met je is. Zou dit geen goed moment zijn om het haar te vertellen?'

'Nee.'

'Ze zal willen weten hoe jij door een rood licht kon rijden.'

'Nee. Ik heb haar geleerd prioriteiten te stellen. Door een rood licht rijden is niet zo belangrijk als het feit dat alles goed met me is.'

'Maar het is niet goed met je.'

Hij begon haar uit te putten. Ze kon het voelen. Ze wilde zijn argumenten weerleggen, maar dezelfde antwoorden als altijd werkten niet meer. Ja, ze was af en toe wat verward, en gedesoriënteerd, en vergeetachtig, en ja, dat waren allemaal dingen waar zij op haar leeftijd recht op had. Maar het gebeurde steeds vaker. Dat kon ze niet ontkennen, evenmin als de grote angst die dit haar bezorgde.

Ze legde haar vingers tegen haar lippen om het trillen ervan te bedwingen.

'Laat mij het haar vertellen, Grace,' drong hij aan met een stem die laag en overredend was. 'Als ze op z'n minst op de hoogte is van de mogelijkheid, zal ze in een betere positie verkeren om te helpen, als dat nodig mocht zijn. Voor pastoor Jim geldt hetzelfde.'

Niemand kan helpen, riep Grace inwendig. Als jij gelijk hebt, ben ik verloren. 'Pastoor Jim weet van de aanvallen.'

'Maar hij weet niets van hun oorzaak. Hij zal heel ontdaan zijn dat je hem dat niet eerder hebt verteld. Hij zit ook buiten te wachten.'

Grace wendde haar hoofd af. Ze wilde niet dat Jim het wist. Ze ging liever dood dan dat hij haar als warhoofdige zottin zou zien.

'Zeg nu zelf, Grace,' hield Davis vol. 'Deze keer zijn er geen andere gewonden gevallen, maar hoe gaat het de volgende keer? Ongelukken kun je voorkomen, maar alleen als alle betrokken partijen de feiten kennen.'

'We weten het zelf ook niet zeker,' redeneerde ze, maar nu zwakjes. Of het nu van de schrik van het ongeluk kwam, of van haar bonzende hoofd, of van de herinnering hoe ze die auto wilde stoppen maar niet wist hoe, of door de hardnekkige aandrang van Davis, maar ze was opeens heel moe.

Toen viel haar iets in. Als Davis zijn vermoedens aan haar familie vertelde, zouden zij misschien net zo hardnekkig volhouden dat hij het mis had. Het zou fijn zijn om een paar bondgenoten te hebben, nadat ze zo lang alleen had gevochten.

Francine had een bange eeuwigheid in de wachtkamer zitten wachten toen er een man uit de doolhof van de spoedopname opdook en doelbewust naar haar toe liep. Hij was lang, met lange benen en een soepele gang, met dik, rossig haar dat verward zat, en een vierkante kaak met de schaduw van baardstoppels, en zo'n frisse buitenkleur dat ze hem, ondanks zijn witte jas, nooit voor arts had aangezien als pastoor Jim niet had gezegd: 'Aha, daar is dokter Marcoux.'

Met bonzend hart stond ze op.

De dokter stak zijn hand uit. 'Francine? Davis Marcoux.'

'Hoe is het met mijn moeder?'

'Ze heeft een bult op haar hoofd, een paar hechtingen, en een lichte hersenschudding. Ik wil haar graag een nachtje ter observatie houden. Ik denk dat ze morgenochtend wel weer naar huis kan.'

'Goddank,' zuchtte Francine opgelucht. Ze had geen ervaring met een hulpeloze Grace. Moeders werden niet ziek.

'Ik vraag me af,' zei Davis, 'of we een paar minuten onder vier ogen met elkaar zouden kunnen praten.'

Ze was direct op haar hoede. 'Waarover?'

'Er is een spreekkamer iets verderop in de gang.'

Haar hart begon sneller te kloppen. Kleine spreekkamers waren voor ernstige gesprekken. 'Is er iets ernstigs aan de hand?'

Hij gebaarde met zijn kin naar het eind van de gang.

Ze wilde niet naar zo'n spreekkamer. 'Is het niet beter als ik naar Grace toe ga?'

Pastoor Jim raakte haar arm aan. 'Laat mij dat doen.'

Ze keek hem aan. 'Weet u iets dat ik niet weet?'

'Nee, maar jij bent de dochter van Grace. Het is niet meer dan natuurlijk dat de dokter het ongeluk met jou wil bespreken. Je kunt na je gesprek met hem naar ons toe komen.'

'Ik wíl helemaal niet met hem praten,' riep ze, maar toen ze haar eigen dwaasheid hoorde, zwichtte ze. 'Goed. Zeg maar tegen Grace dat ik zo kom.' Ze was halverwege de hal, proberend de dokter bij te houden, toen ze bedacht dat ze pastoor Jim terug wilde roepen. Zelfs vóór de dood van haar vader was hij een kalmerende aanwezigheid in het Dorian-huis geweest en dat was hij nu des te meer. Hij was meer vriend dan geestelijk raadsman, opmerkelijk ruim van opvattingen, immer steunend. Ze had hem er eigenlijk wel graag bij gehad in de spreekkamer van Davis Marcoux.

Maar ze waren er al. De spreekkamer was klein, met een bank, een paar stoelen, en een koffiezetapparaat. Davis gebaarde naar het apparaat. 'Wil je een kopje?'

'Heb ik dat nodig?' vroeg ze.

Zijn glimlach was droog. 'Geen ziekenhuismens, vermoed ik?'

'Voor bevallingen zijn ze prima. Maar verder…' Ze maakte een gebaar van afschuw en liet zich in een stoel zakken. 'Mijn dochter is diabeticus. Wanneer de mensen die ik liefheb in een ziekenhuis terechtkomen, krijg ik de zenuwen.' Ze had niet de minste behoefte zich flink te houden. 'Ik krijg de zenuwen van dókters.'

'Nou,' zei hij, 'dat is dan goed om te weten.'

'Ik draai er niet graag omheen. Wat is er met mijn moeder aan de hand?'

'Dit is niet de eerste keer dat ik haar zie.'

Francine werd nog nerveuzer. 'Wanneer dan nog meer?'

'Een paar maanden geleden. Haar internist verwees haar naar mij door. Ze leed aan aanvallen van desoriëntatie. Ik ben neuroloog. Ik heb met dat soort symptomen te maken.'

'Ze heeft er tegen mij niets over gezegd.'

'Ze wilde niet dat jij je ongerust zou maken. Ze dacht dat ze kleine attaques had.'

Francine sloeg haar armen om haar middel. 'En was dat zo?'

'Nee. Dat hebben we uitgesloten.'

Er was iets dat haar zei niet opgelucht te zijn. 'Hoe?' vroeg ze.

'Bloedonderzoek. EEG's, CAT-scans, en zo meer. Noem maar op, alles.'

Francine begreep er niets van. 'Maar wannéér dan? Dat soort onderzoek kost tijd. Hoe kan ik daar niet van hebben geweten? Grace en ik wérken samen. Ik had het geweten als ze al die dagen vrij nam voor onderzoek.'

'Heeft ze dan de afgelopen maanden helemaal geen vrij genomen?'

'Ja, maar niet voor onderzoek. Ze gaat de stad in om vrienden te bezoeken, of ze gaat naar matinees of repetities van het Philharmonisch. Ze gaat naar de schoonheidsspecialiste.' Francine hoefde geen genie te zijn om de uitdrukking op zijn gezicht te lezen. 'Heeft ze tegen me gelogen? Nee. Grace liegt niet.'

Hij liet zich op de bank zakken en zat met beide ellebogen op gespreide knieën. 'Ze heeft deze keer wel gejokt, maar met de beste bedoelingen. Ze heeft veel onderzoeken ondergaan. Ik heb hele dossiers vol met de resultaten.'

'En wat zeggen die?' vroeg Francine. Ze zette zich schrap, vooral toen Davis' blik zich verzachtte.

'Ze zeggen dat de meest logische verklaring voor die aanvallen van haar is, dat ze lijdt aan seniele dementie…'

Francine viel hem in de rede. 'Grace niet.'

'…van het Alzheimer-type.'

Ze slaakte een gesmoorde kreet. Toen schudde ze haar hoofd.

'Grace niet. Die is daar veel te intelligent voor.'

'Het heeft niets met intelligentie te maken.'

'Maar Grace's verstand ís Grace. Dat onderscheidt haar van andere mensen op deze aarde.'

'Ik zou hetzelfde kunnen zeggen van iedere Alzheimer-patiënt die ik heb gehad.'

Francine had het niet over iedere andere Alzheimer-patiënt. Ze had het over haar moeder. 'Weet je wel hoeveel mensen ze iedere week met haar ideeën bereikt? Weet je wel hoeveel mensen aan haar lippen hangen?'

'Hoe relevant is dat hier?'

'Haar rubriek betekent álles voor de mensen.'

'Dus iemand anders moet deze ziekte maar in haar plaats hebben?'

'Natuurlijk niet. Maar je begríjpt het niet,' hield ze aan. 'Grace's verstand is haar handelswaar.'

'Ik begrijp,' zei hij, nog steeds zachtmoedig, maar op de een of andere manier iets indringender, 'dat er iets met dat verstand gebeurt. Het verstand is een orgaan. Dat van Grace gaat achteruit.'

'Maar het gaat toch achteruit bij iedereen die op leeftijd komt?'

'Een beetje wel. Maar bij Grace is iets anders aan de hand. Er zijn tijden dat ze niet weet waar ze is, of wat ze eigenlijk moet doen. Ik vermoed dat dat vandaag in de auto is gebeurd. Ze was onderweg en ze vergat hoe ze moest rijden.'

'Dat is absurd,' redeneerde Francine. 'Grace heeft meer greep op zichzelf en op haar leven dan iedere andere vrouw die ik ken.'

'Ze vergeet dingen.'

'Overkomt dat ons niet allemaal?'

'Niet belangrijke dingen zoals de naam van een vriendin.'

Francine schoot bijna in de lach. 'Grace zou de naam van een vriendin echt niet vergeten. Ze zou dat het toppunt van grofheid vinden.'

'Het gebeurt zonder dat ze het wil.'

'Ik heb nog nooit gehoord dat ze iemands naam was vergeten.'

'Heb je haar wel eens in de war meegemaakt?'

'Heel vaak, over van alles en nog wat op technisch gebied. Ze is altijd al zo geweest. Als het nu erger is, komt dat alleen maar doordat we meer apparaten op kantoor hebben dan ooit tevoren.'

'En hoe zit het met haar werk? Wel eens problemen?'

'Geen enkel,' zwoer Francine, maar ze voelde opeens een steek toen ze zich de column over allergie voor katten herinnerde, waar niets van had geklopt.

'Is ze humeuriger geweest dan anders? Veeleisender? Raakt ze gefrustreerd over kleine dingen?'

'Nee. Grace is Grace, dezelfde als altijd. Ze heeft niet de ziekte van Alzheimer. Er moet een andere oorzaak zijn voor de symptomen die ze heeft.'

'Ik kan 'm niet vinden.'

'Dan ben je misschien niet de juiste dokter voor Grace.'

Hij dacht hier een minuut over na, met zijn ellebogen nog steeds op zijn knieën. Ten slotte zei hij op effen toon, met een al even effen gezicht: 'Ik zal je de naam geven van een andere dokter. Je hebt het recht op alle second opinions die je wilt. Maar mijn diagnose is niet uit het luchtledige gegrepen. Ik heb die onderzoeken niet zelf uitgevoerd. Ze zijn verricht door de beste specialisten op dat gebied in New York. Grace stond daarop.'

'Zie je nou wel? Ze weet echt heel goed wat ze doet.'

'Ik heb nooit gezegd dat dat niet zo was. Een van de meest consistente dingen aan de ziekte van Alzheimer is het inconsistente gedrag ervan. In de vroege stadia komen en gaan de symptomen. De patiënten kunnen zich lange tijd uitstekend voelen rond korte uitbarstingen van totale verwarring.'

'Ik heb Grace nog nooit in totale verwarring gezien,' verklaarde Francine.

'Misschien weet ze het wel goed te verbergen. Alzheimer-patiënten zijn daar soms heel goed in, tot het moment aanbreekt waarop er iets heel opvallends of ernstigs gebeurt – zoals door een rood licht rijden of op een andere auto botsen. Dan wordt het moeilijker om te verbergen.'

Francine voelde hoe haar maag ineenkromp. Ze mocht Davis Marcoux niet, ze mocht die kalme blik van hem niet, en ook niet zijn lage stem – of de schaduw van zijn baard, of het kleine litteken boven zijn wenkbrauw, of gewoon zijn afmetingen. Hij was te gespierd om een dokter te zijn, te rauw en te ongepolijst, te knap om te zien, te zeker.

Grace kón gewoon niet ziek zijn. Ze was de hoeksteen van Francines leven, en nu ook van Sophies leven. Zij was het tapijt waarop ze stonden. Niemand zou dat onder hen uit trekken, en zeker zo'n arrogante vent niet.

Francine vroeg uitdagend: 'Heb je Grace verteld wat je denkt?'

'Ja. Twee maanden geleden.'

'En ze heeft er helemaal niets over tegen mij gezegd. Hoe zou dat kunnen, als ze zelf open communicatie binnen het gezin preekt?'

Davis schoof achteruit. 'Ze ontkent het net zo hevig als jij.'

'Aha. Dus het is twee tegen één.'

'Niet als je de andere artsen die mijn diagnose hebben helpen stellen, meetelt.'

'Maar je hebt het zelf gezegd. Alles wat jij hebt gedaan is andere mogelijkheden uitsluiten.'

'De CAT-scan toonde sporen van mogelijk afgestorven hersen-cellen.'

'Mogelijk.'

'Afgestorven hersencellen vormen een indicatie voor Alzhei-mer.'

'Mogelijk. Hebt u niets beters dan dat?' Ze wist dat ze kattig deed, maar ze vond het vreselijk dat hij zo'n gruwelijke diagnose stelde zonder enig tastbaar bewijs.

'Geneeskunde is een weinig exacte wetenschap.'

'Zeg dat wel.'

'Ik sta achter mijn diagnose.'

'Nou, dat zal best.' Ze was nog nooit een dokter tegengekomen die kon toegeven dat hij het mis had. 'Toen mijn vader veertig was, werd hem verteld dat hij een leverziekte had en dat hij binnen vijf jaar dood zou zijn. Hij heeft het tot halverwege de zeventig ge-bracht.'

'Misschien wordt Grace ook wel zo oud. Maar stel,' Davis schoof weer naar voren, keek haar overredend aan, zodat Franci-ne zich opgelaten voelde, 'stel nou eens dat ik gelijk heb. Stel dat het ongeluk van vandaag werd veroorzaakt door disfunctioneren van haar kant. Kun je haar dan zomaar weer achter het stuur laten gaan zitten?'

'Ik kan haar zeker geen huisarrest geven.'

'Maar stel dat het de volgende keer slechter afloopt. Stel dat er een inzittende van een andere auto gewond raakt?' Hij stak een hand op. 'Oké, laten we zo'n menselijke tragedie buiten beschou-wing laten. Laten we de ethíek buiten beschouwing laten. Kun je je alleen al vanuit een juridisch standpunt voorstellen wat voor pro-ces jullie zal worden aangedaan als de familie van een onschuldig slachtoffer ontdekt dat er al maanden geleden een diagnose was gesteld en dat Grace tegen het advies van haar dokter reed?'

'Ik neem aan dat je dat hebt vastgelegd.'

'Ik zal wel moeten.'

'Om je in te dekken? Gaat het daar allemaal om? Defensieve geneeskunde?' Francine stond op. 'Dat is verachtelijk. Als het be-drijven van moderne geneeskunde neerkomt op het vernielen van het leven van een patiënt omwille van de verzekeringspremies voor medische fouten, dan wil ik daar geen deel aan hebben.' Ze voelde een dringende behoefte om te maken dat ze wegkwam. 'Dank u wel voor uw tijd, dokter. Ik wil nu graag naar Grace.'

Ze begon de deur open te doen. Zijn vlakke hand deed die weer dicht.

'Dokter Marcoux,' waarschuwde ze, maar zijn hand bleef waar hij was.

'Davis. Ik heb een hekel aan ceremonieel vertoon. Ik vind het ook vervelend om de slechterik te zijn in een situatie die ik net zo akelig vind als jij. Geloof me, het is echt niet leuk om Alzheimer als diagnose te moeten stellen. Ik zou dolgelukkig zijn als Grace's symptomen verdwenen, maar dat doen ze niet. Dus alsjeblieft. Ga een second opinion halen. En daarna nog een. En als geen van de anderen je vertelt wat je wilt horen, kom dan bij me terug, zodat we kunnen praten. Er is veel dat je moet weten.'

Toen Francine hem aankeek, probeerde ze het soort verontwaardiging op te brengen dat Grace zo eenvoudig vond, maar dat haar nooit zo gemakkelijk afging. 'Ik weet al heel veel. Ik weet dat *De Hartsvriendin* een miljoenenonderneming is waar in ons huis zeven mensen van leven, en God mag weten hoeveel meer in New York, en het draait allemaal om Grace. Net als ik. Ik heb niet veel op het gebied van familie. Nu mijn vader is overleden, zijn het Grace, mijn dochter en ik. Ik kóester mijn moeder en dochter.' Ze stak twee vingers op en drukte die stijf tegen elkaar. 'Grace en ik zijn zó. Ik kan haar niet zomaar… niet zomaar uit mijn leven schrappen.'

'Dat vraag ik je niet. Grace is nog steeds een volledig functionerend menselijk wezen. Het laatste dat je moet doen is haar anders behandelen dan je tot nu toe hebt gedaan. Het enige dat ik zeg is dat je je bewust moet zijn van wat er zou kunnen gebeuren. Ze zou nog vijf, zes, zeven jaar verder kunnen gaan zoals ze nu is, met slechts af en toe een inzinking. Of ze zou heel snel achteruit kunnen gaan. In elk geval is ze niet onsterfelijk. Ze zal eens overlijden.'

'Eens kan nog een poosje wachten,' zei Francine en ze gaf een ruk aan de deur. Hij bewoog niet.

Op het moment dat het hem behaagde, hief Davis een hand en deed een stap achteruit.

Ze gaf opnieuw een ruk, nu harder, met de bedoeling haar vertrek op zwierige wijze te benadrukken. Maar ze stond er verkeerd voor en de deur ging sneller open dan ze had verwacht. Hij sloeg tegen haar schouder en deed haar haar evenwicht verliezen. Ze wankelde.

Davis greep haar bij de arm.

Ze rukte zich los en stak een waarschuwende hand op. Met geïmproviseerde waardigheid stapte ze om de open deur heen, zodat ze kon ontsnappen.

Dat dacht ze tenminste, maar zijn diagnose volgde haar de gang door. Pas toen ze het kamertje binnenging waar Grace lag, met een bleek en verschrikt gezicht maar verder in alle opzichten zoals Grace was, kreeg Francine het gevoel dat ze het gelijk aan haar kant had.

Ze glimlachte breed. 'Nou Grace, het is je dit keer dan gelukt.

Door het rode licht gereden. Je hebt een behoorlijke buil op je hoofd.'

'Het is voornamelijk verband,' zei Grace en ze schudde de hand die pastoor Jim vasthield. 'Mijn goede vriend hier zegt dat het me staat. Geeft wel iets karakteristieks. De dokter heeft me verzekerd dat ik er geen litteken aan over zal houden.'

Francine vergaf haar haar ijdelheid. Als ze zelf ook maar een fractie had gehad van alle optredens van Grace, dan had zij zich ook zorgen gemaakt over haar uiterlijk. Niet dat Grace ook maar íets had om zich zorgen over te maken. Haar huid was nog net zo glad als die van een veel jongere vrouw, en hoewel ze haar haar al jaren verfde, bleef het dik en gewillig.

Maar welk haar zou een competente dame als Grace ongehoorzaam durven zijn?

De ziekte van Alzheimer? Ja, dat zal wel.

Aldus besloten vroeg Francine: 'Hoe voel je je?'

'Heimwee. Kom je me ophalen?'

'Mag niet. Morgen pas. Bevel van de dokter.' Ze vermoedde dat ze het daarmee eens kon zijn. 'Hij wil je een nachtje in de gaten laten houden, met het oog op een hersenschudding.'

'Waarom kan ik thuis niet in de gaten worden gehouden?'

'Omdat,' zei pastoor Jim, 'jij om de paar uur gecontroleerd moet worden, en als Francine dat moet doen, doet ze geen oog dicht.'

'Maar ik lig veel lekkerder in mijn eigen bed.'

Hij kneep in haar hand. 'Doe nu maar braaf wat de dokter zegt. Het is maar voor één nachtje. Hij doet het voor je bestwil.'

Francine had het echt niet zo overtuigend kunnen zeggen. Ze wierp hem een dankbare blik toe.

Hij keek naar de hal. 'Is Davis er nog steeds?'

'Ik denk dat hij druk bezig is al zijn gedachten op te schrijven,' zei Francine lijzig.

'Ik wil hem even te pakken zien te krijgen voor hij vertrekt. Zul jij je zolang goed gedragen, Grace?'

'Nou, ik denk niet dat er veel anders opzit, wel?' vroeg Grace en daarna voegde ze er een beetje onzeker aan toe: 'Kom je weer terug?'

'Zodra ze je naar je kamer hebben gebracht.'

Ze leek genoegen te nemen met dit antwoord en daar was Francine de priester weer dankbaar voor. James O'Neill was een vriend. Ja, het aanzienlijke bedrag dat Grace ieder jaar aan zijn kerk gaf, stond garant voor een zekere zorgzaamheid, maar bij pastoor Jim ging het veel verder.

Toen hij verdween, pakte Grace Francines hand. 'Jim zei dat jij met Davis ging praten. Wat zei hij?'

Francine voelde even een steek. Ze vond het vreselijk om de

woorden te herhalen, maar Grace had altijd eerlijkheid gepreekt. Oké, ze had deze keer haar eigen lessen niet in praktijk gebracht. Maar gezien de omstandigheden viel dat te excuseren.

'Hij vertelde me over alle onderzoeken die je hebt ondergaan. Als je mij ervan had verteld, was ik met je meegegaan. Ze zijn vast niet prettig geweest.'

'Heeft hij je de diagnose verteld?'

'Ja.'

'Ik geloof er geen klap van.'

'Ik ook niet.'

'Ben ik wispelturig? Onvoorspelbaar? Humeurig?'

'Nee.'

'Dat heb ik ook tegen hem gezegd.'

'Je hebt hem ook verteld dat je je gedesoriënteerd hebt gevoeld,' zei Francine beschuldigend, want het leek bijna verraad, zoals Grace voer bood aan de beweringen van Davis Marcoux.

'Eén keer,' verdedigde Grace zich, 'of misschien twee keer, en ik weet wat die aanvallen zijn. Het zijn gewoon paniekaanvallen. Ik vind het niet leuk om oud te worden.'

'Je wordt nog helemaal niet oud.'

'Tja, dank je wel, lieverd, maar het feit is dat ik dat wel word. Ik heb niet meer de kracht, snelheid of het uithoudingsvermogen zoals ik dat twintig jaar geleden had, en voor ik het weet heb ik mezelf helemaal overstuur gemaakt. Dáár komt al die verwarring vandaan.'

Francine zuchtte. Psychosomatische kwalen waren hanteerbaar. Ze waren niet degeneratief. Ze waren niet fataal. 'Nou, wind je dan niet over alles zo op. Ik wil je graag heel houden. En ga niet alleen rijden als we onder ons personeel een chauffeur hebben om jou te rijden.'

'Ik heb Gus gezocht,' viel Grace uit, 'en hij was er niet.'

'Waar was hij dan wel?'

'Ik dacht dat jij dat zou weten.' Het was duidelijk waar ze op doelde.

'Je denkt dat hij bij Sophie is. Ze heeft niet gezegd dat ze met hem uitging.'

'Verbaast je dat?'

'Ja,' zei Francine, na even nadenken. 'Als ze met hem uitgaat om opstandig te doen, wat heeft het dan voor nut als niemand ervan weet?'

'Je zou het wél moeten weten, zeker als het Gus Clyde betreft. Je hebt geen greep meer op haar, Francine.'

'Dat spreekt vanzelf,' gaf Francine toe. 'Ze is drieëntwintig. Het is jaren geleden dat ik al haar kleinigheden bijhield. Het zou niet gezond zijn als ik dat nu nog deed. Dat zeg jij tenminste altijd tegen je lezers.'

Grace zwaaide ongeduldig met haar hand. 'Gus mag dan een goede chauffeur zijn, een bekwame monteur, en zelfs een redelijk handige klusjesman, maar hij is geen geschikte schoonkleinzoon. Sophie heeft speciale behoeften. Wie ooit met haar zal trouwen, krijgt ook met die behoeften te maken. Hij zal zorgzaam en inschikkelijk moeten zijn. Gus is dat geen van beide.'

'Jíj hebt 'm in dienst genomen,' bracht Francine haar in herinnering.

Grace keek misprijzend. 'Ja, en dat heb ik op aandringen van James O'Neill gedaan. Ik zou hém eens moeten vertellen wat die dierbare jongeman van 'm doet.' Haar blik ging langs Francine. De misprijzende blik veranderde in een engelachtige uitdrukking. 'Aha, daar hebben we dokter Marcoux, die me komt zeggen dat hij van gedachten is veranderd en me vanavond toch naar huis laat gaan.'

'In werkelijkheid,' zei de man zelf, 'komt dokter Marcoux zeggen dat je kamer klaar is. We geven je de penthouse-suite.' Hij schoof het gordijn opzij en liep naar het hoofdeinde van het bed. Omdat het hokje zo krap was, liep hij rakelings langs Francine. Hij legde zijn hand op haar arm en zei in haar oor: 'Bij de balie staat een vrouw die een van de Dorians wil spreken.'

'Wie is het?' vroeg Francine en ze durfde nauwelijks adem te halen.

'Ze is van de pers. Neem jij haar maar. Dan ontferm ik me wel over je moeder.' Hij liep langs haar heen en zei met stemverheffing: 'Klaar om te gaan, Grace?'

Pers? Welke pers? Hoe wist de pers dat Grace hier was? Francine draaide zich om om hem dat te vragen, maar hij wenkte een zaalhulp naar het voeteneind van het bed, en voor ze iets uit had kunnen brengen, was het bed op weg naar de hal.

Ze liep erachteraan, half in de verwachting een fotograaf te zien opduiken, en ze slaakte een zucht van verlichting toen Grace zonder incidenten de lift haalde. Dat werd in elk geval geen foto van een gewonde Grace op de voorpagina. Maar een verhaal?

Ze liep langs de wachtkamer naar de balie en ze stond op het punt zich voor te stellen, toen er een bekend gezicht opdook.

'Hoi Francine. Robin Duffy, van de *Telegram*. Hoe gaat het met Grace?'

Robin Duffy. Jawel. Ze had Grace de vorige zomer een interview afgenomen, en terwijl Grace heel vriendelijk over het stuk had gedaan, had Francine het kattig gevonden. Hetzelfde gold voor de paar losse artikeltjes die Robin sindsdien over Grace had geschreven.

Francine had het liefst 'geen commentaar' gegeven om daarna te vertrekken, maar ze wist dat Robin haar verhaal toch zou schrijven. Wie weet wat ze dan voor onzin zou verkopen. Ze kon er maar beter een Dorian-draai aan geven.

Dus zei ze: 'Met Grace is alles best.'

'Ik begrijp dat ze een ongeluk heeft gehad met de auto. Wat is er gebeurd?'

'Ze heeft een ongeluk gehad met de auto,' zei Francine beleefd.

'Ik heb begrepen dat ze door rood is gereden.'

'Heeft de politie je dat verteld?'

'Nee. Die wilde niets zeggen. Maar ik heb met de chauffeur van de andere auto gesproken. Toen ik op het toneel verscheen, stond hij op de sleepdienst te wachten. Zijn auto is total loss.'

'Is dat een professionele schatting?'

'Het is een citaat van de andere chauffeur. Hij zei dat Grace minstens tachtig moet hebben gereden.'

Francine glimlachte. 'Dat betwijfel ik. Grace haalt zelden de zestig. Ze heeft nog nooit een bon voor te hard rijden gehad.'

'Waarom heeft ze het rode licht dan niet gezien?'

'We weten niet of ze het niet heeft gezien. Mijn grootste zorg was of alles weer goed met haar zou komen. De artsen verzekeren ons dat dat het geval is.'

'Was ze dronken?'

'Grace?' De gedachte alleen al was absurd. Je moest een journalist zijn om zoiets te bedenken. 'Grace drinkt niet.'

'Ik heb haar een maand geleden met een glas wijn in een restaurant zien zitten.'

'Als dat zo was, dan was het alleen maar voor de show. Grace drínkt niet.'

'Gebruikt ze drugs?'

Francine had de grootste moeite om kalm te blijven. 'Als dat zo was, dan zou ze nooit in staat zijn om alles te doen wat ze nu doet. Ze is een opmerkelijke vrouw.'

'Dus dat is een nee?'

'Nadrukkelijk.'

'Zelfs geen kalmerend middel? Of een slaappil? Gebruikte ze iets tegen de verkoudheid dat haar onderuit kan hebben gehaald?'

'Grace gebruikt nog geen aspirientje.'

'Heeft ze wel eens last van hoofdpijn?'

'Nee.'

'Heeft ze een hartkwaal?'

'Hoe kom je daar zo bij?'

'De zusters wilden me geen antwoord geven.'

Francine kon zich niet bedwingen. 'Dat komt omdat het je niets aangaat.'

'Grace Dorian is een bekende persoonlijkheid. Haar lezers zouden het willen weten als haar gezondheid achteruitging. Heeft ze wel eens eerder een black-out gehad?'

'Nee, en ze heeft er nu ook geen gehad.' Francine legde een lichte hand op Robins arm. Op een toon die opmerkelijk vriendelijk was, haar briesende innerlijk in aanmerking genomen, zei ze: 'Grace heeft een heel gewone aanrijding gehad. Het is een heel gewone rechttoe rechtaan kwestie. Ik weet dat dat niet erg opwindend is voor de pers, maar hier valt echt niets mee te doen, Robin.'

'Ze is door het rode licht gereden.'

'Het is heel goed mogelijk dat het licht het niet deed. Zoals ik al zei, Grace heeft nog nooit een bekeuring gehad.' Francine glimlachte. 'Ik hol nu naar boven. Ik zal Grace vertellen dat je hier bent geweest.'

3

Leugens zijn als konijnen. Zet er twee bij elkaar en ze
vermenigvuldigen zich snel.

– Grace Dorian, in De Hartsvriendin

GRACE DORIAN BIJ ONGELUK GEWOND
door Robin Duffy, redactie *Telegram*

De nationaal bekende columniste Grace Dorian was gisteren betrokken bij een ernstige aanrijding op een weg vlak bij
haar huis. Dorian werd met spoed door een ambulance naar
een plaatselijk ziekenhuis gebracht, waar ze voor haar ver-
wondingen werd behandeld en opgenomen. De chauffeur
van de andere auto, Douglas Gladiron, was ongedeerd.
Het ongeluk vond plaats om 17.15 uur. Dorian, 61, reed op
South Webster in noordelijke richting toen ze bij Elm een
rood verkeerslicht negeerde. Haar auto reed op het kruisen-
de verkeer in en botste op de auto die werd bestuurd door
Gladiron, 38. De getuigen ter plaatse schatten dat Dorian 80
km per uur reed. Er waren geen remsporen om een poging
tot stoppen aan te tonen.
Het ziekenhuis weigerde commentaar te geven op speculaties dat Dorian een hartaanval zou hebben gehad.
De politie ter plaatse had geen ander commentaar dan dat
Dorian was bekeurd wegens het negeren van een verkeerslicht, en dat verder onderzoek werd verricht. Hoewel een
woordvoerder van de familie ontkende dat er alcohol of
drugs in het spel waren, zijn dat twee factoren waarmee de
politie rekening zal houden.

'Ja, natuurlijk zal de politie daar rekening mee houden,' riep Francine uit en ze wierp de krant vol afschuw opzij. 'Ieder onderzoek

houdt daar rekening mee, en als er geen sprake van is, worden ze van de lijst geschrapt. Ze doet net of Grace ziek is. Ze doet net of Grace schúldig is. Waarom kon ze niet gewoon zeggen dat de zaak wordt onderzocht?' Maar Francine kende het antwoord, net als Sophie, die de krant over haar schouder had meegelezen.

'Ze zit de boel gewoon wat op te kloppen.'

'Ten koste van Grace! Waarom doen ze dat toch altijd bij beroemdheden? Waarom insinueren ze iets dat helemaal niet waar is? Wat is er gebeurd met "onschuldig tot de schuld is bewezen"?'

Sophie hield zich in. Ze zei rustig: 'Ze heeft het in elk geval niet over de ziekte van Alzheimer.'

Francine keek haar scherp aan. 'Daar had ze ook geen reden toe.'

'Ze had ook geen reden om het over een hartaanval te hebben. Of over alcohol of drugs. Wanneer geen van die dingen waar blijkt te zijn, zal ze dan naar iets anders gaan zoeken? De fans van Grace zullen de ziekte van Alzheimer eerder geloven dan drugs of drank.'

'Grace hééft de ziekte van Alzheimer niet.'

'Dat wéét ik.'

'Waarom heb je het er dan aldoor maar over?' De woorden alleen al maakten Francine nerveus.

'Omdat jij het er gisteravond over had.'

'Dat klopt, want jij en ik hebben beloofd elkaar altijd de waarheid te vertellen. Ik heb nooit tegen je gelogen over wat jouw dokters zeiden, en ik zal ook niet tegen je liegen over wat die van Grace zegt. Maar jij ziet net zo duidelijk als ik dat hij het mis heeft. Grace doet 't uitstekend voor een vrouw van haar leeftijd. Er zou gisteravond niets zijn gebeurd als Gus was geweest waar hij had moeten zijn.'

Sophie keek nu oprecht berouwvol. 'Ik heb daar al tien keer mijn excuses voor aangeboden, mam. Hoeveel vaker moet ik dat nog doen?'

Francine zuchtte. Ze had zich gespannen gevoeld vanaf het moment dat ze wakker was geworden – en dat na slechts twee uur te hebben geslapen. Een flink eind joggen met Legs had geholpen, maar alleen tot ze weer binnen was. De krant bracht de realiteit keihard terug.

Maar Sophie was niet verantwoordelijk voor het vervelende stuk van Robin Duffy, of voor de misplaatste diagnose van Davis Marcoux. Ze sloeg een arm om het slanke middel van haar dochter en zei: 'Stil maar. Ik weet dat 't je spijt.'

'Daar gaat het trouwens niet om. Je hebt gelijk. Er zou niets zijn gebeurd als Gus had gereden. Maar Grace reed zelf, en toen is er wél iets gebeurd. Stel dat de politie haar dokter ondervraagt?'

Francine had zich dat de hele nacht af liggen vragen. 'De politie heeft geen dranklucht geroken. Anders hadden ze haar wel een blaasproef of een bloedtest afgenomen. Ze hebben die mogelijkheid buiten beschouwing gelaten, terwijl ze weten dat het bewijs tegen de morgen zou zijn verdwenen. De enige die aan alcohol of drugs dacht, was Robin Duffy. Davis Marcoux kan naar alle waarheid ontkennen dat Grace onder invloed verkeerde. En hij zou uit zichzelf geen informatie geven. Hij kan terugvallen op zijn beroepsgeheim.'

De telefoon ging. Francine had het ziekenhuis al gebeld en ze had gehoord dat alles goed was met Grace. Toch voelde ze een steek van ongerustheid. 'Hallo?'

'Heb je de krant gezien, Francine?' De stem klonk beschuldigend, maar geruststellend helder.

'Ik zou er maar geen aandacht aan schenken.'

'Ja, dat kun jij makkelijk zeggen, maar weet je ook hoeveel andere mensen het op die manier zullen bekijken? Ik begrijp het gewoon niet. Ik heb Robin Duffy nooit iets misdaan. Was jíj degene die gisteravond met haar heeft gesproken?'

'Ja, en ik heb haar verteld dat er geen sprake was van alcohol of drugs, of van een slechte gezondheid.'

'Heb je dat nadrúkkelijk gezegd?'

'Zo nadrukkelijk als ik maar kon zijn zonder defensief te klinken.'

'Ze heeft het kennelijk toch gedacht. Nou ja, het is nu gebeurd,' zei Grace en ze klonk berustend. 'Kun je de schade zo beperkt mogelijk houden? Er zullen ongetwijfeld allerlei telefoontjes komen.'

'Dat lukt me wel,' zei Francine. Het was het minste dat ze kon doen. Ze had tóch nadrukkelijker moeten zijn.

'Maar als jij daarmee bezig bent, wie moet mij dan ophalen? De dokter heeft me zojuist toestemming gegeven om te vertrekken.'

'Hoe voel je je?'

'Goed. Mijn hoofd is harder dan de meeste mensen van mij hadden verwacht. Ik zou graag thuis willen ontbijten. En daarna wil ik weer aan het werk.'

'Het zou geen kwaad kunnen om een dag wat rustig aan te doen.'

'Er is nog veel te veel te doen. Dus wie komt me halen?'

Francine ving Sophies blik op. 'Je kleindochter.'

'Wanneer?'

'Over een kwartier.' Maar toen Sophie wild gebaarde, zei Francine: 'Maak er een halfuur van.'

'Ligt ze nog steeds te slapen?' vroeg Grace afkeurend.

Francine kon tot haar opluchting zeggen: 'Nee. Ze zit nu met mij in de keuken. Maar ze moet eerst nog onder de douche en zich aankleden en ontbijten. Of moet ik haar zonder ontbijt op pad sturen?'

'Lieve help nee. Ze heeft haar ontbijt harder nodig dan ik. Stuur haar wanneer ze klaar is, maar laat haar niet treuzelen, Francine. En alsjeblieft,' vervolgde ze op veelgeplaagde toon, 'doe alles wat je kunt om die geruchten te stoppen. Ik kan me allerlei speculaties over mijn gezondheid niet veroorloven. Niet op dit moment. Daarvoor staat er te veel op het spel.'

Francine had net genoeg tijd voor een snel ontbijt met Sophie, toen de telefoon ging. Het was Mary Wickley, een oude vriendin van de familie, die heel bezorgd was over Grace.

Francine verzekerde haar dat met Grace alles goed was en dat ze op ditzelfde moment zelfs van het ziekenhuis op weg naar huis was. Ja, Mary wist dat er geen alcohol of drugs in het spel waren. Ja, ze wist hoe misleidend de pers kon zijn. Francine benadrukte dat Grace geen hartaanval had gehad, maar met het oog op een mogelijke hersenschudding een nacht in het ziekenhuis had moeten blijven. Ze sprak de hoop uit dat Mary dit bericht zou verspreiden.

Ze had nauwelijks opgehangen toen de telefoon weer ging. Het was George, de krantenuitgever van Grace, eveneens een goede vriend, en hij vroeg zich ten eerste af waarom de *Telegram* het verhaal had gekregen in plaats van de *Transcript*, en ten tweede of alles goed was met Grace.

'Met Grace is alles best,' zei Francine, de vragen in volgorde van belangrijkheid beantwoordend, 'en de *Telegram* heeft het verhaal omdat daar een journaliste zit die gefixeerd is op Grace. Verhaal? Helemaal geen verhaal. Grace heeft een heel gewoon ongelukje gehad. Ze heeft haar hoofd gestoten, en daarom heeft het ziekenhuis haar een nachtje gehouden. Het was meer voor hun eigen bescherming dan voor haar.'

Het volgende telefoontje was van een filmrecensent die een stad verderop woonde en deel uitmaakte van Grace's sociale kringetje. Mary Wickley had hem met het nieuws gebeld. 'Ik heb dit maar al te vaak zien gebeuren, Francine, onbekende journalisten die proberen te scoren. Je moet gewoon geen aandacht schenken aan wat ze schrijft. Voor de dag om is, is het allang weer vergeten. En wat zóu het trouwens als Grace een keertje had gepimpeld?'

Francine ontkende dat, evenals Robin Duffy's andere insinuaties. Ze was nauwelijks klaar toen Tony belde. Hij gloeide nog na van een schrobbering van George over het feit dat hij het verhaal niet had en hij spuwde zijn gal tegen Francine. 'Oké, kennelijk schijn ik niet te deugen, maar je had me toch mínstens even vanuit het ziekenhuis kunnen bellen.'

'Tony, mijn moeder was gewond. Ik moest dingen voor haar regelen. Het laatste waar ik aan dacht was de krant.'

'Je hebt met de *Telegram* gesproken.'

'Ze was er. Ze stelde stomme vragen. Ik heb ze ontkend. Er was geen verhaal. Dat heb ik haar verteld.'

'Zij had de primeur.'

'Er wás helemaal geen primeur.'

'Nou, als je maar goed begrijpt dat ík de volgende wil hebben. Was het haar hart?'

'Nee, het was niet haar hart. Haar hart is prima.'

'Is ze dan depressief?'

'Grace? Helemaal niet. En bovendien, wat heeft depressief-zijn met een aanrijding te maken?'

'Ze had zo kunnen zitten piekeren dat ze niet oplette.'

'Heb jij Grace ooit zien piekeren? Nee. Nooit. En ga nou níet zeggen dat het een kreet om hulp is – zoals bij een poging tot zelfmoord – want dan ga ik gillen. Dit is echt te gek voor woorden. Het moet nog negen uur worden en jij bent al de vierde die belt.' De andere lijn rinkelde. 'Daar komt de vijfde.'

De vijfde was een andere vriend, die daarna Francines dierenarts belde, wat die weer tot de zesde maakte. Het zevende telefoontje kwam van Grace's boekenuitgever, die een telefoontje van George had gehad en die vervolgens, ondanks Francines nadrukkelijke geruststellingen, Grace's agent belde, die de achtste werd.

Tegen die tijd was Francine bijna door het lint. 'Het was een onnozel ongelukje. Ik begrijp echt niet waar al die opwinding voor nodig is.'

'Loze speculaties,' was de mening van Amanda Burnham. 'De mensen hebben niet genoeg om over na te denken. We kunnen niet over Rusland fluisteren omdat de Koude Oorlog voorbij is. We kunnen niet kwaadspreken over het congres, omdat het allemaal al eens eerder is gezegd en omdat we die kerels bovendien zelf hebben gekozen. We hebben gewoon een nieuwe zondvloed nodig.'

Francine slaakte een zucht. 'Nee. We moeten alleen maar een beetje respect voor de privacy van anderen leren opbrengen. Ik zal zorgen dat Grace haar volgende column daarover schrijft.'

'Heeft iemand er een brief over ingestuurd?'

'Vast wel, al zal ik 't zelf moeten zijn.' Er viel haar iets nieuws in. 'O Heer, zullen we nu overspoeld worden door van-harte-beterschapkaarten?'

'Waarschijnlijk wel. Maar maak je geen zorgen. Ik zal Tony bellen. Hij zal zorgen dat iemand die afhandelt.' De telefoon rinkelde weer. 'Gewoon laten gaan,' adviseerde Amanda.

Maar dat kon Francine niet. 'Grace heeft me gevraagd de schade zoveel mogelijk te beperken. Een telefoon die ik niet opneem, doet misschien meer kwaad dan goed.'

'Waar is Marny?'

'Die komt pas om negen uur.' Ze keek op haar horloge. 'Oké. Het is negen uur. Ze kan elk moment hier zijn. Intussen kan ik maar beter opnemen. Misschien is het Grace wel.'

Het was Annie Diehl. 'Wat hoor ik nou, heeft Grace een heup gebroken?'

'Een heup gebroken? Waar heb je dat gehoord?'

'Verderop in de gang. Iets over een ongeluk.'

'Het was een ongeluk met de áuto.'

Tot Francines verbazing klonk Annie opgelucht. 'Goddank. Al die oude-mensenkwalen maken me zenuwachtig. Vorig jaar alleen al waren er bij mijn moeder en drie tantes twee gebroken heupen, één kanker, één stel staaroperaties, en twee kunstgebitten. Grace nadert de leeftijd waarop zulke dingen kunnen gebeuren.'

'Ze is pas eenenzestig!'

'Hoe is 't met haar?'

'Prima. Geen gebroken heup, geen kanker, geen staar, geen kunstgebit. Ze heeft haar hoofd gestoten. Ze heeft alles bij elkaar misschien drie hechtingen, en die zullen in de haargrens verdwijnen.'

'Dat is mooi, want ze is uitgenodigd om in juli in Chicago deel uit te maken van een panel over puberteit. Dat is een volle maand na haar laatste afstudeertoespraak. Tenzij ze er echt niet toe in staat is.' De handschoen was geworpen.

'Ze zal het doen,' zei Francine snel. Grace wilde dat ze de schade zoveel mogelijk beperkte – dan was dit de beste remedie. 'Fax ons een bevestiging, dan zetten wij het op haar agenda. En Annie? Als iemand naar een gebroken heup vraagt, help jij 'm dan even uit de droom?'

Grace verliet het ziekenhuis in een wolk van het parfum dat een van de verpleegsters, een fan, haar had gegeven. Het was fruitiger dan haar eigen parfum, maar ze had niet ondankbaar willen lijken. Verpleegsters waren machtige mensen. Ze hadden toegang tot het soort persoonlijke informatie die iemand als zij kon ruïneren – wat hen tot geváárlijke mensen maakte.

Dus had ze ieder van hen bij de naam bedankt, had ze alle handen gedrukt. 'De mensen moeten weten dat ze worden gewaardeerd,' zei ze tegen Sophie op weg naar de auto. Dus bedankte ze ook Sophie voor het ophalen, zonder kritiek te hebben op haar rijstijl, en ze zei dat ze er leuk uitzag, zonder al te enthousiast te doen over de ongewoon bezadigde manier waarop ze gekleed was.

Ze zei niets over het feit dat Sophie Gus de vorige avond had opgeëist, omdat ze dan het ongeluk zou noemen, wat kon leiden tot een discussie over de oorzaak ervan, en Grace wilde daar niet over praten. Ze vermoedde dat Francine Sophie de diagnose van Davis Marcoux had verteld en ze vermoedde dat dit achter Sophies dociele houding zat. Maar aan de andere kant waren het misschien schuldgevoelens omdat ze er met Gus tussenuit was geknepen.

In elk geval zei Grace er niets over. Ze voelde zich heel welwillend. Ze was in aanraking geweest met het een of ander, en ze was ontkomen.

Maar er was meer, de solidariteit van haar gezin was nu in het geding. Ja, Francine was loyaal. Sophie ook, anders was ze na college niet teruggekomen. Maar solidariteit kon ook te veel op de proef worden gesteld. Als Grace zich onvoorspelbaar ging gedragen of moeilijk werd, zou haar eigen gezin misschien geloven dat ze ziek was. Dat kon ze niet gebruiken. Ze had hun volledige steun nodig als het imago van *De Hartsvriendin* intact moest blijven.

De gedachte dat ze hun steun zou verliezen, de gedachte dat de wereld een mindere Grace Dorian zou zien, de gedachte aan wat wellicht het ongeluk had veroorzaakt, deed haar beven. Maar beven was zelfdestructief. Het maakte haar bang. Het bezorgde haar mini-paniekaanvallen die haar wereld op zijn kop zetten.

Ze moest kalm en helder blijven, ze moest volslagen zelfbeheersing tentoonspreiden.

Dus na Sophie een knuffel en een kus te hebben gegeven, liep ze naar de slaapkamer om het ongeluk, het ziekenhuis en het fruitige parfum weg te douchen. Toen ze zich aldus had opgeknapt, liep ze naar de keuken.

Francine was aan de telefoon en ze zag eruit alsof ze net was binnengekomen na het joggen. Hoewel Grace altijd had gezegd dat ze moest douchen na het trainen, zei ze nu niets, evenmin over de zweetlucht of over de hond die aan Francines voeten zat en met pure adoratie naar haar opkeek. Chagrijnigheid was een karakteristiek van Alzheimer-patiënten. Grace weigerde dit gedrag te vertonen.

Francine hing de telefoon op. 'Hoe voel je je?'

'Een stuk beter. Er gaat niets boven je eigen huis.'

'Doet je hoofd pijn?'

Dat wel. Maar Grace wilde niet klagen. 'Mijn hoofd is best. Het was echt niet nodig om mij die nacht in het ziekenhuis te houden. Ze maakten me steeds maar wakker om te zien of alles goed met me was. Ik heb geen oog dichtgedaan.'

'Dat verklaart dan veel,' zei Francine met een glimlach en ze begon aan de knopen van Grace's blouse te prutsen. 'Je hebt 'm verkeerd dichtgeknoopt.'

Grace sloeg haar handen weg en legde haar eigen handen op de knopen. 'Helemaal niet. Ik weet toch zeker nog wel hoe ik een blouse moet dichtknopen.'

'Wel als je je honderd procent voelt,' stemde Francine in, 'maar je hebt een hersenschudding gehad. Het verbaast me dat je niet even een dag in bed blijft.'

'Waarom zou ik dát willen terwijl ik me goed voel? Ik voel me príma, Francine,' zei ze terwijl ze haar arm voor de knoopjes van haar blouse hield, 'en ik laat me niet als een patiënt behandelen. Ik ben niet ziek,' zei ze verontwaardigd. 'Ik wou dat je eens ophield met dat te beweren. Eerlijk. Als ik niet beter wist zou ik me afvragen of jij niet probeerde mijn plaats in te pikken.' Ze smaakte enige voldoening toen ze zag hoe Francines mond openviel. 'En nu ga ik aan het werk. Margaret, ik wil m'n gewone ontbijt. Breng het maar naar mijn werkkamer.' Ze marcheerde met hooggeheven hoofd de kamer uit. Maar toen ze eenmaal de beschutting van de hal had bereikt, rende ze naar de wc om daar, met trillende handen, haar blouse opnieuw dicht te knopen. Nu ze daar toch was, controleerde ze zichzelf in de spiegel. Gezicht, haar, kleren – alles was prima. Ze controleerde alles nog een tweede keer, daarna een derde, en was ten slotte gerustgesteld. Het duurde daarna nog een minuut voordat ze zich kalm genoeg voelde om terug te gaan naar de hal.

Er ging een uur voorbij voor Francine zelf het kantoor binnenkwam om daar een bebrilde Grace aandachtig aan het werk te vinden aan haar bureau; ze zag er zo productief uit dat Francine zich getroost voelde.

Ze leunde tegen de deurpost. 'Waar gaat het over?'

'Een stappenplan voor kinderen, voor moederdag.'

'Hulp nodig?'

'Nee, dank je, lieverd. Dit is een gemakkelijke.'

'Je bloemen zijn geweldig.' Er stond een vaas gevuld met narcissen, een andere met tulpen, een derde met een enorme bos rozen. 'Als dit het gevolg is van je auto in de soep rijden, dan heb ik veel te lang zonder schade gereden.'

Grace wierp haar een blik toe die zo komisch, zo menselijk, zo echt Gráce was, dat Francine in de lach schoot.

'De tulpen zijn van Amanda,' vertelde Grace haar, 'de rozen van George, en de narcissen van Jim. Ze waren eerst in het ziekenhuis bezorgd.' Ze keek Francine over haar brillenglazen aan. 'Jij vertelt de mensen toch wel dat ik thuis ben, hè?'

'Uiteraard. Je bent ons allemaal te snel af.' Ze keek naar de telefoon. Het paneel was verlicht. 'Komen er nog steeds telefoontjes binnen?'

'Sophie en Marny handelen die af. Wat mij betreft,' – Grace stak beide handen omhoog – 'ik raak geen telefoon áán.'

'Mooi zo. Dat is ook helemaal niet nodig. Er zal wel minder gebeld worden wanneer bekend is dat je alweer hoog en breed thuis bent. Heeft Margaret je je muffin gebracht?'

'Ja.'

'Zal ik een kop verse thee voor je halen?'

'Nee, lieverd.'

'Nou, dan ga ik maar weer aan het werk,' zei ze, want dat betekende het om weer normaal te doen. Het betekende niet de hele dag voor Grace in de houding staan of aanbieden haar werk voor haar te doen of alle fouten voor haar op te vangen. Het betekende de kamer uitgaan en de deur achter zich dichttrekken, zoals ze altijd deed als Grace aan het werk was.

Sophie legde net de telefoon neer toen ze voorbijkwam. 'Dat was onze afdeling in Minneapolis. Die had gehoord dat Grace uit haar auto was geslingerd. Uit haar auto was geslíngerd. Dat is wel heel ironisch. Grace gaat er zelf prat op dat ze alles altijd zo onder controle heeft. Nou, dat heeft ze nu niet. De wildste geruchten doen de ronde.'

'Het is maar tijdelijk. De waarheid zal overwinnen.'

'Jawel, maar wat ís de waarheid?'

'Dat ze een ongeluk heeft gehad en dat nu alles weer goed met haar is. De volgende morgen gewoon weer aan het werk. Hoe was ze tijdens de rit naar huis?'

'Als een lammetje. Heeft geen enkele steek onder water uitgedeeld. Ze vindt het heerlijk om het middelpunt van alles te zijn. Misschien is ze wel met opzet door dat rode licht gereden.'

'Om áándacht te trekken?'

'Of dat, of omdat ze me wilde straffen omdat ik met haar chauffeur uitging.'

'Nee Sophie. Dat zou ze nooit doen. Het ongeluk was een gewone vergissing. Ze heeft te veel aan haar hoofd.'

'Zij? En wij dan? Wij zijn degenen die de raderen van deze machine oliën. Wij maken afspraken en coördineren de dingen. Wij krijgen de volle laag wanneer er iets misgaat. Het enige dat zij hoeft te doen is haar gedachten ophoesten. Ze heeft een heel aardig leven. Wij zijn degenen die opspringen wanneer ze kikt. Kijk jou nou.' Ze nam Francine van top tot teen op. 'Chique broek en zijden blouse. Dat is de stijl van Grace, niet van jezelf. Ik was vergeten dat jij kleren had die zo' – vol afschuw – 'bezadigd waren.'

'Ik moet je eerlijk bekennen,' gaf Francine toe, want Sophie zou iets anders dan de waarheid binnen een minuut hebben doorzien, 'dat ik er tien minuten over heb gedaan om dit te vinden. Het hing helemaal achter in mijn kast. Maar ik heb het niet voor Grace aangetrokken. Ik heb het voor mezelf gedaan. Het ongeluk heeft mij ook geschokt. Ik ben wat nerveus.' Ze glimlachte en zei toen schaapachtig: 'Dus waarom zou ik een confrontatie met Grace riskeren?'

De telefoontjes bleven komen, evenals de bloemen, maar tot Francines opluchting verliep de dag verder zonder problemen. Grace was nog niet zo productief als anders, maar daar had Francine alle begrip voor, na alles wat ze had meemaakt. Ze probeerde het in elk geval. Ze zat achter haar computer haar gedachten te noteren. Als sommige daarvan te vaag waren om nuttig te zijn, dan was het haar best. Francine was goed in het redigeren.

Grace gaf de lijnen aan, Francine kleurde ze in. Ze hadden dat al min of meer veertig jaar lang zo gedaan. Dit was normaal.

Pastoor Jim kwam voor de thee en bleef eten, en dat was eveneens normaal. Hij deed het een paar keer per week en Francine had daar nooit bezwaar tegen. Jim was net familie. Hij was een gemakkelijke prater, hij kon over van alles meepraten, wist veel. Francine praatte graag met hem.

Dat gold ook voor Grace. Ze was op haar best wanneer Jim in de buurt was, ze verwachtte dan minder van anderen, was zachtmoediger. Pastoor Jim had dat effect op mensen. Zijn manier van doen was sereen, zijn woorden waren vriendelijk. Francine was niet overmatig godsdienstig, maar als ze bij Jim was, voelde ze zich gerustgesteld. Ze had hem nog nooit geïrriteerd gezien. En Grace stond nooit op haar strepen wanneer hij in de buurt was.

Ze waren klaar met eten en zaten in de kleine huiskamer, Sophie met een boek, Grace op de armleuning van Jims stoel terwijl hij met Francine schaakte, toen de bel van de voordeur ging. Francine keek eerst naar Grace, die het toonbeeld van onschuld was, en daarna naar Sophie, die haar schouders ophaalde.

Het was te laat voor bloemen. Het was ook te laat voor Margaret, die zich in haar kamer had teruggetrokken.

Francine kreeg een visioen van Robin Duffy, die, na eerst in haar eentje de hele familie Dorian op stang te hebben gejaagd, onverwachts langskwam in de hoop iemand pardoes te overvallen.

Ze zette zich schrap om de strijd aan te gaan, liet Sophie invallen om haar positie tegen Jim overeind te houden, stapte de lange gang in en door de vestibule naar de voordeur. Ze deed hem met een wijde zwaai open. Robin Duffy was het niet. Het was Davis Marcoux.

Hij stond pal onder Robin op Francines lijst van mensen die ze niet wilde zien.

Slechts haar aangeboren manieren – en zijn voet die hij slinks over de drempel had gezet – weerhielden haar ervan de deur in zijn gezicht dicht te slaan. 'Dokter Marcoux.'

'Davis. Hoe gaat het met jou, Francine?'

'Ik probeer weer op verhaal te komen. Het is een lange werkdag geweest.' Ze bedoelde het als hint. Hoe eerder hij weg was, hoe beter. Hij maakte haar nerveus.

'Hoe is het met Grace?'

'Uitstekend. Ze wilde er niet van horen dat ze een dag vrij moest nemen. Ze is meteen weer met ons aan het werk gegaan.'

'Heeft ze nog problemen gehad?'

'Verwarring? Desoriëntatie? Krankzinnigheid? Sorry, nee.'

'Ik wilde haar graag even gedag zeggen.'

'Het gaat echt goed met haar.'

'Dan vind je 't vast niet erg om mij even binnen te laten.'

Op die manier had Francine geen keus. Als ze hem weigerde, zou hij denken dat ze iets verborgen hield. Dus stapte ze opzij zodat hij binnen kon komen, en daarna liep ze in zelfverzekerd tempo de gang door. Hij volgde haar met gezwinde pas.

'Prachtig huis.'

'Dank je.'

Ze gaf hem geen rondleiding. En ze deed ook niet aan gezellig gekwebbel. Ze had al haar concentratie nodig om zelfverzekerd te blijven terwijl ze alleen maar kon denken aan de diagnose die hij had gesteld.

Hij zag er eigenlijk nog minder als een dokter uit dan de vorige dag. Hij droeg nog steeds een sportieve broek met een bontgeruit overhemd, maar waar de knoop van zijn das had gezeten, was nu een diepe v van zijn blote hals. Een leren jack verving de doktersjas en onder zijn broek zaten laarzen. Geen nieuwe laarzen, maar versleten laarzen, met liefde gedragen. Ze pasten bij zijn beschaduwde kaak en zijn verwarde haar en ze deden hem nog langer lijken, nog meer de losbol dan ooit.

Ze concentreerde zich om niet over het vloerkleed te struikelen.

Hij volgde haar de kamer in, waar Grace prompt haar lieftalligste glimlach toonde. 'Dokter Marcoux. Wat een verrassing. Het is een zeldzaam ras dokters dat tegenwoordig nog huisbezoek aflegt.'

Davis lachte meesmuilend. 'Ik had niet veel keus. Het was of langskomen om te zien hoe het met je gaat, of morgenochtend de toorn van de zusters trotseren.'

Francine geloofde dit geen moment. Ze vermoedde dat hij hier uit eigen beweging was gekomen en met een heel specifiek doel, en dat ergerde haar. Ze verafschuwde huichelaars. Ze wilde dat hij ophoepelde.

Maar hij drukte Jim, die hem aan Sophie voorstelde de hand – wat Francine ondanks alles een moment van trots bezorgde. Toen richtte hij zich tot Grace.

'Je ziet er goed uit.'

'Ik voel me goed.'

'Hoofdpijn?'

'Verdwenen.'

'Trekt die wond nog?'

'Nauwelijks.'

'Nou, dat is dan mooi.'

Francine bleef bij de deur staan, klaar om de goede dokter weer uit te laten.

'Kom je nu pas uit het ziekenhuis?' vroeg pastoor Jim.

'Helaas wel.'

Grace vroeg: 'Woon je hier in de buurt?'

'Een paar kilometer verderop langs de weg. Ik heb een hoek van het Glendenning-terrein gekocht.'

Grace trok een wenkbrauw op. 'Dat is een eersteklas terrein. Ik ben diep onder de indruk.'

'Wees dat maar niet. Mijn perceel is dat zonder huis.'

'Als er geen huis is, waar woont u dan?' vroeg Sophie.

'In een caravan.'

Er viel een elitaire stilte.

Toen grinnikte pastoor Jim. 'Foei toch, Davis.'

'Ik woon écht in een caravan.'

'Dat is waar,' berispte Jim, 'maar dat is slechts het halve verhaal.' Tegen de anderen zei hij: 'De caravan staat verscholen in het bos op zo'n vijftig meter van waar het huis zal komen. De fundering is vorig najaar gestort. De vorige keer dat ik er was, werd het skelet opgericht.' Hij keek Davis weer aan. 'Heb je binnen veel gedaan?'

'Nee. De winter was te koud. Maar ik ga nu weer aan de slag.'

'Een caravan,' zei Sophie. Ze was duidelijk onder de indruk bij de gedachte aan zoiets vulgairs op zo'n chic stuk grond. 'Wat cool zeg.'

Het kon Francine niet schelen of hij in een tent woonde, als hij maar snel terugging naar waar hij vandaan kwam voor hij hier alles overhoop haalde.

'Ik ben de aannemer,' verklaarde hij, 'vandaar de woonwagen. Ik weet niet zeker of de stad beseft dat ik erin woon, maar op deze manier ben ik ter plekke en kan ik meer werk gedaan krijgen.'

'Een echt manusje-van-alles,' merkte Francine op, terwijl ze bedacht dat hij vast nergens echt goed in was, vandaar zijn verkeerde diagnose bij Grace. 'Als je zowel arts als aannemer bent, heb je twee zware banen. Hoe kunt u die beide goed vervullen?'

Hij keek haar recht in de ogen. 'De geneeskunde komt eerst. Maar ik zou het niet volhouden als dat het enige was dat ik in mijn leven deed. Iedereen heeft een uitlaatklep nodig. De mijne is timmerwerk. Ik ben altijd goed met mijn handen geweest en ik krijg veel goede raad. Bovendien is het mijn eigen huis, dus ik heb geen haast. Ik vind het leuk om het zelf te bouwen.'

In de ogen van Francine kon het zelf bouwen van zijn huis net zo goed een bewijs van eigenwaan of onnozelheid zijn als van vaardigheid. Onnozelheid zou misschien een verklaring zijn voor zijn onjuiste diagnose, eigenwaan zijn weigering om het toe te geven. En ja, er was een kans dat ze onterecht lelijk tegen hem deed. Maar ze wist niet waarom hij hier was, behalve dan om zijn gelijk op te dringen.

'Kun je schaken?' vroeg pastoor Jim.

Francine had hem wel kunnen vermoorden. Ze was opgelucht toen Davis zijn handen in zijn broekzakken stak en zei: 'Nee. Maar ik moet trouwens hollen. Ik dacht, laat ik gewoon even langskomen nu ik toch op weg ben. Ik zie je over vijf dagen, Grace.'

'Vijf dagen?' vroeg Francine verschrikt. 'Waarvoor?'

'Voor mijn héchtingen,' antwoordde Grace. 'Francine, laat jij de dokter even uit?'

Francine wist een glimlach te voorschijn te toveren, maar die verdween zodra ze de hal inliep. Ze voelde Davis naast zich – het was onmogelijk om hem niet te voelen – en ze probeerde iets te bedenken om te zeggen, maar haar hersenen wilden niet normaal werken. Ze verbeeldde zich steeds maar dat hij een acteur was die speelde dat hij dokter was. Hij had het schurkachtige uiterlijk ervoor, de zelfverzekerdheid en het lef.

'Maak ik je zenuwachtig?' vroeg hij.

Hij was te dichtbij, te brutaal. Ze begon sneller te lopen. 'Natuurlijk niet. Hoe kom je daar zo bij?'

'Je loopt zo hard. Doe je aan hardlopen?'

'Regelmatig. Jij?'

'Nee. Ik til.'

'Gewichten?'

'Hout.'

Ze weigerde het zich voor te stellen. Het belangrijkste was dat ze hem het huis uit werkte. Haar hart begon weer te bonzen. Dat was het effect dat Davis Marcoux op haar had.

'Ziezo.' Ze deed de voordeur wijdopen. 'Bedankt voor uw bezoek, dokter Marcoux.'

'Davis.'

'Zoals je ziet gaat alles prima met Grace. Ik stel je bezorgdheid voor haar zeer op prijs.'

'Mijn bezorgdheid geldt jou,' zei hij en hij keek haar over de drempel heen aan.

Ze lachte, zo nonchalant dat Grace trots zou zijn geweest. 'Dan heb je écht een uitlaatklep voor je werk nodig. Je laat je te veel meeslepen. Ik verzeker je dat alles goed met me is.'

'Je voelt je ongemakkelijk over wat ik gisteravond heb gezegd.'

'Nou, zou jij daar geen last van hebben als je in mijn schoenen stond?'

'Zeker. Maar ik zou niet proberen het te ontkennen.'

'Wat zou jij dan doen? Regelingen treffen om Grace ontoere-keningsvatbaar te verklaren?'

'Ik zou nadenken over de aanvallen die ze heeft. Ik zou me zorgen maken dat ze weer een ongeluk kreeg als ze bleef autorijden. Ik zou me afvragen in hoeverre ze andere missers compenseert en hoe lang ze dit vol kan houden. Ik zou haar verzekeren dat ik van haar hield, of ze nou wel of niet volmaakt was.'

Francine gebaarde met een hand als om uit te wissen wat hij had gezegd. 'Dokters zijn paniekzaaiers. Ik heb dat uit eigen ervaring meegemaakt en het is onze eigen schuld,' zei ze, 'een reactie op het paternalisme, tegen jaren waarin dokters patiënten alleen dat vertelden wat zij nodig vonden dat ze moesten weten. Dus roepen wij om rechten voor patiënten. En nu vertellen de artsen alles, zelfs hun halfbakken diagnoses.'

'Het is niet míjn schuld dat ze die symptomen heeft.'

'Nee, maar je zet ons leven wel op zijn kop door ze een etiket te geven van iets dat ze niet zijn. Ik ben het grootste deel van de dag bij Grace in de buurt, en ik heb geen enkel teken van onvermogen gezien.'

'Nou, misschien ga je die nu toch zien. En als je ze ziet, en je wilt met iemand praten, dan weet je me te vinden.'

'Dank je wel,' zei ze, want dat leek de beste manier om hem weg te laten gaan. 'Je bent heel vriendelijk geweest.'

'Nog niet. Maar ik kan het wel zijn. Op dit moment ben ik de slechterik. Je wilt me hier niet hebben, omdat ik je herinner aan iets dat je niet wilt weten. Maar er zal misschien een tijd komen dat je meer wilt weten. Omgaan met een Alzheimer-patiënt kan een nachtmerrie zijn. Ik kan daarbij helpen.'

'Ik zal het in m'n oren knopen,' zei ze, maar haar stem was kortaf, haar boodschap duidelijk.

'En je wilt dat ik wegga.'

'Mijn dochter is belast met de zorg over mijn schaakstukken. Als ik hier nog veel langer blijf staan, heb ik het spel verloren.'

'Dat zou ik niet willen.' Hij begon over de veranda te lopen.

'Tja, dat is míjn uitlaatklep,' verdedigde ze zichzelf, omdat hij haar zo oppervlakkig deed klinken. 'Als ik ook maar één minuut dacht dat voortdurend bij Grace rondhangen de dingen beter zou maken, zou ik het doen. Ik ben dól op mijn moeder.'

Hij bleef op de bovenste trede staan, leek iets te willen zeggen, liep toen verder de nacht in.

Francine beet op haar tong om zich te bedwingen en hem niet terug te roepen.

4

Het gezin is de enige aardse onderneming waarbij de
omschrijving van het werk in bloed staat geschreven.

– Grace Dorian, in een toespraak tot het Amerikaanse
Verbond van Gezinstherapeuten

Grace nam de draad van haar werkzaamheden zo snel weer op,
dat ze besloot dat het ongeluk loos alarm was geweest. Als ze de
volgende weken al meer tijd nodig had om haar columns te schrijven, dan weet ze dat aan kwaliteitscontrole.

'Mijn lezerspubliek verwacht het beste,' zei ze tegen Francine.
'Ik ben onthutst over de manier waarop ik vroeger mijn adviezen
afraffelde, regelrecht uit mijn hoofd. Ik moet wat zorgvuldiger
zijn. Dwaze dingen zeggen in mijn columns, zal het imago van *De
Hartsvriendin* bezoedelen – om nog maar te zwijgen van de waar-
devermindering van mijn boek. Ik ben het aan mijn publiek verplicht meer tijd aan ieder antwoord te besteden.'

Dat klonk haar goed in de oren.

Bovendien betekende meer tijd ervoor nemen dat ze sommige
rare fouten eruit haalde. Bij het herlezen bleken sommige alinea's
nergens op te slaan. Het was een probleem met het tikken. Ze was
de computer nog steeds niet helemaal de baas. De ene zin ver-
mengde zich halverwege met een andere. Dus moest ze harder
werken op wat ze deed, maar het voltooide product was goed, wat
Francine er ook van mocht vinden.

Niet dat Francine daar moeilijk over deed. Ze maakte grapjes,
of was bedeesd, of deed alsof ze volledig de kluts kwijt was. 'Dit
slaat echt nergens op, Grace,' zei ze dan. Of: 'We zullen de lezers
hier echt mee shockeren.' Of: 'Ik weet helemaal níets van dit onderwerp, vertel er eens wat meer over.'

Maar Grace stond achter haar werk. Ze las alles over, wat ze
schreef. Ze zag geen enkel probleem.

Er waren evenmin aanvallen van grote desoriëntatie, opmerkelijke periodes van absentie, of grote catastrofes. Iedere dag zonder een incident gaf haar meer moed. Grace 9, Davis 0. Grace 10, Davis 0. Grace 11, Davis 0.

Ze ging niet alleen uit rijden, omdat er altijd iemand was om haar te rijden.

Ze verliet haar slaapkamersuite niet zonder twee keer haar uiterlijk te hebben gecontroleerd, want er goed uitzien werd met het klimmen der jaren steeds moeilijker.

Ze maakte allerlei aantekeningen voor zichzelf, zelfs over persoonlijke dingen als lichaamsverzorging, want die briefjes hielpen. Helaas vergat ze die soms, of schreef ze een tweede stel omdat ze het eerste niet kon vinden, maar ze bezorgden haar de noodzakelijke gemoedsrust bij alles wat ze te doen had. Het was een vreselijk drukke tijd. Francine kon beslist helpen met de dagelijkse columns en Sophie met de afstudeertoespraken. Maar niemand kon helpen met het boek, en dat was nou net het belangrijkste van alles.

'Wind je nou maar niet zo op,' drong Francine aan, toen ze haar voor een leeg scherm zag zitten piekeren. 'Het heeft geen haast.'

'Het heeft wél haast,' riep Grace. 'Het boek moet over een jaar uitkomen.'

'Je hebt tot oktober de tijd. Dat heeft Katia zelf gezegd.'

'Katia heeft míj daar niets over verteld.' Grace kreeg opeens een akelige inval. 'Je hebt toch zeker niet tegen haar gezegd dat ik problemen had, hè?' Dat zou ze niet uit kunnen staan. Dat was verraad van de eerste orde. Francine ontkende het uiteraard, maar Grace bleef sceptisch. 'Hoe is het onderwerp dan ter sprake gekomen?'

'Ze was bezig een schema op te stellen en ze wilde weten wanneer we ongeveer iets voor haar zouden hebben om te laten zien. Ik speelde de vraag terug en vroeg wanneer ze het nodig had. Toen zei ze oktober.'

'Maar dat is pas een eerste opzet.'

'Je maakt er zelden meer van.'

'Is dat een klacht? Wil je zeggen dat mijn werk prullig is? Als je je te zwaar belast voelt om de stukken even door te nemen, dan moet je dat tegen me zeggen, dan nemen we iemand anders in dienst om dat te doen. Eerlijk, Francine, ik weet af en toe niet wat je bezielt.' Ze keek wanhopig naar het scherm, daarna naar de berg aantekeningen en schetsen en andere gedachten waarop het contract voor het boek was gebaseerd. Maar een contract krijgen was één ding, een boek schrijven iets heel anders. Ze wist niet wat ze moest beginnen.

Maar als ze dat toegaf, zou Francine natuurlijk denken dat ze in de war was, of gedesoriënteerd, of niet in staat om te functioneren. Dus zei ze eenvoudig: 'Oktober is wat optimistisch.'

'Als we uitstel nodig hebben, zullen we dat wel krijgen,' zei Francine, schijnbaar onverstoorbaar, op een manier die Grace nog nijdiger maakte.

Optimisme was één ding, de werkelijkheid onder ogen zien een ander. Ze zag even een onthutsend beeld voor zich van het ene uitstel na het andere, tot in de vergetelheid aan toe. 'Als we dat doen, stellen ze misschien de publicatiedatum uit, en dat is wel het laatste dat ik wil. Dit is het belangrijkste project dat ik ooit heb gehad. Het is mijn autobiografie, mijn stempel op deze wereld.'

'Dat zijn je columns ook.'

'Maar dit maakt er een degelijk geheel van. Dit vormt het bewijs van wat mijn columns hebben gedaan.' Hoe moest ze dat gevoel van noodzaak onder woorden brengen? 'Dit is een verklaring dat ik werkelijk iemand ben gewórden, Francine. Ja, ja, ik weet het. Mijn columns staan op microfiche, maar dit is anders. Alleen belangrijke mensen worden benaderd om hun autobiografie te schrijven – en wij worden daar goed voor betaald, wat betekent dat iemand er veel van verwacht, wat betekent dat mijn autobiografie in boekhandels, warenhuizen, hotels, supermarkten, op vliegvelden zal liggen. En in bibliotheken. Boeken die op bibliotheekplanken worden gezet, blijven daar eeuwig. Sophies kinderen, Sophies kleinkinderen zullen mijn autobiografie op die planken zien. Als jij als niemand was geboren, had je dat begrepen.'

En dat was de essentie van het geheel. Omdat Grace als niemand was geboren, betekende het schrijven van dit boek een mijlpaal voor haar. En omdat ze als niemand was geboren, betekende het schrijven eveneens een nachtmerrie.

Waar kwam ze vandaan? Wie waren haar ouders? Hoe was haar thuis geweest? Wie waren haar vrienden? Welke gebeurtenissen hadden haar leven gevormd? Waarom was ze nooit, maar dan ook nooit teruggekeerd naar de stad waar ze was geboren?

Ze had naam gemaakt met het schrijven van non-fictie. Haar autobiografie was iets anders. Ze kon de waarheid verfraaien – of verdraaien – of compleet vergeten en alles uit haar duim zuigen. Ze had massa's autobiografieën gelezen die van A tot Z waren verzonnen. Dat gebeurde voortdurend.

Wat moest ze doen? Ze kon geen besluit nemen. Maar ze had het gevoel dat als ze zich niet haastte, ze tijd te kort zou komen.

Francine tikte zo snel als de gedachten opkwamen. *De Hartsvriendin* lag weer achter en Tony schreeuwde om kopij.

'Ze wordt slechter,' zei Sophie toen ze Francines scherm bekeek. 'Je hebt deze week alle columns moeten herschrijven.'

'Niet alle,' protesteerde Francine afwezig. Ze zwolg in onbeantwoorde liefde, ze voelde het leed van een tiener wier vriendin de man had ingepikt van wie zij hield. Man? Jongen. Het onderscheid was relevant. '"Je vriendin en jij zijn pas vijftien",' las ze hardop. '"Dat is veel te jong om door liefde geobsedeerd te zijn. Je moet gewoon pret maken met je vriendinnen en met verschillende jongens uitgaan. Dat is de enige manier waarop je zult ontdekken wat je werkelijk wilt. Heb je ooit het gezegde over wolken met zilveren randen gehoord? Laat je vriendin met die jongen uitgaan. Misschien is hij wel helemaal niet zo'n geweldige vangst. Misschien vind jij zelfs wel een betere." Klinkt goed, vind je niet?' vroeg ze aan Sophie.

'Klinkt heel erg Grace.'

'Verrassing, verrassing. Ik heb pas een miljoen columns van haar gelezen.'

'Dat is dan maar goed ook, aangezien jij ze nu moet schrijven.'

Maar Francine kon zich niet voorstellen dat ze voor langere tijd Grace's columns zou schrijven. Grace was degene die handig was met woorden, met gedachten, met goede raad. Francine deed haar alleen maar na. Dat was alles.

'Ik poets het alleen maar wat op,' zei ze tegen Sophie. 'Grace doet het essentiële werk.'

'Nauwelijks.'

'Dat is tijdelijk. Ze heeft het druk met haar autobiografie.'

'Heb je daar al iets van gezien? Nee. Zie het nou maar eerlijk onder ogen, mam. Ze heeft een probleem. Weet je wat ze heeft gedaan? Ze vroeg mij om de laatste informatie over persoonsregistratie, dus legde ik een uitdraai op haar bureau. Toen ze me weer om die informatie vroeg, wees ik naar de uitdraai. Ze lachte om zichzelf en zei toen iets over door de bomen het bos niet meer zien, maar een tijdje later vroeg ze opnieuw om dat spul.'

'Dan is ze kennelijk af en toe wat vergeetachtig. Maar ze was heel samenhangend toen ik naar deze column vroeg. Ze wist nog dat ze het briefje van dit meisje van vijftien had gelezen en ze citeerde twee andere brieven over hetzelfde onderwerp. Haar geest is helder.'

'Tegenwoordig niet altijd.'

'Toon een beetje medeleven, Sophie.'

'Dat toon ik ook. Maar ík krijg altijd te horen dat ik de feiten onder ogen moet zien. "Accepteer je ziekte, Sophie." En Grace dan? Stel dat ze wél Alzheimer heeft? Ik heb op de computer alle behandelwijzen opgezocht. Er komen steeds nieuwe medicijnen bij, maar er is niets dat echt helpt. Als ze het heeft, zal ze alleen maar verder achteruitgaan. En dan?'

Met een berustende zucht legde Francine een arm over de rugleuning van haar stoel. Ze wilde hier niet over praten, maar Sophie had duidelijk behoefte haar hart te luchten. 'Ja?'

'Ze zou zich pijn kunnen doen, ze zou zich bijvoorbeeld in de keuken kunnen branden.'

'Ze kookt nooit.'

'Ze zet midden in de nacht thee.'

'Daarvoor gebruikt ze de magnetron.'

'Maar als ze nou vergeet hoe die werkt?'

'Dan heeft ze geen thee.'

'En stel dat ze het gas aansteekt?'

'Waarom zou ze zich wel herinneren hoe dat werkt, en niet de magnetron?'

'Omdat het één recent is aangeleerd, het andere niet. Ze zal zich herinneren wat ze het eerste geleerd heeft.'

Francine voelde een hoofdpijn opkomen. Dat was niet de eerste keer die week. 'Dit is niet waar ik nu behoefte aan heb om te horen.'

'Misschien moet ze met pensioen gaan.'

'Grace? Ze is een instituut. Zij gaat niet met pensioen.'

'Iedereen gaat eens met pensioen. Dat deed opa ook.'

'Alleen omdat de houtzagerij dichtging en zijn geld was geïnvesteerd in ondernemingen waar hij geen verstand van had. Hij was slim genoeg om die te laten leiden door andere mensen die daar wél verstand van hadden. Zijn werk werd het praten met zijn bankier en dat kon hij vanuit de huiskamer doen.'

'Verdient Grace zo langzamerhand geen rust?'

'Ze wil dat niet. Begin erover, en je krijgt de wind van voren. Sommige beroepen doen niet aan pensioen. Dit is er een van.'

'En waarom is dat?' vroeg Sophie. Maar ze antwoordde zelf: 'In dit soort beroep gaat het om de geest, niet om het lichaam. Dit soort mensen kan nog bezig blijven vanuit een rolstoel, of desnoods van een bed, want het gereedschap van hun vak – hun geest – blijft intact. Maar stel dat dat bij Grace anders gaat?'

'Als dat bij Grace anders gaat,' gaf Francine in een opwelling van pessimisme toe, 'dan hebben we allemaal een groot probleem. *De Hartsvriendin*, dat zijn wij. Dat is wat wij kunnen, wat wij doen. Ik kan me geen wereld zonder voorstellen. Jij?'

Sophie kon zich dat ook niet voorstellen en daar zat nou net het probleem. Grace Dorian was het middelpunt van de familie geweest zolang Sophie zich kon herinneren. Ze vormde de spil waar alles om draaide. Het was voor Sophie één ding om sceptisch te doen tegenover Francine, maar iets heel anders om zich de realiteit van een demente Grace voor te stellen.

Wat zou Sophie doen als *De Hartsvriendin* ophield te bestaan? Ze zou naar de stad verhuizen om in anonimiteit tussen haar vriendinnen te wonen. Ze zou net zo'n frivole baan zoeken als zij en zich richten op het maken van pret.

Maar zonder *De Hartsvriendin*? Zonder het besef dat thuis *De Hartsvriendin* op haar wachtte? Zonder die erfenis? Zonder die rots van haar bestaan?

Grace had alle antwoorden. Er waren tijden dat Sophie daar niet goed van werd. Maar andere keren had ze er veel hulp aan.

Zoals toen ze veertien was. Haar hormonen speelden op, maakten een puinhoop van haar bloedsuikerspiegel. Ze was hele dagen bezig geweest zichzelf te controleren, injecties te geven, en naar dokters te gaan, leek het wel. Haar héle léven leek in beslag te worden genomen door die dingen.

Toen had ze er op een dag genoeg van gehad. Ze was op haar bed gaan zitten en had gezworen dat ze er de brui aan gaf. Ze wilde niet in een dwangbuis leven. Het kon haar niets schelen als haar diabetes niet langer onder controle was. Wat gaf het of de bloedvaatjes in haar netvlies knapten en ze blind werd? Wat gaf het als haar bloedsomloop werd gestoord en haar voeten eraf vielen? Het kon haar niets schelen als ze doodging.

Toen Francines smeekbeden geen gehoor vonden, had Grace haar bij de hand genomen en was met haar door het bos naar de oude zaagmolen gelopen. Ze waren voorzichtig over de stenen treden achter het waterwiel omhoog geklommen. Bovenaan waren ze over de richel naar de hoek geschoven en waren daar gaan zitten. Onder hen kolkte de rivier rond boomwortels, rotspunten en het verweerde hout van het wiel.

Grace zei niets. Dus zat Sophie inwendig te briesen. Ze kon Grace op dat moment niet uitstaan, net zomin als ze haar moeder kon uitstaan, of haar grootvader, haar dokter, haar ziekte. Ze haatte haar vader, omdat hij zijn eigen leven kon leiden. Ze had de pest aan haar vriendinnen, omdat die gezond waren.

Ze bleef wachten tot Grace haar alle dingen zou vertellen die ze al eindeloos vaak had gehoord. Maar Grace zweeg en het gekabbel van de rivier werkte kalmerend. Sophie sloeg haar armen om haar benen en legde haar kin op haar knieën, terwijl ze een blaadje volgde dat stroomafwaarts dreef. Na verloop van tijd verdween het om de bocht, samen met het ergste van haar boosheid.

Toen zei Grace: 'Dit is mijn lievelingsplek op deze wereld. Vertel het niet aan je grootvader, want hij is heel trots op het huis, maar deze plek is beter. Het ene seizoen is hier nog mooier dan het andere. Nog vrediger. Kijk. Aan de overkant, op de oever. Goudvinken. Sst.'

'Het zijn gewoon gele vogels,' mopperde Sophie.

'Het zijn een mannetje en een vrouwtje. Die felgekleurde is het mannetje. Zie je hoe hij wacht terwijl zij eten opscharrelt?'

'Waarom doet hij dat?'

'Waarschijnlijk omdat zij er beter in is. Vrouwen zijn veel veelzijdiger. Er zijn mensen die zeggen dat wij sterker zijn.'

'Is dat zo?'

'Vrouwen hebben in elk geval in hun leven meer te verdragen, omdat wij degenen zijn die kinderen moeten baren. Wij bezitten het vermogen tot plooien. Wij passen ons gemakkelijker aan dan mannen. God heeft ons die gave geschonken.'

'Gave? Of vloek?' vroeg Sophie, want ze begreep welke kant Grace uit wilde en ze gaf zich niet zonder slag of stoot gewonnen.

Grace zweeg weer. Sophie herinnerde zich hoe ze daar een volle vijf minuten had gezeten voordat het gekabbel haar had gesust en ze alle benul van tijd had verloren, en toen had Grace naar de gladde kop gewezen van een bever die stroomafwaarts zwom, waarbij hij onderweg voor alle rotspunten uitweek.

'Geen enkel leven verloopt gelijkmatig,' zei ze toen de bever uit het zicht was verdwenen. 'We hebben allemaal onze problemen, onze ups en downs.'

'Jij niet.'

'Ik zeer zeker wel. Jij weet alleen niets van de nare dingen, omdat ik daar niet bij stil wil staan.'

'Jíj hebt geen suikerziekte.' Niemand anders in de familie had suikerziekte. Ze begreep niet waarom uitgerekend zij het moest hebben. Het was niet eerlijk.

'Sommige vrouwen hebben veel ergere dingen,' zei Grace.

'Zoals wat?'

'Sommige vrouwen kunnen niet zien. Sommige kunnen niet lopen. Of niet horen. Sommige vrouwen kunnen geen kinderen krijgen. Jij kunt al die dingen wel. Goed, je moet een paar keer per dag een verplichting afhandelen. Maar hoeveel tijd neemt dat in beslag? Van de zestien uur die je wakker bent, neemt je suikerziekte misschien – hoeveel? – twintig minuten in beslag. Is twintig minuten per dag echt te veel als tegenprestatie voor al die andere mooie dingen in het leven?'

Sophie was toen begonnen te huilen, zowel van frustratie als van hulpeloosheid, met haar gezicht op haar knieën, omdat ze wist dat Grace gelijk had, wat betekende dat ze de rest van haar leven met suikerziekte zou moeten leven.

Grace had haar in haar armen gehouden tot het huilen minder werd. Toen had ze zacht gezegd: 'Ik weet dat het nu hard is, lieverd, maar denk gewoon eens aan alles wat je hebt. Je hebt een uitstekend verstand en een heel mooi gezicht en een schitterend huis. Je hebt deze rivier om van seizoen tot seizoen naar te kijken. Ja, je gezondheid is niet volmaakt, maar daar bestaat een uitstekende behandeling voor. Je kunt een volstrekt normaal leven leiden, een heel láng leven. Ben je daar niet blij om?'

Als je het zo stelde, moest Sophie blij zijn. Tot op de dag van vandaag hoefde ze zich, als ze in de put zat, de woorden van Grace maar voor de geest te halen om die dankbaarheid te voelen en erin te geloven. *Je kunt een volstrekt normaal leven leiden, een heel láng leven.* Grace was het optimisme in eigen persoon.

Maar nu Grace mogelijk ziek was, besefte Sophie ook hoeveel ze op haar steunde. Het ene deel van haar wilde een eigen leven, op welke manier dan ook. Het andere was doodsbang de banden los te laten.

Francine probeerde niet te denken aan de mogelijkheid van de ziekte van Alzheimer, maar het was iets dat iedere keer weer boven kwam, vooral wanneer ze er niet op verdacht was, wanneer ze ontspannen was en zich veilig voelde, en ze deze storing het minst kon verdragen. Het was als een stofrag dat je niet weg kon vegen. Ze verwenste Davis Marcoux omdat hij haar ermee had opgezadeld.

Op een avond aan het eind van mei zat ze met Jim O'Neill te schaken. Het eten was achter de rug en er brandde een vuur in de haard – niet nodig, aangezien de dagen warm waren, maar Francine hield van een haardvuur. Het verwarmde haar meer dan alleen op fysieke wijze en het gaf haar het romantische gevoel dat zolang er een vuur in de haard brandde, alles goed was met de wereld.

Op dit bewuste moment had het ook zo moeten zijn. Sophie logeerde die nacht in de stad, bij vriendinnen die Francine kende, aardig vond en vertrouwde. Grace zat in een gemakkelijke stoel bij de haard een boek te lezen en ze zag er net zo normaal en ontspannen uit als Francine zich voelde.

Na een tijdje ging Grace de kamer uit om in het bubbelbad te gaan liggen weken. Een moment later sloop Legs naar binnen en rolde zich op aan Francines voeten.

Zonder zijn ogen van het schaakbord af te wenden vroeg Jim: 'Is in jouw ogen alles goed met Grace?'

Francine had die vraag gevreesd, hij kwam niet als een verrassing. Pastoor Jim kende Grace beter dan wie ook, buiten de naaste familie. 'Ze heeft wel eens wat kwaaltjes en pijntjes. U niet?'

'Het zijn niet de kwaaltjes en pijntjes waar ik me druk over maak.'

Ze zweeg. Ze streelde de kop van Legs. Ze dwong zich te vragen: 'Wat dan wel?'

'Vergeetachtigheid. Verstrooidheid. Een tijdje geleden zei ze dat ze een soort duizelingen had. Ze vertelde me dat die nu weer over waren, maar ze is veel in gedachten verzonken. Dat gebeurde onlangs nog. Ik geloof dat ze me niet herkende toen ik binnenkwam.'

'Natuurlijk wel,' berispte Francine hem, maar ze was geschokt. Pastoor Jim zou zoiets niet zeggen als hij niet oprecht bezorgd was.

Dus probeerde ze het te rationaliseren. 'Ze is er soms niet helemaal bij met haar gedachten. Maar ze heeft ook zoveel aan haar hoofd. Ik wou dat we wat van die afstudeertoespraken konden afzeggen. Toen we die boekten, hadden we geen idee hoe druk ze het zou krijgen. Maar Grace wil niet van afzeggen horen. Dus beknibbelt ze in plaats daarvan op haar sociale verplichtingen.'

'Ze zei tegen mij dat ze te oud wordt om nog te spreken. Dat ze de boel door elkaar haalt.'

'Grace, door elkaar halen?' vroeg Francine in een mislukte poging tot humor. In de daaropvolgende stilte overwoog ze van onderwerp te veranderen. Maar ze moest met Jim praten. Ze had hem nodig om het ergste te ontkennen. Niet wetend hoeveel hij wist, vroeg ze: 'Heeft u met Davis Marcoux gesproken?'

'Ja. Hij heeft me alles verteld wat hij jou heeft verteld,' glimlachte Jim zachtmoedig. 'Het was een soort bekentenis. Hij vreest dat hij niet veel succes heeft gehad toen hij jou alles duidelijk wilde maken, en dat dit nare gevolgen voor Grace kan hebben.'

'Gevolgen voor Grace?'

'Dat ze zichzelf nare dingen op de hals zal halen.'

Francine schoof achteruit in haar stoel. 'Denkt u dat ze dat zal doen?'

'Je vraagt of ik de diagnose geloof.'

Ze wachtte tot hij verderging, en hoewel dit wachten pijnlijk had kunnen zijn, was het dat niet. Jim O'Neill was een man van vriendelijke gedachten, zelfs van goddelijke inspiratie. Francine vermoedde dat hij een hotline met de hemel had, en dat was mooi meegenomen voor een vrouw met een twijfelachtig geloof.

Hij was eveneens verduiveld knap. Ze dacht dat hij meer dan één hart moest hebben gebroken toen hij priester besloot te worden. Ze bedacht vaak dat het een verspilling van goede genen was – en niet alleen om zijn viriliteit. Er school oprechtheid, mededogen, toewijding in hem. En intelligentie.

Hij keek zorgelijk. 'Davis kan geen andere oorzaak vinden voor haar symptomen.'

'Vertrouwt u zijn oordeel?'

'Hij staat heel goed bekend.'

'Waar?'

'Chicago. Grote stad, grote-stadsziekenhuis, nationale reputatie.'

'Davis?' Ze wilde het niet geloven. Het was handiger om hem als prutser te beschouwen. 'Waarom is hij daar dan weggegaan?'

'Hij was geen stadsmens. Hij zag in dat hij af zou knappen als hij zijn leven niet anders zou inrichten.'

'Hoe kent u hem? Is hij gewoon een keer in de kerk komen opdagen?'

'Niet echt. Davis moet niets van georganiseerde godsdienst hebben.'

Francine haalde zich zijn baardstoppels, uitdagende ogen, en versleten leren laarzen voor de geest. Ze grijnsde onwillekeurig. 'Verrassing!'

'Ik werk aan hem,' verklaarde Jim.

'Wanneer? Waar? Wat is het verband?'

'Tyne Valley.'

Tyne Valley. Het was een naam die al vele jaren in haar leven was opgedoken. 'Hij is ook al iemand van uw mensen? Nou ja, waarom niet? Ons dienstmeisje komt uit Tyne Valley, onze chauffeur, onze tuinman, onze secretaresse, en dat zijn dan nog alleen maar degenen die momentéél bij ons in dienst zijn. Nu een dokter. Ik ben diep onder de indruk.'

'Dat zou je zeker zijn als je zijn familie kende. Ze hebben zo hun problemen gehad. Davis is helemaal onderaan begonnen. Ik heb hem geholpen waar ik kon, maar hij heeft het meeste alleen gedaan. Daarom betekent het huis dat hij bouwt ook zoveel voor hem. Het is zijn eerste huis.' Hij zweeg even. 'Hij is een goede man, Frannie. Hij is opgeleid bij de besten. Hij heeft ook de besten geraadpleegd voor dit geval. Ik weet niet zeker of we zijn theorie moeten negeren.'

Haar hart kromp ineen. 'Zijn theorie stinkt!'

Legs stak verschrikt zijn kop op. Francine kalmeerde hem.

Jim zei rustig: 'Dat geldt voor veel dingen in het leven.'

'En u gelooft nog steeds,' verbaasde ze zich. 'Hoe kúnt u, als dit waar is? Grace Dorian ís haar verstand. Welke God zou haar dat willen ontnemen, terwijl hij de rest van haar in orde laat?'

'Een God die ons op de proef stelt. Deze beproevingen vormen ons karakter.'

'Wat heb je aan karakter als je dood bent,' merkte Francine op.

Jim keek haar strak aan. 'Jij gaat niet dood.'

'Geldt die beproeving míj?'

'En mij. En Sophie. En alle anderen die door Grace zijn aangeraakt. We hebben een keuze. We kunnen de diagnose negeren, of hem accepteren. Dit laatste getuigt van meer mededogen.'

'Maar stel dat de diagnose onjuist is? Stel dat we voor niets in paniek raken?'

'We kunnen kalm blijven.'

'Misschien lukt dat u. Ik weet niet of ik het kan.'

'Dat is de beproeving,' zei hij met zo'n vriendelijke, begrijpende glimlach dat ze niet langer kon kibbelen. Wat ze het liefst had gewild, was hem in de armen vallen om zich aan zijn geloof vast te klampen. Maar hij was priester. Lichamelijk vertoon was niet gepast.

Dus volstond ze ermee het schaakspel af te maken en gedurende die tijd zoveel mogelijk van zijn innerlijke vrede in zich op te nemen. Ze benijdde hem. Ze wenste dat ze net zo vroom was als hij. Het hielp misschien om te denken dat de dingen goed waren, zelfs wanneer het allerergste gebeurde.

Op de vooravond van het Memorial Day-weekend was Grace een nerveus wrak, en dat maakte haar zorgen nog groter. Een nerveus wrak zijn was iets dat helemaal niet bij haar karakter paste. Ze had al vaker feestjes gegeven en meestal veel grotere dan dit. Maar sommige dingen gingen haar niet meer zo gemakkelijk af als toen ze jonger was.

Het probleem was dat ze na jaren van ervaring te veel wist. Het verhuurbedrijf zou het verkeerde linnengoed sturen, of de catering het verkeerde eten. Dus belde ze hen en ze deden héél onbeleefd. Als je hen zo hoorde, zou je denken dat ze hen vijf keer per dag belde!

Dus vroeg ze Francine hen te bellen, maar Francine had het druk met het leiding geven aan Margaret, die niets wist over het in orde brengen van logeerkamers.

'Francine, waarom doen we dit?' vroeg ze ten slotte. 'Waarom moeten die mensen vannacht blijven logeren?'

'Omdat jij hen hebt uitgenodigd.'

'Dat heb ik helemaal niet gedaan. Dat moet jíj hebben gedaan. Ik vind het niet prettig om mensen 's nachts te logeren te hebben. Het feest op zich is al vermoeiend genoeg – net als die afstudeerfeesten, iedereen praat, iedereen kent mij, en ik ken hen niet, en het ergst van alles is nog dat ze dat wel van me verwachten! Kun je 't je voorstellen? Misschien moeten we naambordjes op hebben.'

'Eh... ik weet niet zeker of dat een goed idee is.'

'Waarom niet?'

'Het is smakeloos.'

'Maar ik kan me niet herinneren wie iedereen is. Er zijn gewoon te veel mensen.'

'Ik zal vlak naast je staan, alle mensen bij hun naam noemen. Je hoeft alleen maar naar mij te luisteren.'

'Dat zei je vorig weekend ook.'

'Vorig weekend?'

'Op de Hornway School.'

'Ik ben helemaal niet naar Hornway geweest.'

'Francine! Je stond pal naast me! Je hield mijn speech vast, maar je handen beefden zo, dat ik steeds de draad kwijtraakte. Hoe kun je dat zijn vergeten? Het was een nachtmerrie!'

Grace kromp al ineen bij de gedachte. Als haar feest net zo slecht liep, dan werd het haar dóód.

Ze begreep er niets van. Vroeger liep alles soepel. Nu kon ze niets goed doen.

Maar ze zat gewoon klem. Zich plotseling uit het openbare leven terugtrekken zou onherstelbare schade toebrengen aan *De Hartsvriendin*. Dus moest ze verder met haar feest, met de resterende afstudeertoespraken, en met de paneldiscussie in Chicago in juli.

En bij dit alles zou ze bidden.

5

We hechten aan onze ontspanning, niet als vlucht uit wat is,
maar als droom van wat zal komen.

– Grace Dorian, in De Hartsvriendin

Francine was in het donker aan het hollen, met Legs naast zich. Ze
transpireerde hevig en ontdeed zich op die manier van alle troe-
bele gedachten. Haar pas was regelmatig, werd afgemeten door de
regelmatige klets van haar sportschoenen in de berm naast de weg
en het ritmische geluid van haar ademhaling. Legs, een loper bij
uitstek, maakte nauwelijks geluid.

De bomen langs de weg waren weelderig, het gras dik. De serin-
gen stonden in bloei, vervulden de lucht met de geuren van juni.
Het was tien uur in de avond. De zon was een klein uur geleden
ondergegaan. Het was de vooravond van midzomer.

De dag was eindeloos geweest voor Francine en zo vermoeiend
en inspannend dat zelfs als ze al eerder had gelopen, ze het nu
weer zou hebben gedaan. Ze begon de laatste tijd steeds sneller en
langer te lopen. Ze had behoefte aan sneller en langer lopen om
zich goed te kunnen ontspannen.

Achter zich hoorde ze het geronk van een motor, dat langzaam
sterker werd, net als de lichtbundel van de koplampen. Het was
een vrachtwagen, geen auto – dat kon ze aan het geluid horen –
een kleine vrachtwagen, met een motor die zwaarder was dan die
van een sedan, lichter dan die van een truck.

Ze liep op de linkerberm, tegen het verkeer in. De weg was niet
direct breed, maar er was nog altijd voldoende ruimte voor één
kleine truck, één slanke vrouw en één magere hond.

Ze nam Legs wat korter aan de lijn. De hond rende soepel verder, maar Francine wilde het risico niet lopen dat hij voor de
vrachtwagen de weg over zou duiken. Ze was dol op Legs. In een
wereld die met de dag complexer werd, was Legs de personificatie
van de eenvoud.

Ze wachtte tot de vrachtwagen voorbijreed, maar dat deed hij niet. Integendeel. Het klonk alsof hij langzamer ging. Ze wierp een blik over haar schouder. Hij had inderdaad vaart geminderd.

Ze begon zich ongemakkelijk te voelen. Lastpakken in pick-up-trucks kwamen hier niet veel voor. Als ze de weg wilden weten, best. Iets anders, en ze zou haar mijn-hond-bijt verhaal afsteken.

Ze bleef hollen, ze bleef zweten. De auto kwam naast haar rijden en paste zich aan haar tempo aan. Ze wierp een snelle, waarschuwende blik in de richting van het open raam en zag een gespierde arm die bloot was tot de schouder, en een verwarde bos haar. Geen van beide stelde haar gerust. Haar ademhaling ging sneller.

De bestuurder leek alleen te zijn. Ze probeerde te bedenken of dit een goed of een slecht teken was, toen hij vroeg: 'Hoe gaat 't?'

De stem kwam haar bekend voor. Ze wierp hem opnieuw een blik toe, deze keer langer. Toen begon haar bloed te koken. 'Wat stóm om zoiets te doen, Davis Marcoux! Heb je enig idee hoe angstaanjagend het is om midden in de nacht op een donkere weg te worden aangeklampt?'

Hij had het lef om vrolijk te klinken. 'Aangeklampt? Ik raak je niet eens aan. En het is niet midden in de nacht. Het is pas tien uur.'

'Ik had bijna mijn hond op je losgelaten. En dat was niet leuk geweest.'

'Is dát een bijter?'

Francine negeerde de steek. Ze bleef doorhollen, deed haar uiterste best om haar bonzende hart tot bedaren te brengen. Ze vroeg zich af hoe hij haar had herkend. Nog afgezien van de duisternis. Haar haar zat half in, half uit een haarband, haar topje zat scheef, en ze zweette als een varken. Ze leek in de verste verte niet verwant aan Grace.

'Wat doe je hier?' vroeg ze nijdig.

'Ik rij naar huis.'

'Vanaf het ziekenhuis? In dát ding?' Ze kon zich niet bedwingen, na wat hij over Legs had gezegd.

'Ik kan je wel vertellen dat dit de Rolls Royce onder de pick-ups is.'

'Ze zullen er op de parkeerplaats van het ziekenhuis vreemd van opkijken.'

'Reken maar,' zei hij, met iets dat als trots klonk. 'Ik had dorst, en toen ben ik wat blikjes bier gaan halen. Spring erin en kom wat drinken.'

Ze schudde haar hoofd. 'Ik drink nooit tijdens het lopen.'

'Hou dan op met lopen. Ik stop wel even.'

'Nee, dank je.' Ze verhoogde haar tempo, in een poging haar boodschap over te brengen.

Hij zei niets, maar bleef naast haar rijden. Ze wierp hem een blik toe. 'Heb je niets beters te doen?'

'Niet echt. Je ziet er leuk uit.'

'Ik ben aan het hardlopen.'

'Dat bedoel ik ook.'

'Davis, alsjeblieft.' Haar adem ging steeds sneller. 'Ik doe dit om te ontspannen, en jij maakt dat het tegenovergestelde gebeurt.'

'Maak ik je zenuwachtig?'

'Ja.'

'Waarom?'

'Om te beginnen maak je dat ik juist aan die dingen moet denken waarvoor ik ben gaan lopen om ze te vergeten.'

Ze verwachtte dat hij over Grace zou beginnen, over Grace zou gaan zéuren. Maar hij zei alleen maar: 'En wat nog meer?'

'Ik ben er niet aan gewend om een vrachtwagen naast me te hebben.' Haar benen begonnen de inspanning te voelen. Ze vertraagde iets. De pick-up volgde haar voorbeeld.

'Hoe ver ga je lopen?'

'Naar huis.'

'Dat is nog dik drie kilometer.'

Ze wist niet zeker of ze dat haalde. 'Dat haal ik wel.'

'Je klinkt buiten adem.'

'Alleen maar omdat ik probeer te praten.' Ze besloot het niet meer te doen.

'Doe eens rustig. Ga even zitten.'

Ze holde verder.

'Wordt die hond niet moe?'

Ze wierp een blik op Legs. De hond had een veel gelijkmatiger pas dan zij.

'Wat doe je met 'm? Honger je 'm uit om 'm te laten lopen?'

Dat kon ze niet op zich laten zitten. 'Ik heb Legs' leven gered.'

'Legs?'

'Legsamillion.'

'Wat een naam.'

'Probeerde iets anders. Maar ze luisterde niet naar Honnepon.'

'Legs. Doet ze nog mee aan hondenrennen?'

'Nee. Niet snel genoeg. Ze hadden d'r afgemaakt. Zonder mij.'

'Stelt ze dat op prijs?'

'Ja.'

'Gek, ik had me Grace met een pluizig, klein hondje voorgesteld, niet met zo'n mager scharminkel.'

'Legs is geen mager scharminkel. Niet voor een hazewindhond. Laat zien dat je er niets van weet. Ze heeft trouwens een hekel aan mannen. En ze is van mij. Niet van Grace.' Haar verdediging van Legs bracht haar volledig buiten adem en leidde haar net genoeg af om haar een scheur in het wegdek over het hoofd te laten zien. Ze maakte een misstap en herstelde zich snel, maar het kwaad was al geschied.

'O allemachtig,' hijgde ze en ze ontzag haar enkel terwijl ze langzaam tot stilstand kwam. Ze bukte zich, met haar handen op haar knieën. Haar hart bonsde tegen haar ribben.

Ze hoorde de pick-up stoppen en het portier opengaan. Er volgden voetstappen en toen een bezorgd: 'Gaat het een beetje?'

Ze hield haar ogen neergeslagen. 'Jawel. Ik moet alleen even op adem komen.'

'Heb je je voet pijn gedaan?'

Ze had kunnen weten dat hij het zou zien. Hij miste niet zo veel.

'Waarom loop je mank?'

'Een oude blessure.'

'Misschien moet je even gaan zitten.' Hij pakte haar arm.

Ze trok hem terug. 'Hoeft niet. Geef me maar een beetje ruimte.' Ze zag Legs naast haar knie. 'Voor alle zekerheid: mijn hond zou je kunnen aanvallen.'

Hij gaf geen antwoord. Hij ging evenmin opzij. Haar ogen gingen lang genoeg van de weg omhoog om zijn versleten werklaarzen, verkreukelde sokken en harige benen te zien.

Ze keek weer omlaag naar de weg, deed haar ogen even dicht en richtte zich toen op. Ze haalde diep adem en deed haar ogen weer open. Ze zag zijn mouwloze, kraagloze sweatshirt, en een al even grijs, al even gerafelde short.

'Wat een outfit,' merkte ze op.

'Ik was bezig met het dak.'

'Je hebt geen doktersbenen.'

'Hoe zien doktersbenen er dan uit?'

'Bleek en mager.'

'Heb je er veel gezien?'

'Genoeg.' De stad had heel wat dokters. Af en toe kwamen er een paar op de feestjes van Grace. Niet een van hen was echt knap.

Ze veegde haar gezicht af met de binnenkant van haar elleboog.

'Lust je een biertje?'

Eigenlijk wel. Haar keel was droog. 'Ach, waarom niet. Je hebt mijn joggen nu toch bedorven.' Ze deed haar best om niet te hinken toen ze hem over de weg naar de berm aan de overkant volgde. Hij viste twee blikjes bier uit de auto, trok het lipje van het ene open en gaf dat aan haar. Daarna trok hij het lipje van zijn eigen blikje open.

'Sorry,' zei hij. 'Geen glazen.'

Ze wierp hem een zure blik toe, hield haar hoofd achterover en nam een flinke, lekkere slok. Er was niets dat de dorst zo goed kon lessen als een koud biertje. Ze had dat, en nog veel meer, geleerd toen ze met vriendinnen door Europa was getrokken. Dat waren de jaren voordat ze bij Grace in huis was komen wonen, de jaren dat ze bijna net zo avontuurlijk was geweest als Sophie.

Ze had nog altijd opstandige opwellingen. Zoals nu. Er was iets gevaarlijks aan het drinken van bier aan de kant van de weg, met de vijand.

Ze liep – heel voorzichtig – om de pick-up heen en liet zich in het gras zakken. Na nog een flinke teug zette ze het gekoelde blikje tegen haar enkel. Legs nestelde zich naast haar.

Davis knielde neer en wilde haar enkel pakken. Ze schoof hem opzij.

'Laat eens zien,' zei hij.

'Nee. Er is niets aan de hand.'

'Als er niets aan de hand is, laat mij dan eens kijken.'

Ze vermoedde dat hij het niet op zou geven tot hij zijn zin had gekregen. Dus oké, besloot ze. Hij leek dan dwaas, en zij had gelijk.

Ze schoof haar voet binnen zijn bereik. 'Hij is niet gebroken. Ik kan erop lopen.'

Zijn vingers onderzochten haar voet. 'Ik zag dat je mank liep.'

'Hij is niet gebroken. Hoor eens, ik heb dit eerder gedaan. Ik weet hoe het voelt als het gebroken is. Dit is gewoon verstuikt. Niet eens. Een beetje verzwikt. Dat is alles. Zie je? Ik krimp niet ineen als je dat doet. Ik lig niet op de grond te spartelen, kermend van de pijn.'

'Hoe bedoel je, je hebt dit eerder gedaan?'

'Ik struikel altijd.'

Zijn hand bleef op haar huid liggen, met roerloze vingers, terwijl hij naar haar opkeek. 'Ben je daarvoor bij een dokter geweest?'

Ze lachte – om hem, omdat hij zo serieus was, en om zichzelf, omdat ze wist dat dat de beste manier was om haar gêne de baas te blijven. 'Ik ben zo stúntelig, Davis. Sorry dat ik je teleurstel, maar mijn fysieke coördinatie is gewoon niet zo goed.'

'Je loopt geweldig.'

'Het zou wat! Als er een bobbel in het tapijt zit, weet mijn voet 'm te vinden. Als er iets uitsteekt, stoot ik mijn knie. Als er een gat in de weg zit, bingo. Ik weet nog hoe ik tegen de deur botste, de eerste keer dat ik je sprak.'

'Je was toen overstuur.'

'Nou, deze keer werd ik afgeleid. Als ik al mijn aandacht op de weg had gericht, had ik misschien dat kuiltje gezien.'

Hij greep de onderkant van haar sportschoen beet en bewoog haar voet heen en weer. 'Doet dat pijn?'

'Nee.'

Legs gromde.

Davis deed langzaam zijn handen omhoog, ging staan en liep achteruit. 'Brave hond. Ik doe niets.'

Francine zuchtte. Ze trok haar benen op en nam nog iets te drinken. Afgezien van het lessen van haar dorst, maakte het bier haar ook zacht en mild. Dat was de enige reden die ze kon bedenken waarom haar woede was verdwenen. Aan de andere kant kon het ook gewoon uitputting zijn geweest.

Davis leek lang en slungelig zoals hij daar met zijn achterwerk tegen de motorkap van zijn auto geleund stond, met zijn hoofd achterover om te drinken. Toen hij zich weer oprichtte, zei hij: 'Ik denk dat dat wel bij elkaar past, een hazewindhond die over zo'n groot stuk land kan rennen.'

'Legs is een echt huisdier. Ze brengt het grootste deel van de dag in mijn zitkamer door.'

'Nee. Zit ze daar opgesloten?'

Francine antwoordde langzaam en nuffig: 'Ze kan gaan en staan waar ze wil. Maar ze blijft gewoon het liefst in de zitkamer.' Ze sloeg een arm om Legs heen en krabde haar hals. 'Ze is in een kooi opgegroeid. Ze voelt zich het veiligst in kleine ruimten. Ze gaat wel met mij mee naar buiten, of met Sophie als dat moet, maar ze is achterdochtig jegens vreemden.'

'Jegens mannen, zei je.'

Francine constateerde dat hij niet bij de auto vandaan kwam. Ze grijnsde. 'Legs is niet zomaar achterdochtig jegens mannen. Ze heeft de pést aan ze. Het is heel verstandig van je om daar te blijven.'

'Het zal wel een vrouwtje zijn. Dat schijnen alle Dorians te zijn.'

'Kennelijk niet allemaal, anders was ik hier niet geweest.'

'Hoe was je vader?'

'Charmant. Toegewijd. Hij is drie jaar geleden gestorven.'

'Dat vertelde Grace. Ze zei dat hij veel ouder was dan zij.'

'Achttien jaar. Zo oud was zij toen ik werd geboren. Hij was toen twee keer zo oud. Zij was nieuw in de stad. Ze ontmoetten elkaar binnen een week na haar komst, en ze waren binnen de maand getrouwd. Het was' – ze gebaarde – 'liefde op het eerste gezicht.'

'Wat een mooi verhaal.'

Dat had Francine ook altijd gevonden. Ze had altijd de indruk gehad dat John het zelfs nog meer van Grace te pakken had, dan zij van hem. Tot zijn dood toe lichtten zijn ogen op wanneer zij de kamer binnenkwam.

'Wat vond hij van haar carrière?'

'Hij vond 't geweldig. Hij was trots op haar. Aangezien hij zelf succesvol was, vormde ze geen bedreiging voor hem.' Francine dacht terug aan haar eigen kortstondige huwelijk. 'Niet alle mannen zijn zo zelfverzekerd.'

'Jouw man.'

Ze zuchtte diep. 'Jawel, daar heb je er zo een. We zijn gescheiden toen Sophie zeven was. Hij voelde zich overbodig en dat was hij ook. Geen vitale rol, geen hartstochtelijke verlangens. We pasten niet erg goed bij elkaar. Het was een gedwongen huwelijk.'

Davis verslikte zich in zijn bier. Hij boog zich voorover en veegde zijn druipende mond af met de rug van zijn hand.

'Heb ik iets verkeerds gezegd?' vroeg Francine liefjes. Ze vond het heerlijk om mensen te shockeren. Niet dat ze deze bewuste informatie met veel mensen deelde, of dat ze begreep waarom ze het aan Davis vertelde, maar zijn reactie was het waard.

Hij schoot in de lach. 'Een gedwongen huwelijk. En dat terwijl Grace het toonbeeld van fatsoen is. Dat is geweldig. Deed je 't expres?'

'Niet dat ik weet. Maar aan de andere kant misschien toch wel. Ik ben altijd dol geweest op baby's. Ik wilde er zelf ook een. Dus misschien onbewust…' Ze zweeg, schudde haar hoofd. 'Ach. Ik was pas twintig. Ik had wel willen wachten. Maar Grace was dol op Lee. Ik bedacht dat zij dan haar zin had, en ik een baby, maar zo werkte het niet. Ze was heel boos toen we gingen scheiden. Ik probeerde haar uit te leggen dat een relatie niet op seks alleen gebaseerd kan zijn, maar daar wilde ze niet aan.'

'Waarom niet?'

'Grace voelt zich niet op haar gemak als ze over seks praat.'

'Ze heeft het er in haar columns voortdurend over.'

'Dat is anders. Haar columns zijn technisch, intellectueel. Maar van mens tot mens is ze heel preuts. Ze schrijft sommige woorden gemakkelijker aan volslagen onbekenden, dan dat ze ze aan haar dochter uitlegt.'

'Wat voor woorden zoal?'

'Orgasme.'

'Da's een leuke.'

'Jawel. Tenzij je preuts bent, van aangezicht tot aangezicht.'

'En dat is Grace.'

'Jawel. Ze is ook goed, met een hoofdletter G. Ze neemt beloften heel ernstig. Ze ziet het huwelijk als voor altijd. Ze vond dat ik voor Sophie bij Lee had moeten blijven. Maar ik ben niet goed in doen alsof. Ik kon niet voorwenden dat ik van die man hield. Sophie had dat onmiddellijk doorzien.'

'Mis je het?'

'Het wel of geen man hebben?'

'Seks hebben.'

Ze vermoedde dat ze zelf op deze vraag had aangestuurd, er school veel nieuwsgierigheid in. Was ze seksueel? Was ze seksueel actief? Was ze actief op zoek naar seks? Mannen waren daar heel nieuwsgierig naar en Davis was een echte man. Niet dat ze antwoord zou geven.

Ze dronk haar blikje bier leeg en probeerde haar eigen gevoelens te negeren. Het viel moeilijk te bedenken dat hij Grace's dokter was, zoals hij daar tegen zijn pick-up geleund stond en niets menselijks hem vreemd was.

Hij staarde haar aan. Zij staarde, uit principe, terug.

Ten slotte zei hij: 'Juist ja. Dus thuis is het allemaal een beetje moeilijk?'

Ze kon hem niet volgen. 'Hoe dat zo?'

'Je zei zelf dat je ging lopen om te vergeten. Wat valt er te vergeten?'

Door dat beetje interesse kwam alles weer terug. 'Werk. Deadlines. De media.'

'Is er een probleem?'

'Er is altijd een probleem. Alle zakenmensen hebben problemen.'

'Dan zal ik het anders stellen. Is er een nieuw probleem?'

Ze keek hem recht in zijn beschaduwde gezicht en zei: 'De dokter van Grace zegt dat ze een dodelijke ziekte heeft. Deze diagnose – hoe onterecht ook – heeft een ontreddering teweeggebracht die de symptomen van de ziekte simuleert. Heel gewone dingen waar iemand van eenenzestig last van heeft, lijken dan onheilspellend. Grace raakt zo van slag bij de gedachte dat ze iets zal vergeten, dat ze het écht vergeet.'

'Misschien moet ze eens naar een psychiater gaan.'

'Daar heeft ze geen tijd voor.'

'Stuur haar dossier dan ergens anders heen en vraag om een second opinion. Dat heb je nooit gedaan.'

Met iedere andere diagnose zouden ze dat wel hebben gedaan. Maar voor Alzheimer bestond geen behandeling. Er was geen andere doorslaggevende diagnostische test dan de tijd.

Davis zweeg. Hij leunde met zijn lange benen uitgestoken en zijn voeten over elkaar geslagen tegen het spatbord. Hij pakte een blikje, hield het een minuut lang tegen zijn nek, en zette het toen op de motorkap. Hij zei zacht: 'Je bent bang dat een tweede dokter de diagnose van de eerste zal bevestigen.'

'Nou, zou jij daar dan niet bang voor zijn?' riep Francine. Ze was niet bang om het toe te geven. 'We hebben het hier niet over een streptokokkeninfectie. We hebben het over een fatale ziekte.'

'Jij hébt het er helemaal niet over. Je ontkent het, of je probeert het te ontkennen, maar dat is niet zo gemakkelijk. Het gaat slechter met haar, hè?'

'Het is gewoon een hectisch seizoen. Ze voelt de druk van alle kanten, dus ze is eenvoudigweg niet zichzelf.'

'Hoe was haar feest?'

Francine liet zich niet in de val lokken. Verdeel en word overheerst, waarschuwde Grace altijd. 'Ze is sindsdien bij jou geweest. Wat heeft ze gezegd?'

'Ze zei dat ze veel plezier had gehad. Ze gaf me een verslag van wie er allemaal waren geweest en ze vertelde me over de bloemen en het eten en de muziek. Ze vond de harpiste heel goed.' Hij zweeg even. 'Ik heb me laten vertellen dat het een strijkkwartet was.'

Francine haalde haar schouders op om deze vergissing. 'Het was vorig jaar een harpiste, dit jaar een strijkkwartet. Dat is een begrijpelijke verwarring.'

Davis draaide zijn blikje bier met één hand om, hield toen zijn hoofd achterover en nam een slok. Toen hij niets zei, zei ze: 'Ik heb gelijk.'

'Als jij gelijk had, zouden de dingen thuis een stuk rustiger zijn. Je zegt dat de diagnose de oorzaak is van alle verwarring, maar zo werkt dat niet. Niet in die mate. Niet voor zo'n lange tijd. Als alles goed was geweest met Grace, had ze mijn diagnose nu ver achter zich gelaten.'

'Dat is gemakkelijker gezegd dan gedaan; suggestie kan heel sterk zijn,' redeneerde Francine. 'Je hebt haar doodsbang gemaakt om dingen te ondernemen. Ze wil niet op reis, ze wil niet bij vrienden op bezoek, ze wil niet voor groepen spreken. Ze moet volgende maand voor een paneldiscussie naar Chicago, en ze zegt dat ik mee moet gaan. Je hebt een invalide van haar gemaakt.'

'Dat zijn allemaal symptomen, Francine. Wanneer Alzheimerpatiënten zich de onvoorspelbaarheid van hun gedragingen realiseren, trekken ze zich terug. Ze zijn bang dat mensen zullen zien dat ze iets fout doen. Ze zijn bang dat ze zichzelf in verlegenheid zullen brengen of voor gek zullen zetten, dus worden ze in zichzelf gekeerd. Ze klampen zich vast aan de bekendste mensen en gezichten.'

Francine plukte een grassprietje uit de grond en toen nog een. Ze begreep niet waarom haar familie nu voor deze problemen stond, Grace had haar succes verdiend. Ze zouden daarvan moeten genieten.

Davis hurkte naast haar neer. 'Het zal je wel lukken, Francine.'

Ze snoof smalend. 'Je klinkt als pastoor Jim.'

'Welnee. Ik wou dat 't zo was, maar het is niet zo. Hij ontleent zijn vertrouwen aan een hoger wezen. Ik wou dat ik dat kon.'

'Waar haal jij dan het jouwe vandaan?'

'Uit de mensen. Die krijgen altijd kracht naar kruis.'

'Nou, ik anders niet,' zei ze en ze duwde zich overeind. 'Bedankt voor je bier.' Ze gaf hem het blikje, rukte even aan de lijn van Legs en ging weer op pad.

'Laat mij je rijden,' riep hij.

'Hoeft niet,' riep ze terug.

'Je moet die voet ontzien.'

'Ik heb wel ergere dingen overleefd.'

'Wees geen koppige ezel, Francine.'

Ze gaf geen antwoord. Als zij een koppige ezel wilde zijn, dan wás ze dat ook. Ezels kwamen ook waar ze wilden wezen. Misschien wat langzaam. Maar ze kwamen er wel.

En waar ging zij naartoe? Naar huis. Naar wekelijkse deadlines die steeds moeilijker werden om te halen. Naar een hatelijke redacteur en een ongeduldige uitgever. Naar een telefoon die voortdurend rinkelde, een fax die bleef spuwen, en een moeder die steeds lastiger werd.

Ik wil hier weg, had ze het liefst geroepen, maar er was niemand om dat te horen. Daarom zei ze tegen zichzelf dat het echt beter ging worden, gewoon omdat het niet slechter kon, en ze rende verder.

Ze was tien minuten thuis toen de telefoon ging. 'Hallo?'

'Met Davis. Ik wilde zeker weten of je veilig thuis was gekomen.'

Ze voelde opeens tranen in haar ogen komen. 'Dat is gelukt. Dank je.'

'Ik wilde je ook zeggen dat ik hier ben. Voor als je me nodig hebt. Gewoon, om te praten.'

'Ik zal eraan denken.'

'Als vriend. Niet beroepsmatig.'

Ze veegde met de muis van haar hand over haar ogen. 'Niet beroepsmatig.'

'Mijn nummer staat in de gids.'

'Oké. Bedankt.' Ze haalde beverig adem. 'Ik ga nu onder de douche. Ik ben kapot.'

'Ik benijd je. Mijn douche stinkt. Hij is piepklein. Die in mijn huis zal twee keer zo groot zijn, omringd door glas.'

Ze kon zich niet bedwingen en zei: 'Ik heb er zo een.'

'Echt waar?'

'Jawel.'

Hij zuchtte. 'Als jij onder jouw douche staat, stel je dan eens voor hoe ik mummie speel in die van mij.'

Ze kon het zich bijna voorstellen. 'Zielig, hoor!'

'Geniet er maar van.'

'Jij ook.' Ze glimlachte toen ze de telefoon neerlegde. Het was een zachte glimlach, een vriendelijke glimlach die bleef onder de douche, toen ze met Legs speelde, zelfs toen ze wat aan de puzzel in de *Sunday Times* werkte. Hij verbleekte toen ze het licht uitdeed en toen de kamer donker werd, en toen haar voeten het koude gedeelte van het bed raakten, en de stilte van de nacht inviel, was hij helemaal verdwenen.

6

De beste bedoelingen zijn slechts zo goed als de omstandigheden toelaten.

– Grace Dorian, in een toespraak voor ouders van
alcoholische kinderen

Grace zat in het vliegtuig naar Chicago, haar enkels over elkaar geslagen, haar handen in haar schoot, en haar ogen beschermd door een donkere jullie-kennen-me-niet zonnebril. Ze nodigde niet uit tot vrijblijvend gebabbel.

Francine boog zich over de armleuning. 'Je ziet er nerveus uit. Komt dat alleen maar door het vliegtuig?'

'Het is de hele reis. Ik word hier te oud voor.' Ze was dagenlang bezig geweest met de voorbereidingen, doordat ze hun vertrekdatum steeds vergat en alles opnieuw in- en uitpakte. Ze veranderde voortdurend van gedachten over welke kleren ze wel of niet zou meenemen, daarna nam ze telkens haar lijst door, opdat ze niets belangrijks zou vergeten, en zelfs nu was ze er niet zeker van of ze alles had. Ze keek Francine verschrikt aan. 'Ik heb mijn make-uptasje op de kaptafel laten staan.'

'Welnee. Ik heb gezien dat je het inpakte.'

'Echt waar?' Ze schoof achteruit. 'Heb je gezien dat ik het inpakte?'

'Ik heb je geholpen het in te pakken.'

Grace glimlachte. Als Francine had geholpen, kon ze nooit iets belangrijks hebben vergeten en als dat wel zo was, dan was het de schuld van een ander.

Gerustgesteld probeerde ze zich te ontspannen, maar dat was moeilijk. Deze reis was voor haar van groot belang. Ze moest zo beheerst zijn als *De Hartsvriendin* maar kon zijn.

Er was echter iets dat haar dwars bleef zitten. Ze waren bezig hun daling naar O'Hare in te zetten, toen ze besefte wat het was. 'We zullen eerst bij Norman Marcus moeten stoppen,' zei ze tegen Francine. 'Ik heb mijn make-uptasje vergeten.'

'Mam, ik heb zelf gezien dat je het in je koffer deed.'

'Weet je 't zeker?'

Francine keek omhoog. 'Ja, ik weet het zeker.'

'Nou, het is echt niet nodig dat je zo kortaf doet. Het was maar een gedachte.'

Francine zweeg, en zuchtte toen droevig: 'Dat weet ik.'

Dit bedroefde maakte Grace bezorgd, maar ze had geen tijd om er verder op in te gaan met alle drukte van uit het vliegtuig stappen en hun chauffeur in de menigte zoeken. De limousine was gelukkig donker en rustig. Grace was het liefst veel langer blijven zitten dan de rit naar het hotel duurde, maar Francine duwde haar eruit. Vanaf het eerste begin beviel het hotel haar niet. Het was groot en onbekend. Haar suite was weliswaar heel aardig en het was een rustig idee dat de conferentie in het hotel werd gehouden, zodat ze voor het panel naar beneden kon glippen en weer kon verdwijnen zodra de discussie achter de rug was – maar Annie had hen verplicht tot een diner met de organisatoren van de conferentie en daarna, de volgende morgen, een ontbijt met de drie andere leden van het panel. Grace was nerveus.

Het diner verliep uitstekend. Ze was op haar charmantst, zoals ze over haar loopbaan vertelde, de nadelen van het beroemd-zijn betreurde, als een bedreven gastvrouw anderen in de gesprekken betrok. Ze was zo volledig zichzelf, zo ópgelucht dat het zo liep, en zo hoopvol over het succes van deze tocht, na een moeizame start, dat ze heel geschokt was toen ze naar de suite terugkeerde en haar bril niet kon vinden. Zonder die bril kon ze haar aantekeningen niet lezen.

'Maar je hóeft helemaal niets te lezen,' hield Francine vol tijdens het zoeken. 'Het is een open discussie. De vragen zullen je door mensen uit het publiek worden gesteld.'

'Ik heb aantekeningen. Die moet ik kunnen lezen. Waar heb je mijn bril gelaten?'

Hij lag onder haar tasje. Ze zette de bril op, maar ontdekte toen dat haar aantekeningen nergens op sloegen. Ze las ze nog eens en nog eens, of probéérde ze te lezen. 'Wanneer heb ik dit geschreven?' vroeg ze verbijsterd. 'Dit heeft helemaal niets met puberteit te maken.'

Francine stak een hand uit. 'Laat eens zien.'

Grace verscheurde ze nog liever dan zich voor gek te voelen staan als ze ze liet zien. 'Ze gaan helemaal niet over puberteit.' Ze wierp de fragmenten weg. 'Wat moet ik doen?'

'Wat je altijd doet,' zei Francine zelfverzekerd. 'Je gaat in dat panel zitten en beantwoordt vragen en je zegt steeds tegen jezelf dat je morgen om deze tijd weer thuis bent.'

Die gedachte beviel Grace veel meer dan de gedachte aan wat

er tussen nu en dan kon gebeuren. Het overkwam haar de laatste tijd vaak dat ze haar gedachten niet op een rijtje kon krijgen, dat het idee dat ze zocht net buiten haar bereik bleef, dat de woorden haar ontglipten. 'En als ik nu geen antwoord weet?'

'Jij hebt overal een antwoord op. En anders geef je de vraag door aan iemand anders. Daar ben je heel goed in, mam. Het zal je wel lukken.'

Het lukte haar niet. Om te beginnen kon ze zich de namen van de andere leden van het panel niet herinneren, wat heel gênant was bij een kleine ontbijtgroep. Daarna werd het gesprek heel theoretisch en kon ze slechts glimlachen en knikken, wat haar gevoel van ongemak vergrootte. Om de zaken nog erger te maken, bracht de kelner haar roerei terwijl ze om een muffin had gevraagd, en daarna verschoof hij haar bril naar een plek onder de bladeren van een varen. Ze vond hem pas terug nadat de hele tafel was gaan zoeken.

Ze verkeerde niet in de beste gemoedstoestand om deel te nemen aan een paneldiscussie, laat staan een discussie over puberteit, want puberteit was wel het laatste waar haar hoofd naar stond tegen de tijd dat het panel bijeenkwam. Ze vond dat de zee van gezichten vóór haar angstaanjagend was – de ogen stonden te ernstig, de monden te strak, de pennen waren te druk in beweging. Om zich een vrolijker menigte voor de geest te halen, dacht ze terug aan haar eerste oudejaarsavond met John, toen ze naar een feest waren geweest in het Waldorf-Astoria, in een zaal die veel op deze leek. Na het feest hadden John en zij in een lichte sneeuwbui door de straten van Manhattan gelopen. Het was vreselijk romantisch – zelfs onwaarschijnlijk, gezien de veranderingen in haar leven. Ze wist nog hoe ze omlaag had gekeken naar haar satijnen baljurk, hoe ze de bontkraag van haar jas had betast en had gedacht aan hoe ze de vorige oudejaarsavond, gehuld in afdankertjes van haar grote zus, met een oud legerjasje aan, haar handen had staan warmen bij het vuur dat ze met zijn allen uit louter balorigheid in de schuur van Harry Lechter hadden gestookt.

Ze had een ongelofelijke treurigheid gevoeld toen ze daarop terugkeek.

'Mevrouw Dorian?'

Ze haalde diep adem en vond de bron van de stem, een lange man op het podium, die haar vol verwachting aankeek. 'Ja?'

'De vraag was of – en zo ja, in welk opzicht – de wezenlijke problemen van adolescenten in de afgelopen tien jaar zijn veranderd.'

Wezenlijke problemen van adolescenten. Wezenlijke problemen. Grace probeerde haar gedachten helder te krijgen, maar ze had geen idee wat hij bedoelde. Dus zei ze: 'Nee. Ik geloof niet dat zich daar veel wijzigingen in hebben voorgedaan. Wezenlijke problemen zijn...' Ze zocht naar het woord. Er was een woord dat ze zocht, een dat precies goed was, maar het wilde haar niet te binnen schieten. Onvermijdelijk? Nee. Identiek? Nee. Universeel? Néé. 'Tijdloos,' zei ze ten slotte met een glimlach en schoof achteruit in haar stoel. Haar glimlach verstarde in de korte stilte die hierop volgde. Ze was eindeloos opgelucht toen de man op het podium zich weer tot het publiek richtte.

Iemand vroeg naar het effect dat de aids-epidemie op de puberteit had. Toen zij opgroeide was er geen aids geweest. Het enige waar zij zich toen zorgen over hadden gemaakt was een zwangerschap of een druiper, en voor een druiper bestonden geneesmiddelen. Er was geen middel tegen zwangerschap, behalve abortus of bevalling, en abortus was alleen voor ongelovigen. Haar vriendin Denise had een abortus ondergaan en was bijna doodgebloed. Dat was een les voor de anderen geweest. Niet dat Grace abortus zou hebben overwogen. Ze had Johnny's kind echt niet willen laten aborteren.

Grace zocht Francines gezicht op de eerste rij. Ze zag er angstig uit en Grace veronderstelde dat ze daar alle reden toe had. Francine was een eenzaam kind geweest, ondanks Grace's pogingen om de leemte te vullen. Misschien was alles anders gelopen als er andere kinderen waren geweest. Maar aan de andere kant had Francine iets dat geen ander kind van haar ooit kon hebben. Grace had haar niet willen delen.

'Mevrouw Dorian?'

Haar ogen schoten weer naar het podium. Ze keek naar haar gehoor, maar ze had geen idee wie er had gesproken. Dus bracht ze haar hand naar haar oor. 'Het spijt me. Ik heb de vraag niet goed verstaan.'

'Dokter Keeble kwam met het argument dat de meeste tieners de beperkingen van politieke correctheid zo benauwend vinden dat ze ertegen in verzet willen komen. Misschien wilt u daar commentaar op geven.'

Grace dacht erover na, probeerde peinzend te kijken terwijl haar hart hevig bonsde en haar handpalmen klam werden. Denk na, Grace. Denk na. Ze haalde diep adem. 'Als u met verzet bedoelt dat ze tegen politieke correctheid in opstand komen, dan klopt dat.' Ze zweeg. Ze wachtten tot ze nog meer ging zeggen. 'Ik weet niet of ik hun dat kwalijk kan nemen,' bracht ze moeizaam uit. 'Ik geloof niet dat ík in staat zou zijn alle stappen voor bepaalde situaties te onthouden.' Er ging gegrinnik door de zaal. Grace voelde zich aangemoedigd en ging verder. 'Tieners doen veel moeite om hun eigen stem te vinden. Iedereen die probeert hun woorden in de mond te leggen, is voorbestemd te mislukken. Het concept van zelfbeheersing is de tiener een gruwel, tenzij ze zich die zelfbeheersing zelf opleggen.'

'U citeert nu dokter Keeble.'

Grace was zich daar niet van bewust geweest. 'Nou, de gedachte is het herhalen waard. Het is onjuist om dit... om dit...' De term ontglipte haar. Ze zocht, fronste, en zei ten slotte: 'Is dit echt anders dan beleefdheid? Of respect voor anderen? Of gezond verstand? Tieners doen veel moeite om hun eigen stem te vinden. Ik kan begrijpen waarom ze in verzet komen. Ik zou niet in staat zijn me alle stappen voor bepaalde gedragingen te herinneren.'

De andere vrouw in het panel begon te praten. Ze droeg een jurk met een exotisch motief dat Grace deed denken aan een kunstwerk dat ze ooit had gezien. Ze wist niet zeker of dat op Tahiti was geweest. Of op Nieuw-Guinea. Of misschien was het wel Borneo geweest. En het had ook nog bij het Metropolitan Museum of Art kunnen zijn.

Ze probeerde het zich te herinneren. Het motief had iets primitiefs. Waar had ze het gezien?

John was dol op reizen. Hij had er het geld voor en de tijd. Grace had er ook de tijd voor gehad, voordat *De Hartsvriendin* verscheen, maar ze had het heel vervelend gevonden om Francine achter te laten. Dus nam John een kinderverzorgster in huis om haar gerust te stellen. Niet dat dat hielp. Geen enkele kinderjuf kon de plaats van een moeder innemen. Maar Grace wist dat John hier behoefte aan had en ze had veel aan hem te danken. Dus ging ze met hem mee op reis, belde Francine dagelijks, en kwam altijd thuis met cadeautjes. Misschien was een van die cadeaus een kunstwerk geweest.

Ze wenste dat ze het zich kon herinneren, maar de enige dingen die ze zich kon herinneren mee naar huis te hebben gebracht, waren de grote schelpen die ze op een Caribisch strand had gevonden. Tot op de dag van vandaag fungeerden ze als bloempotten in de wc.

Grace was van plan even gebruik te maken van de haar geboden ruimte, en daarom fluisterde ze kort: 'Eén momentje,' tegen het panellid naast haar en glipte uit haar stoel, het podium af.

Francine haalde haar pal buiten de deur in. 'Wat doe je nóu?' fluisterde ze op een indringende toon die blijk gaf van afkeuring.

'Ik moet even naar het toilet,' zei Grace, zonder vaart te minderen.

'Je zit in een panel. Je kunt niet zomaar verdwijnen.'

'Ik moet naar de wc.'

'Je bent nog geen uur geleden geweest.'

Grace kon zich daar niets van herinneren. Maar het feit dat Francine zo zeker leek, deed haar aarzelen. 'Echt waar?'

'Ja mam. Ik was erbij.' Ze werd iets milder. 'Moet je echt zo nodig?'

Grace dacht een minuut na en besloot toen dat dit niet het geval was. Dus draaide ze zich om en liep terug. 'Zeg me eens eerlijk,' zei ze, omdat dat erg belangrijk voor haar was, 'doe ik het goed?' Toen er geen antwoord kwam, keek ze opzij.

Francine zag bleek. 'Ik geloof niet dat je hier goed in zit.'

'Maar ik zeg toch zeker wel zinnige dingen?'

'Je moet goed naar de gespreksleider luisteren, naar de andere panelleden, naar het publiek. Je moet je aandacht op het onderwerp richten.' Ze had haar hand op de deur. 'Hoor je wat ik zeg?'

'Nou, ik ben niet doof.'

'Zul je je concentreren?'

'Natuurlijk.'

'Beloof je me dat?'

Grace begreep niet waarom Francine zo bezorgd deed. Ze had al zoveel groepen in haar leven toegesproken dat ze het met haar ogen dicht kon doen, en dit was echt niet zo'n geweldige groep. Het onderwerp was natuurlijk vreemd voor haar. Het interpreteren van dromen was een freudiaanse bezigheid. Daar had ze geen enkele ervaring in.

'Francine?' begon ze, denkend dat het nog steeds niet te laat was om terug te gaan naar haar suite. Maar Francine hield de deur open en troonde haar weer mee, de zaal in. Nu alle ogen op haar gericht waren, kon ze niet veel anders doen dan stilletjes naar haar plaats gaan.

Francine had een barstende hoofdpijn. Ze drukte haar hand tegen de plek die bonsde en ze kroop nog dieper in de hoek van de achterbank van de limousine weg. Vanuit de andere hoek zei Grace beverig: 'Ik was vreselijk, hè?'

Ja, ze was vreselijk geweest. Ze had niet meer dan twee samenhangende zinnen gezegd, ze had zichzelf herhaald en over de hele linie dingen gezegd die nergens op sloegen. Vreselijk was nog heel zwak uitgedrukt. Toen Francine erop terugkeek, probeerde ze niet in paniek te raken.

'Ze lachten me uit,' zei Grace.

'Nou, je hebt ook een aantal grappige dingen gezegd.'

'Ze lachten niet óm me, ze lachten me uít.'

Inderdaad. En Francine was er getuige van geweest. Het was voor haar net zo'n bezoeking geweest als voor Grace. 'Je dwaalde wat af,' zei ze in een poging vriendelijk te zijn, maar innerlijk zo wanhopig dat ze bijna plofte. 'Het was een gesprek over puberteit. Niet over slaappatronen, gewelddadige persoonlijkheden of menopauze.'

Grace keek intens geschokt. Ze staarde naar haar schoot, schudde haar hoofd, en zei verder niets, waar Francine haar dankbaar voor was. Ze wist zelf ook niet wat ze moest zeggen, en daarom probeerde ze maar beheerst te blijven. Eenmaal in de eersteklas lounge van het vliegveld, nam ze een paar aspirines, liet zich in een diepe, gemakkelijke stoel zakken en deed haar ogen dicht. Ze hoorde Grace zuchten, ze hoorde haar af en toe een bladzijde van een tijdschrift omslaan, daarna de plof toen dit werd weggelegd, en een rustig: 'Ik ga even mijn handen wassen.'

Francine keek haar na en ze bedacht dat ze er opeens ouder en brozer uitzag. Dit was schokkend. Grace was altijd heel dynamisch geweest, de grote motor van de levens van de Dorians, zelfs toen John nog leefde, met haar instinctief aanvoelen van de behoeften en verlangens van mensen. Ze wist hoe ze dingen in beweging moest zetten en gaande moest houden. Ze maakte altijd de juiste keuzes.

Francine wilde niet aan de diagnose van Davis Marcoux denken, maar ze kon die niet van zich afzetten.

De tranen sprongen haar in de ogen. Ze deed haar ogen dicht en legde haar hoofd tegen de rugleuning van de stoel. Daarna probeerde ze de prop in haar keel weg te slikken.

Een poosje bleef ze zo zitten. Eerst om haar zelfbeheersing terug te krijgen, en daarna om gewoon kalm te blijven. Haar geest dwaalde terug naar de dagen dat de grenzen duidelijk waren getrokken, toen zij het kind was en Grace de moeder, toen het geen vraag was wie de leiding had. Grace had haar leren zwemmen, leren fietsen, haar haar leren vlechten. Grace had haar zelfs leren naaien – heel opmerkelijk omdat Grace zelf niet naaide, maar ze hadden op de valreep een feestjurk gekocht en de naaister was de stad uit geweest. Het viel te voorspellen dat Grace's helft van de zoom perfect was, terwijl die van Francine twee keer over moest. En toen, binnen enkele minuten nadat ze op het feest was gearriveerd, had Francine bowl op haar jurk gemorst. Bowl met rode vruchten. Of eigenlijk was het bowl met champagne erdoorheen. Ze had er nog twee glazen van gedronken en was de vlek vergeten.

Grace had de vlek direct gezien en ze was heel verdrietig geweest. Als ze van de champagne had geweten, had er wat gezwaaid.

Francine draaide glimlachend haar hoofd opzij en deed haar ogen open om de herinnering met Grace te delen, maar Grace zat niet naast haar. Ze was evenmin in de onmiddellijke omgeving van de lounge te bekennen. Met een nerveuze blik op de klok aan de muur ging Francine haar zoeken, maar ze was niet bij de damestoiletten, aan de bar of voor de televisie.

'Ik geloof dat ik mijn moeder kwijt ben,' zei ze tegen de receptioniste achter de balie en ze gaf een korte beschrijving.

'Ik geloof dat ze weg is gegaan,' zei de receptioniste.

Francine schrok. 'Wanneer?'

'Niet zo lang geleden. Vijf, misschien tien minuten.'

'Heeft ze ook gezegd waar ze heen ging?'

De receptioniste glimlachte verontschuldigend en haalde haar schouders op.

'O God,' zei Francine. Ze slaakte een vermoeide zucht en keek hulpeloos om zich heen. 'Ik kom zo terug.'

Ze holde de lounge uit. Er kwamen drommen mensen voorbij, maar Grace was nergens te bekennen. Ze holde zoekend de ene kant uit, en daarna de andere kant. Ze liep angstig terug naar de lounge.

'Ik kan haar niet vinden,' hijgde ze. 'Kunt u haar omroepen?'

'Ja. Maar uw vliegtuig staat klaar, u moet instappen.'

Francine legde haar handpalm tegen haar voorhoofd en probeerde na te denken. 'Ze heeft haar ticket, haar jas en haar koffertje niet bij zich.' Maar ze had wel haar tasje bij zich, wat betekende dat ze geld, identiteitspapieren en creditcards bij zich had, iets waar een dief heel blij mee zou zijn, besefte Francine. Niet dat Grace die zonder slag of stoot zou afstaan, en dat maakte Francine nog banger. 'Wilt u alstublieft naar de gate bellen om te zien of ze daar is?'

De receptioniste deed alles wat Francine vroeg, maar Grace stond niet bij de gate te wachten en ze reageerde ook niet op de oproep. Francine werd wanhopig. Ze wilde liever geen gebruik maken van hun naam, maar in de hoop dat het zou helpen, vertelde ze de receptioniste precies wie Grace was. Binnen enkele minuten had de vliegmaatschappij een veiligheidsteam in de lounge. En binnen enkele minuten daarna had een van hen Francine en hun bagage op een gemotoriseerd wagentje geladen voor een snelle rit naar de gate, terwijl de anderen er te voet op uit trokken.

Allerlei gezichten trokken in een waas aan Francine voorbij. Ze keek de menigte rond naar het gezicht dat ze zocht, terwijl de oproep via de luidsprekers werd herhaald. Ze stond bang en zenuwachtig bij de ingang van de slurf te wachten terwijl de laatste passagiers aan boord gingen. Pas toen kwam het telefoontje dat Grace was gevonden.

'Góddank,' riep ze. Ze bracht haastig hun spullen het vliegtuig in en keerde toen terug voor Grace, die enkele minuten later vrolijk en wel met haar gevolg arriveerde. Ze bedankte glimlachend, handenschuddend, alle mensen die haar naar de gate hadden gebracht, waarbij ze triomfantelijk straalde over haar terugkeer. Ze zette zelfs voor een van de veiligheidsmensen een handtekening op een strookje van een ticket.

Francine liep haastig met haar naar het vliegtuig. 'Waarom was je er zomaar vandoorgegaan?' vroeg ze. Nu de angst voorbij was, werd ze kwaad. 'We hebben overal gezocht. Ik begon me de meest afschuwelijke dingen voor te stellen.'

Grace keek naar de steward, die bij de deur van het vliegtuig stond te wachten. 'Het spijt me heel erg dat ik u heb laten wachten. Ik wilde even m'n benen strekken, en toen vergat ik de tijd. Ik had niet beseft hoe ver ik was afgedwaald. Dit is volgens mij het grootste vliegveld van de wereld, en zeker het drukste. Ik hoop dat ik niemand overlast heb bezorgd.'

'U bent precies op tijd, mevrouw Dorian,' zei de man stralend.

Francine werd briesend van al dat geglimlach als je bedacht door wat voor hel zij was gegaan, maar ze zei niets tot ze op hun stoel zaten en het vliegtuig wegtaxiede. Toen pas keek ze Grace smekend aan en zei: 'Doe me zoiets alsjeblíeft nooit meer aan, moeder.'

Grace klopte haar op de hand. 'Het is toch allemaal goed gekomen.'

'Ik heb in dóódsangst gezeten.'

'Nu weet jij hoe ik me voelde toen je zes was en in het circus verdween.'

'Dat was een onschuldige vergissing. Ik was een kind. Ik liet je hand even los, en opeens waren er tientallen mensen tussen ons. Ik wist niet waar je was.' Ze herinnerde zich de paniek die ze had gevoeld nog als de dag van gisteren. De gedachte aan een toekomst zonder Grace, hoe anders ook, was nog even schokkend. 'Beloof me dat je er niet weer zomaar vandoorgaat.'

'Francine, ik ben geen klein kind meer. Ik hoef jou, of wie dan ook, niets meer te beloven.'

Maar Francine was wanhopig. Ze wilde geloven dat Grace het met opzet had gedaan – ze wilde huilen, gillen, wát dan ook doen om een halt toe te roepen aan dit afschuwelijke gevoel van radeloosheid dat ze had.

'En zit niet zo te pruilen,' snauwde Grace. 'Dat is heel kinderachtig.'

Francine was ten einde raad en ze barstte los: 'Nou, we weten allebei dat ik nooit volwassen ben geworden. Dus noem het maar een persoonlijkheidsstoornis en wees dankbaar dat jij in elk geval niet de politie erbij hoefde te halen en compleet voor gek hoefde te staan.'

'Zit dáár het probleem? Vond je dat je voor gek stond?'

'Nee, jíj stond voor gek, moeder. Dáár gaat 't om. We waren het erover eens dat *De Hartsvriendin* deze reis nodig had om haar imago op te vijzelen. Ik ben meegegaan om ervoor te zorgen dat dat gebeurde, en ik heb m'n best gedaan, maar het was niet genoeg. Had ik naast jou moeten staan om je allerlei namen in het oor te fluisteren, of vanuit het publiek tekens moeten geven om jou te vertellen wat je moest zeggen wanneer de juiste woorden niet wilden komen?' De verschrikking van dit alles kwam weer bij haar boven. Grace, die altijd zo handig en beheerst en alwetend was geweest, was nu vreselijk gestruikeld, en ze had Francine daarmee tot in het diepst van haar ziel geschokt.

Grace was haar idool. Ze had haar succes bereikt door louter volharding, door jaar na jaar *De Hartsvriendin* te schrijven, en het succes smaakte des te beter gezien wat eraan vooraf was gegaan. Niet dat Francine veel over die eerste jaren wist. Grace weigerde daarover te praten. Maar tussen die weigering en de enkele dingen die haar per ongeluk waren ontglipt, wist Francine dat Grace een moeilijke start had gehad.

Ze verdiende een rustige oude dag. Ze verdiende heel veel rustige oude dagen. Het was veel te vroeg voor al dit soort narigheid.

Maar die narigheid bleek wel te komen.

De piloot kondigde aan dat ze gingen opstijgen. Het toestel draaide de startbaan op, meerderde snelheid en kwam van de grond. Het was Francines gewoonte om de armleuningen vast te grijpen en inwendig te tellen tot de cruciale eerste minuten voorbij waren, maar het vliegtuig zou niet neerstorten. Als Grace de ziekte van Alzheimer had, zou het vliegtuig niet neerstorten. Tragedies overlapten elkaar zelden.

Haar hoofd begon weer te bonzen, het soort dof, hardnekkig gebons waarvan ze uit ervaring wist dat het tegen de morgen migraine zou worden. Ze wreef over haar slaap.

'Ik heb me vanaf het eerste begin ongemakkelijk gevoeld over deze tocht,' mompelde Grace.

Francine wist dat maar al te goed. Ze wenste dat ze had geluisterd. Maar ze had aan *De Hartsvriendin* gedacht. Daar dacht ze nog steeds aan. 'Ik heb je hulp nodig, mam. Ik doe zoveel mogelijk mijn best, maar ik ben niet zo goed... ik ben nóóit zo goed geweest als jij. Ik kan deze tocht niet tot een succes maken. Ik weet niet of ik *De Hartsvriendin* tot een succes kan maken.' De frustratie van drie maanden van veel zorgen en hard werken brak nu naar buiten. 'Onderzoek doen, columns schrijven en herschrijven, voortdurend geharrewar met de krant, de uitgever, de *Telegram*. Jíj bent *De Hartsvriendin*. Ik niet.'

'Jij bent mijn assistent.'

'Maar jij bent al in geen weken de baas geweest. Ik moet jouw leiding volgen, maar je gééft geen leiding. Je bent er, maar je bent er niet. Je wordt zo geobsedeerd door dat boek, dat je al het andere vergeet.'

'Het boek is van cruciaal belang.'

'Het boek is niets zonder de rest. Daarom hebben we deze reis gemaakt. *De Hartsvriendin* werd gevraagd het boek te schrijven, maar het boek is zinloos als *De Hartsvriendin* struikelt.'

'En het is jouw werk om ervoor te zorgen dat dat niet gebeurt.'

'En zo is de cirkel weer rond,' zei Francine, al was het dan mompelend, omdat de stewardess naar hen toe kwam. 'Misschien kan ik die klus gewoon niet aan. Is dat nooit in je opgekomen?'

'Meer dan eens,' zei Grace binnensmonds. Ze keek vriendelijk op, glimlachte, en bestelde mineraalwater met een beetje lime.

Francine bestelde iets sterkers en negeerde de kritische blik die Grace haar toewierp.

Pas toen het glas leeg was en het diner eraan kwam, maakte Grace een opmerking over zwakke mensen die de steun van alcohol behoefden.

Francine klemde haar kiezen op elkaar.

'Ik begrijp niet waarom je zo kwaad bent,' mopperde Grace korte tijd later.

Kwaad was het verkeerde woord. Ze was eerder terneergeslagen. Grace was degene die in Chicago het grote verschil had kunnen maken, maar dat had ze niet gedaan en nu zat ze hier haar kalfs cordon bleu een beetje op te sieren met gemeenplaatsen als: 'Je maakt van een mug een olifant.' Of: 'Ik wou dat ík als kind zulke kansen had gehad als jij.' Of: 'Je hebt niet genoeg gegeten.'

'Laat me nou maar,' zei Francine ten slotte, en ze herhaalde dit toen Grace zei dat ze iets voor haar hoofdpijn moest nemen, en nog eens toen Grace zei dat ze zich op de wc moest gaan opknappen, en al die tijd kon ze wel schreeuwen van frustratie over de ironie dat Grace helder was waar het zulke kleinzielige, onnozele, volstrekt triviale dingen betrof.

Deze helderheid duurde voort tot hun landing op La Guardia.

'Weet Gus dat we komen?' vroeg Grace.

'Ja,' antwoordde Francine, die tot tien telde, niet vanwege de landing, maar om geduld op te brengen. 'Hij heeft ons reisschema. Hij weet ons vluchtnummer.'

'Heb je hem gezegd dat hij eerst vluchtinformatie moet bellen? Heb je gezegd dat hij rekening moet houden met files, als hij naar het vliegveld rijdt? Hij is meer dan eens te laat gekomen doordat de brug omhoog was. We landen op het slechtst denkbare tijdstip. Heb je dat tegen hem gezegd?'

Francine wenste dat Grace de dingen gewoon wat vaker zelf deed in plaats van haar zo aan haar hoofd te zeuren.

'Heb je hem daaraan herinnerd, Francine?'

'Dat héb ik allemaal gezegd. Hij zal er écht zijn.'

Hij was er niet. Gewoon pech voor Francine. Ze was moe en boos, en haar hoofd deed pijn, en Grace, die even boos en geprikkeld was, barstte los in een stortvloed van onbeantwoordbare vragen. Francine keek om zich heen, op zoek naar een telefooncel.

'Bel hem,' instrueerde Grace, alsof Francine zelf niet op die gedachte was gekomen.

Ze liet Grace met hun bagage bij de deur achter terwijl ze de hoek om ging om te bellen.

Gus nam de autotelefoon niet op. Hij nam de garagetelefoon ook niet op, hoewel deze naar zijn eigen onderkomen was doorgeschakeld, tot Francine wanhopig op wilde hangen, en toen was het Sophies stem die ze hoorde, Sophies sláperige stem.

'O grote hemel, mam. Het spijt me. We zijn in slaap gevallen.'

'In slaap gevallen? Wé? Om vijf uur 's middags?'

'Er was gisteravond in Newport een feestje. We zijn pas vanmorgen vroeg thuisgekomen.'

'Sophie, hoe kón je me dit aandoen?' klaagde Francine, doodmoe omdat alles op haar neerkwam. 'Chicago was een nachtmerrie? We moeten naar huís!' Ze verlangde wanhopig naar vertrouwd terrein, vertrouwde mensen, haar vertrouwde omgeving.

Sophie zei haastig iets tegen Gus, daarna tegen Francine, met een stem die nu klaarwakker was, af en toe onderbroken door iets waarvan Francine dacht dat het het zoeken naar kleren was. 'We komen eraan... we kleden ons nu aan... geef ons...'

'Anderhalf uur? Twee uur? Dat heeft geen zin. We nemen wel een taxi.' Francine hing danig gepikeerd de hoorn op en holde terug naar de hoek, half in de verwachting dat Grace zou zijn verdwenen. Dat ze daar nog steeds met alle bagage stond, bracht slechts even soelaas. Ze was boos over Francines bericht, ondanks dat in de versie die zij hoorde Sophie niet werd genoemd.

Francine onderbrak haar halverwege haar tirade, zei dat ze daar moest blijven staan, en ging een taxi zoeken. Tien moeizame minuten en een dikke fooi later, had ze een chauffeur.

'Ziezo,' zei ze met een zucht toen ze eindelijk op weg waren. 'Deze is lang niet gek.'

'Hij is vies en hij is warm,' was het antwoord van Grace. 'Ik heb er genoeg van. Gus vliegt eruit.'

Francine geloofde dat pas als ze het zag. Gus was een van de mensen van pastoor Jim, en Grace ontsloeg zelden een van hen. Ze zou zich misschien beklagen, uitvoerig beklagen, maar de mensen van pastoor Jim bezaten steeds immuniteit. Maar Francine niet.

'Was het nou zó moeilijk om ervoor te zorgen dat Gus hier was?' vroeg Grace toen ze klaar was met het afkraken van het interieur van de taxi. 'Als jij hem had gebeld voordat we van O'Hare opstegen, had hij niet de tijd gehad om in slaap te vallen.'

'Voordat we van O'Hare opstegen,' bracht Francine haar in herinnering, met wat ze zelf als prijzenswaardige vriendelijkheid beschouwde, gezien de mate waarin haar geduld was uitgeput, 'was ik koortsachtig op zoek naar jou.'

'Maar ik ben wel komen opdagen. En Gus niet.'

'Waarom heb jíj hem dan niet gebeld?'

'Omdat ík niet bij een telefoon in de buurt was.'

En zo ging het maar door. Francine had nog nooit zo tegen Grace gedaan, tegen niemand gedaan, maar ze kon zich niet langer beheersen. Er was op O'Hare iets gebeurd dat haar wanhopig en radeloos had gemaakt. Bij elke bocht zag ze in gedachten het bordje 'Alzheimer' oplichten.

Ze was niet kwaad op Grace. Ze was kwaad op de situatie. Ze besefte dat Grace dat misschien ook wel was. Toch bleven ze de hele weg naar huis kibbelen, ieder vanuit haar eigen hoek op de achterbank, en ze hielden niet op toen ze het huis binnenkwamen. Het breidde zich gewoon uit tot Sophie, en dat maakte het voor Francine nog moeilijker. Haar hoofd deed pijn, haar lichaam deed pijn, haar hart deed pijn. Toen ze het echt niet langer kon verdragen, wierp ze haar handen in de lucht en liep weg.

Ze nam een douche en een paar aspirines. Ze ging met Legs joggen en nam toen weer een douche. Ze ging in bed liggen met iets kouds op haar hoofd en probeerde te slapen, maar door haar hoofdpijn en al haar gepieker bleef ze wakker. Tegen het aanbreken van de dag was ze één kluwen zenuwen.

Omdat ze het koud had, ondanks de julizon die opkwam, trok ze een sweater aan en zette een pot sterke, verse thee. Daarna ging ze, met een mok in elke hand, op zoek naar Grace. Ze wilde haar excuses aanbieden. Ze wilde huilen. Ze wilde haar moeder in haar armen nemen en zelf door haar in de armen worden genomen, en ze wilde weten dat Grace in elk geval voor dat korte moment wist wat zij voor haar voelde.

Grace was niet in de slaapkamer, in de badkamer of in de zitkamer. Ze was niet in de keuken. Ze was niet in haar werkkamer.

Maar ze was er wel geweest. De stoel was bij haar bureau weggeschoven op de manier zoals ze hem altijd liet staan als ze bij haar werk was gestoord.

Francine liep naar het bureau toe. Er lag een dikke map op, wijdopen. Ze bleef er een eeuwigheid naar staren zonder het ding te zien. Toen dwong ze zich haar blik scherp te richten. De map droeg geen etiket. Van dichtbij zou niemand vermoeden wat erin zat. Maar Francine wist het al voor ze keek. Het waren knipsels uit kranten en tijdschriften, en nieuwsbrieven van gezondheidsorganisaties. Er waren informatiefoldertjes. Er waren handgeschreven aantekeningen.

Je kon van Grace zeggen wat je wilde, maar ze was wel grondig.

Als ze iets deed, dan deed ze het goed. Ze wilde kennelijk veel over de ziekte van Alzheimer weten. De poststempels op sommige poststukken zeiden dat ze al meer dan een jaar lang informatie had verzameld.

Meer dan een jaar. Waarbij ze alles had gelezen wat er over deze ziekte te lezen viel. Waarbij ze al haar gedragingen had geanalyseerd in het licht van wat ze had gelezen.

Francine haalde een hand door haar haar en probeerde zich te beheersen. Ze had nog steeds dit laatste kleine beetje hoop. Davis zou het uiteindelijk bij het verkeerde eind kunnen hebben. Juist toen ze dacht dat ze geen enkele vechtlust meer over had, vond ze weer wat. Ze keek koortsachtig om zich heen, op zoek naar ondersteunend bewijs.

Ze vond dit toen haar blik door het raam ging en op Grace bleef rusten, die, gekleed in haar nachthemd en een omslagdoek, in een tuinstoel halverwege het glooiende gazon zat.

7

Het is niet zozeer dat familieruzies altijd luider zijn en
langer duren, als wel dat er meer op het spel staat.

– Grace Dorian, in De Hartsvriendin

Grace staarde nietsziend naar de rivier. Ze was zich maar vaag bewust van de weelderigheid van het groene gras, en de loofbomen
en de hoge pijnbomen langs de oevers. Haar geest was duizenden
kilometers en een heel leven ver verwijderd, terug bij een straat-
arm gezin in het krot met golfplaten dak dat ze thuis noemden.
Het rook er naar zweet, naar konijn en frituurvet, naar drank, altijd naar drank, want dat was een onontbeerlijk levensmiddel. Ze
hoorde haar kleine broertje huilen, kokhalzen en het medicijn uit-
braken dat hij nooit binnen kon houden, en haar oudste zusje probeerde hem te troosten en haar moeder schreeuwde tegen hen
beiden.

'Móeder.'

De stem leek er heel veel op, met hetzelfde ongeduld. Maar nu
was het Francine die naar haar toe kwam en op klaaglijke toon zei:
'Wat doe je hier?'

Grace draaide zich niet om. Ze was doodmoe, intens moe. Ze
had te lang moeten vechten.

Francine dook voor haar op. Ze hurkte neer en greep de armleuningen van de stoel. 'Ik heb de map op je bureau gevonden,' zei
ze opgewonden. 'Weet je wel wat je gedaan hebt?'

Grace glimlachte treurig. 'Research?'

Francine schudde haar hoofd. 'Zelfdiagnose. Je leest het en je
leest het, tot de symptomen je zo vertrouwd voorkomen dat je je
ernaar gaat gedragen. Een klassiek voorbeeld van de macht van
suggestie,' kraaide ze. 'Je hebt dat zelf tientallen keren beschre-
ven.'

Grace keek naar het gezicht van haar dochter. Het was geen
knap gezicht, misschien heel aardig, maar dan interessant op de

manier zoals Grace's moeder het was geweest voordat de voortdurende spanning van een zwaar leven zijn tol had geëist. Francine wist niets over de moeder van Grace, of over haar zware leven, en dat speet Grace niet. Weliswaar vormde tegenspoed vaak de prikkel tot dynamiek, maar ze had voor Francine geen trauma's gewild. Ze had alleen maar het beste gewild, en daarom was het verdriet dat ze nu veroorzaakte dubbel tragisch.

Francine had een zachtmoedig karakter met een hartelijke instelling en ze was altijd heel levendig geweest. Maar te midden van alle onenigheid die ze in de loop der jaren hadden gehad, had Grace niet één keer de gedrevenheid gezien die ze nu zag.

'Ik weet niet zeker of ik je zo ken,' zei ze met een zachte glimlach, maar de woorden waren slecht gekozen.

Francine straalde. 'Zie je? Dat is nou precies wat ik bedoel. Je weet wat typerend gedrag voor een Alzheimer-patiënt is, en dan ga je je ook zo gedragen.' Ze werd wat kalmer. 'Wat ik niet kan begrijpen is waarom. Verveel je je? Overweeg je met pensioen te gaan? Echt mam, als je geen zin meer hebt om te werken, zeg het dan. Er zijn veel gemakkelijker manieren om het kalmer aan te gaan doen dan jezelf voor gek te zetten.'

Grace slaakte een gesmoorde kreet bij dit beeld, bij deze toon. Op dat moment was Francine sprekend haar eigen moeder, die vocht tegen een realiteit die ze niet wenste te aanvaarden. Grace had het venijn van Sara McQuillans scherpe tong meer dan eens gevoeld. Ze voelde die af en toe nog. Maar bij Francine deed het haar veel meer verdriet.

'Je snapt er helemaal niets van,' mompelde ze, verslagen en zwak.

'Vertél het me dan.'

'Het is angstaanjagend,' zei Grace, zo opgelucht over dit verzoek dat de woorden eruit stroomden. 'Ik moet er dag en nacht aan denken. Ik twijfel aan mezelf. Ik twijfel aan anderen. Ik beef zelfs wanneer ik oude, vertrouwde klusjes doe, gewoon uit angst dat ik die verkeerd zal doen. Ik vraag me af wat er over een maand, over twee maanden, over tien maanden, over twee jaar gaat gebeuren. Ik... ik...' Ze raakte de draad van haar verhaal kwijt.

'Wat wil je zeggen?'

De woorden waren verdwenen. Ze keek Francine vragend aan.

'Over één, drie, tien maanden, over twee jaar,' hielp Francine. 'Wat is er dan?'

Grace had geen idee.

Francine ging weer staan, deed een stap achteruit, draaide zich half om. Grace zette zich schrap voor een uitval, maar Francine draaide zich gewoon terug en keek haar onderzoekend aan. 'Dit alles gebeurde snel na de dood van papa. Hij heeft jou altijd aanbeden, tot het eind toe. Is het die aanbidding die je zoekt?

Je hebt veel columns over rouwverwerking geschreven. Ik herinner me er nog een. Er was een man die schreef dat hij sinds de dood van zijn vrouw helemaal in zichzelf opgesloten was geweest. Jij opperde de mogelijkheid dat hij niet goed om haar had getreurd. Misschien is dat hier ook aan de hand.'

'Nee Francine.'

'Je was zo sterk na zijn dood. Stoïcijns bijna.'

'Ik had maanden de tijd gehad om me erop voor te bereiden. Hij was niet jong. En hij was ziek, hij had overal uitzaaiiingen en hij had pijn bij iedere beweging. Zijn dood kwam niet als een schok. Het was een... het was een... zeker...'

'Een zegen? Dat zei je toen, en de woorden klonken goed, maar misschien werkt het hart anders. Misschien heeft zijn dood je meer geschokt dan jij wilt geloven. Misschien komt het allemaal daardoor.'

Grace wist niet of ze moest lachen of huilen. De arme Francine zocht nog steeds naar uitvluchten. Ze had met haar te doen, zelfs nog meer dan ze met zichzelf te doen had. Ja, als slachtoffer zou ze de onwaardigheid van de ziekte moeten ondergaan, maar slechts tot op zekere hoogte. Daarna zou ze niet meer beseffen wie of wat ze was. Dan zou het lijden worden gedragen door de mensen om haar heen. Ze zou haar uiterste best doen om hun dat te besparen.

Bij deze gedachte ging ze rechtop zitten. Haar restte nog maar weinig tijd en de klok tikte door. 'We moeten plannen maken.'

Francine verroerde zich niet. 'Is het niet mogelijk dat je jezelf dit hebt aangepraat?'

'Vóór dit weekend, ja. Nu, nee.'

Maar Francine vocht door, de goeierd. 'Er is niets mis met jou. Dat wíl ik niet.'

Grace was geamuseerd. 'O nee? En hoe had je gedacht dat voor elkaar te krijgen?'

'Ik blijf je gewoon op je nek zitten. Ik laat je niet verslappen. Zo heb jij dat toch ook bij mij gedaan? Zes jaar lang heb ik vioolles gehad, zat jij me op m'n nek dat ik moest studeren, dat ik m'n vingeroefeningen deed, mijn stok harste. Ik had nooit dat staatsconcours gehaald als jij me niet had opgejut.'

'Maar je verloor de halve finale,' bracht Grace haar in herinnering.

'Omdat ik geen gevoel voor ritme had, maar het punt is dat ik het zo ver heb geschopt.'

'Nee. Het punt is dat het een verloren zaak was, net zoals dit een verloren zaak is.' Ze vond het vreselijk om dit te moeten zeggen, maar er zat niets anders op. 'Begrijp je het dan niet? Ik kán niet winnen.' Ze had genoeg van het ontkennen. Ze wilde dat Francine accepteerde wat er aan de hand was, en haar steunde. 'Luister goed, lieverd. Je kijkt naar de symptomen, maar niet naar het probleem dat eraan ten grondslag ligt. Maar mijn probleem zal niet verdwijnen, evenmin als jouw slechte gevoel voor ritme. Je kunt me op m'n nek blijven zitten zoveel je wilt, maar dat zal de uitkomst niet veranderen. Ik ben niet te genezen. Het zal alleen maar erger met me worden. O, ik heb geprobeerd het te ontkennen. Ik heb geleerd het te compenseren. Ik ben heel goed in het verbergen van mijn tekortkomingen.' Er viel haar iets in, een malle gedachte die haar deed glimlachen. 'Dat was een van de eerste dingen die ik leerde toen ik van huis wegging. Ik arriveerde in Manhattan, waar ik niets en niemand kende. Ik heb meteen drie mooie jurken gekocht. Ik had er bijna al mijn geld voor nodig, maar het plan was er als een dame uit te zien. Ik had natuurlijk geen idee hoe ik me als een dame moest gedragen. Dus keek ik. In het Plaza. Heb ik je dat ooit verteld? Ik ging daar steeds staan, vlak bij de Palm Court, alsof ik op iemand wachtte, maar ik stond dan naar de dames te kijken – hoe ze liepen, glimlachten, aten. Toen ik werk ging zoeken, imiteerde ik hen. De bedrijfsleider van de club trapte erin, en nam me in dienst, maar toen moest ik verder. Dus leerde ik de juiste vragen te stellen, of te zwijgen tot anderen zich zo gedroegen dat ik daar houvast aan had.'

Ze glimlachte, eerst bij de herinnering, toen naar Francine. Maar Francine zag er ellendig uit. 'Wat is er?' vroeg ze verschrikt.

'Wat wil je zeggen, mam?'

Grace probeerde het zich te herinneren.

'Je had het over New York,' zei Francine. 'Ik heb 't over Chicago. Als ik je meer op je…'

'Het had allemaal niets uitgemaakt. Ik was vréselijk. Je had me echt niet kunnen helpen.' Haar gedachten waren nu kristalhelder, haar stemming ongeduldig. 'Lees dat dossier, Francine. Praat met Davis. Praat met anderen over deze ziekte. Wanneer ik het verlies, dan verlies ik. Mijn geest slaat af en toe een stukje over, net als bij een kapotte grammofoonplaat slaat hij bepaalde passages gewoon over. Ik kan me niet herinneren wat er in Chicago is gebeurd. Niet de details. Ik weet alleen dat ik jou en mij voor schut heb gezet.'

'Helemaal niet,' zei Francine, maar er stonden tranen in haar ogen.

Grace greep haar bij de polsen. 'Wél waar. Je hebt het gisteravond zelf gezegd en je had gelijk. Als je denkt dat je me helpt met dit te ontkennen, dan ben je naaien.' Ze fronste, verbeterde zichzelf. 'Naïef. Ik kan niet meer zo werken als eerst. De dingen die ik schrijf slaan soms nergens op. Ga me nou niet vertellen dat je dat niet hebt gemerkt.'

Francine rukte haar handen los en stopte ze onder haar armen. 'Ik dacht dat jij niet in de val van het beroemd-zijn was getrapt. Met alle arrogantie, melodrama, egocentriciteit.'

'Egocentrisch?' riep Grace. 'Wou je zeggen dat ik egocentrisch was? Het laatste dat ik ooit wilde doen was jou hiermee opzadelen, dus heb ik het allemaal ontkend. Maar ik heb er genoeg van om met mijn hoofd tegen een muur te moeten slaan. De muur gaat niet weg en het slaan helpt niet. We moeten de waarheid onder ogen zien en bedenken wat we nu verder gaan doen.'

Francine sloeg haar handen voor haar oren. 'Ik luister niet.'

Grace verhief haar stem, nu kwaad. 'Dan ben je dwaas.'

'Nee, jij bent dwaas, omdat je weigert te vechten. Kijk nou eens, zoals je hier buiten zit. Ik had nooit gedacht dat jij zo'n prima donna was.'

'Ik had nooit gedacht dat jij zo'n verwend nest was, maar kijk jóu nou eens, zoals je tegen me staat te gillen, omdat je denkt dat ik met opzet het evenwicht van jouw comfortabele leventje verstoor. Doe niet zo zelfzuchtig, Francine. Denk voor de verandering ook eens aan een ander.'

Francine slaakte een gesmoorde kreet en holde terug naar het huis.

Grace probeerde niet haar tegen te houden. Ze legde een hand op haar borst om de pijn daar te bedwingen, en ze staarde naar de rivier tot haar boosheid hanteerbaar werd. Toen keek ze omhoog en zei met stijve lippen: 'Ik heb de afgelopen drieënveertig jaar van mijn leven geprobeerd alles weer goed te maken. Ik ben edelmoedig geweest. Ik ben lief geweest. Wat wilt U nu nog?'

De hemel zweeg.

Francine kwam niet terug.

Grace voelde zich op een overweldigende manier verslagen.

Sophie vond haar moeder aan de keukentafel, waar ze naar het glimmend geboende eikenhout zat te staren. De houding waarin ze zat, niet echt naar voren en ook niet echt naar achteren, wees erop dat ze niet wist of ze zou gaan of zou blijven.

Sophie schoof op de stoel tegenover haar en wachtte tot ze opkeek. Toen ze dat niet deed, werd ze angstig. 'Mam?'

Francine drukte haar vingertoppen tegen haar slaap.

'Is alles goed met je?' vroeg Sophie.

'Nee.'

'Wat is er aan de hand?'

Francine bleef naar het tafelblad staren. Sophie zag tranen blinken onder haar oogleden. De kringen onder haar ogen werden erdoor versterkt.

'Vertel op,' beval Sophie, omdat ze wist dat ze fout was geweest en ze dit graag wilde uitpraten. 'Het gaat om gisteravond, hè? Het spijt me geweldig. We hadden er moeten zijn om jullie op te halen. We hadden een wekker of zo moeten zetten, maar ik had nooit gedacht dat we zo lang zouden slapen.'

Ze wachtte tot haar moeder glimlachte, naar haar hand greep, haar als altijd vergaf.

Francine wreef slechts over haar slaap en zei: 'Ze geeft het op.'

'Wie?'

'Grace. Ze heeft de handdoek in de ring gegooid.'

'Welke handdoek?'

Toen keek Francine op. Haar gezicht drukte rauwe angst uit. 'Ze heeft haar menopauze verwerkt zonder een kik te geven. Hetzelfde geldt voor de dood van je grootvader. Maar nu brokkelt ze opeens af.'

Sophie slaakte een zucht. 'Ze heeft de ziekte van Alzheimer.' Ze schoof haar ellebogen over de tafel en raakte Francines arm aan. 'Accepteer het, mam. Dat doet de dokter, dat doen de anderen met wie hij heeft overlegd, en nu doet Grace het ook. Je bent heel geweldig geweest zoals je ertegen hebt gevochten, maar misschien wordt het tijd om ermee op te houden. Ze heeft de ziekte van Alzheimer. Nou, daarin is ze niet alleen. Er zijn anderen die dat ook hebben.'

'Die anderen kunnen me niets schelen. Ik woon niet met die anderen in hetzelfde huis. Ik werk niet samen met die anderen. Ik hóu niet van die anderen.'

Sophie wist niet goed wat ze moest doen. Ze wilde de dingen voor Francine gemakkelijker maken, maar het was niet voldoende om dat alleen maar te zeggen. 'Grace heeft een goed leven gehad. Ze is tot nu toe heel gezond geweest. Maar ze is net zomin immuun voor narigheid als wie dan ook van ons.'

'Ze is een goed mens.'

Sophie viel uit. 'En ik dan niet? Heb ik daarom suikerziekte? Al vanaf m'n négende? Wat heb ík misdaan?'

Francine greep toen wel haar hand. 'Niets, liefje. Je hebt helemaal niets misdaan. Je was genetisch bepaald om deze ziekte te krijgen. Ergens moet iemand, van wie we zelfs niet weten dat hij heeft bestaan, dit ook hebben gehad.'

'Hetzelfde geldt voor Grace en haar Alzheimer, tenzij het milieu ons te grazen neemt, en dan zijn we allemaal ten ondergang gedoemd,' verklaarde Sophie, want die mogelijkheid was haar meer dan eens ingevallen. Wanneer ze mineraalwater bestelde, was dat geen aanstellerij. Ze vertrouwde het water uit de kraan niet.

Niet dat Grace zich daar druk over hoefde te maken, of zelfs Francine. Maar Sophies generatie en die na haar zouden de troep moeten opruimen die hun ouders hadden gemaakt.

Gehard door deze gedachte zei ze: 'Grace is eenenzestig. Ze heeft een goed leven gehad. En dan zal ze het nu wat kalmer aan moeten doen. Dat moeten de meeste mensen van haar leeftijd.'

'Kalmer aan doen,' beaamde Francine, 'maar niet uitdoven. Grace zal hier zijn, maar ze zal er niet bij zijn. We zullen tégen haar kunnen praten, maar niet mét haar. We zullen haar kracht verliezen. We zullen haar kennis verliezen, haar leiding.'

'Jij en ik zijn niet volslagen hulpeloos.'

Francine wreef weer over haar slaap. 'Wat bedoel je daarmee?'

'Heb je migraine?'

'Verklaar je nader, Sophie.'

'We zullen het overleven. We hebben Grace niet nodig om ons te vertellen wat we moeten doen en waar en wanneer.'

'Dat doet ze niet.'

'Dat doet ze wel. O, ze doet het heel subtiel, maar als ze roept, dan kom je. Je hóeft het niet te doen. Je bent sterk. Je functioneert uitstekend. Het leven houdt niet op, alleen maar omdat Grace ziek is. Ze is niet de enige met narigheid.'

Francines stoel kraste over de houten vloer toen ze opstond. 'Dus jíj zou haar gewoon de wei in sturen om haar gras te laten eten en dood te laten gaan.'

Sophie snoof smalend. 'Nou ja!'

'Ik meen het, Sophie. Wat bedoel jij?'

Sophie besefte dat ze zich niet goed uitdrukte, maar ze moest haar standpunt duidelijk maken. Dus probeerde ze het nog eens. 'Ik zeg dat jij haar idealiseert, en dat is mooi en goed. Ze is je moeder. En ze is geweldig. Maar ze is niet zo volmaakt als jij denkt. Ze is niet zo volmaakt als de wereld denkt. Ze is een gewoon mens, net als ieder ander. Ze maakt fouten, net als ieder ander. Ze wordt ziek, net als ieder ander. Het is vreselijk dat ze Alzheimer heeft. Het is tragisch dat ze het heeft. Maar het leven gaat verder.'

Francine keek haar met open mond aan. 'Ik wist dat je wat tegen haar had. Maar ik wist nooit hoeveel dat was.'

'Moet je míj nou horen. Moet je jóu nou horen. Dit gaat niet over wrok. Het gaat over gezond verstand, en ik zou helemaal niets hebben gezegd als jij redelijk was geweest, maar je blaast het buiten proporties op.'

'Een dodelijke ziekte? Buiten proporties?'

Sophie klopte op haar borst. 'Ik heb suikerziekte. Dat is een levensbedreigende ziekte…'

'Maar volledig behandelbaar.'

'O jawel. Met injecties en bloedonderzoek zodra ik maar met mijn ogen knipper. Leuk hoor, en dat terwijl ik pas drieëntwintig ben. Stel je nou eens voor wat dat voor mij betekent wanneer ik jouw leeftijd heb. Maar wanneer ik die van Grace heb bereikt – áls ik ooit die van Grace bereik – dan zal ik heel dankbaar zijn om dat punt te hebben bereikt...'

Ze zweeg en veegde de tranen uit haar ogen. Het gebeurde niet vaak dat ze zichzelf toestond aan de dood te denken, omdat dat haar erg beangstigde. Ze dacht liever na over hoe ze de dood te slim af kon zijn. Francine had haar dat geleerd, in praktische, no-nonsense termen. 'Je hebt mijn suikerziekte uitstekend geaccepteerd. Maar nu ben je verlamd. We zullen het overleven, mam.'

'Maar zij niet, en zij is ons leven!' riep Francine.

Sophie knarste met haar tanden. 'Ze is jouw leven. Ze is niet mijn leven.'

'O jawel, toch wel. Ze is het gezag dat jij zo graag wilt tarten. Vandaar dat gedoe met Gus. Vandaar dat feestvieren in Newport tot zes uur in de morgen. Vandaar twee keer achter elkaar een afspraak bij een dokter niet nakomen – je ziet, ik weet alles.'

Sophie schoot uit haar stoel overeind en snelde naar de deur, terwijl haar woede het won van iedere behoefte Francine in bescherming te nemen. 'Best. Ik zal een nieuwe dokter zoeken, een die mijn privacy respecteert. Ik ben drieëntwintig, moeder. Of ik wel of niet mijn afspraken nakom is mijn zaak, niet de jouwe – en ga me nou niet vertellen dat het niet aardig is om die kerel de zak te geven, want we weten allebei dat hij zo overbezet is, dat hij nooit had gemerkt dat ik ontbrak als ik geen Dorian was geweest. Bekijk het maar zo: ik heb zijn andere patiënten een dienst bewezen. Zonder mij hoefden ze niet zo lang op hun beurt te wachten.' Ze vertrok.

'Sophie!'

'Ik ga uit!' schreeuwde Sophie vanuit de hal.

'Ik heb je híer nodig,' kwam de echo.

Maar Sophie begreep niet waarom ze niet tot Francine kon doordringen. Ze maakte de dingen alleen maar erger, niet beter. Dus misschien had Francine gelijk. Misschien was Grace de enige die de gave bezat. De goede Grace. De kostbare Grace.

'Sophíe!'

Ze leek wel een kind van zes zoals ze het eruit flapte, maar de gevoelens hadden te lang opgekropt gezeten. 'Je hebt me helemaal niet nodig!' brulde ze met haar hand op de deur. 'Je hebt Grace nodig! Zij is degene die hier volmaakt is! Zij is degene zonder wie jij niet kunt leven! Dus ga maar met haar praten! Ik... kan... je... niet... helpen!' Ze sloeg de deur met een klap achter zich dicht.

Francine stapte 's ochtends om tien uur achter het stuur van haar auto. Ze had geen plan, ze had geen bestemming, ze wist alleen dat ze even alles wilde ontvluchten wat er niet aan haar leven deugde.

Dus reed ze in noordelijke richting, over wegen die nieuw voor haar waren, omdat Grace niet graag naar het noorden ging. Toen de felle gloed van de lucht pijn deed aan haar ogen, deed ze de zonneklep omlaag en richtte de airconditioning met volle kracht op de bonzende plek op haar slaap. Al die tijd weergalmden de woorden in haar hoofd – Sophies woorden, haar eigen woorden, de woorden die ze in woede tegen Grace had gesproken.

Ze stopte om iets kouds te drinken; ze bleef even met haar ogen dicht in de verste hoek van een landje achter een kleine kruidenierswinkel staan. Maar het drinken hielp niet tegen haar misselijkheid, en de rust maakte haar hoofdpijn er niet minder op. Ze bleef maar nadenken, piekeren.

Dus staakte ze haar vlucht en keerde terug naar huis. Maar hoe dichterbij ze kwam, hoe moeilijker het was. Ze had nog nooit alles zo fout aangepakt. Ze had zich nooit eerder zo ellendig gevoeld, zo machteloos, zo alleen.

Ze overwoog bij de pastorie te stoppen om met pastoor Jim te praten. Maar haar auto reed verder, passeerde de straat die naar Grace had geleid, en voerde haar in plaats daarvan naar het lage bakstenen doktersgebouw dat aan het ziekenhuis was gebouwd.

Ze bleef lange tijd op de parkeerplaats zitten, ze was misselijk en kapot. Daarna stapte ze, aarzelend maar onherroepelijk, de auto uit.

Zijn kantoor was op de derde en bovenste verdieping. Ze nam de trap, stapte naar binnen door de deur waar zijn naam op stond, en zei met beverige stem tegen de receptioniste: 'Ik wil graag even met de dokter praten. Ik heb geen afspraak. Mijn moeder is een patiënte van hem. Het is belangrijk.'

De receptioniste was jong, met wild haar, scheefstaande tanden, en een vriendelijke glimlach. 'Wat is uw naam?'

'Francine Dorian.'

De ogen van het meisje werden groot. 'Ik ben dól op de column van uw moeder,' kirde ze, maar bedwong zich toen snel en ging rechtop zitten. 'Ik zal even met de dokter overleggen. Hij loopt achter op zijn schema, maar ik denk dat hij u er wel tussen kan passen.'

Er zaten vier mensen in de kleine wachtkamer. Francine liet zich in een van de twee lege stoelen vallen. Ze sloeg een arm om haar middel en zette haar elleboog daarop. Met gebogen hoofd, de ogen gesloten, drukte ze haar vingers tegen haar slaap en probeerde de pijn te dwingen weg te gaan, maar haar wil was al net zo zwak als haar maag. Ze had behoefte aan een donkere, warme plek. Als ze een hol had gehad, was ze er meteen in gekropen.

'Francine?'

Zijn stem was zacht. Ze dacht terug aan de vorige keer dat ze met elkaar hadden gesproken, die avond toen ze samen bier hadden gedronken en toen hij had opgebeld om zeker te weten of ze veilig thuis was gekomen. Ze had toen tranen in haar ogen gekregen. Die kreeg ze nu ook.

Hij hurkte voor haar neer. Ze sloeg haar ogen heel even naar hem op, maar ze zei niets. Haar keel zat dicht.

Hij vloekte zacht, eveneens heel vriendelijk. Toen pakte hij haar bij de arm en hielp haar omhoog. Hij bracht haar naar zijn spreekkamer en hielp haar naar een bank. 'Ik ben nog even bezig met een patiënt. Ik kom zo terug, goed?'

Ze knikte.

Hij vertrok door een zijdeur. Francine wilde om zich heen kijken, maar haar hoofd deed te veel pijn. Dus schoof ze in de hoek, trok haar benen onder zich op, zette een elleboog op de weelderige armleuning en drukte de muis van haar hand op de plaats waar het het meeste pijn deed.

Ze bleef haar ogen dichthouden toen de deur even later weer openging. Ze hoorde zijn voetstappen, voelde hoe het leer naast haar inzakte. Het was het moment van de waarheid – het moment dat ze hem moest zeggen dat hij steeds gelijk had gehad. Hij zou daarover in zijn schik zijn.

'Je ziet eruit alsof je je niet lekker voelt,' zei hij met een verbazingwekkend gebrek aan voldaanheid.

Ze knikte.

'Is er thuis iets gebeurd?'

Ze knikte weer. 'Ik heb me slecht gedragen…' Haar stem brak. Ze verschoof de hand op haar slaap en trok haar benen nog verder op. Misschien had ze zelfs even gekreund. Ze wist het niet zeker.

Hij schoof een hand onder haar haar en steunde haar in haar nek. 'Kijk me aan, Francine.'

Ze deed haar ogen op een kiertje open.

'Doet je hoofd pijn?' vroeg hij.

'Vreselijk,' zei ze zacht.

'Migraine?'

Ze knikte.

'Heb je er iets voor ingenomen?'

'Er is niets dat helpt.'

'Ik heb iets dat misschien wel helpt. Blijf stil zitten.'

Toen hij deze keer bij haar wegging, legde ze haar hoofd op de armleuning – van boterzacht leer – rolde zich op en sloeg een arm om haar middel.

Een paar minuten later legden een paar grote handen haar recht en werd er een ijszak op de pijn gelegd. Hij stelde diverse vragen van het algemene gezondheid-en-allergie type, bette toen een plek op haar dij en gaf haar een injectie.

Francine voelde zich te ellendig om vragen te stellen. Ze bleef opgerold liggen, met haar gezicht naar de rugleuning van de bank, met de ijszak op haar slaap en tegen het dijbeen van Davis, dat haar rug steunde.

Hij bleef een paar minuten bij haar en wreef haar over de schouder. Toen zei hij, met diezelfde zachte stem: 'Blijf rustig liggen. Ik kom later weer terug.' Hij deed de jaloezieën dicht om de spreekkamer te verduisteren en vertrok.

Francine viel werkelijk in slaap. Ze werd gedesoriënteerd wakker, en toen ze zich omdraaide zag ze Davis vlakbij in de schemering zitten. Zijn ellebogen lagen op zijn knieën, zijn vingers waren losjes in elkaar gevlochten. Ze kon de uitdrukking op zijn gezicht niet zien.

'Hoe voel je je?' vroeg hij.

Ze verschoof de ijszak iets. Het gebons in haar hoofd was afgenomen tot een vage pijn. 'Beter.' Veel beter, feitelijk. De pijn was draaglijk en de misselijkheid was verdwenen. 'Dit is heel gênant. Ik ben de patiënt niet.'

'Je hoeft je niet te verontschuldigen. Als ik geen goede vrienden mag behandelen, wat heeft het dan voor zin? Heb je vaak last van migraine?'

'Meestal lichte. Ik heb nooit eerder zoiets meegemaakt.'

'Wat heeft het teweeggebracht?'

Het leek niet eerlijk dat zo'n onschuldige vraag zo'n belastend antwoord kon hebben. Ze sloeg een arm over haar hoofd.

Hij liet haar een paar minuten met rust en zei toen: 'Vertel het maar.'

'Je weet het al,' bracht ze gedwee uit. 'Je hebt het al die tijd al geweten. Je hebt me gewaarschuwd, maar ik wilde niet luisteren. En toen heb ik alles nog erger gemaakt.'

'Erger? Hoezo?'

'Ik was er niet op voorbereid. Ik heb niet geholpen.'

'Dat is toch niet zo erg.'

'Dat was het wel!' riep ze en ze dacht niet zozeer aan Chicago als wel aan die morgen, in de tuin. 'Grace zag er zo kwetsbaar uit zoals ze daar zat, en ik haatte haar daarom. Dus heb ik lelijke dingen gezegd. Heb ik wréde dingen gezegd.' Ze rolde zich nog verder op. 'Ik schaam me zo vreselijk.'

Hij zei een minuut lang niets. Toen stak hij zijn hand uit en schoof haar haar achter haar oor. 'Dit is geen gelukkige tijd voor jouw familie. Je hebt het volste recht om overstuur te zijn.'

'Maar ik ben helemaal niet zo gemeen. Het was helemaal niet mijn bedoeling om iets te zeggen. Ik weet niet waar die dingen vandaan kwamen.'

'De wanhoop drijft ons soms tot zulke daden.'

Daarin had hij gelijk. Ze was inderdaad wanhopig geweest. Ze had zich aan een laatste strohalm vastgeklampt, zonder na te denken over het verdriet dat ze aanrichtte. Nu voelde ze zich slechter dan slecht.

Ze legde de ijszak weg en dwong zich in zittende positie. Het duurde een minuut voor ze de woorden kon uitbrengen, en ze klonken heel zwak. 'Wat kan ik verwachten, Davis?'

'Dat weet ik niet zeker.'

'Maar het zal steeds slechter worden.'

'In grote lijnen wel. Ze zal misschien af en toe een tijdje stabiel zijn, maar de prognose is niet goed.' Zijn stem werd gedempt door het gewicht van de waarheid.

Francine slikte. 'Hoe lang heeft ze nog?'

'Drie... zeven... tien jaar. Ik wilde dat ik wat exacter kon zijn.'

Ze fluisterde gekweld: 'Van helderheid? Of van leven?'

'Leven. Ze heeft de ziekte al een tijd.'

Francine maakte een geluid dat hartverscheurend moest zijn geweest, want hij greep haar hand.

'Het spijt me, Francine. Het is niet eerlijk. Als je wilt schoppen en gillen, ga dan gerust je gang.'

Maar ze schudde haar hoofd. 'Dat is al voorbij. Heb ik al gedaan.' Ze sloeg haar vingers om die van hem en hield ze stevig vast. Er waren vragen die ze moest stellen. Maar ze was nog niet klaar voor de antwoorden.

'Je handen zijn ijskoud,' zei hij.

'Mijn verwarming werkt ongeveer net zo goed als de rest van mij.'

'Zullen we een eindje gaan rijden? Misschien helpt frisse lucht.'

Als het op dat moment voor haar mogelijk was geweest om ergens zin in te hebben, dan was het wel daarin. Het was beter dan naar huis gaan. 'Heb je geen patiënten meer?'

'Ik heb wat afspraken verzet. Ik ben voorlopig vrij.'

Ze voelde zich geroerd. Toen viel haar een zure gedachte in. 'Toch is het verbazingwekkend wat de naam Dorian weet te bereiken. De wateren wijken ervoor uiteen.'

Omdat de jaloezieën waren neergelaten, kon ze zijn blik niet zien, maar ze merkte dat hij zijn hoofd schudde. 'Dit heeft niets met je naam te maken.'

'Waarmee dan wel?'

'We zijn toch goede vrienden? Of niet soms?'

Om onbegrijpelijke redenen begon ze te huilen. Beschaamd maakte ze haar hand los en bedekte haar gezicht om de snikken te smoren, maar die schenen een eigen wil te hebben.

Davis streelde haar haar en liet haar huilen. Hij liep alleen even weg om wat papieren zakdoeken te pakken. Toen ze ten slotte stil werd, mompelde hij: 'Ik vind dit vreselijk.'

Ze snoot haar neus. 'Wat vind je vreselijk?'

'Dat ik hier zo moet zitten terwijl jij huilt.'

Ze droogde haar wangen. 'Ik wed dat hier voortdurend wordt gehuild.'

'Maar niet door mensen die ik in mijn armen wil nemen.'

Er kwamen weer tranen in haar ogen. 'O God,' jammerde ze, 'zeg niet zulke dingen tegen me.' Zijn vriendelijkheid had de sluizen opengezet, maakte dat ze bang en zwak kon zijn. Ze had in geen jaren op een man geleund. Nee. Dat was niet waar. Ze had nóóit in haar leven op een man geleund. Maar dat betekende niet dat het fout was. Het was alleen vreemd.

Hij liep naar het raam en draaide de jaloezieën open. Daarna bleef hij daar met zijn rug naar haar toe en zijn handen op zijn heupen staan terwijl zij zich vermande. Tegen de tijd dat hij zich omdraaide, was ze gaan staan en keek alle kanten uit behalve de zijne.

Zijn spreekkamer was heel conventioneel – keurig bureau, volle boekenplanken, ingelijste diploma's, tekeningen van de hersenen en het zenuwstelsel. Zijn persoonlijke inbreng werd gevormd door het zondig zachte leer van de bank en de stoelen. Ze deden haar aan zijn laarzen denken.

Op het bureau lag een zonnebril. Ze zette hem op. Het was een soort vliegeniersbril met absurd grote glazen, maar dat kon haar niets schelen. Ze moest zich achter iets verbergen, omdat ze zich zo naakt voelde.

Davis hing zijn witte jas en zijn stropdas aan een haak achter de deur. Daarna rolde hij zijn manchetten op en deed de deur voor haar open.

8

Op de donkerste momenten van het leven kan zelfs de
kleinste vonk de weg wijzen.

– Grace Dorian, in De Hartsvriendin

Zittend in de cabine van zijn pick-up, die op een beboste plek
langs een weiland aan de rand van de stad stond, met de raampjes
omlaag en de portieren open, terwijl de zomeravondbries de
scherpe randjes van de woorden verzachtte, vertelde Davis Francine wat ze moest weten. Ze luisterde overwegend rustig. Hij was
op haar vragen voorbereid. Hij had dit kennelijk al eerder meegemaakt.

En zij ook – in elk geval een gedeelte ervan, besefte ze. Veel gedragingen die hij noemde kwamen haar bekend voor. O, Grace
was heel listig geweest. Francine had alle begrip gehad toen Grace
enkele maanden geleden vol wanhoop en ergernis haar handen in
de lucht had gestoken en de taak van het betalen van huishoude-
lijke rekeningen aan Francine had overgedragen. En wanneer ze
dezelfde vragen te vaak herhaalde, had Francine zichzelf de schuld
gegeven. Als ze maar goed oplette, luidde haar redenering, zou
Grace alles maar één keer vragen en het daarbij laten.

Ze verbaasde zichzelf door kalm te blijven, zelfs toen het beeld
dat Davis schetste somber was. Of hij had een kalmerend effect op
haar, of de injectie die hij haar had gegeven was kalmerend geweest. Aan de andere kant betekende het een enorme opluchting
om na een eeuwigheid van inwendige strijd over het probleem te
kunnen praten.

'Wat is het scenario in het slechtste geval?' vroeg ze ten slotte,
toen ze zich suf genoeg voelde om het aan te horen.

'Uiteindelijk is ze misschien niet meer in staat iets of iemand te
herkennen. Ze kan misschien niet meer lopen of praten. Ze is misschien voor zelfs de meest intieme dingen van anderen afhankelijk.'

'En daarvoor? Je had het over wangedrag. Wat is het ergste?'

'Gillen en schreeuwen. Onfatsoenlijk gedrag, zoals het uittrekken van haar kleren wanneer ze dit niet hoort te doen. Mensen beschuldigen van het stelen van haar spullen. Met dingen gooien. Zichzelf letsel toebrengen. Ze zal voortdurend toezicht nodig hebben.'

'Als een kind.'

'Ja, als een kind dat in de gaten moet worden gehouden, maar nee, niet op de manier van een kind. Kinderen groeien. Ze leren. Ze reageren op redelijkheid en op discipline. Grace niet. In die laatste stadia zal geschreeuw haar alleen maar van streek maken. Ze zal niet kunnen begrijpen wat ze heeft misdaan of zich voornemen het niet meer te doen. Ze zal het gewicht van je woede voelen, zonder de oorzaak ervan te begrijpen, en ze zal onredelijk reageren. Ze zal niet in staat zijn haar gedragingen te beheersen.'

Francine staarde uit het raam. 'Grace is de zelfbeheersing in eigen persoon. Ze zal het vreselijk vinden om daar zó haar greep op te verliezen.'

'Ze zal het tegen die tijd niet meer weten. En er bestaan kalmerende middelen, voor als ze onhandelbaar wordt. Een patiënt met Alzheimer verzorgen is een zware klus.'

Haar ogen gingen naar hem omhoog. 'Ik hou heel veel van haar.'

'Dat weet ik. Maar je zult hulp nodig hebben.'

'Sophie zal helpen. Margaret zal helpen.'

'Je hebt misschien meer hulp nodig dan dat.'

'Ik kan meer hulp in dienst nemen. Ik zal dag- en nachtverpleging inhuren als dat nodig is.'

Ze keek treurig naar het hoge gras. Het deed haar denken aan het achtergazon van de Dorians. Grace was dol op dat gazon, ze was dol op de tuin, het terras, de rivier. Het was moeilijk voor te stellen dat ze eens te weinig van haar omgeving zou weten om nog van die dingen te genieten. Het viel moeilijk voor te stellen dat er een dag zou komen waarop ze geen leiding meer zou geven aan alles om haar heen, of een dag dat ze geen raad meer te geven had. Het viel moeilijk voor te stellen dat er een dag zou komen dat ze niet meer kon spréken.

Francine voelde zich opnieuw wanhopig worden. 'Wat moet ik doen?' riep ze. Pas toen ze het geluid van die woorden hoorde, besefte ze dat ze hardop had gesproken. Ze liet er snel op volgen: 'Sorry. Dat zijn niet jouw zorgen.'

'Natuurlijk wel. Ik wil helpen. Daar ben ik voor.'

'Je kunt Grace niet helpen.'

'Ik kan jou helpen. Dat heb ik al eerder gedaan.' Hij wierp haar een scheve glimlach toe. 'Je hoofd is al een stuk beter, nietwaar?'

Ze knikte. De lethargie die ze voelde kon zowel het gevolg zijn van het moeilijke gesprek als van de nasleep van haar migraine, maar de pijn en de misselijkheid waren in elk geval verdwenen.

'Waar maak je je de meeste zorgen over?' vroeg hij.

Daar hoefde ze niet lang over na te denken. 'Ze is de sterkste kracht in mijn leven. Ik kan je gewoon niet zeggen wat ze allemaal heeft opgebouwd.'

'Probeer het toch maar,' drong hij zachtjes aan. Ze keek droevig omhoog en stak toen snel van wal. 'Waar moet ik beginnen? Het ontbijt bestaat altijd, op bevel van Grace, uit zelfgebakken bolletjes, daarna lunch, thee, avondeten, allemaal kleine rituelen van Grace. Dan hebben we nog de vakanties, verjaardagen, feestjes, alles weer door Grace bedacht, en Grace als middelpunt met altijd een luisterend oor en tijd, altijd tijd voor de mensen om haar heen. Zij bepaalt de normen en maatstaven. Voor het huis, het terrein, het personeel. En voor *De Hartsvriendin.*' Ze richtte haar verdrietige blik op Davis. '*De Hartsvriendin* maakt deel uit van het gezin. Wat zal daarmee gebeuren?'

Hij bekeek haar gezicht. 'Daar zullen jullie over na moeten denken. Misschien heeft Grace suggesties. Vraag het haar.'

Zolang het nog kan. Hij zei het niet, maar ze hoorde het wel. Ze hoorde ook de stem van Grace, van diezelfde morgen. *We moeten plannen maken.* Grace was sneller van begrip geweest dan Francine, maar dat was niets nieuws.

Waarom wij? wilde ze uitroepen. Waarom dit? Waarom nu?

De blik van Davis was zachtmoedig, maar er waren ook andere dingen – de schaduw van de baard, het litteken boven de wenkbrauw, het haar dat niet alleen verward was maar nu ook door de zomerzon gebleekt, om nog maar te zwijgen van alles wat pastoor Jim had verteld – dat wees op een ruiger verleden, en het bezorgde Francine een steek van schuldgevoelens. Grace had haar verwend genoemd. Ze vroeg zich af of Davis dat ook vond.

Ze bestudeerde haar handen. 'Ik hoor niet te klagen. Ik hoef me tenminste geen zorgen te maken over geld. Veel patiënten van jou maken zich waarschijnlijk wél zorgen.'

'Die hebben weer dingen die jij niet hebt – zoals grote, uitgebreide gezinnen die bij hen wonen en kunnen helpen, banen waar ze niet aan vastzitten, lagere verwachtingen. Je moet je gevoel van verlies niet kleineren, Francine. Het is voor jou net zo moeilijk als voor hen. Alles is betrekkelijk. Net als leeftijd. Mijn moeder is gestorven toen ik nog heel jong was, dus ik heb haar nauwelijks gekend. Jij hebt Grace al die jaren gehad. Jullie levens zijn hecht verankerd. Wat is de grootste tragedie? Ik weet het niet.'

Francine wist het ook niet. Ze dacht erover na terwijl de stilte in de cabine neerdaalde. Ze probeerde zich voor te stellen wat ze nu zou voelen als Grace en zij niet zo'n hechte band hadden gehad. Ja, ze zou heel verdrietig zijn. Maar zou ze dítzelfde gevoel van ontreddering hebben gehad, als zij een bestaan had opgebouwd dat onafhankelijk was geweest van Grace, een léven dat onafhankelijk was van Grace?

Ze bleven nog wat langer naar de geluiden uit het weiland zitten luisteren voor Davis haar terugbracht naar het ziekenhuis. Hij stopte naast haar auto, pakte haar hand en klom naar buiten. Er zat voor haar niets anders op dan onder het stuurwiel door naar zijn kant te schuiven.

Ze keek naar de auto en toen naar Davis. Met het licht dat van achteren op hem viel, leek hij een schurk met een stralenkrans, de meest paradoxale verschijning die ze ooit had gezien. Ze glimlachte. Maar de glimlach verbleekte. Misschien was hij toch niet zo'n paradoxale verschijning. Hij was haar vandaag zo meegevallen.

Ze voelde opeens een hevig verlangen om in zijn armen te worden genomen.

Zijn stem was nauwelijks meer dan een fluistering. 'Het is hetzelfde dilemma als eerst. Ik kan geen initiatief nemen.'

Toch gingen zijn armen een klein beetje open, en dat was alle uitnodiging die Francine nodig had. Ze sloeg haar eigen armen om zijn middel, begroef haar gezicht in zijn hals, en voelde een grote, allesomhullende kalmte. Ze trok zich niets aan van de ethische overwegingen die hem hadden doen aarzelen. Hij had de perfecte afmetingen om tegenaan te leunen.

Hij moest het ermee eens zijn, in elk geval wat die ethische consequenties betrof, want hij sloeg zijn armen om haar heen. Zijn adem streek over haar slaap. 'Ben je niet langer boos op me?'

Ze snoof tegen zijn hals. 'Dat was dom van me.'

'Je was overstuur.'

'Ik was kortzichtig. Grace zegt dat altijd van me, en ze heeft gelijk.'

'Je bent hartstochtelijk in je meningen. Dat is een teken van sterkte. Het zal je wel lukken, Frannie.'

Hartstochtelijk in haar meningen. Dat was best mogelijk. Vooral vroeger. Maar de tijd had veel scherpe randjes weggesleept. De tijd en Grace. 'Waarom noemde je me Frannie?'

'Dat weet ik niet. Het lijkt bij je te passen.'

'Ik heb altijd een hekel aan die naam gehad.'

'Waarom?'

'Hij klinkt zo stom.'

'Helemaal niet. Zacht.'

'Onnozel.'

'Maar jij bent niet onnozel. Je bent heel intelligent. Je zult het wel redden.'

Ze ademde hem in. Hij rook naar aarde en man en lef. 'Hoe kun je dat zeggen? Je kent me nauwelijks.'

'Nou en of. Ik heb gezien hoe je tegen een deur aan liep. Iedere vrouw die dat kan doen en zich opricht en wegloopt met het soort waardigheid dat jij aan de dag legde, zal zich erdoorheen weten te slaan.'

Ze glimlachte. 'Ik denk dat dat beeld voor altijd in je geest staat gegrift.'

'Reken maar.'

Ze zuchtte. Met tegenzin maakte ze zich los. 'Ik zal weer eens naar Grace toe moeten gaan.'

'Je laat me horen hoe het gaat?'

Ze knikte, zei zacht: 'Bedankt,' en schoof haar auto in voor hij kon zien dat achter de belachelijk grote glazen van de zonnebril haar ogen weer nat waren.

Grace was een eenzame gestalte die in de salon thee zat te drinken. Vanuit de deuropening vond Francine het beeld hartverscheurend. De vrouw die door miljoenen werd bemind, was helemaal alleen.

Op dat moment had ze met Grace te doen zoals ze nog nooit eerder met haar te doen had gehad – als haar moeder ja, maar nu als vriendin en medemens, als iemand die kwetsbaar was, als iemand die leed.

Toen keek Grace op en zag haar – en ze werd overvallen door een ander gevoel. Francine zag angst. Ze kon het niet verdragen.

Ze liep naar haar toe en sloeg haar armen om haar heen. 'Het spijt me, mam. Ik ben heel kortzichtig en egoïstisch geweest en alle andere dingen die je noemde. Je had gelijk. Jij hebt altijd gelijk.'

Ze verbeeldde zich dat Grace zuchtte. Er werd een sierlijke hand op haar arm gelegd.

'Ik zal er zijn,' ging Francine verder. 'Ik zal alles doen wat er moet worden gedaan. Je hoeft het me maar te zeggen en ik doe het.' Ze zweeg. Haar hart brak toen ze de ogen van Grace zag. Tranen waren ook iets nieuws.

'Ik ben bang,' fluisterde Grace.

Francine knikte en fluisterde terug: 'Ik ook.'

'Ik wil niet worden uitgelachen.'

'Dat word je ook niet.'

'Ik wil… wil…' Ze zweeg, fronste, scheen te zoeken. Toen ze het woord dat ze zocht niet kon vinden, keek ze Francine gefrustreerd aan.

Francine probeerde een geschikt woord te bedenken, maar de blik van Grace veranderde. Ze keek hoopvol, bijna onschuldig, en haar stem klonk lichter. 'Nou, het ene woord of het andere maakt niets uit, en je bent bovendien net op tijd voor de thee. Pastoor Jim kon vandaag niet komen. Ik ben bang dat de thee is afgekoeld. Margaret? Márgaret?'

'Mam?' Sophie stond in de deuropening, bleek en onzeker.

Francine gaf Grace een tikje op de schouder en liep toen naar haar dochter; ze nam haar gezicht in haar handen. 'Wil je nooit,' zei ze op dringende fluistertoon, 'maar dan ook nooit zeggen dat ik jou niet nodig heb. Ik heb jou altijd nodig, veel meer dan je weet. En nu meer dan ooit.'

'Waar wás je? Ik was doodsbang. Ik begon me het leven zonder jullie beiden voor te stellen...'

Francine legde haar met een hand het zwijgen op. Ze schudde langzaam haar hoofd. Grace's aandoening mocht een les in sterfelijkheid zijn, maar sterfelijkheid kon hun leven niet regeren. Ze sloeg haar armen om Sophies hals en drukte haar stevig tegen zich aan, genietend van haar kostbare nabijheid, toen ze pastoor Jim zag.

Ze was niet verbaasd. Hij was er altijd wanneer de Dorians in nood verkeerden.

Ze stak een hand uit en wenkte hem naderbij. 'Grace zei dat u niet kon komen.'

Hij keek bezorgd. 'Ik kon ook niet. Maar ik had een knagend gevoel van onrust.' Hij keek langs hen heen naar Grace, die hem recht aankeek met alweer een nieuwe uitdrukking. Het was een blik van rauw verlangen. Dat was de enige manier waarop Francine het kon omschrijven. Rauw verlangen. Gericht op pastoor Jim.

Hij liep naar haar toe, knielde naast haar stoel en nam haar in zijn armen.

Francine probeerde die aanblik te verwerken toen ze geluiden hoorde die dwars door haar heen gingen. Het waren gesmoorde geluiden die op onzekerheid en angst wezen en die nog nadrukkelijker dan alle andere gebeurtenissen van die dag aangaven dat het leven was veranderd.

Grace huilde.

'Ik heb een lijst opgesteld,' zei Grace de volgende morgen. 'We moeten die doornemen.'

Francine zat achter haar bureau met een kop koffie en een gevoel van onwerkelijkheid. Alles om haar heen zag er hetzelfde uit. Grace zeker.

Ze klonk even zelfverzekerd als altijd. De inzinking van de vorige dag had net zo goed niet gebeurd kunnen zijn.

Hoe gemakkelijk zou het zijn om nog iets langer te doen alsof er niets aan de hand was. Maar dat zou niet goed zijn. Dat besefte ze nu. Niet dat ze klaar was voor de lijst van Grace. Het accepteren van de waarheid was één ding, het ernaar leven een ander.

'Wil je Sophie roepen?' vroeg Grace. 'Ik wil haar erbij hebben. Zij maakt hier ook deel van uit.'

Sophie sliep nog, deze keer met een goede reden. Francine en zij hadden tot in de kleine uurtjes zitten praten. Francine zou haar hebben laten slapen als het niet om Grace was geweest. Maar Grace was prioriteit nummer één. Haar gedachten waren als een met uitsterven bedreigde diersoort.

Sophie leek het daarmee eens te zijn, want ze voegde zich snel daarna bij hen, gekleed in een uiterst conventionele zonnejurk en sandalen en een enkel stel oorbellen. Ze hield haar duim in haar vuist, waarbij ze met haar wijsvinger langs de nagelriem wreef. Het gebaar was een overblijfsel uit haar kinderjaren. Francine had het in geen jaren gezien.

Ze hoopte dat Grace het niet zou zien. Het behoorde tot het soort dingen dat Grace vreselijk vond.

Maar Grace werd geobsedeerd door haar lijst. Ze legde hem plat op het bureau en keek Francine aan. 'Hier staat alles op. Lees het alsjeblieft hardop voor. Als ik over iets anders begin, haal me dan terug.'

Francine las. '"Nummer één. Francine wordt *De Hartsvriendin*."' Ze keek verschrikt op. 'Voor altijd?'

'Nou ja, tot je te oud of ziekelijk wordt. Dacht je dat het bij mij zou ophouden?'

Nee. Dat niet. Ze had er gewoon nog niet veel over nagedacht. Grace was altijd te jong, te energiek geweest om ruimte te laten voor andere overwegingen dan dat ze nog jaren en jaren voor de boeg had.

'Je doet het nu ook al,' zei Grace, 'en ik kan het niet meer.'

'Doe het dan in een adviserende rol,' drong Francine aan. Grace wás *De Hartsvriendin*. Een periode van overgang was beter dan niets.

Grace schudde haar hoofd. 'Ik werk te langzaam. Mijn gedachten zijn te warrig. Bovendien moet ik aan mijn boek werken. Dus ik wil… ik wil…' Ze fronste, zwaaide met een hand, en zweeg.

Francine liet zich hierdoor niet van de wijs brengen en keerde terug naar de lijst. '"Nummer twee. Mijn boek komt af." Dat hebben we al gehad. "Nummer drie. Niemand zegt iets. Het Dorian-image blijft intact."' Francine zag problemen. Ze legde de lijst neer. 'Dat kon wel eens moeilijk zijn. De columns zijn één ding. Niemand weet of jij ze schrijft of niet. Maar wat dacht je van de rest – toespraken, talkshows, panels?'

Bij de verwachtingsvolle blik die Grace haar toewierp, voelde ze een koude rilling over haar rug gaan. Ze trok beide wenkbrauwen op en wees op zichzelf.

Grace knikte.

'Maar dat kán ik helemaal niet,' protesteerde Francine. 'Dat weet je toch. Ik kan niet in het openbaar spreken.' Ze keek Sophie smekend aan. 'Dan moet ik overgeven. Zo zenuwachtig word ik dan. Er zijn tot dusver slechts drie afspraken voor het najaar. Het is nog niet te laat om die af te zeggen.'

'Nee,' zei Grace.

'Waarom niet?'

'Omdat… omdat dat niet zal… helpen… voor…'

'Voor wat?'

Grace dacht even na en zei toen: 'Mijn boek.'

'Maar ik ben jou niet. Als ik een toespraak hou, helpt dat jouw boek niet.' De gedachte alleen al deed haar maag opspelen. 'Bovendien, als jij niet als *De Hartsvriendin* komt opdagen, zullen de mensen zich toch van alles gaan afvragen.'

Grace tikte op de lijst.

Francine bewaarde haar verdere argumenten voor later. Ze wachtte tot ze haar evenwicht had hervonden en las toen: '"Nummer vier. Instructies voor begrafenis liggen bij pastoor Jim." Grote hemel, móeder!' Het was een te gruwelijke gedachte, die te vroeg naar voren werd gebracht.

'Het is belangrijk,' zei Grace.

'Ik dacht dat alles was besloten toen papa stierf.' Er was een nieuw gedeelte in gebruik genomen bij het Dorian familiegraf, er was een nieuwe steen gehouwen.

'Er zijn wat veranderingen.' Grace keek naar de deur, kennelijk niet op haar gemak. Met een kalme stem zei ze: 'Ik heb ze vannacht gehoord.'

'Wie heb je gehoord?'

'Mijn familie.'

Francine kreeg opnieuw kippenvel. Davis had de mogelijkheid van hallucinaties genoemd, maar daar was ze evenmin al aan toe. Dus trok ze een wenkbrauw op. 'Nou, dat is wel iets bijzonders. Niet iedereen hoort de doden.'

Grace verblikte niet. 'Ze zaten in mijn kamer, ze schreeuwden tegen me. Ze schreeuwden altijd. Ik luisterde nooit.'

'Naar je ouders?' vroeg Sophie. Ze klonk geïntrigeerd.

'Ze zijn nog steeds kwaad op me omdat ik weg ben gegaan. Ik ben naar mijn slaapkamer gegaan, maar ik kon ze daar ook nog horen.'

'Het is misschien verbeelding geweest,' opperde Francine. Toen Grace daar niet op inging, keerde ze terug naar de lijst. Er stonden nog twee punten op. Het eerste was 'Robert'. 'Robert?'

'Robert Taft. Ik wil dat je met hem trouwt. Hij is een aardige man. Ik zou me een stuk rustiger voelen over wat er met mij gaat gebeuren, als ik weet dat jij getrouwd bent.'

Dat was een zeldzaam achterhaald idee. Francine geloofde geen moment dat zij een man nodig had om geborgen, gezond, gelukkig of wat dan ook te zijn, maar ze wilde niet kibbelen, dus zei ze alleen maar: 'Dat soort dingen laat zich niet zomaar regelen. Je hebt het ooit geprobeerd, weet je nog?'

'Ik wilde het zeggen zolang ik dat nog kon.'

'Oké. Je hebt het gezegd.'

'En Sophie.' Grace gebaarde naar de lijst.

Francine las: '"Sophie."' Dat was alles. Ze keek Grace ongemakkelijk aan.

'Ik wil dat zij ook getrouwd is. Ik wil dat jij ook getrouwd bent, Sophie.'

Sophie lachte. 'Dat is leuk.'

'Ik wil dat er iemand is die voor jou zorgt.'

'Ik hóef helemaal niemand die voor me zorgt.'

'Je hebt iemand nodig die verantwoordelijk voor je is.'

'Ik wil helemaal niet trouwen.'

'Nou, dat zou je toch wel moeten doen.'

Francine zag dat Sophie een kleur begon te krijgen. Het was een onheilspellend teken dat niets met haar suikerziekte maar alles met haar temperament te maken had, en Francine kon het haar niet kwalijk nemen. Mannen waren geen middel voor alle kwalen. Het huwelijk vormde geen enkele garantie. Maar het had weinig zin daar op dat moment tegenin te gaan.

Sophie probeerde het nog eens. 'Hoe zit dat met je columns, oma, die waarin je tegen ouders zegt dat volwassen kinderen zelf hun beslissingen moeten nemen?'

'Ik ben je ouder niet. Ik ben je grootouder. Daar zit verschil tussen. Ik wil dat je met een goede man trouwt. En niet met Gus.'

Sophie staarde smekend naar Francine, die haar uiterste best deed haar duidelijk te maken dat ze haar mond moest houden, maar Sophie was het type niet om daar gehoor aan te geven. 'Dit is niet te geloven,' zei ze. 'Geeft ze me daar een naam? Geeft ze ook de tijd en de plaats aan? En hoe zit 't met de bruidsschat?'

Francine dwong zich tot de glimlach die Sophie zou hebben geproduceerd als ze twintig jaar meer ervaring had gehad. 'Oma is bezorgd, liefje. Dat is alles. Bezorgd over ons allebei. Dat is lief, moeder.'

Grace keek meesmuilend. 'Je hoeft me niet te bevoogden, Francine. Daar hou ik niet van. Ik doe mijn best alles gedaan te krijgen zolang ik dat nog kan. Ik heb geen zin om te worden uitgelachen.'

'Ik lach niet.'

'Je neemt me ook niet serieus. En ik ben dóódserieus.'

'Dat weet ik.'

'Nee, dat weet je niet. Iedere moeder wil haar dochter gesetteld zien voordat ze doodgaat. Als jij in mijn schoenen stond, zou je tegen Sophie hetzelfde zeggen. Lieve help, ik probeer alleen maar te helpen.' Ze stond beledigd op en liep weg.

'Ze probeert helemaal niet te helpen,' zei Sophie korte tijd later, nog steeds ongelovig. 'Ze probeert ons leven vanuit het graf te regeren.'

'Niet vanuit het graf,' waarschuwde Francine. 'Ze is nog niet dood.'

'Maar het lijkt er wel veel op. Ze programmeert ons leven voor de komende jaren met al die dingen die zíj belangrijk vindt. Maar hoe zit 't met alles wat wíj belangrijk vinden?' Ze dacht aan de regels en voorschriften die haar leven domineerden. 'Misschien willen wij *De Hartsvriendin* wel niet voortzetten. Misschien willen wij niet liegen over haar gezondheid. Ik bedoel, dat is toch wel het toppunt! Zíj was degene die zei dat ik altijd eerlijk moest vertellen dat ik suikerziekte had. Wees zelfverzekerd, zei ze. Kom er eerlijk voor uit. Over mooipraten gesproken. Wat jij met je huwelijkse staat doet, is jouw zaak, niet de hare. Ik vind Robert trouwens stomvervelend. Hij is op papier misschien geweldig, maar als je ooit met hem zou trouwen, zou ik heel teleurgesteld in je zijn.'

'Je weet hoe ik over Gus denk,' was Francines kalme antwoord. 'Ik trouw niet met Gus.'

'Weet hij dat?'

'Dat zou hij wel moeten weten. Ik heb hem nooit iets anders voorgespiegeld.'

'Mannen hebben de neiging snel conclusies te trekken, vooral waar het welgestelde vrouwen betreft. Vertel 'm dat duidelijk, lieverd.'

'En dan iets leuks bederven?' vroeg Sophie. Gus was een stuk speelgoed en hij had het voldoende van haar te pakken om haar de dienst uit te laten maken. Behalve in bed. Daar was hij in alle opzichten de macho. Zijn uitrusting was eersteklas en hij wist hoe hij ermee om moest gaan. Ze was voorlopig niet van plan hem de bons te geven. 'Wil jíj mij getrouwd zien?'

'Alleen maar om getrouwd te zijn? Nee. Dat heb jij niet nodig. Als je het wilt, dan is het wat anders.' Ze zuchtte. 'Hoor eens, ik zeg niet dat je moet doen wat Grace wil, maar ga er niet zo tegenin. Het heeft geen zin om ruzie te maken. Ze kan niet winnen. Ze wilde beslist dat we die lijst vandaag doornamen, omdat ze weet dat ze volgende week of volgende maand of volgend jaar misschien niet meer weet wat het allemaal betekent.'

Sophie probeerde de realiteit van dit alles tot zich door te laten dringen. Ze had misschien een hekel aan de bedillerige Grace, maar ze vond het ook een vreselijk idee dat haar oma tot een jammerende massa niets zou worden gereduceerd.

Francine streelde haar over de wang. 'Wij hebben geen onenigheid, jij en ik. We weten allebei dat Grace alles graag naar haar hand zet. Het punt is alleen hoe we omgaan met haar verzoeken.'

'Haar verzoeken zijn absurd,' zei Sophie. Toen Francine geen antwoord gaf, riep ze: 'Je gaat er toch zeker niet op in, hè? Door toespraken te houden. Met Róbert te trouwen...' Ze gorgelde de naam, maar daarna ging ze snel verder, want het punt van het werk was iets heel anders. Dat was direct van invloed op haar leven. 'Wil jij *De Hartsvriendin* gaande houden?'

'Grace is *De Hartsvriendin*,' zei Francine, enigszins verloren. 'Ik heb me nooit voorgesteld dat dat zou veranderen.'

'Zou jij het niet leuk vinden om *De Hartsvriendin* te zijn?'

'God nee. Naast Grace ben ik niets.'

Sophie kreeg er genoeg van dat steeds weer te horen. 'Dat is helemaal niet waar. Jij hebt dingen die Grace absoluut níet heeft.'

'Tja, maar het is het soort dingen dat zij wel heeft en ik absoluut niet, waardoor *De Hartsvriendin* een succes is.'

'Zoals wat?'

'Tact. Ze neemt iedere brief serieus. Ze kan geduldige antwoorden geven op zelfs de stomste vragen. Ik mijd de stomme vragen. Maar die zijn niet stom voor de mensen die ze stellen. Ik bezit niet het soort edelmoedigheid dat Grace weet op te brengen.'

'Misschien is het een onbewuste poging van jouw kant om *De Hartsvriendin* wat meer niveau te geven.'

Francine leek niet onder de indruk te zijn van die theorie. 'Misschien ontgaan mij de relevante onderwerpen. Grace heeft het allemaal door. Ze voelt aan wat belangrijk is en wat niet. Ze schrijft over iets, en, patsboem, binnen enkele dagen zie je het op het tv-journaal. Het is als een zesde zintuig. Ik heb dat niet.'

'Dus wat ga je met *De Hartsvriendin* doen?'

'Grace wil dat die wordt voortgezet.'

Sophie kon haar moeder wel door elkaar rammelen. 'Wat wil jíj?'

Francine antwoordde behoedzaam. 'Ik ben dol op *De Hartsvriendin*. Het maakt deel van me uit. En het is de erfenis van Grace.'

En dat was ongeveer net zo'n halfslachtig antwoord als Sophies reactie erop.

Francine zat die avond op de vloer en streelde Legs op de zijdezachte plek tussen de oren, toen de telefoon ging. Haar ogen gingen naar de klok. Het was half elf. Er was een aantal vrienden dat zo laat belde. Haar privé-lijn rinkelde alleen hier.

Ze herinnerde zich een andere avond, een ander telefoontje, en ze durfde te hopen.

'Hallo?'

'Hoi.'

Ze voelde iets warms in zich opkomen. 'Hoi Davis.'

'Hoe gaat het ermee?'

'Goed.'

'En?'

'We hebben met elkaar gesproken, Grace en ik, Grace, Sophie en ik, Sophie en ik.'

'Heeft het geholpen?'

'Ik denk het. Ik weet het niet. Ik ben een beetje verdoofd. Geschokt.'

'Dat is een beschermingsmechanisme. Het is heel moeilijk om de realiteit van iets als dit te accepteren.'

'Ik heb altijd gedacht dat ik een realist was.'

'Grace is je moeder. Als er één relatie is waarin mensen zich zelden realistisch gedragen, dan is het deze wel. De emoties kunnen hoog oplopen, en dat is geen wonder. Ga maar na. Negen maanden in de baarmoeder, alle kinderjaren met wederzijdse afhankelijkheid...'

'Wederzijds?'

'Zeker. Baby's omdat ze volslagen hulpeloos zijn. Moeders omdat ze hun moederinstincten moeten bevredigen.'

'Grace is nooit afhankelijk van mij geweest.'

'Ze heeft je haar hele leven dicht bij zich gehouden.'

'Ik ben dichtbij gebléven. Uit mezelf.'

'Weet je dat zeker?'

'Ik weet het zeker.'

'Wat zou Grace hebben gedaan als jij naar een universiteit was gegaan en nooit meer thuis was gekomen?'

'Dat is een niet te beantwoorden vraag. Ik bén niet weggegaan. Ik had het te druk met *De Hartsvriendin*. Grace heeft me al vroeg een rol toegedacht...' Ze zweeg en begon er toen omheen te draaien. 'Maar ze deed het niet omdat ze me echt nodig had. Ze wilde me er alleen maar bij hebben. Daar zit verschil in.'

'Waarom heeft ze niet meer kinderen gekregen?'

'Die zijn gewoon niet gekomen.'

'Wilde ze ze wel?'

'Vast wel. Ze was dol op mij. Ze was dol op Sophie.'

'En jij? Had jij meer kinderen gewild?'

'Misschien wel, als míjn huwelijk langer had geduurd. Maar aan de andere kant had ik mijn handen vol aan Sophie. Ik heb me vaak afgevraagd hoe het zou zijn geweest als ik meer kinderen had gehad.'

'Wat is je conclusie?'

'Ik denk dat ik dat graag had gewild. Het had Sophie misschien wat meer lucht gegeven. Ze vindt het wat benauwend om het enige kleinkind te zijn.'

'Benauwend om zo dicht bij Grace te blijven?'

'Bij het werk. Ze heeft daar een haat-liefdeverhouding mee. En ja, ook met Grace. Ze doet het ene moment heel lief tegen haar en het volgende moment afschuwelijk. Zelfs nu. Ze aanvaardt de ziekte van Grace op het ene niveau en op het andere verwerpt ze die. Ze verkeert in tweestrijd. Er zijn tijden dat ik denk dat het eigenlijk heel slecht voor haar is om hier bij ons te zitten.'

'Wat vindt ze zelf?'

'Onder ons gezegd en gezwegen? Ik denk dat ze vindt dat ze nu niet weg kan gaan, met alle problemen.'

'Die zullen er niet altijd zijn. Jullie zullen in rustiger vaarwater komen.'

'Hemel, ik hoop het. Ik voel me de hele tijd gespannen.'

'Hoe is het met je hoofd?'

'Goed. Hoe is het met het huis?'

'Zo heet als de hel. Ik heb met de tuinslang een buitendouche aangelegd. Dat was geweldig.'

Francine zag in gedachten een beeld dat vaag erotisch was. 'Waar zit je nu?'

'Op het trappetje van de caravan. Het is een mooie avond. Heb je gelopen?'

'Reken maar. Ik denk dat het voor Legs een beetje te veel was. Ze ligt hier half te slapen met haar kin op mijn knie.'

'Gelukkige Legs.'

Francine dacht terug aan de manier waarop hij haar gistermiddag op het parkeerterrein van het ziekenhuis in zijn armen had genomen. Alleen al de gedachte eraan bezorgde haar een gevoel van kalmte. Dus bleef ze eraan denken, voelde ze de band via de telefoonlijn, terwijl ze wenste dat hij haar weer in zijn armen zou nemen.

Het was als een slaapmutsje – ontspannend, mogelijk verslavend, beslist niet iets waar ze Grace over zou vertellen.

'Vanwaar die zucht?' vroeg hij.

'Gewoon een beetje moe. Het was lief van je om te bellen, Davis. Bedankt.'

'Vergeet het niet. Ik ben er.'

Dat zou ze echt niet vergeten.

9

Zoals zout voor waardigheid zorgt, en salie voor de geest,
zo wint suiker harten.

– Grace Dorian, in een interview met het tijdschrift Food Fest

Na Chicago luidde het officiële verhaal dat Grace Dorian zich die zomer terugtrok uit het openbare leven. Haar agent slikte het, evenals haar boekenuitgever, haar krantenredacteur en haar publiciteitsagent. Haar vrienden waren niet zo inschikkelijk. Omdat ze gewend waren aan haar betrokkenheid bij de festiviteiten van het seizoen, kwamen ze onaangekondigd langs om te protesteren dat ze een kluizenaar werd. Francine, die bij deze onverwachte bezoeken aanwezig was, werd heel goed in het verhullen van storingen en het opvullen van leemten. Ze weigerde werkeloos toe te zien hoe Grace in verlegenheid werd gebracht.

Daarom voelde ze een steek van onrust toen op een middag in augustus de bel van de voordeur ging. Grace was wakker geworden met een pesthumeur – ze had Margaret beschuldigd van het stelen van haar parels, en Francine van het stelen van haar bril en Sophie van het stelen van haar adresboek, hoewel Sophie bij vrienden in Easthampton zat – en het was er in de loop van de dag niet beter op geworden. Ze hield zich nu rustig en zat achter haar bureau te mokken.

Maar het gevecht had van Francine zijn tol geëist. Ze had de hele dag geen woord op papier gekregen. Toen Tony belde, poeierde ze hem af. Daarna begaf de airconditioning het en kon ze de reparateur niet bereiken, en Marny werd ziek en ging naar huis, en de post bracht een oproep om zitting te nemen in een jury.

Ze voelde zich verhit, boos en onder druk gezet, en beslist niet in de stemming om problemen met Grace en haar vriendinnen te hebben.

Het was geen vriendin die aan de deur was, maar Robin Duffy.

Francine had het kunnen weten, na alles wat er al was misgegaan.

'Ik dacht, laat ik eens langsgaan om gedag te zeggen,' zei Robin stralend.

'Hallo,' was Francines plichtmatige antwoord.

'Eigenlijk wilde ik graag even met jou praten.'

'Waarover?' Alsof ze dat niet wist.

'Over Grace.'

Francine herinnerde zich maar al te goed de vorige keer dat ze het over Grace hadden gehad, ze herinnerde zich het artikel dat was gevolgd en de chaos die daarop was losgebarsten. Ze voelde een opwelling van wrok. 'Als jij je afvraagt wat er na het ongeluk in april is gebeurd, dan is het antwoord: niets. De politie kon niets vinden om Grace van te beschuldigen.'

'Dat weet ik.'

'O ja? Nou, dat wist ik niet. Er stond verder niets over in de krant. Ik denk dat het geen nieuws is wanneer je wordt ontslagen van rechtsvervolging.' Haar stem werd harder. 'Er is uiteraard nooit een beschuldiging geuit, behalve dan die van jou, en die zijn vanaf het eerste begin halfbakken geweest.' Ze pakte Robin niet aan op de manier zoals Grace het zou hebben gedaan, maar het was er de dag ook naar geweest.

Robin richtte zich nog verder op. 'Ik heb niets gedaan dat een willekeurige andere goede journalist niet ook zou doen. Ik heb het nieuws gebracht. Een onderzoek maakte deel uit van dat nieuws.'

'Je hebt het nieuws niet gebracht,' beschuldigde Francine. 'Je hebt het gemáákt. De politie keek niet naar drugs of alcohol. Ze hebben die dingen nooit genoemd. Maar jij wel. Alles wat zij zeiden was dat er een onderzoek zou worden ingesteld, en dat is een standaard-procedure bij elk auto-ongeluk, kan ik eraan toevoegen. Jij hebt er andere dingen bij gehaald.'

'Ik ben hier niet voor het ongeluk.'

Francine bleef zwijgend staan wachten.

'Mag ik binnenkomen? Het is hier buiten snikheet.'

'Het is binnen ook snikheet. De airconditioning heeft het begeven.' Ze stapte de veranda op en deed de deur achter zich dicht. 'Ik loop even met je mee naar je auto.'

'Ik had gehoopt Grace te kunnen spreken.'

Francine was onvermurwbaar. 'We ontvangen geen toevallig voorbijkomende journalisten.'

'Is ze binnen?'

'Ze zit hard te werken en wil niet worden gestoord.'

'Zit ze haar autobiografie te schrijven?'

'Dat klopt.'

Ze naderden Robins auto. Het was een kleine, pittige Honda, met een zijkant vol deuken. 'En jij had nog iets over het ongeluk van Grace te zeggen?'

Robin bekeek de auto met iets dat op oprechte spijt leek. 'Ik heb een zoon van zeventien. Hij kijkt niet altijd goed uit. Ik heb het punt bereikt waarop ik liever heb dat hij een deuk maakt in de deuken, dan een deuk in een dure reparatie.' Er viel een korte stilte. 'Ik hoorde dat Grace ziek was.'

Francine had op het punt gestaan medeleven te tonen met Robin – Sophie was op haar zeventiende een gevaar op wielen geweest – als ze die laatste opmerking niet had gemaakt. 'Waar heb je dat gehoord?'

Robin haalde haar schouders op. 'Ik heb zo mijn contacten. Vorige zomer was ze om deze tijd naar een stuk of tien party's geweest. Dit jaar is ze, afgezien van haar eigen feest, nergens naartoe geweest.'

Contacten? Francine vroeg zich af wie. 'Ze neemt deze zomer vrij.'

'Is ze in het najaar weer terug op het toneel?'

'Als ze dat zelf wil.'

'Wil ze dat?'

'Ik weet het niet. Ik ben Grace niet.'

'Dat schijn je soms wel te zijn. Wanneer ik mensen naar Grace vraag, is alles wat ze kunnen zeggen dat ze met jou hebben gesproken.'

'Dat is mijn werk. Grace kan niet met iedereen praten.'

'Zelfs niet met Katia Sloane?'

Francine voelde iets van gewetenswroeging. 'Katia had niets dat de moeite waard was om Grace mee lastig te vallen. Waarom bel jij Katia?'

'Omdat ik geïnteresseerd ben in Grace. Ze zat vorige maand op een congres in Chicago met Grace in een panel. Ik hoorde dat ze hopeloos was.'

'Dan heb je het verkeerd gehoord. Ik was erbij.'

'Ze was onsamenhangend.'

'Dat vond ik niet,' zei Francine. In elk geval niet echt onsamenhangend. 'Als die verklikker van jou academische prietpraat zocht, dan was hij aan het verkeerde adres. Grace heeft er geen behoefte aan zich voor academicus uit te geven.'

'Ik heb haar in panels gehoord waar ze wel overeind bleef, waar ze op haar manier eigenlijk heel goed was.'

'"Op haar manier"?' Die frase werd Francine te machtig. 'Zeg eens, wat héb jij eigenlijk tegen Grace?'

'Niets. Ik ken haar amper. Als je me binnen zou laten, zodat ik met haar kon praten...'

'Je hebt vorig jaar vier uur de tijd gehad, vier uur om haar te provoceren, en toen schreef je een stuk met een duidelijke anti-Grace teneur.' Suiker wint harten, zei Grace altijd, maar Francine

had de pest in gehad vanaf het moment dat Robin was komen opdagen. De schade was nu aangericht. Ze zag er het nut niet van in
nu nog zoete broodjes te bakken. 'Het hoort ook bij mijn werk om
Grace tegen vijandige journalisten af te schermen. Ik weet niet
wat jouw probleem is, maar ik wil niet dat je hier nog eens komt.
Je komt niet langs mij om Grace te zien. We schieten er geen van
beiden iets mee op.' Ze draaide zich om en liep naar het huis.

'Je hebt iets te verbergen,' riep Robin.

'Dat zou je wel willen,' riep Francine terug.

'Ik kom er wel achter wat het is. Grace is publiek bezit.'

Francine draaide zich woedend om. 'Grace is míjn moeder, en jij
bevindt je op privé-terrein. Als je hier nog eens komt, zal ik de politie waarschuwen. Die was trouwens helemaal niet blij met jouw
laatste stuk. Ze houden niet van mensen die problemen maken.'
Ze draaide zich met een ruk om en liep met grote stappen over de
oprijlaan en daarna de stenen stoep op. Pas toen ze binnen was,
met de deur stijf dicht, bleef ze staan. Het duurde even voor haar
woede was gezakt.

De woede zakte, maar ze had wel het schuldige gevoel dat ze
iets had gedaan – een hele reeks dingen – waar Grace geen goedkeuring aan zou hechten.

Francine verliet om tien uur het huis met Legs naast zich. Ze had
twintig minuten door de duisternis hard gelopen, haar keerpunt
bereikt, en was aan de terugtocht begonnen toen achter haar het
geronk van een auto klonk. Het was geen vrachtwagen en ook
geen sedan. Toen de pick-up naast haar reed en vaart minderde,
floot de bestuurder bewonderend naar haar.

Ze grijnsde. 'Dank je, Davis.'

'Ik probeerde te bellen, maar je was niet thuis. Dus vermoedde
ik dat je was gaan lopen. Hoe gaat het ermee?'

Ze was erg gespannen geweest toen ze het huis verliet. Het lopen had het grootste deel van haar ergernis weggewerkt. De
komst van Davis deed de rest. Er was iets in die diepe, lage stem
van hem. 'Het gaat goed.'

'Hoe is het met Grace?'

'Humeurig. Het was niet een van haar goede dagen.'

'Wil je erover praten?'

Het was niet alleen zijn stem. Het was zijn auto, zijn gespierde
arm, de duisternis. Er was iets suggestiefs aan het geheel. Wilde ze
over Grace praten? 'Niet echt.'

'Wil je stoppen om iets te drinken?'

'De vorige keer dat ik dat deed, kreeg ik kramp in mijn maag
toen ik naar huis holde.'

'Alleen maar omdat je je niet door mij naar huis wilde laten
brengen. Deze keer wel. Je zult zien dat je je dan prima voelt.'

Francine holde nog een minuut lang verder, terwijl ze bedacht dat Davis Robert niet was, dat hij niet van chique afkomst of noodzakelijkerwijs een heer was, dat er iets onconventioneels aan hem was, en dat dat haar opwond. Na de dag die ze had gehad, voelde ze zich roekeloos.

Ze minderde langzaam vaart tot wandeltempo, haalde haar polsband over het zweet op haar wangen en nek, en nam uitvoerig de tijd om op adem te komen. Davis had zijn pick-up inmiddels in de berm geparkeerd en klom eruit.

'Ik heb alleen maar priklimonade.'

'Is het nat?' vroeg ze en pakte toen het blikje aan dat hij met zijn duim opende, en merkte dat het ook koud was. 'Mmm. Lekker koud. Op zo'n warme avond.' Ze liep achter hem aan naar de achterkant van de pick-up. Toen hij de klep omlaag deed, ging ze erop zitten. Legs ging op de grond zitten, vlak bij haar. 'Aan het werk met het huis?' vroeg ze.

'Hoe raad je dat zo?'

Ze keek naar zijn laarzen. 'Die verraden alles.' Samen met zijn short en T-shirt was het een 'cool' geheel. 'Hoe staat 't ermee?'

'Geweldig. Ik denk dat ik er vóór de winter in kan.'

'Goh. Dat is geweldig.'

'Het zal dan nog niet echt klaar zijn. Er moeten nog allerlei dingen worden afgewerkt. Maar ik zal mijn meubels uit de opslag kunnen halen en de caravan af kunnen danken. Het begint claustrofobisch te worden.'

'De douche.'

'Douche, keuken, woonkamer, slaapkamer – zo'n beetje alles. Ik wacht nog altijd tot je een keer komt kijken.'

'Ik heb nog nooit een caravan van binnen gezien. Ik heb een heel beschut leven geleid.'

'Kom eens kijken, dan laat ik je meteen het huis zien.'

Ze wierp hem een blik toe. 'Is dat een uitnodiging?'

Hij bleef haar aankijken. 'Ik dring niet aan, uiteraard. Ik zou geen misbruik van je willen maken.'

Ze wierp hem een laatste blik toe en nam toen nog een slok. 'Zo. Dus jij komt uit Tyne Valley. Wanneer heb je pastoor Jim ontmoet?'

'Mijn vader en hij zijn als vrienden opgegroeid. Ze hebben een tijdlang dezelfde wilde vriendjes gehad. Dat was een ruige club.'

'Pastoor Jim wild?' Ze kon het niet geloven.

'Toch wel. Mijn vader zweert het. Voor wat dat waard is.' Hij keek opzij, de nacht in. 'Mijn ouwe heer is niet de meest gezaghebbende autoriteit.'

'Woont hij daar nog steeds?'

'Op zijn manier.'

'Wat voor manier is dat?'
'Dronken.'
'O.' Francine wist niet wat ze nog meer moest zeggen.
Davis grijnsde scheef. 'Precies. O. Hij is niet prettig om naar te kijken. Nooit geweest ook.'
'Heeft hij altijd gedronken?'
'Zo'n beetje wel, ja.'
'Heb je daar nog meer familie?'
'Twee zusters. Ze zijn allebei getrouwd met uitgebluste kerels – doen niets, bereiken niets. Ik heb geprobeerd ze in beweging te krijgen, maar dat willen ze niet. Net als m'n pa.'
'Omdat de Valley hun thuis is?'
'Omdat de wereld erbuiten dat niet is. Ze klampen zich vast aan het bekende, zelfs als dat stagneert.'
'Is Tyne Valley dan zó erg?'
'In één woord: ja.'
'Beschrijf het eens.'
Hij keek haar even aan. 'Ben je er nooit geweest?'
'Nee. Grace heeft geen zin om naar het noorden te gaan. Oost, zuid of west. Maar niet naar het noorden.'
'Wat grappig. Ik dacht dat ze zelf ook uit de Valley kwam.'
Francine schoot in de lach. 'God nee – hoewel ik kan begrijpen dat je dat verband legt, met pastoor Jim en zo. Grace komt uit een stadje in het noorden van Maine, dat onder water kwam te staan toen er een dam werd gebouwd voor een waterkrachtcentrale.'
'Wat grappig,' herhaalde Davis. Na een minuut zei hij, nog steeds op verbaasde toon: 'Weet je 't zeker?'
'Natuurlijk weet ik het zeker. Ik weet echt wel waar mijn eigen moeder vandaan is gekomen.' Ze zweeg even. 'Vertel me eens wat meer over jou. Ben je ooit getrouwd geweest?'
'Nee.'
'Waarom niet?'
'Ik voel me aangetrokken tot de verkeerde vrouwen.'
'Wat voor vrouwen?'
'Bijdehante, sjieke carrièretypetjes.'
'Wat is daar mis mee?'
'Ze hebben aspiraties die ik niet heb.'
'Zoals?'
'Miljoenen verdienen.'
'En hoe is het met het krijgen van baby's?'
'Precies.'
'Wil je die?'
'Reken maar. Maar dat huis moet eerst af.'
'Sophie is het beste dat ik ooit heb gedaan,' peinsde Francine.

Ze pakte het blikje limonade en zette het op haar dijbeen, terwijl ze haar enkels kruiste. 'Ze is mijn nalatenschap aan de wereld.'

'Ben jij de nalatenschap van Grace?'

'*De Hartsvriendin* is de nalatenschap van Grace.'

'Ziet Grace dat ook zo?'

Francine knikte. '*De Hartsvriendin* is een geweldig succesverhaal. Ze is er erg trots op.'

'Ze is trots op jou.'

'Maar niet zo trots als op *De Hartsvriendin*.'

'Heeft ze dat ooit gezegd?'

'Niet met zoveel woorden.'

'Met wat voor woorden dan wel?'

'Ik denk met gewoon helemaal geen.'

'Vraag het haar eens. Misschien kijk je wel verbaasd op.'

'Dat betwijfel ik. Bovendien… wil ik het risico lopen dat ze *De Hartsvriendin* boven mij verkiest?'

'Het klinkt alsof je het ergste ervan denkt, dus wat heb je nog te verliezen?'

Francine vermoedde dat hij gelijk had. Zoals meestal, zuivere logica. Maar het onderwerp was voor haar geen kwestie van logica. Het was er een van louter emoties. 'Waar heb je dat litteken opgelopen?'

'Welk?'

'Is er dan nóg een?' vroeg ze met een blik op zijn wenkbrauw.

Hij trok zijn T-shirt omhoog en wees naar een plek in de buurt van zijn afzakkende short. Francine kon in het donker geen litteken zien. Alles wat zij kon zien was een schitterend gebouwde torso. 'Ik heb deze opgelopen bij een messengevecht, op m'n vijftiende,' zei hij en tot haar teleurstelling liet hij het shirt zakken en wees naar zijn wenkbrauw. 'Deze is van ijshockey.'

'Een messengevecht.' Ze wilde dat litteken nog eens zien.

'Ik zat bij een ruige groep. Er was een rivaliserende groep…'

'Bende?'

'Groep, bende, gang – we smeedden altijd complotten tegen elkaar. Hadden niets beters met ons leven te doen.' Hij betastte het hemd waar zijn litteken zat. 'Ik ben hier bijna aan gestorven. Ik heb een week in het ziekenhuis gelegen. Het was de ergste week van mijn hele leven. Vergeet de pijn, die was ongelofelijk. Ze gaven me net niet zoveel pijnstillers dat ik niet hun voortdurende gepreek kon horen. De directeur van de middelbare school, de commissaris van politie, zijn halve bureau – die kenden me allemaal al uit het verleden – de reclasseringsambtenaar, een sociaal werker – iedereen begon zich met mij te bemoeien, begon me te vertellen wat er zou gebeuren als ik niet verstandiger werd. Toen kwam pastoor Jim. Tot op de dag van vandaag weet ik niet wie hem erbij heeft gehaald. Waarschijnlijk m'n ouwe heer, maar als ik 't toen had geweten, had ik 't misschien verdomd.'

'Wat zei hij?'

'Hij zei dat hij niet van plan was te herhalen wat de anderen al hadden gezegd, want ze hadden gelijk, en als ik dat niet al wist, dan zou het ook niets uitmaken als hij het herhaalde. Hij beloofde me dat als ik m'n verstand erbij zou houden, hij me eruit zou helpen.'

'Ben je toen gaan ijshockeyen?'

'Nee, ik had al jaren op de vijver gehockeyd. Dat hoort bij het verdedigen van het territorium, wanneer je in het noorden opgroeit. Niet dat het soort hockey dat ik had gespeeld geciviliseerd was. We maakten zelf onze regels, hoe harder, hoe beter. Ik wist niets van traditioneel hockey – maar ik kon schaatsen als de beste. Ik moest een beetje getemd worden voordat ik geschikt was om in een team te spelen, maar het werkte wel. Pastoor Jim stuurde de talentenjagers mijn kant uit, en begon toen voor beurzen voor mij te lobbyen.'

'Waarom geneeskunde?'

Hij keek haar strak aan. 'Omdat dat me de meest onwaarschijnlijke carrière leek om succes in te hebben. Als ik mislukte, kon ik naar al die brave borsten kijken en zeggen: zie je nou wel, jullie hadden het mis. Als ik slaagde, had ik iets geweldigs. Als kind had ik nooit iets geweldigs gehad.'

'Ga je ooit wel eens terug?'

'Een of twee keer per jaar.'

'Om je familie te bezoeken?'

'Ja. Ik stuur geld. Ik geloof niet dat het goed wordt besteed. Misschien zou ik hetzelfde moeten doen als Grace en het door de kerk laten uitdelen.' Hij zweeg. 'Weet je zéker dat ze niet uit Tyne Valley komt?'

'Heel zeker.'

'Sjonge, dan heb ik iets toch helemaal verkeerd begrepen. Een stadje in Maine, hè? Vertel me eens wat over haar jeugd.'

Francine schudde haar hoofd. 'Ik wil niet over Grace praten.'

'Vertel me eens wat over jouw jeugd.'

'Ik wil niet over Grace praten.'

'Zit dat zo verstrengeld?'

'Dat zit zo verstrengeld.'

'Zelfs gedurende je huwelijk?'

Francine knikte. 'Lee besloot dat hij het niet langer kon verdragen, op ongeveer hetzelfde moment als ik besloot dat ik hem niet langer kon verdragen, vandaar het uiteengaan met wederzijds instemming.'

'Je gebruikt zijn naam niet. Sophie wel?'

'Nee. Ze heeft haar naam wettelijk in Dorian laten veranderen.'

'Wat vond Lee daarvan?'

'Hij zag het als het formaliseren van een bestaande situatie. Hij was geen vechter.' Ze dacht even na. 'Als hij dat wel was geweest, waren we misschien nog wel getrouwd geweest. Hij is een aardige kerel.'

'Ziet Sophie hem vaak?'

'Eigenlijk wel. Hij woont in Manhattan. Hij leidt het familiebedrijf.' Ze wierp Davis een zure blik toe. 'Ze doen in papieren luiers.'

'Prachtig,' zei Davis.

'Ze hebben een enorm succes gehad. Eerst was er één soort voor baby's. Toen twee soorten. Toen zes. Toen luierbroekjes. Toen luiers voor volwassenen. Daar zit nu de grootste groei in, met zoveel mensen die langer leven en alle controle verliezen.' Ze zweeg toen ze dacht aan al die volwassenen voor wie Lee's producten waren bedoeld. Daartoe behoorden ook Alzheimer-patiënten in het laatste stadium.

Ze moest een geluid hebben gemaakt, want Davis legde een hand op haar arm en zei zacht: 'Francine...'

'Ik wil niet over Grace praten.' Ze moest van dag tot dag leven, ze kon zich nu niet het hoofd breken over alles wat er nog kon gebeuren.

'Oké.' Zijn stem klonk nu lager. 'Laten we het over orgasmen hebben als Grace niet geschikt is.'

'Orgasmen.' Ze grinnikte. Davis was niet kinderachtig met woorden. Het bleef nog te bezien of het alleen bij praatjes zou blijven. Hij had het lichaam voor actie. Hij had de hóuding voor actie. Ze vermoedde dat hij in bed fenomenaal was. Innerlijk beefde ze bij de gedachte.

'Vind je ze prettig?'

'Wat' – ze schraapte haar keel – 'zou er niet prettig aan zijn?'

'Het verliezen van zelfbeheersing. Sommige vrouwen vinden dat vreselijk.'

'Maar daar gáát het bij orgasmen toch om?'

'Kijk je er graag naar?'

Ze wist dat ze bloosde, ze kon de warmte ervan voelen. 'Tot ik mijn zelfbeheersing verlies. Dan nemen de gevoelens het over.'

'Ben je iemand van meervoudige?'

'Soms. Hangt van de man af. En jij? Ben jij er een van het patsboem type?'

'Niets daarvan. Ik doe het graag langzaam, lang en intens.'

Ze kon even geen adem krijgen. Toen ze weer wat lucht had, schoot ze in de lach en sloeg haar hand voor haar gezicht. 'Dit wordt me te machtig.'

'Je hebt er zelf om gevraagd.'

Ze schudde haar hoofd en mompelde: 'Langzaam, lang en intens.' Ze vroeg zich af of het echt alleen maar gepraat was, en daarom zei ze: 'Is dat de manier waarop je kust?'

'Soms. Hangt van de vrouw af.'

Ze staarde door de nacht naar zijn beschaduwde gezicht en wachtte. Toen hij gewoon terugstaarde, plaagde ze: 'Dat doe je vast niet.'

In de daaropvolgende stilte gonsde de lucht om hen heen. Toen zei hij met hese stem: 'Daag je me uit?'

Ze bleef hem aankijken. O ja, ze daagde hem uit. Hij had het onderwerp aangekaart, ze wilde dat hij daarmee doorging. Er brandde in haar binnenste een vuur dat ze daar veel te lang niet had gevoeld. Het was een prettig gevoel.

'Hoe moet dat met de hond?'

'Die wordt daar vast niet door getraumatiseerd.'

'Zal ze me bijten?'

'Nee. Ze kent je geur.' Het was een aardse, gezonde, mannelijke geur.

Hij zette zijn frisdrank neer en bleef even stil zitten.

'Weer last van ethische consideraties?' fluisterde ze uitdagend.

Ze had nauwelijks tijd om opnieuw adem te halen, want hij nam haar gezicht in zijn grote hand. Zijn mond bedekte de hare volledig, hun lippen streelden elkaar stevig, hun tanden raakten elkaar tot zij haar mond voor hem opendeed en toen begon zijn tong aan het langzaam, lang en intens waarvan zij had gezegd dat ze er de vrouw voor was – en dat was ze ook, vol verrukking. Francine had vermoed dat Davis zou kussen als een knul uit de achterbuurt. Maar wat ze niet had vermoed, was hoe opwindend het was. Er vonkte iets elektrisch in haar, iets wilds en begerigs, dat wedijverde met het wilde en begerige in hem. Hij was nu degene die uitdaagde, maar zij deed niet voor hem onder, beantwoordde hem op gelijke wijze, was niet in staat er genoeg van te krijgen. Ze streelde zijn stoppelige wang, zijn hals, zijn borst, opeens begerig, opeens smáchtend naar dit soort hartkloppende, allesverzengende zaligheid.

Hij nam zijn mond even van de hare af toen hij zich van de achterklep liet glijden. Toen stond hij tussen haar benen en gaf haar opnieuw een overweldigende, alles verterende kus, die maakte dat zij zich van de ene naar de andere kant van zijn hals wrong, met haar handen over zijn rug gleed en zijn heupen tegen zich aan drukte. Haar knieën waren tegen zijn zij gedrukt. Met zijn handen op haar achterwerk drukte hij haar steviger tegen zich aan.

Hij fluisterde iets sexy in haar mond dat haar nog meer opwond, en toen masseerde hij haar borsten, tilde ze omhoog naar zijn mond, alsof dat zomaar mocht. Toen zijn vingers over haar tepels schuurden, voelde ze een verzengende hitte tot diep in haar buik. Ze slaakte een kreet van genot.

Even plotseling als het was begonnen, was het ook weer voorbij. Zijn mond lag tegen haar voorhoofd, zijn adem ging moeizaam. 'We kunnen hier maar beter mee ophouden.'

Ze hoefde niet te vragen waarom. Zijn opwinding was indrukwekkend, ongetwijfeld pijnlijk. Eén deel van haar had met alle plezier haar short uitgetrokken om hem verlichting te bieden. Ze had er zelf ook behoefte aan.

Een ander deel van haar wist dat het niet verstandig was. 'Op deze manier heb ik Sophie gekregen.'

'Tegen een pick-up?'

'In de bioscoop.' Toen hij een ongelovig geluid maakte, zei ze: 'We zaten alleen op het balkon. Ik vond de film saai.'

'Je zei dat hij een sul was.'

'Ik heb ook gezegd dat de seks geweldig was, maar hij heeft me nooit zo gekust als jij daarnet.' Ze vloekte zacht en hief haar mond op om het nog eens te doen.

Deze keer was zijn kus nog langzamer, langer en intenser, en bevatte iets dat ze slechts tederheid kon noemen. Het ongelofelijke was dat deze kus nog heviger was dan de vorige.

Ze schoof haar handen tussen hen omlaag, naar het punt waar hun lichamen zich tegen elkaar drukten.

Hij greep haar handen en trok ze weer omhoog. 'Ik heb niets bij me,' fluisterde hij in haar mond.

'Had je het anders wel gedaan?' fluisterde ze terug.

'Hier, nu meteen.'

En dat was waar en wanneer zij het ook wilde. 'Misschien ben ik te oud om me daar zorgen over te maken.'

Hij maakte een geluid dat zei wat hij van die theorie vond.

Ze vroeg zich af of ze net zo snel in verwachting zou raken als toen met Sophie, of een zwangerschap problemen zou geven op haar leeftijd, of ze het geduld voor een baby zou hebben.

Vast wel.

Maar ze was niet zwanger.

Ze haalde beverig adem, legde haar benen weer op de achterklep en legde haar voorhoofd op Davis' borst. 'Dat is maar goed ook. Dit zou de volgende complicatie zijn in een toch al gecompliceerd leven.'

'Misschien heb je een uitlaatklep nodig.'

'Tot dusver niet.' Ja, ze was 's nachts alleen. Ja, ze miste goede seks. Maar ze had nooit verhoudingen willen hebben. Niet met Sophie in de buurt. Niet met Gráce in de buurt. Grace was lichtelijk geschokt geweest toen ze zwanger was geworden van Sophie. Grace zou stérven als er nu iets gebeurde, zeker met iemand uit Tyne Valley.

Francine dacht aan wie Davis ooit was geweest en wie hij nu was geworden. Ze keek naar hem op. Zelfs in het donker gloeiden zijn ogen. Getemd? Niets daarvan. 'Je bent een gevaarlijke man.'

'Alleen wanneer ik daartoe word geprikkeld. Dus. Wanneer kom je mijn huis bekijken?'

'Wanneer wil je dat ik kom?'

'Nu.'

Ze snoof. 'Dat zou vragen om narigheid zijn. Bovendien heb ik m'n schoonheidsslaap nodig.'

'Morgen dan.'

'Dan moet ik werken.'

'Morgenavond.'

'Vanwaar die plotselinge haast?' vroeg ze, wetend wat de reden was.

'Helemaal niet,' protesteerde hij. 'Ik heb daar niet eens een bed.'

'Dat zal ons niet weerhouden.'

'Ik beloof je dat ik niets met je zal doen dat jij niet wilt.'

'Ik weet niet wat ik wil. Ik wil het wel, en ik wil het niet.'

'Geen seks dan. Om het eens even plompverloren te zeggen.'

Ze zuchtte. 'Ik weet het niet, Davis. Er gebeurt iets, als wij bij elkaar zijn.' Legs duwde tegen haar knie. Ze streelde de kop van de hond. 'We moeten gaan.'

Davis stapte achteruit. 'Ik heb beloofd dat ik je thuis zou brengen.'

Francine ging er niet tegenin. Hij zette haar bij het begin van de oprit af, met slechts een luchtige kus op haar kin. Terwijl Legs vooruit rende, liep zij langzaam terug naar het huis, ging toen even op de stoep zitten en bleef daarna nog enige tijd op haar bed zitten.

Het duurde lang voor ze in slaap viel. Het laatste dat in haar gedachten was, was Davis. Het eerste dat de volgende morgen in haar gedachten was, was Davis.

Dat was de reden dat ze, toen het een redelijk tijdstip was geworden, Robert Taft opbelde.

Twee dagen later ontving Francine een brief. Hij was met de hand geschreven, in een keurig handschrift, op het soort fraaigeschept papier waar Grace zo dol op was. Het adres van de afzender was niet het kantoor van een krant, maar een stadje ergens halverwege de Dorians en Manhattan. Francine draaide het tweede velletje nieuwsgierig om, om te zien van wie de brief afkomstig was. Toen ze de naam van Robin Duffy zag, smeet ze de brief bijna ongelezen in de prullenbak. Maar de presentatie had klasse, was chiquer dan Francine van Robin had verwacht. Ze was geïntrigeerd.

Beste Francine,
Ik denk dat jouw eerste impuls zal zijn deze brief weg te gooien zonder hem te hebben gelezen, en dat kan ik je niet kwalijk nemen. Ik heb de dingen verkeerd aangepakt. Ik bied je mijn verontschuldigingen aan. Ik heb wel overwogen je te bellen voordat ik laatst zomaar bij je op de stoep stond, maar ik was bang dat je me niet wilde ontvangen. Dus waagde ik de gok, en die schijnt verkeerd te hebben uitgepakt.
Ik denk dat je tweede reactie bij het ontvangen van deze brief is dat je je afvraagt waarom één bepaalde journalist zo door je moeder is geobsedeerd.

Francine glimlachte droog. Ze had zich dat inderdaad afgevraagd.

Geobsedeerd is misschien een sterk woord, maar ik koester wel meer belangstelling voor Grace dan welke journalist ook. Mijn moeder aanbad haar. Ze sloeg de krant iedere morgen open bij De Hartsvriendin. *Er ging zelden een dag voorbij dat ze die column niet aan mijn broer of aan mij noemde. Er ging zelden een week voorbij dat ze niet een van die columns op de deur van de koelkast plakte. Mijn moeder vond dat de zon met Grace op- en onderging. Ze keek altijd als Grace op de televisie was. Ze heeft haar zelfs een keer geschreven, en toen kreeg ze een heel lief briefje terug. Ik kan je niet zeggen hoe vaak ze dat briefje heeft gelezen en herlezen. Ik weet niet waar Grace de tijd vandaan haalde om te schrijven, maar het heeft mijn moeder heel gelukkig gemaakt.*

Francine bedacht dat Robin óf opzettelijk beleefd deed, óf zo onnozel was om niet te begrijpen dat Grace dat briefje niet had geschreven. Grace kon onmogelijk persoonlijk alle post beantwoorden die ze kreeg.

Mijn moeder is vorig jaar gestorven. Ze heeft tot aan het eind De Hartsvriendin *gelezen. Die column deed haar aan alle dagelijkse dingen denken. Zelfs wanneer ze die niet met zichzelf in verband kon brengen, had ze het gevoel dat ze een glimp opving van alles wat er in het land gaande was. Ze zwoer dat de column van Grace haar meer vertelde over de mening van de mensen dan welke nieuwsrubriek ook.*

Francine had nooit in zulke termen over *De Hartsvriendin* nagedacht, maar ze vond het wel leuk. Robin schreef heel aardig.

Ik was het in veel dingen met mijn moeder oneens. Ondanks haar geloof dat het woord van Grace evangelie was, volgde ze die vermaningen niet altijd. Ze hanteerde bij tijd en wijle dubbele maatstaven – een strenge, gebaseerd op de gedachten van Grace, die ze op mijn broer en mij toepaste, en een soepeler, die ze op zichzelf toepaste. Ze scheen het advies van Grace te interpreteren op de manier die haar het beste uitkwam.

Hier school iets bekends in, en Francine voelde opeens iets van verwantschap met Robin.

Een tijd geleden bijvoorbeeld kondigde mijn broer aan dat hij homofiel was. Grace had dat onderwerp vaak behandeld en adviseerde acceptatie en liefde. Hoe vaak ik mijn moeder daar ook aan mocht herinneren, ze kon het niet verwerken. Wat haar betrof moesten de liefde en acceptatie van ons komen, zoals onze acceptatie van haar aversie jegens alles wat zij als abnormaal beschouwde. Ze vond dat wij ondanks dat toch van haar moesten houden. De laatste jaren van haar leven waren mijn broer en zij van elkaar vervreemd. Hij leeft nog steeds met het schuldige gevoel haar te hebben teleurgesteld.

Had Grace ook zo gemanipuleerd? Nee. Zij zou zich nooit zo wreed hebben gedragen als de moeder van Robin. Was het wel manipuleren wanneer ze haar dochter van drieënveertig vertelde met wie ze moest trouwen? Nee. Er waren verzachtende omstandigheden.

Francine dacht aan Robert, met wie ze zaterdagavond ging eten, en aan Davis, met wie ze niet in één kamer durfde te zijn. Toen beide gedachten fout leken, richtte ze zich weer op Robins brief.

Dus mijn belangstelling voor Grace heeft diepe wortels. Ze maakt net zoveel deel uit van mijn leven als van het leven van miljoenen lezers. Ik verkeer in de gelukkige omstandigheid dat ik die lezers dankzij mijn beroep meer over Grace kan vertellen dan ze anders zouden weten.
Een laatste verontschuldiging. Als ik jou aanstoot heb gegeven met mijn verslag over het ongeluk van Grace, in april, dan spijt me dat. Ik dacht dat ik gewoon nieuws

bracht. Als dit een troost mocht betekenen, dan kan ik je zeggen dat de krant een reeks telefoontjes heeft ontvangen als protest op dat artikel. Mijn redacteur was er al even misnoegd over als jij.

Ik begrijp dat je me niet in je huis wilt hebben. Ik zou je oprecht graag ergens anders willen ontmoeten, misschien voor de lunch op neutraal terrein. Grace predikt communicatie. We moeten echt eens praten.

Het is mijn droom de best geïnformeerde journalist op het gebied van Grace te worden. Ik weet niet goed of ik dit voor mijn moeder wil of voor mezelf, maar mijn verleden met De Hartsvriendin *maakt me in elk geval de perfecte kandidaat. Denk hier alsjeblieft over na. Misschien kan ik helpen.*

Ik heb mijn huisadres en telefoon- en faxnummer hieronder staan. Ik hoop van je te horen.

Met vriendelijke groet,
Robin Duffy

Francine voelde zich over deze brief net zo verscheurd als over bijna al het andere in haar leven. Als brief van een intelligente vrouw was het een van de meest vleiende brieven die ze ooit had gehad. Als brief van een vrouw die het in haar macht had om Grace te maken of te breken, was het angstaanjagend.

Het enige dat Francine zeker wist – zoals de zaken er nu voorstonden – was dat ze niet in durfde te gaan op het aanbod van Robin.

10

Hoe modern de wereld ook mag worden, tradities zullen
altijd het fundament van het gezinsleven vormen.

– Grace Dorian, in De Hartsvriendin

Gedurende de volgende maanden was het of Francine in een tredmolen liep – ze holde, maar kwam nergens. Ze struikelde voortdurend – omdat ze columns in elkaar zette op een manier die maakte dat Tony vroeg of Grace ziek was, ze raakte verstrikt in leugens
over waarom Grace deze talkshow of dat seminar niet kon bijwo-
nen, stelde Grace vragen die haar in woede deden ontsteken.

Nadat ze Labour Day in een voor de Dorians atypische afzon-
dering hadden doorgebracht, schoten de nieuwsgierige vragen als
paddestoelen uit de grond. Van alle kanten drongen journalisten
op interviews aan. Annie Diehl werd bestookt met aanvragen.
Vrienden smeekten om een lunch. Er waren telefoontjes van Tony,
van Katia, van Amanda, van George, van uitgevers van meer kranten waarin *De Hartsvriendin* verscheen dan Francine lief was, en
ze gingen allemaal over Grace. Daarbovenop was het werk een
nachtmerrie. Voor wat Grace vroeger twee dagen kostte, had
Francine er vijf nodig, wat betekende dat één improductieve dag
haar meteen achterop deed raken, wat weer betekende dat Tony
vaker dan prettig was aan de telefoon stond te schreeuwen van ongeduld.

Wat eveneens te vaak gebeurde waren ruzies met Sophie. Op
een gegeven ogenblik stak Francine vol wanhoop haar handen in
de lucht. 'Wat is hier toch allemaal aan de hand? We zouden elkaar
steun moeten geven, geen verdriet. Waarom kíbbelen we zo?'

'We kibbelen omdat jij je belachelijk gedraagt,' verklaarde Sophie. 'Er is niets mis met het weglaten van vragen over etiquette. Jij
wordt er doodziek van. Ik word er doodziek van.'

Het ene deel van Francine was het met Sophie eens. Het andere
deel zei: 'Grace heeft ze altijd beantwoord.'

'Nou, wij zijn Grace niet. Oké, ik kan me bepaalde soorten etiquette voorstellen – algemene manieren, politiek correct gedoe. Maar dat gezemel over wat je moet doen met je vieze mes wanneer de serveerster het aan je teruggeeft om later tijdens de maaltijd weer te gebruiken? Nou ja!'

'Grace zou dat ook behandelen,' hield Francine vol.

'Behandel jij het dan ook.'

'Maar ik vind 't vréselijk om te behandelen.'

'Dat wéét ik. Daar kibbelen we ook over, mam. Ik zeg dat als jij een hekel aan iets hebt, je dat gewoon niet moet doen. Jij zegt dat zelfs als je een hekel aan iets hebt, je dat voor Grace zou moeten doen. Maar jij bent Grace niet en ik ben Grace niet, en omdat zij min of meer haar handen van *De Hartsvriendin* heeft afgetrokken, zullen wij het roer over moeten nemen. Grace kan jou geen praktische feedback geven. Ze herinnert zich niet meer met wat voor onderwerpen wij ons van de ene week op de andere bezighouden. Ze herinnert zich óns niet meer.'

'Dat echt nog wel.'

'Ons gezicht, ja. Maar ze wordt volledig in beslag genomen door zichzelf en door haar werk. Wanneer heeft ze je voor het laatst gevraagd hoe jij je voelt of hoe het met jóuw werk gaat?' Haar toon veranderde van pruilend in gekwetst. 'Ik zou dankbaar moeten zijn, hè? Ik vond het altijd vreselijk wanneer ze naar mijn gezondheid vroeg, want ze wist altijd wat ik moest doen, en dat deed ik niet. Maar daar denkt ze nu niet meer aan. Het is net of het haar allemaal niets meer interesseert. Het is net alsof het haar niets kan schelen. Ik denk niet dat ze zich mijn verjaardag nog zal herinneren.'

Dat laatste kwam er angstig uit en het raakte Francine op een plek waar ze Sophies volwassenheid soms als vanzelfsprekend beschouwde. Toen ze nu naar haar keek, zo knap en fris en gespannen als ze was, zag Francine hoe jong ze nog altijd was.

'Grace zal echt wel aan je verjaardag denken,' zei ze en ze nam zich stellig voor te zorgen dat dat gebeurde.

'Ze zal niet uit willen gaan. Maar we gingen altijd uit. Lunchen in het Pierre is net zo'n traditie als Thanksgiving of Kerstmis. We hebben daar vanaf mijn derde mijn verjaardag gevierd.'

Traditie vormde het fundament van het gezinsleven, zei Grace altijd. Francine wenste dat ze iets had gezegd over wat je moest doen als dat fundament veranderde.

'Ik wil echt heel graag,' smeekte Sophie. 'Het zou zo goed zijn voor Grace.'

Daar was Francine nog niet zo zeker van. Grace wilde privacy. Ze wilde het vertrouwde. Zo vertrouwd als het Pierre na al die jaren was, was Manhattan een steeds veranderend, verslindend beest.

Maar Sophie had ook behoeften en deze was heel sterk. Dus beloofde Francine plechtig het te zullen proberen. 'Als ze zich niet gemakkelijk voelt bij die gedachte, kunnen we iets anders doen. Of jij en ik kunnen samen op stap gaan.'

'Kan Grace dat niet één dagje opbrengen, gewoon voor mij? Ik bedoel, we werken ons voor haar uit de naad. We doen voortdurend dingen waar we geen zin in hebben. Waarom kan zij dat niet voor één keertje ook eens doen?'

'Omdat haar probleem niet rationeel is,' zei Francine en ze voelde zich onder Sophies blik een verraadster van de eerste orde.

Toen verhardde het kwetsbare kind zich. 'Dit heeft niets met haar probleem te maken. Het gaat over hoe ze altijd is geweest. Grace komt altijd op de eerste plaats. Punt uit. En dát,' kondigde ze met zwier aan, 'is nou net waar wij over kibbelen. Grace is bij ons of ze is niet bij ons. Jij zegt dat ze bij ons is – ik zeg van niet. Jij zegt dat we begrip moeten hebben – ik zeg dat ze misbruik maakt van ons begrip. Jij zegt dat zij van allesoverheersend belang is bij alles wat we doen – ik zeg dat we het heel goed alleen af kunnen.'

Het bleef Francine verbazen dat Sophie, na als eerste de ziekte van Grace te hebben geaccepteerd, zo weinig mededogen toonde. 'Ik kan haar niet zomaar buitensluiten, Sophie,' redeneerde ze. 'Ik kan niet zomaar doen alsof ze geen autoriteit is op het soort terreinen waar jij en ik nog maar een fractie van begrijpen. Ze is een geweldige bron van informatie.'

'Was. Ze remt jou af. Je zit op alles te ploeteren, mam. Vroeger schreef je binnen de kortste keren hele columns voor Grace. Je ging zitten en je deed het. Nu heb je een eeuwigheid nodig omdat je zonodig moet proberen de column te schrijven zoals Grace 'm zou schrijven. Je zit gewoon naar stijl en inhoud te raden. Je verbetert alles honderd keer om 'm op die van haar te laten lijken. Je draagt deftige broeken en blouses. En párels. Allemachtig mam. Párels!'

Het was vele jaren geleden een cadeau van Grace geweest, het verplichte parelsnoer voor volwassenen. Grace was altijd blij geweest wanneer Francine het droeg en daarom had ze het nu om.

'Nou, misschien maken díe wel dat je langzamer werkt,' zei Sophie. 'Misschien zou je in een sweatsuit veel beter werken. Je lijkt niet op Grace, mam. En je zult nooit op haar gáán lijken ook. En dan…' – een veelbetekenende pauze – 'en dan…' – nog langzamer – 'is Robert er nog.'

Francine had kunnen weten dat dit zou komen. Sophie had al weken over Robert lopen mokken. Grace daarentegen glimlachte elke keer dat Francine zei dat ze hem zou ontmoeten. Alleen al het zien van die glimlach – zo zeldzaam, zo oppervlakkig, zo schaars – maakte voor Francine het uitgaan met Robert de moeite waard. 'Heb je nog iets nieuws over hem te zeggen?' vroeg ze Sophie nu.

'Jullie tweeën hebben vast wel iets interessants gedaan.'

Francine negeerde het sarcasme. 'We gaan uit eten.'

'Het... ene... restaurant... na... het... andere,' zei Sophie lijzig. 'Zijn jullie stapelverliefd? Natuurlijk niet. Robert is stomvervelend. Wat heb je Tom trouwens verteld?'

'Niets. Tom is gewoon een beetje in de versukkeling geraakt.'

'En dat zegt jou hoe dynamisch die goeie ouwe Tom was. Het enige verschil tussen Tom en Robert is dat Grace Robert mag. En dat brengt ons terug naar waar we begonnen. Hoeveel gehoorzaamheid zijn we Grace verschuldigd?'

Het was precies de vraag die Francine met Grace had willen bespreken, maar dat kon ze nu niet. Om te beginnen was het onderwerp daar te delicaat voor, en verder ging Grace sterk achteruit.

Het gebied waarin ze die zomer min of meer had verkeerd, lag nu ver achter haar. Ze was vergeetachtiger dan ooit en bozer wanneer ze iets had vergeten, ze was opstandiger dan ooit en heviger geschokt wanneer dit gebeurde. Ze had moeite zich te herinneren welke dag van de week het was, en soms zelfs welke tijd van de dag. Francine kon haar 's nachts om twee uur even vaak volledig gekleed achter een leeg computerscherm aantreffen als in haar nachthemd in bed.

Er waren nog steeds heldere momenten waarin ze de Grace was die Francine kende. Maar die keren werden overschaduwd door het besef dat de andere Grace terug zou keren.

Toen september oktober werd en Katia Sloane begon te bellen over het boek dat ze niet had geschreven, wist Francine dat ze een probleem hadden. Grace was het daar niet mee eens. 'Ze moeten gewoon even wachten,' verklaarde ze en staarde naar haar scherm.

Francine zag daar woorden staan. Ze probeerde ze te lezen, maar ze kon er geen touw aan vastknopen. 'Welk gedeelte is dat?' vroeg ze onschuldig.

'Gedeelte? Gedeelte waarvan?'

'Je boek. Daar zit je toch aan te werken?'

Grace dacht even na. 'Nou, dat zou ik wel willen, maar het is niet gemakkelijk. Ik verricht steeds research' – ze rommelde in de papieren die over het bureau verspreid lagen – 'en dan weet ik niet wat ik op moet schrijven. Ze zijn niet tevreden over me, Francine.'

Francine hoefde niet te vragen wie ze bedoelde. De hallucinaties kwamen steeds vaker. 'We hebben het hier al eerder over gehad, mam. Ze zijn er niet.'

Grace keek haar niet recht aan. 'Ja, maar ik hoor hen wel. Ze zitten elke avond in mijn kamer. Mijn vader zit halfdronken in mijn oorfauteuil. Mijn broers en zusters zitten op het bankje.'

'Je had er maar één,' bracht Francine haar in herinnering. 'Je broer Hal. Hij is aan kinkhoest gestorven toen hij vijf was.'

'Nou, dat is ook zo'n twistpunt. Ze geven me daar ook de schuld van. Mijn moeder loopt te ijsberen tot ik naar buiten kom.'

Francine probeerde Grace in de werkelijkheid verankerd te houden en ze zei: 'Je familie leeft niet meer. Je verbééldt je gewoon dat ze er zijn. Vertrouw nou maar op mij. Je kunt in je boek zetten wat je wilt. Ze zullen er niets van weten.'

'Toch wel.'

'Denk je dat ze vanuit de hemel op je neerkijken?'

'Ze kijken niet op me neer,' mopperde Grace. 'Ze zitten in mijn zítkamer.'

'Nou,' zei Francine in een poging dat zo goed mogelijk af te handelen, 'dan zullen we ervoor moeten zorgen dat ze niet zien wat jij schrijft. We kunnen het voor hen verbergen. Hoe lijkt je dat? We stoppen alles in de kast, doen die op slot, en verbergen de sleutel.'

Grace aarzelde. Ze zei voorzichtig: 'Misschien is dat een idee.'

'Laat me de pagina's maar zien die je af hebt, dan stop ik die meteen achter slot en grendel.'

Grace staarde Francine aan. Haar gezichtsuitdrukking ging van behoedzaam naar berustend naar verlegen, en geen daarvan voorspelde veel goeds voor wat ze te tonen had. Francine had nog niet één pagina gezien. Grace was er heel duidelijk in dat niemand mocht kijken tot ze klaar was om iets te laten zien. Elke keer dat Francine in de verleiding kwam er een blik op te werpen, werd ze weggejaagd.

Grace keek naar het bureau. Ze aarzelde en schoof toen wat papieren heen en weer tot er een felgele map te voorschijn kwam. Ze gaf hem aan Francine zonder haar goed aan te kijken. 'Ik heb niet zoveel gedaan als ik had gehoopt te zullen doen.'

Dat was heel zwak uitgedrukt. De map bevatte wat opmerkingen en details van de oorspronkelijke opzet van Grace. Er zat geen enkele samenhang in de dingen. Er was niet één voltooid hoofdstuk. Er was nog niet genoeg om een kort verhaal te vullen, laat staan Katia te verblijden.

Francine was verbijsterd. Sophie had haar gewaarschuwd, maar ze had toch hoop gehouden.

Ze haalde haar hand door haar haar. 'Ik zal met Katia moeten bellen. Van publicatie in mei zal niets terechtkomen.' Ze dacht hardop na. 'Misschien september. Of met Kerstmis. Dat is beter. Dan kan de marketing het als kerstgeschenk brengen in plaats van iets voor moederdag. Dus als het in december verschijnt, moeten zij het in maart hebben.' Ze schudde vol ontzetting haar hoofd. 'Dat is ook te snel.'

'We zullen het moeten proberen,' zei Grace. 'Hoe langer we wachten, hoe moeilijker het wordt.'

Het duurde een paar minuten eer de woorden tot haar doordrongen – de helderheid en het droevige ervan. Francine pakte de hand van Grace en hield die vast tot de prop in haar keel was verdwenen. 'Jij bent de enige die alle informatie heeft.'

Grace betastte haar hoofd. 'Het zit daar. Ik heb alleen moeite het eruit te krijgen.' Haar blik werd hoopvol. 'Jij kunt het schrijven, lieverd. Jij kunt het voor me schrijven.'

'Ik?' Francine was verbijsterd. 'Eh… eh… wannéér?'

Grace wuifde deze vraag weg en zei smekend: 'Help me, liefje. Alsjeblieft? Het is misschien wel het laatste dat ik je ooit zal vragen. Je weet hoeveel dit voor me betekent. Zul je me helpen?'

Francine voelde rauwe paniek. Het was een fulltime project en ze zát al tot over haar oren in het werk. Bovendien had ze helemaal geen kaas gegeten van het schrijven van boeken. Boeken waren geen simpele antwoorden van drie alinea's op de post van lezers. Ze hadden een begin, een midden, en een eind. Ze namen zeker enkele honderden pagina's in beslag. Ze vereisten strategische planning.

Grace had haar voorbereid op het overnemen van *De Hartsvriendin*. Ze had haar niets bijgebracht over het schrijven van een boek.

Francine wilde dit botweg weigeren. Maar het boek betekende alles voor Grace en Grace betekende alles voor Francine. Ze gaf het enig mogelijke antwoord en zou in huilen zijn uitgebarsten als Grace niet zo ongegeneerd blij had gekeken.

Sophies verjaardag was in de eerste week van november en viel vaak samen met de nationale verkiezingen. Ze had levendige herinneringen aan hoe ze tussen haar moeder en haar grootmoeder op de achterbank van de auto had gezeten en onderweg overal campagneborden en spandoeken in de stad had gezien. Ze was ook op een verkiezingsdag achttien geworden. Grace en Francine hadden er veel werk van gemaakt om haar naar het stadhuis te vergezellen om voor de allereerste keer te stemmen.

Grace had uiteraard eerst het stembiljet met haar doorgenomen, had haar op haar keuzes gewezen, had haar verteld op wie zíj stemde en waarom. In het kader van haar opstandigheid had Sophie vervolgens volstrekt anders gestemd dan Grace. Uiteraard had ze Grace verteld wat ze had gedaan zodra ze het stemhokje had verlaten.

Grace had haar aangekeken, vervolgens omhoog gekeken, en daarna had ze in al haar goedheid haar hoofd geschud en geglimlacht. 'Het is jouw verjaardag, lieverd. Je kunt doen en laten wat je hartje begeert.'

Zo was het altijd gegaan. Een elegante lunch in het Pierre vormde het hoogtepunt waaromheen allerlei kleine vreugden werden georganiseerd. In de vroege jaren waren het de botsautootjes, het uitkijkplatform van het Empire State Building, en rijtuigtoeren in het park, in later jaren Barney's, Tiffany's en Broadway. Het was altijd Sophies keuze en Sophie had nooit moeite om iets uit te kiezen.

Dit jaar wilde ze zeewierbaden, gevolgd door een lunch, gevolgd door de aankoop van een kleine oorknop met robijn.

'Ik weet het niet, liefje,' zei Francine met enige aarzeling toen Sophie de lijst met haar doornam. 'Grace is niet zo dol op baden met zeewier.'

'Ze heeft er nog nooit een gehad. Ze weet niet wat ze mist. Weet je hoe fijn jij en ik die hebben gevonden in die gezondheidsclub? Ze waren geweldig!'

'Ik weet niet of ze zo lang stil kan blijven zitten.'

Maar Sophie hield vol. 'Ze zal zo relaxed zijn dat ze niet eens op de gedachte komt zich te bewegen. Bovendien is het míjn dag, weet je wel?'

Ze wist dat Francine er niet blij mee was. Ze wist zelfs dat ze een risico nam, omdat Grace in toenemende mate onvoorspelbaar werd. Maar ze wilde dat haar verjaardag net zo leuk was als altijd en ze wilde het zo graag dat ze bereid was dat risico te nemen.

De dag begon met stralende zon. Sophie droeg een broekpak van Armani. Gus droeg het donkere pak en de pet die Grace tot zijn uniform had bestempeld. Sophie plaagde hem ermee terwijl ze bij de auto stonden te wachten. Ze zei dat hij iets ondeugends kreeg met dat uniform, met die sombere, donkere blik en die gloeiende ogen. Ze weidde verder over dat thema uit, terwijl ze tegen hem aan leunde en hem allerlei pikante onzin toefluisterde tot het resultaat van haar provocerende opmerkingen duidelijk zichtbaar was. Hij zwoer het haar betaald te zullen zetten.

Francine en Grace waren laat, maar als paar zagen ze er schitterend uit. Francine droeg een broekpak dat alleen van dat van Sophie verschilde in een subtiele extra elegantie en verfijning. Het pak van Grace was in beide opzichten minder subtiel. Maar ze deed wat verward en korzelig. Ze schoof naar het midden van de achterbank en liet Sophie buiten staan, zonder de jaarlijkse verjaardagsknuffel en de geglimlachte goede wensen.

'Ze had een slechte start,' fluisterde Francine, die het gemis goedmaakte met een dubbel zo lange omhelzing. 'Ze had zich in de datum vergist. Ze dacht dat het morgen was.'

'Weet ze waar we naartoe gaan?'

'Ik weet heel goed waar we naartoe gaan,' blafte Grace vanuit de auto. 'Kunnen we nu gaan? Het is koud.'

Francine stapte naast Grace in. Gus deed het portier dicht en begeleidde Sophie naar de andere kant.

Grace zei niet veel. Ze hield haar ogen op de weg gericht en haar handen in haar schoot. Ze zaten om haar heen te praten, tot Sophie ten slotte zei: 'Feliciteer me eens met mijn verjaardag, oma.'

Grace keek haar verbaasd aan. 'Alweer jarig?' Ze slaakte een zucht. 'Niet te geloven. Waar zijn de jaren gebleven?'

'Ergens,' zei Sophie. 'Ik ben nu vierentwintig.'

'Vierentwintig.' Grace kneep Sophie in haar knie. 'Dat is oud.' Ze zei heel lief: 'Je ziet er prachtig uit. Heb ik je dat al verteld?'

'Nee,' antwoordde Sophie met een glimlach. Dit was de oma die ze als kind had gekend. 'Je mag het nog eens zeggen, als je dat wilt.'

Grace gehoorzaamde, net zoals ze toen had gedaan. 'Je ziet er prachtig uit.'

Ze schoten in de lach.

Grace pakte haar hand. 'Ik herinner me nog dat je werd geboren. Herinner jij je die dag nog, Francine? Je dacht dat je indigestie had. We konden je nog maar net op tijd in het ziekenhuis krijgen. Je was een prachtige baby, lieverd. Ik heb urenlang door het raam van het babyzaaltje staan kijken.' Ze bleef Sophies hand vasthouden terwijl ze dieper in de bank wegzakte, en ze richtte, glimlachend, haar ogen weer op de voorruit.

Sophie zag opeens in gedachten hoe zíj daar in het midden van de bank had gezeten en glimlachend door de voorruit naar een stralende verjaardagswereld had gekeken. Nu Grace in het midden zat, kreeg ze het onthutsende gevoel dat de rollen waren omgedraaid en ze keek naar Francine. Francine zat uit het zijraampje te kijken. Aan wat Sophie van haar gezicht kon zien, vond ze dat ze er moe uitzag. Ze zag er de laatste tijd steeds moe uit. Ze werkte te hard.

'We zouden dit echt vaker moeten doen,' besloot Sophie. 'We zouden minstens één keer per week vrij moeten nemen en ergens naartoe gaan.'

Francine maakte een smachtend geluid.

'Echt waar,' hield Sophie aan. 'We hóeven toch zeker geen vijf dagen per week te werken.'

'Chauffeur?' riep Grace. 'Chauffeur?'

'Mevrouw?' riep Gus vanaf de bestuurdersplaats.

'Waarom passeren we al deze auto's?'

'Die willen hier afslaan,' zei hij.

'Volgens mij rij je te hard. Ga alsjeblieft wat langzamer.'

Sophie wist dat hij probeerde de tijd in te halen die verloren was gegaan toen ze op Grace hadden moeten wachten. Als ze voor de lunch nog alle tijd voor hun behandeling wilden hebben, moesten ze om elf uur in het schoonheidscentrum zijn. Ze had dit juist aan Grace uitgelegd, toen Grace opnieuw haar beklag deed over het rijden van Gus.

'Hij maakt me zenuwachtig,' riep ze zo hartstochtelijk uit dat Francine tegen Gus zei dat hij langzamer moest rijden.

Sophie verbeet zich. Dit was háár dag. Ze was kwaad omdat Grace toch de baas wilde spelen. En Grace klaagde nu voor de derde keer over de snelheid en begon toen: 'Ik had niet mee moeten gaan.' Om dat vervolgens om de paar minuten te herhalen. Francine probeerde haar te kalmeren. Sophie probeerde haar te kalmeren. Maar Grace liet zich niet kalmeren.

Ze arriveerden een kwartier te laat in het schoonheidscentrum, maar de naam Dorian kon wonderen verrichten. Hoewel Sophie gewoonlijk de anonimiteit prefereerde, maakte ze nu schaamteloos gebruik van haar naam, zoals Grace dat altijd had gedaan.

Het ongelofelijke was dat Grace haar nu het zwijgen oplegde. 'Doe dat niet,' fluisterde ze, hangend aan Sophies elleboog. 'Ik wil niet dat de mensen weten dat wij het zijn.'

'Waarom niet?' vroeg Sophie.

'Omdat het zo beter is.' Tegen Francine zei ze: 'Ik voel me hierover niet op m'n gemak.'

'Het zal best gaan, moeder.'

'Beter dan best,' zei Sophie. 'Je zult het heerlijk vinden.'

En dat zou misschien ook wel zo zijn geweest, als ze het maar half had geprobeerd. Maar de ruimte beviel haar niet, de geuren bevielen haar niet, het beviel haar niets dat ze haar kleren moest uittrekken. De assistente beviel haar niet. De pogingen van Francine en Sophie om haar vanuit hun aangrenzende kuipen te kalmeren, bevielen haar niet. Ze klom te vroeg uit haar kuip, zodat de assistente achter haar aan moest hollen om haar terug te halen en af te spoelen, en daarna weigerde ze de eropvolgende behandelingen te ondergaan.

Sophie had het misschien nog niet zo erg gevonden als Grace geduldig had gewacht tot zij klaar waren. Maar Grace wilde dat Francine ook kwam. Daarna wilde ze weg. Francine bood aan met Grace door de stad te rijden terwijl Sophie het programma afwerkte, maar wat Sophie betrof was het avontuur bedorven.

Het werd nog erger. Omdat ze te vroeg waren voor de lunch, gingen ze naar Tiffany's. De bedrijfsleider daar was verantwoordelijk voor de verkoop van ieder sieraad dat Sophie bezat, inclusief talloze eerdere verjaardagscadeaus. Hij toonde hun de mooiste robijnen die hij had. Toen het oog van Grace werd getrokken door een eenvoudige ring met een diamant in een vitrine ernaast, haalde hij die snel te voorschijn en schoof hem aan haar vinger. Ze stond een poosje 'oh' en 'ah' te roepen, en stak haar hand omhoog alsof ze nooit eerder een diamant had gedragen – wat op zich niet zo'n punt zou zijn geweest, als ze niet al enkele, veel fraaiere had bezeten dan die aan haar vinger, wat haar enthousiaste bewondering op spot deed lijken.

Sophie probeerde haar terug te brengen naar de oorbellen, maar Grace keek er alleen maar even naar en liep toen weg. Francine, die kennelijk met Sophie te doen had, sloeg een arm om haar heen en richtte zich op de robijnen – en Grace maakte van die gelegenheid gebruik om de winkel uit te lopen, de straat in, met de solitair aan haar vinger. Francine noch Sophie realiseerde zich dit, tot even later een groep bewakers haar bij hen terugbracht.

Sophie geneerde zich ongelukkig. Even later, toen Francine de ring van Grace had afgepakt en aan de bedrijfsleider had gegeven, die de pijnlijke situatie probeerde te verhelpen door erop aan te dringen dat ze hem zou lenen, maakte Sophies gêne plaats voor iets treurigers. Ze wist dat Francine haar best deed – haar gezicht stond verkrampt van inspanning – maar het was hetzelfde oude liedje. Grace domineerde alles.

Ze verlieten de winkel zonder iets te hebben gekocht en bleven een tijdje rondrijden terwijl Francine haar best deed om Grace te kalmeren. In een laatste poging de dag te redden, gingen ze naar het Pierre, en aanvankelijk was alles goed met Grace. Ze bleef aan Francines zijde gekleefd en volgde Francine waar het het begroeten betrof van mensen die ze moest kennen. Ze liet zich door de gerant naar hun plaats brengen en wierp hem een stralende glimlach toe. Maar daarna ging alles bergafwaarts. Ze kon het menu niet lezen en werd spinnijdig. Ze werd boos toen Francine voor haar bestelde, en toen het eten arriveerde, beviel het haar niet. Ze beweerde dat de man aan het tafeltje naast hen haar aan zat te staren. Ze ging haar handen wassen, en toen ze terugkwam was ze ervan overtuigd dat de ober haar de lunch van een ander had gegeven, waarvan al was gegeten. Ze ging voor de tweede keer haar handen wassen, en toen ze niet terugkwam, besloot Francine, na herhaaldelijk op haar horloge te hebben gekeken en zich te hebben afgevraagd of ze alarm moesten slaan, haar achterna te gaan. Om tot de ontdekking te komen dat Grace haar deur niet meer van het slot kon krijgen. Ze was zo van streek toen ze ten slotte was bevrijd, dat Francine de ober snel om de rekening vroeg.

Sophie brieste tijdens de lange rit naar huis. Het mocht niet baten dat Grace opeens heel lief, opeens verontschuldigend, opeens bezorgd was. 'Ik vind het gewoon vreselijk, liefje. We hebben altijd op het Pierre kunnen rekenen voor een goede maaltijd. Ik had nooit voorgesteld om daar voor je verjaardag naartoe te gaan als ik had geweten hoe slecht ze waren geworden. Maar ik wil iets moois voor je kopen. Wat zou je leuk vinden? Misschien een sieraad?'

Sophie had het gemakkelijker gehad als Grace op dat moment net zo irrationeel was geweest als eerder. Maar de onvoorspelbaarheid – de wisselingen van Grace naar niet-Grace – maakten Sophie woedend. Als Grace dat had gewild, redeneerde ze, echt had gewild, was ze zichzelf geweest in die paar uurtjes dat het er echt toe deed. Ze zou het voor Sophie hebben gedaan als ze dat echt had gewild. Maar dat was niet het geval – ze had het niet gewild, ze had het niet gedaan – en er was een traditie verbroken.

Sophie was kwaad, gefrustreerd en bedroefd, ze liep regelrecht naar haar deel van het huis. Ze wachtte tot Francine met een voorstel zou komen voor een alternatief feestje, gewoon met zijn tweeën, maar dat deed ze niet. Dus belde Sophie haar vrienden in New York. Binnen het uur was ze weer op weg naar de stad. Deze keer maakte ze de rit op de voorstoel, stijf tegen Gus aan.

Francine had de bedoeling gehad Grace af te leveren en daarna iets met Sophie te doen. Maar Grace verkeerde in een buitengewoon opgewekte stemming en wilde over haar boek praten.

'Ik zat te denken aan de geboorte van *De Hartsvriendin*,' zei ze. 'Weet je nog hoe alles is begonnen? Je vader en ik zaten op een dag met Peter en Joanna Daltray te praten over hoe Peters krant een beetje pittiger kon worden gemaakt – hij gaf toen het streekblad uit, en dat was zo provinciaals, zo vervelend – we waren natuurlijk niet zo bot om dat tegen Peter te zeggen, maar het was vréselijk. Dus stelden we voor dat hij een vragenrubriek bracht, en toen draaide hij het om en stelde voor dat ík die schreef.'

Francine stond in tweestrijd. 'Ik kan echt niet blijven, mam,' verklaarde ze. 'Ik moet echt wat tijd aan Sophie besteden. Ze is een beetje verdrietig.'

'Nou, ik begrijp niet waarom,' merkte Grace op. 'Ze heeft een heerlijk leven.'

'Het is haar verjaardag. Ze voelt zich een beetje melancholiek.' En dat was heel zacht uitgedrukt, maar Francine dacht niet dat Grace eraan toe was te horen hoe Sophie werkelijk gestemd was. 'Ik wilde eigenlijk nog even met haar op stap gaan.'

'We zijn al op stap geweest. Het is nu tijd om te werken.' Ze glimlachte stralend. 'Weet je nog hoe we probeerden een naam voor mijn column te vinden? Herinner je je nog alle namen die we probeerden?'

'Alsjeblieft, mam,' smeekte Francine, die een klein beetje begrip wilde hebben van de vrouw die ooit een gezaghebbende autoriteit was geweest.

Maar Grace hoorde haar niet. 'Jij wilde dat hij "Vertel het aan Grace" zou heten. Je vader wilde "Gracieus advies".'

'O mam, kan dit echt niet wachten?'

'Nou, dat wel,' waarschuwde Grace, 'maar misschien raak ik die gedachten weer kwijt.'

Francine kon wel gillen. Als je het zo stelde, met de dreiging van een blanco toekomst, kon ze niet weigeren. Sophie zou haar voor altijd hebben, Grace voor veel kortere tijd. Sophie zou het maar moeten begrijpen.

Dus krabbelde ze de gedachten van Grace neer zoals ze kwamen. Het duurde niet lang voor Grace haar belangstelling verloor, maar toen was het inmiddels al theetijd geworden. Toen pastoor Jim te laat was, raakte Grace geagiteerd en gaf Francine de schuld. Ze werd pas weer kalm bij zijn komst.

Hij had een cadeautje voor Sophie. Francine holde weg om Sophie te halen, en kwam tot de ontdekking dat ze was uitgegaan.

Ze voelde zich mislukt als moeder, heel erg alleen, en op het randje van tranen. Daarom liet ze pastoor Jim met Grace alleen en ging met Legs wandelen. Haar tranen bleven bedwongen, samen met een scherp besef van gemis, tot ze weer terugkwam. Toen ging ze in haar eigen zitkamer op de vloer zitten, drukte Legs tegen zich aan en liet haar tranen de vrije loop.

Na enige tijd maakten haar tranen plaats voor migraine. Terwijl ze in het donker lag, met een koude, natte doek op haar hoofd, besefte ze dat het nu buigen of barsten werd.

Dat gebeurde inderdaad. Om tien uur die avond werd ze uit een diepe slaap gewekt door het rinkelen van de telefoon.

Het was een radeloze Gus. 'Sophie is ziek. We zijn in het ziekenhuis. U kunt maar beter komen.'

Francine was in één klap wakker en doodsbang. 'Hoe ziek?'

'Insulineshock. We waren in de stad. Ze voelde zich niet lekker en daarom begonnen we naar huis terug te rijden. Halverwege de terugweg raakte ze buiten bewustzijn.'

Francines hart bonsde hevig. 'Is ze nu bij bewustzijn?'

'Ik weet het niet. Ze willen me niet binnenlaten.'

Ze was blij dat ze te verdrietig was geweest om zich uit te kleden, en ze holde naar de garage en beging op weg naar het ziekenhuis een aantal verkeersovertredingen, maar een bekeuring was wel het minste waar ze zich over op kon winden.

Pastoor Jim arriveerde tegelijk met haar. 'Gus heeft me gebeld,' verklaarde hij toen hij naast haar naar binnen holde. 'Ze waren in een dansclub in de stad. Ze had zichzelf een injectie gegeven toen ze daar aankwamen, maar ze zijn niet aan eten toegekomen. Ze had wat glazen alcohol gehad. Tussen die drank en het dansen is haar bloedsuikerspiegel dramatisch gedaald.'

'Ik sterf als ik haar moet verliezen,' fluisterde Francine.

'Je zult haar echt niet verliezen,' zei pastoor Jim. Daarna: 'O, daar heb je Gus.'

Met zijn zwarte haar en de totale afwezigheid van kleur in zijn gezicht, zag Gus er spookachtig uit. 'Ze is nu bij bewustzijn.' Hij ging hun voor door de hal.

Francine was niet voorbereid op de aanblik van Sophie, die op een brancard lag. Ze had alle herinneringen aan de paniektoestanden uit Sophies wilde tienerjaren van zich afgezet, omdat het leven met die angst geen manier van leven was geweest, maar de angst kwam nu in volle hevigheid terug. Hij trof haar boven op al het andere dat ze die dag had meegemaakt, boven op alle tranen en de hoofdpijn en het gevoel van gemis, verwarring en falen.

Maar sterk zijn maakt dat je doorzet, zei Grace altijd, dus was Francine sterk. Ze pakte Sophie bij de hand.

'Het spijt me, mam,' fluisterde Sophie. 'Stom van me.'

'Sst.' Ze legde Sophies hand tegen haar hals en vroeg toen aan de dokter: 'Hoe is het met haar?'

Hij was bezig opnieuw de bloedsuikerspiegel te controleren. 'Het gaat nu beter. Die knul was zo verstandig om haar snel hier te brengen.'

Sophie wilde beslist praten, hoewel haar stem langzamer was dan normaal en een beetje omfloerst. 'Ik vond dat mijn verjaardag een geweldige sof was geworden, dus dacht ik: barst maar allemaal, het kan nooit erger zijn dan het nu al is. Toen voelde ik het opkomen. Ik begon te trillen en te transpireren en ik vroeg of Gus me naar huis wilde brengen. Ik had glucagon bij me moeten hebben, maar ik was kwaad en daardoor was ik overhaast van huis gegaan. Allemensen, wat heb ik er een puinhoop van gemaakt. Ik ben pardoes buiten westen geraakt in de auto. Het spijt me, mam.'

'Laat maar zitten. Het is je verjaardag.'

'Wat een afschúwelijke verjaardag.'

'Maar eind goed al goed.'

Sophies ogen werden groot. 'Grace is er toch zeker niet, hè?'

'Nee, nee, ze is thuis.'

Sophie deed haar ogen dicht.

Francine streek het zijdezachte blonde haar uit het gezicht van haar dochter. Ze meende het, wat ze tegen pastoor Jim had gezegd. Ze zou sterven als ze Sophie moest verliezen. De vraag was hoe ze dit moest voorkomen. Ze had iets heel erg verkeerd gedaan als Sophie zo boos, zo verontwaardigd was geweest dat ze met een insulineshock eindigde op de dag die een familiefeest had moeten zijn.

Sophie opende haar ogen weer. 'Ik moet aldoor maar denken aan hoe ze die ring pakte en zomaar de winkel uitliep, de straat in, zonder iets tegen iemand te zeggen. Ze wist gewoon niet meer wat ze deed, ze wist niet dat dat niet kon.' Er welden tranen op in haar ogen. 'Ik wou dat ik haar kon haten. Ze heeft een afschuwelijke machine geschapen en ons daarbij betrokken, en nu dreigt alles in de soep te draaien. Ik zou er het liefst de brui aan geven, maar dat kan ik niet. Ik wil haar haten omdat ze haar geest laat verpieteren, alsof dat haar eigen schuld is.' Ze lachte om zichzelf. 'Wat een grap, hoe kan zíj nou alles in dit leven naar haar hand zetten, en dit niet. Alleen zitten wíj met de gebakken peren, jij en ik. We kunnen niet gewoon verder gaan zoals we willen, mam. Wat moeten we doen?'

11

De menselijke geest is onbedwingbaar, min of meer als het
verjaardagskaarsje dat wanneer het wordt uitgeblazen,
steeds weer opvlamt.

– Grace Dorian, in een toespraak voor afgestudeerden van
Smith College

Francine bleef tot in de kleine uurtjes bij Sophie in de opnameka-
mer en nam haar toen mee naar huis, stopte haar in bed, rolde zich
naast haar op en keek hoe ze in slaap viel. Als ze zelf even indutte,
was het niet voor lang. Ze vond slechts rust bij het zien van het ge-
staag rijzen en dalen van de borst van haar dochter.

De volgende morgen voelde Sophie zich uitgeput, maar scheen
verder geen nadelige gevolgen aan het gebeurde te hebben over-
gehouden.

Francine was het meest geschokt van de twee. Ze besefte dat de
tijd om zichzelf voor de gek te houden, definitief voorbij was. Ze
moest de toekomst onder ogen zien.

Ze bracht de morgen door met afwisselend bij Sophie te zitten,
proberen te schrijven, proberen Grace in bedwang te houden, proberen vooruit te denken. Tegen het begin van de middag gaf ze het
schrijven en Grace op en richtte ze zich op Sophie en op de toekomst. Halverwege de middag was ze een bonk zenuwen. Aan het
eind van de middag waren haar gedachten volledig vastgelopen.

Sophie lag in bed te lezen. Francine ging een poosje bij haar zitten, omdat ze wilde praten over wat er de vorige dag was gebeurd,
maar ze zat daarvoor te veel met zichzelf in de knoop. Sophie was
ten slotte degene die wanhopig zei: 'Ga alsjeblieft weg, mam. Ga
uit eten of ga naar de bios. Ga een eindje hollen. Maar dóe iets.'

Francine had geen zin om uit eten te gaan. Ze was niet in de
stemming voor een film. Dus ging ze met Legs hollen, maar de frisse buitenlucht hielp alleen maar tot ze weer thuiskwam. Toen was
alle verwarring weer terug. Dus sloot ze Legs op, stapte in haar
auto en reed weg.

Ze had geen enkel probleem om de weg naar Davis' huis te vinden. Ze was er sinds augustus tientallen malen langsgekomen, maar ze was altijd doorgereden, omdat ze wist dat dit het verstandigste was om te doen. Maar verstandig zijn kon haar nu niets meer schelen. Dat punt was ze allang gepasseerd.

Het was bijna vijf uur. Ze betwijfelde of hij al thuis zou zijn van zijn werk. Maar dit was de enige plaats waar ze wilde zijn.

Het licht van haar koplampen streek over de pasgeplaveide oprit die door het bos liep en viel toen op het huis dat daar stond. Het was eerder breed dan hoog, eerder speels van opzet dan formeel, en het maakte de indruk van iets Victoriaans. Ze doofde haar koplampen, liet de auto bij de garage staan en ging, gehuld in regenkleding, op de stoep zitten.

Tegen de tijd dat de lampen van zijn pick-up de oprit verlichtten, waren er twee uur voorbij. Ze was achtereenvolgens van de stoep via de veranda naar de voordeur verhuisd en ze zat daar nu tegenaan gedrukt.

'Francine?' riep hij vanuit de auto. Hij smeet het portier dicht en liep met lange stappen over het pad en de stoep, om voor haar neer te hurken. 'Wat is er aan de hand?'

Ze had zich de afgelopen twee uur afgevraagd hoe ze moest uitleggen waarom ze niet eerder was gekomen, waarom ze alleen maar beroepsmatige telefoongesprekken had gevoerd en die had beperkt tot discussies over Grace.

Maar er was nu niets beroepsmatigs aan haar aanwezigheid hier. Ze zocht een uitweg uit het moeras van haar leven. Davis was haar uitweg.

Maar de woorden ontgingen haar. Ze werd opeens heel emotioneel.

Hij wreef haar over de schouders. 'Je bent koud. Kom mee naar binnen.' Hij trok haar overeind en hield haar stijf tegen zich aan gedrukt terwijl hij de deur van het slot deed, haar naar binnen trok en het licht aandeed. Daarna bracht hij haar via de gang naar de keuken, zette haar in een stoel en begon voor haar iets warms om te drinken te maken.

Francine bleef hem met haar ogen volgen. Alleen al zijn aanblik betekende afleiding.

Hij draaide zich af en toe om om naar haar te kijken. Ze zei niets, ze keek alleen maar terug en liet zijn aanwezigheid en de warmte van het huis de kilte in haar verdrijven.

Op een gegeven moment zei hij: 'Sorry dat alles nog zo kaal is. Het is nu alleen maar functioneel. Het mooie komt nog.'

Toen pas besefte ze dat hoewel ze in een eikenhouten Windsorstoel aan een bijpassende eikenhouten tafel zat, de meeste andere dingen, met uitzondering van de keukenapparatuur, voornamelijk uit gipsplaat en onbewerkt hout bestonden. Niet dat het haar iets kon schelen. Ze was niet voor een rondleiding in een modelkeuken gekomen – en dat vertelde ze Davis met haar ogen.

Hij zette een beker warme chocolademelk voor haar neer en ging met zijn beker tegenover haar zitten. Ze dronken er zwijgend van. Toen ze haar beker leeg had, vroeg hij: 'Beter?'

Ze knikte en slikte. Toen slaakte ze het soort wanhopige kreun dat in haar binnenste op een begrijpend oor had liggen wachten.

'Wat is het?' vroeg Davis zacht.

'Alles.'

'Kun je dat iets nader omschrijven?'

Ze schudde haar hoofd. Ze wilde er niet over hoeven praten. Ze wilde er niet over hoeven dénken. Er was maar één ding dat ze op dat moment wilde doen. Het was iets volstrekt egoïstisch dat met haar hormonen, met het bonzen van haar hart, met een verlangen diep in haar binnenste te maken had.

Hij zei haar naam op een gedempte, rauwe toon.

Ze bestudeerde haar beker. 'Ik wilde steeds maar hierheen komen. Na de vorige keer. Ik moest er aldoor aan denken. Maar ik durfde het niet.'

Er volgde een stilte, doe het of sterf, bemin of vertrek, hol weg of blijf. Toen kwam zijn hand haar kant uit. Ze reikte ernaar en hield hem vast terwijl hij haar uit de stoel trok.

Zijn slaapkamer was aan de andere kant van de woonkamer. Ze was zich vaag van haar omgeving bewust – een hoog, gewelfd plafond, overal glas, de geur van vers hout – maar de manier waarop hij naar haar keek, benam haar de adem, en toen hij haar kuste, hield de tijd op. Plafond, glas, hout – vergeten. Zorgen, verdriet, angst – allemaal weg. Er was iets explosiefs aan hun samenkomen dat de rest van de wereld uitwiste. Ze had het ervaren op de achterklep van zijn auto, in augustus. Ze was er nu voor gekomen, en ze werd niet teleurgesteld. Zijn mond was nog opwindender dan ze zich herinnerde, vol gretigheid en begeerte, een verhitte reeks kussen die zowel door hun wederzijdse aantrekkingskracht werd veroorzaakt als door het besef van wat ze gingen doen.

Francine had er genoeg van de feiten onder ogen te moeten zien. Ze wilde niet aan de toekomst denken.

Dus gaf ze zich over aan zijn mond en aan de vlucht die deze teweegbracht. Ze vlocht haar rusteloze vingers door zijn haar en bewoog tegen hem aan terwijl zijn grote handen haar heel dicht tegen zich aan drukten. Toen dichtbij te ver weg was, duwde hij net voldoende kleding opzij en wierp haar op het bed, maar toen hij bij haar wilde binnendringen, verstarde hij.

Hij mompelde een verwensing en gromde toen: 'Ik moet een condoom pakken.'

Maar ze wilde hem wanhopig graag in zich hebben. 'Nee, doe het nú.'

Hij stootte in haar met een kracht die haar de adem benam en die met iedere volgende stoot de waanzin verhoogde. Ze hoefde hem niet te vertellen wat ze wilde. Hij wist het en hij deed het, en toen ze op het randje van een orgasme verkeerde, hield hij haar daar, hield hij haar daar gedurende zo'n doordringende eeuwigheid dat ze het uitgilde, meer dan eens, in de vrije val die erop volgde.

Toen het voorbij was, trok hij haar schrijlings op zijn schoot, sloeg zijn armen om haar heen en wiegde haar. 'Dat krijg je ervan als je 't over lang, langzaam en intens hebt,' zei hij met rasperige ademhaling. Hij bleef haar wiegen. 'Hebben we zojuist iets doms gedaan?'

Als dat zo was, kon Francine niet bedenken wat. 'Dat was,' fluisterde ze tegen zijn hals, 'het fijnste dat ik in maanden heb meegemaakt.' Sinds het ongeluk van Grace was haar leven danig veranderd. 'Nee. Nog meer. In járen.' En dat was zo lang als het geleden was dat ze voor het laatst met een man naar bed was geweest.

'Ik zal je niet ziek maken, Frannie.'

'Ik jou ook niet.'

'En zwanger?'

'Ik denk 't niet.'

Zijn lippen lagen tegen haar voorhoofd, verwarmden de laatste gedachten die ze had terwijl ze in een heerlijke onverantwoordelijkheid zweefde. Na een tijdje zei ze: 'Kunnen we naakt zijn?' Het leek haar de beste manier om niet na te hoeven denken.

Ze voelde zijn grijns enkele seconden voordat hij haar begon uit te kleden. Als er nog serieuze gedachten langs de zijlijn stonden, dan werden die teruggedreven door de hitte in zijn ogen bij het zien van haar naaktheid, en daarna nog verder door de hitte die ze voelde toen ze zijn overhemd uittrok. Hij had een verbijsterende borstkas, een en al stevigheid en pezen. De breedte ervan werd geaccentueerd door een massa bruin haar die zich naar de navel toe versmalde alvorens verder omlaag uit te waaieren.

'Blijf stil liggen,' fluisterde hij. Hij smeet hun kleren op het bed en liep naar de badkamer. Even later kieperde hij een handvol condooms op het nachtkastje. Toen sloeg hij zijn benen weer om haar heen en streelde haar gezicht. 'Je bent heel stil.'

'Ik ben verbijsterd,' hijgde ze. Met kleren aan was hij dynamisch. Zonder kleren was hij adembenemend. Zijn houding, zijn manier van lopen, de natuurlijke gratie van zijn seks. Adembenemend. Er was geen beter woord voor.

Hij kuste haar, met zijn hand om haar wang, en toen met zijn vingers in haar haar. Hij deed zijn mond open en plaagde haar, fluisterde kussen, trok zich terug om haar uitsluitend met zijn ogen te bewonderen. Hij streelde vol tederheid haar borsten, haar schouders, haar armen. Hij stopte slechts even om zich te beschermen en gleed toen in haar. En ze vond het heerlijk. Ze schoof tegen hem aan, voelde zich gelukkig en vrij. Het klikte. Ze voelde het aan het stijgen van zijn hartstocht en het zagen van zijn ademhaling. Ze was heel goed in het samenspel met Davis. Alles aan hem zei haar dit – zoals hij klonk, zoals hij bewoog, zoals hij rook. Het zwellen van hem in haar binnenste was de glorieuze bekroning.

Toen het deze keer voorbij was, lagen ze met hun gezicht naar elkaar toe op het bed. Ze veegde het zweet van zijn neus en legde haar hand in zijn nek. 'Dat komt er nou van jouw beloften.'

'Die belofte is twee maanden geleden verstreken. Waarom ben je zo lang weggebleven?'

Omdat ze er nog niet aan toe was aan de toestanden van thuis te denken, zei ze: 'Ik heb besloten dat ik zou wachten tot je verhuisd was. Ik vind het een prachtig huis.'

'Je hebt er nog niet veel van gezien.'

'Toch wel. Toen ik wachtte tot jij thuiskwam, heb ik wat rondgelopen. Als je ergens een uitgesleten spoor ziet waar later de rododendrons moeten komen, dan is dat van mij. Ik ben vijf keer om het huis heen gelopen. Ik heb door alle ramen naar binnen gekeken. En ik zag meteen dit bed.'

Hij glimlachte scheef. 'O ja?'

Ze knikte opnieuw. 'En de keuken. Wat heb je nog meer?'

'Zitkamer, eetkamer, televisiekamer op de eerste verdieping, en ruimte genoeg voor een paar slaapkamers boven. Het is geen groot huis.'

'Het is perfect. Werk je er echt iedere avond aan?'

'Wanneer ik kan. Ik ben vorige maand gezwicht en heb wat kerels ingehuurd om er overdag aan te werken. En dat is maar goed ook. Zonder verwarming hadden we het vanavond heel koud gehad.'

Ze had het op dat moment warm genoeg en ze was verrassend kalm. Ze voelde zich volslagen anders dan nog maar kort tevoren.

Ze deed haar ogen dicht, tegen zijn borst. Toen vertelde ze hem van het fiasco van Sophies verjaardag.

'Waarom heb je me niet gebeld?' vroeg hij. 'Ik was binnen een minuut in het ziekenhuis geweest.'

'O Davis, dat was niet jouw probleem. Ze is geen patiënt van je. Ik kon je toch niet zomaar voor ons laten opdraven.'

'Dat had zeer zeker wel gekund. Ik was beslist gekomen.'

Ze rolde zich dichter tegen hem aan en begroef haar gezicht in zijn hals. 'Tja, ik dacht niet goed na,' zei ze ten slotte. 'Ik verkeerde in paniek over Sophie, en toen ze eenmaal was gestabiliseerd, leek alles in orde. Maar alles is níet in orde. Het is allemaal een puinhoop, Davis, het aardige, keurige leven dat ik heb gehad. En ik sta ernaar te kijken en ik weet niet wat ik in 's hemelsnaam moet doen.'

Hij bleef stil liggen en streelde haar over haar haar.

Dit stilzwijgende medeleven werd haar te machtig. Ze barstte los. 'Grace kan niet werken, ze kan het boek niet schrijven dat ze moet schrijven, dus heeft ze mij gevraagd het te doen. Dat is haar oplossing voor alles. Vraag het aan Francine. Ik doe *De Hartsvriendin*. Nu wil ze dat ik haar boek schrijf. Ze vraagt me die en die over dit en dat op te bellen, omdat ze het zelf niet durft te doen, en daarna vraagt ze steeds weer of ik wel heb gebeld. Ze vraagt het me vijf keer binnen een halfuur. Ze wil dat ik haar kleren uitkies, en dat was ooit best leuk, maar ze verkleedt zich nu drie of vier keer per dag. Ze wil dat ik haar make-up doe. Ze wil dat ik haar haar knip. Ik kan haar haar niet knippen. Ik weet niets van het knippen van haar of van manicuren. Maar ze wil het huis niet uit.'

'Laat die mensen dan thuis komen.'

'Dat heb ik uiteindelijk ook gedaan, maar Grace heeft me bijna waanzinnig gemaakt tot het was geregeld. Ik heb het nog nooit zo druk gehad, zelfs niet toen Sophie klein was. Sommige vrouwen zijn in staat om achttien uur per dag te werken. Ik niet. Ik vond het heerlijk om met vriendinnen de stad in te gaan, mensen te ontmoeten, maar ik heb daar geen tijd meer voor. Ik vond het heerlijk om een nieuw boek te kopen en dat in het weekend te lezen, maar daar heb ik ook geen tijd meer voor. En kijk nou eens wat ik mijn eigen dochter heb aangedaan. Op haar verjáárdag. Grace bezorgt me zeven dagen werk per week. Waar houdt dit op?'

Zijn antwoord liet even op zich wachten, en toen zei hij rustig: 'Je weet wel waar.'

'Oké.' Ze kon de woorden niet hardop zeggen. 'Een gedeelte houdt daar op. Maar hoe gaat het daarna? Ik ben drieënveertig. Ik zou op m'n zestigste net zo kunnen zijn.' Ze keek Davis aan. 'Ik denk daar veel over na. Het is een van de bijverschijnselen van Grace's ziekte. Dus misschien heb ik nog achttien goede jaren over. Daar moet ik toch zeker het beste van zien te maken? Of stel dat ik gezond blijf. Dan zou ik nog dertig jaar werken. Dértig jaar,' herhaalde ze en zweeg toen, dacht na, voelde hoe de grote vraag zich aan haar opdrong. 'Is dit wat ik met de rest van mijn leven wil doen?'

Ze haalde snel adem. 'Ik kan maar geen antwoord vinden. Ik zweer je dat ik niet meer weet wie ik ben. Wie ík ben. Oké, ik ben de dochter van Grace en de moeder van Sophie. Maar wie ben ík? Wie kan ik zijn? Ik wil *De Hartsvriendin* zijn – maar ook weer niet, want *De Hartsvriendin*, dat is Grace, en ik ben een armzalige vervangster. Maar als ik de column niet schrijf, gaat *De Hartsvriendin* verloren. Dat kan ik niet laten gebeuren, want *De Hartsvriendin* maakt deel uit van alles wat ik altijd ben geweest. Maar alles wat ik altijd ben geweest, is niet wat ik altijd heb gewild.'

'Wat is dat dan wel?'

'Privacy. Rust. Een gezin. Een gezin – dat raak ik nu kwijt, Davis. Eerst Grace. Nu Sophie.'

'Waarom Sophie?'

'Omdat ik haar verwaarloos om voor Grace te zorgen. Ik verpruts álles.'

'Je oordeelt te hard over jezelf, Frannie. Grace is ziek. Iedereen die ook maar een half hart bezit, zou haar extra aandacht geven. Dat weet Sophie.'

'Maar waar moet ik de grens trekken? Waar houdt extra aandacht op en begint absurditeit? Wanneer bezwijk ik en neem ik extra hulp in dienst? Als dat eenmaal gebeurt, als er nieuwe mensen in huis rondlopen, als het bericht over de ziekte van Grace bekend wordt, dan zal niets ooit hetzelfde meer zijn. We zijn altijd heel hecht geweest, met ons drieën. We hebben heel veel dingen keurig binnen ons kringetje gehouden. Nu zullen de beslissingen die ik moet nemen die kring verbreken. Ik wil dat niet doen, maar wat moet ik anders? En wat ben ik nog als die kring eenmaal is verbroken?'

Hij luisterde geduldig en zijn antwoorden waren vaker in de vorm van een lichte aanraking dan van woorden. Hij had evenmin antwoorden als zij, maar hij leek begrip te hebben voor haar behoefte om haar hart uit te storten.

Uiteindelijk kalmeerde de catharsis haar. Ze overwoog terug te gaan naar Sophie, maar besloot toen het niet te doen. Ze wilde nog wat langer bij Davis blijven, nog eventjes.

Ze verhuisden naar de douche en daarna naar de keuken, waar ze een pizza deelden die Davis uit de diepvries haalde en bakte. Francine voelde zich verbijsterend voldaan. Haar haar was vochtig en golfde soepel over haar schouders, haar gezicht was ontdaan van alle make-up, haar lichaam was gehuld in het overhemd van Davis. Ze voelde zich relaxed – en dat was absurd, gezien de omstandigheden die haar hier hadden gebracht, maar door al haar angsten uit te spreken, was er een pak van haar hart gevallen. Hoewel er thuis nog helemaal niets was veranderd, voelde ze zich toch een stuk opgeluchter. Als iemand haar had bekritiseerd om wat ze op dat moment deed, had ze met alle genoegen haar middelvinger opgestoken.

Ze had deze onderbreking verdiend, ze had geploeterd, met zweet en tranen, en ze weigerde er door schuldgevoelens afbreuk aan te laten doen. Het genot was daarvoor te groot – een zeldzaam aantrekkelijke Davis, die met natte haren, blote borst en een joggingbroek aan die weinig verhulde, soepel heen en weer liep. Hoe zachtmoedig hij ook mocht zijn tijdens het praten, zijn lichaam was opwindend mannelijk. Hij maakte dat Francine overmoedig werd.

Grace zou dit nooit begrijpen. Ze zou nooit met een man naar bed gaan als een gezinslid ziek was. Ze zou nooit voor haar problemen op de vlucht slaan, of erger, haar zorgen uitstorten bij een vreemde. Ze was sterk en zelfredzaam. Ze was góed.

Of liever gezegd, ze was altijd goed geweest.

'Zal ik je eens iets treurigs vertellen?' zei Francine tegen Davis. 'Moeder is een beetje verkikkerd geraakt op pastoor Jim.'

Davis slikte moeizaam een hap pizza door. 'Grace? Verkikkerd?'

'Het is eigenlijk heel schattig. Hij komt bijna iedere avond. Ze flirt met hem, pakt hem bij zijn arm en staart hem aan met grote, hemelse ogen. Hij blijft er engelachtig onder. Hij houdt haar hand vast. Schuift zijn stoel dicht naar haar toe. Het is vooral bizar wanneer hij zijn priesterboord om heeft. Denk je dat hij inwendig zit te smachten?'

Davis dacht daarover na. 'Nee. Ik denk dat hij gewoon van Grace houdt.'

'Na de Vader, de Zoon en de Heilige Geest?'

'Precies. Hij zal niets ongepasts doen.'

'Hij is niet degene over wie ik me zorgen maak,' merkte Francine op. Alzheimer-patiënten hadden vaak opwellingen van seksualiteit die problemen veroorzaakten. Dat had Davis haar zelf verteld.

'Nou, als zij iets probeert,' zei hij nu, 'zal Jim wel weten hoe hij dat moet aanpakken.'

Er viel Francine iets in. Aangezien het aan blasfemie grensde, fluisterde ze: 'Denk je dat hij het ooit heeft gedaan?'

'Wat heeft gedaan?' fluisterde Davis terug.

Ze tikte even met een vinger tegen zijn arm.

'Ik weet het niet,' fluisterde hij.

'Wat dénk je?'

'Ik denk dat ons dat niets aangaat.'

Francine sprak nu weer met normale stem. 'Ik denk dat als het waar is wat je vader over hem heeft gezegd, dat hij het heeft gedaan. Ik denk dat hij een rokkenjager is geweest voordat hij priester werd.'

'Hij moet op z'n achttiende naar het seminarie zijn gegaan. Dat kan hem nooit veel tijd hebben gegeven.'

Ze keek hem recht aan. 'Hoe oud was jij toen je 't voor 't eerst deed?' Ze dacht werkelijk dat hij bloosde. 'Hoe oud?'

'Veertien,' zei hij.

Ze was zo geïntrigeerd dat ze haar stem nogmaals dempte. 'Hoe?'

Zijn ogen ontmoetten de hare. 'Op de gebruikelijke manier.'

'Je weet best wat ik bedoel. Vertel op. Ik wil het weten.'

Hij leunde achterover in zijn stoel. Zijn wangen behielden de vage, zonverbrande kleur die verbijsterend afstak tegen zijn amberkleurige haar. 'Ze was de zus van een vriend. Ze was twintig.'

Francine slaakte een gesmoorde kreet. 'Een oudere vrouw. Dan was ze vast geen maagd meer.'

'Zeker niet.'

'Ik wed dat ze een tijd een oogje op je heeft gehad.' Francine zag het al voor zich. Ze stelde zich hem voor, zo viriel als de meesten op hun veertiende zijn, een begerige tiener bij wie de hormonen wild opspeelden. 'Als pastoor Jim net zo is geweest als jij, dan heeft hij vier jaar de tijd gehad. Er zijn wel harten in minder tijd gebroken. Ik vraag me af waarom hij priester werd.'

'Zijn familie was fanatiek godsdienstig,' zei Davis. 'Hij was de oudste zoon. Hem was altijd verteld dat hij priester moest worden, maar hij heeft er hevig tegen geprotesteerd. Toen stierf een goede vriend van hem aan alcoholvergiftiging. Jim gaf zichzelf de schuld. Hij was toen zeventien. Het was het keerpunt in zijn leven.'

Pas op dat moment besefte Francine hoe weinig ze over Jim O'Neill wist. 'Heeft hij je dit verteld?'

Davis knikte. 'Toen ik zo met mezelf overhoop lag. De boodschap was dat er verschillende keuzes konden worden gemaakt en verschillende wegen worden ingeslagen. Ik zei steeds maar dat het daarvoor te laat was. Hij zei dat dat de weg van de minste weerstand was. Hij zei dat als ik echt een doorzetter was, ik van m'n fouten zou leren en me daardoor tot een beter mens zou laten maken. Hij liet min of meer doorschemeren dat hij dat ook had gedaan. Of had geprobeerd te doen. Hij keek er heel verslagen bij toen hij het vertelde, alsof hij zichzelf nog altijd de schuld geeft van de dood van zijn vriend.'

'Grace hoort vaak van mensen die door het verleden worden gekweld. Dat schijnt veel voor te komen. Misschien wordt ze er zelf ook door gekweld. Er moet toch iets zijn dat een verklaring vormt voor de hallucinaties die ze heeft?'

'Alzheimer is daar de verklaring voor.'

'Houden hallucinaties verband met echte dingen?'

'Met echte angsten. Niet noodzakelijkerwijs met feitelijke gebeurtenissen.'

'Dus misschien verbeeldt ze zich dan dat haar familie tegen haar schreeuwt, omdat ze altijd bang was dat ze dat zouden doen.' Ze huiverde. 'Of misschien schreeuwden ze ook wel tegen haar. Hoe

154

het ook zij, hoe heeft ze zo normaal kunnen worden? Hoe heeft ze zo góed kunnen worden?' Deze vraag deed haar onzekerheden weer ontwaken. 'Ik kan geen nieuwe Grace worden. Ik heb het gewoon niet in me. Ik kan in haar voetsporen treden, maar slechts tot een zeker punt. Dus is de inspanning het waard? Als ik het niet zo kan als zij, kan ik het dan maar beter helemaal niet proberen? Zal ik alles bederven? Moet ik ermee ophouden nu het nog kan?'

'Je houdt veel van *De Hartsvriendin*.'

'Maar ik ben Grace niet.'

'Maak *De Hartsvriendin* dan zoals jij bent. Beslis wat je wel en niet leuk vindt. Behoud het eerste, verander het laatste.'

'Ik heb geen zin om met de druk van het schrijven van vijf perfecte columns à la Grace per week te moeten leven.'

'Doe er dan niet meer dan drie. Of doe er vijf perfecte à la Francine.'

Ze glimlachte bij die uitdrukking. Niet dat ze er zeker van was dat ze ooit perfecte à la Francine columns kon produceren. 'Het moeilijkste is dat ik iets moet veranderen dat zo lang zo goed heeft gewerkt. Hoe doe ik dat zonder dat de hele wereld vermoedt dat er iets met Grace aan de hand is?'

'Misschien wordt 't zo langzamerhand tijd.'

'Grace wil er niets van weten.'

'Op een gegeven moment,' zei Davis voorzichtig, 'zul je haar misschien moeten overhalen te doen wat het beste is voor jou.'

'Maar dat is zo definitief. Een woord dat eenmaal is gesproken, kun je nooit meer terugnemen. Als er eenmaal veranderingen zijn doorgevoerd, is het verleden voorbij.'

'Zo is het leven nu eenmaal.'

Iets in de intensiteit van zijn ogen gaf haar een vermoeden van de richting waarin zijn gedachten gingen. Ze stond op, liep naar het raam, streek met haar vingers over het onafgewerkte kozijn. 'We kunnen nooit meer terug naar hoe we vroeger waren, hè?'

'Willen we dat?'

'Het is veiliger.'

'Maar ook een stuk minder leuk.'

Ze zag hoe zijn spiegelbeeld opstond en dichterbij kwam. Het was net zo geweldig als de man in het echt.

Hij vouwde zijn armen onder haar borsten en zei tegen de Francine in het raam: 'Je windt me op. Vanaf het eerste begin al. Heb je dat niet gemerkt?'

'Nee. Jij was de boeman die slecht nieuws bracht. Ik haatte je.'

'Wanneer heb je het dan wel gevoeld?'

Misschien had ze het die eerste keer onbewust gevoeld. Ze wist nog hoe hevig haar hart had gebonsd. Dat gebeurde altijd wanneer hij dichtbij was. Maar bewust? 'Die avond dat je naast me kwam rijden toen ik met Legs was gaan lopen. Je zag eruit als een trucker.'

'Val je op truckers?'

'Niet op truckers. Wel op opstandige lieden. Je zag er heel ongewoon uit zoals je daar in je T-shirtje zat, met uitpuilende spierballen.'

'Mijn spieren puilen niet uit.'

Maar iets anders wel. Ze voelde het tegen haar achterwerk. Ze nestelde zich tegen hem aan, sloeg haar armen achter zich, onder de band van zijn joggingbroek, en gleed over zijn naakte flanken omlaag.

'Ik ben helemaal niet goed voor jou,' hijgde ze. Haar handen gleden over het haar op zijn dijen, dat nog zacht was van het douchen.

Hij streelde haar borsten door het overhemd heen. 'Dat kan ik me niet voorstellen.'

Nee. Zij ook niet. Ze was dol op sterke dijen. Ze was dol op slanke heupen. Ze was dol op de zachte plek die haar vingers in zijn kruis vonden, en op de manier waarop zijn ademhaling versnelde wanneer ze hem daar aanraakte. Maar toch. 'Jij hebt een vrouw nodig die niets anders in het leven te doen heeft dan jou verwennen.'

'Ik ben nog nooit verwend,' zei hij ruw. 'Ik zou het vreselijk vinden.' Hij trok haar overhemd omhoog.

Haar ogen bleven op het raam gericht, op de weerkaatsing van haar naaktheid, op de vorm die haar borsten onder zijn aanraking aannamen. Zijn handen waren heel mannelijk tegen haar huid. Boven het gezoem in haar binnenste zei ze: 'Jij hebt behoefte aan een vrouw die jou een reeks baby's kan geven om dit huis mee te vullen.'

'Eén of twee zou voldoende zijn. Ik ben niet inhalig.'

Ze vond zijn penis. Hij was schitterend groot. 'Je zou vast heel… mooie… baby's… maken.' Was ze maar wat jonger geweest. Was ze maar niet zo gebonden geweest. Ze was het geen van beide en toch begeerde ze hem.

Ze fluisterde bliksemsnel, in een opwelling van ondeugendheid: 'Ik moet echt gaan.' En ze glipte uit zijn armen.

Hij kreeg haar te pakken vlak voor ze de hal bereikte, en hij drukte haar tegen het deurkozijn. 'Niet zo haastig,' gromde hij en hij duwde zich tegen haar aan, zodat ze haar benen wel wijdopen moest doen. Zijn ogen gloeiden. Hij vormde een schokkende combinatie van brede schouders, een hard, spits toelopend lichaam, en een opwindende mannelijkheid met een ondertoon van iets gevaarlijks.

Het gevaar wakkerde haar opwinding aan en dat was ook wat ze wilde, wat al het andere uit haar geest wiste.

'Ik moet echt gaan,' herhaalde ze, maar haar armen bleven stevig om zijn nek geslagen. Ze bleef hem vasthouden terwijl hij haar hoger hees. Ze sloeg haar benen om zijn middel.

Hij schoof zijn broek slechts zo ver omlaag om zich vrij te maken, en terwijl hij haar met die donkere, gevaarlijke, fonkelende ogen aan bleef kijken, ging hij bij haar naar binnen. Toen hield hij zich volkomen stil.

'Je gaat me niet zomaar een beetje verleiden om er vervolgens vandoor te gaan, Francine.'

'Ik begrijp het,' fluisterde ze.

'Daar ben ik nog niet zo zeker van.'

'Echt waar,' hield ze vol. 'Ahhh!' Hij had zich teruggetrokken en stootte nu weer naar binnen. Ze stond in vuur en vlam.

'Wil je nog steeds weg?'

'God nee,' riep ze en ze lachte tegen zijn mond. 'Doe dat nog eens, Davis.'

Hij deed het nog eens en kreunde toen: 'Je bent ongelofelijk. Geen enkel vals vertoon.'

'Het is... gewoon... zo... lekker.'

Hij stootte nog eens, harder, en nog harder, en hij bleef doorgaan tot ze buiten haar zinnen was. Toen hij zich ten slotte liet gaan, kwam ze weer klaar.

Het duurde een eeuwigheid voor ze ophield met naar adem happen, voordat hij ophield met hijgen, voordat hij haar langzaam op de grond liet zakken, en toen voelde ze even een scherpe prik in haar bil. Ze bracht haar hand naar de plek.

Davis verving die door zijn hand.

'Oef! Daar!'

Hij draaide haar om, vloekte, lachte toen. Hij nam haar bij de hand, liep met haar naar de slaapkamer, legde haar op haar buik op het bed en verwijderde de splinter op efficiënte wijze.

'Het was waarschijnlijk de enige splinter die er te vinden was,' zei Francine toen ze weer op haar rug ging liggen. 'Echt iets voor mij om hem dan toch te vinden.'

Hij leunde op een elleboog over haar heen. 'Er zijn er nog meer. Er moet hier nog een hoop gebeuren.'

'Kan ik helpen?' vroeg ze in een opwelling. Ze had geen sikkepitje vrije tijd. En toch was het een aantrekkelijke gedachte. Het was iets dat Grace in geen miljoen jaar zou doen.

'Wanneer je maar wilt. Als je me geen handje helpt, kom ik nooit klaar.'

'Jij moet ook altijd dubbelzinnig doen.'

'En daar ben jij dol op. Zeg het maar eerlijk.'

'Ja.'

'Het is bovendien heel therapeutisch. Wanneer je behoefte hebt om er even uit te zijn, ben je van harte welkom.'

Ze ontnuchterde en zuchtte: 'Misschien hou ik je daar wel aan. Ik heb zo'n gevoel dat er zware tijden op komst zijn.'

'Het zal je wel lukken.'

'Daar heb je hem weer. De eeuwige optimist.'

'Je bent een sterke vrouw.'

Ze lachte bedenkelijk. 'Ik heb m'n hele leven op m'n moeder geleund.'

'Je doet jezelf tekort. Diep in je binnenste ben je een heel zelfstandige vrouw.'

'Seksueel misschien wel, hier en nu, maar thuis? Al deze jaren ben ik onlosmakelijk verbonden geweest met mijn familie. We hebben het hier over een grote identiteitscrisis.'

Hij schudde zijn hoofd. 'Iedereen maakt identiteitscrises door. Jij hebt een streepje voor doordat je een solide ondergrond hebt. Die heeft je familie je gegeven. Dat betekent dat wat je ook gaat doen, je in elk geval een sterke uitgangspositie hebt. Je bent voorbestemd tot succes.'

'Ik? Ik ben iemand die overal een puinhoop van maakt.'

Hij grijnsde scheef. 'Je maakt er geen puinhoop van. Je maakt de dingen alleen soms een beetje moeilijker dan ze hoeven te zijn. Maar je komt waar je wezen wilt. Je zult het goed doen, Frannie. Vertrouw me. Ik heb me misschien m'n leven lang aangetrokken gevoeld tot de verkeerde vrouwen, maar ze zijn stuk voor stuk een verdomd succes geworden. Bedenk dat wel, als je je terneergeslagen voelt. Ik neuk niet met verliezers.'

12

Het gewicht van een relatie wordt, net als het stokje bij een
estafettewedstrijd, op een bepaald moment gedragen door
de loper met de grootste kracht.

– Grace Dorian, in De Hartsvriendin

Sophie zat, gehuld in een volumineus joggingpak en een wollen
omslagdoek, voor de zoveelste keer *St. Elmo's Fire* te kijken toen
pastoor Jim om het hoekje van haar deur keek.
'Heb je een minuutje?'
Ze zette de video stil. Een minuutje voor pastoor Jim? Altijd.
Hij vrolijkte haar op.
En dat kon ze nu wel gebruiken.
Hij haalde een doos achter zijn rug vandaan. 'Ik heb iets voor je
meegebracht. Ik had het eigenlijk gisteren al meegebracht, maar je
was er niet en ik wilde het persoonlijk aan je overhandigen.'
Door alle toestanden van haar verjaardag was ze het cadeau van
pastoor Jim helemaal vergeten. Ze voelde zich opeens warm worden van binnen. 'Wat bent u toch geweldig. U vergeet nooit iets.'
'Natuurlijk niet. Jij bent mijn favoriete meisje.'
Zo leek het te zijn. Als kind had Sophie ieder cadeau met onschuldige vreugde in ontvangst genomen. In later jaren had ze zich
afwisselend bijzonder gevoeld dat ze zo was uitverkoren, schuldig
om het geld dat hij aan haar besteedde, en geroerd door de gedachte die achter elk cadeau schuilging. Ieder cadeau paste bij de
tijd en de plaats in haar leven, ieder cadeau werd persoonlijk gegeven.
Als kind had ze elk pakje vol overgave opengescheurd. Nu haalde ze voorzichtig het lint eraf om het heel te laten, schoof toen de
verpakking eraf en haalde er een doos uit. De doos verried niets.
Ze schoof de bovenkant eraf. Erin zat, genesteld in lagen vloeipa-
pier, de liefste teddybeer die ze ooit had gezien. Hij had een licht-
bruine vacht van korte krulletjes, lange ledematen, chocoladebrui-

ne ogen en een geruit halsbandje. In plaats van rond, pluizig en volmaakt als een moderne beer, was deze ouderwets, wijs en uniek.

Ze nam de beer in haar ene arm en sloeg de andere arm om Jim. 'Ik vind 'm prachtig. Dank u wel.'

'Je mag dan misschien al vierentwintig zijn,' zei hij, en hij nestelde zich naast haar op de bank, 'maar dat betekent nog niet dat er geen tijden zijn dat het knuffelen van een beer fijner is dan wat ook.'

'Het is in elk geval nu heel fijn.'

'Ik had 'm feitelijk vorige maand al gekocht.'

'Wat een intuïtie. De meneer van boven had u vast een goede tip gegeven.'

'Hoe voel je je?'

'In fysiek opzicht goed,' zei ze, maar haar stem klonk afwerend.

'Wil je praten over wat er vannacht is gebeurd?'

'Vannacht?' Ze zuchtte. 'Ik was kwaad. Ik wilde pret maken. Dus ik zei: die suikerziekte kan de pot op, ik ben vandaag jarig en ik doe wat ik wil.' Ze drukte de beer steviger tegen zich aan. 'Dat liep dus een beetje verkeerd af.'

'Wat zei Gus bij dit alles?'

'Niet veel. Ik was door het dolle heen.'

'Vroeg hij niet of het geen kwaad kon?'

'Nee.' Voor het geval dat hij Gus de schuld zou geven van alles wat er was gebeurd, zei ze: 'We deden helemaal niets bijzonders. Ik was degene die stom deed met eten en drinken.'

Pastoor Jim leek niet overtuigd te zijn. 'Hij droeg ook enige verantwoordelijkheid. Hij had erop toe moeten zien dat jij iets at. Ik ben niet tevreden over hem.'

'Wordt hij ontslagen?'

'Nee. Maar hij wordt wel scherp in de gaten gehouden. Ik had gehoopt dat ik hem, door hem uit Tyne Valley te halen en hier te brengen, op het rechte pad kon brengen. Maar ik geloof niet dat dat is gelukt.'

Sophie kon niets zeggen om hem gerust te stellen. Wanneer Gus niet bij haar was, bracht hij het grootste deel van zijn vrije tijd door met de verdoolde zielen in de plaatselijke bar. Hij had haar een paar keer aan hen voorgesteld en dat was een paar keer te veel geweest. Gus in haar eigen kring halen was gewaagd genoeg om opwindend te zijn, maar andersom zeker niet.

'Hoe is het met het drinken?' vroeg pastoor Jim.

Sophie haalde haar schouders op. 'Hij doet het soms.'

'Moet jij wel eens degene zijn die naar huis rijdt?'

Ze aarzelde, en bekende toen: 'Soms.'

Pastoor Jim keek naar zijn handen. Het duurde even voor hij

zei: 'Ik maak me zorgen over jouw omgang met hem, en niet alleen over gisteravond. Toen ik Grace voorstelde om hem in dienst te nemen, had ik niet verwacht dat hij achter jou aan zou gaan.'

'Dat heeft hij ook niet gedaan,' zei Sophie eerlijk. 'Ik ging achter hem aan.'

'Waarom? Vanwaar die aantrekkingskracht?'

Ze trok een geamuseerde wenkbrauw op.

'Dit is niet grappig, Sophie,' drong hij aan en hij klonk gekwetst en zo oprecht bezorgd dat het verwijt iets van zijn scherpte verloor. 'Ik wil in dit leven meer voor jou dan alleen Gus. Hij kan je niet geven wat jij nodig hebt.'

'En dat is?' vroeg ze op een hogere toon die haar diepste levensangst verried. 'Ik schijn dat zelf ook niet te weten.'

De aandacht van pastoor Jim verplaatste zich onmiddellijk, net zoals Sophie had verwacht en gehoopt. Ze had behoefte om te praten.

'Voel je je wat verloren?' vroeg hij.

'Verward. Ik bedoel, neem mij nou. Ik heb een geweldig huis en een gave baan. Maar ik voel me zo rusteloos.'

Hij glimlachte. 'Daar is de beer voor, om je eraan te herinneren dat je nog jong bent. Rusteloos zijn is heel normaal. Je hebt de laatste tijd wat veel in huis gezeten.'

'Het probleem is,' zei Sophie, en ze probeerde haar gedachten op een rijtje te krijgen, 'dat dat in huis zitten alleen maar erger zal worden. Nu Grace ziek is, kan ik niet weg.'

'Wil je dat dan?'

'Gedeeltelijk wel.'

'Om wat te doen?'

'Ik weet het niet. Iets anders. Iets nieuws. Als ik zo door blijf gaan, zal mijn toekomst gewoon meer van hetzelfde zijn. Het is niet normaal om op je vierentwintigste al helemaal gesetteld te zijn.'

'Zo hóeft het niet te zijn.'

'Maar dat is het voorlopig wel.' Ze snoof misprijzend. 'Ik dacht vroeger altijd dat het belangrijk voor me was om hier te zijn om mijn moeder tegen Grace te beschermen. En nu is het plotseling belangrijk voor me om er te zijn omdat Grace er niet is. Mama kan niet alles alleen doen. Ze heeft al het werk van Grace op haar nek gekregen. Ik kan niet zomaar weggaan en haar ook nog eens met mijn dingen opzadelen. Bovendien is *De Hartsvriendin* altijd een familie-aangelegenheid geweest. Het is moeilijk om die traditie te verbreken. Mamma heeft die traditie nodig. En ik heb hem misschien ook wel nodig. Eén ding is zeker, ik kan hem niet zomaar de rug toekeren. Dus, blijf ik of ga ik? Ik ben gedoemd als ik het doe, en ik ben ook gedoemd als ik het niet doe.'

Pastoor Jim schudde zijn hoofd. 'Je bent niet gedoemd, Sophie. Integendeel. Je bent gezegend.'

'Waarmee?' vroeg Sophie, die wel een oppepper kon gebruiken.

'Je bent gezegend met intelligentie, een knap gezicht en een goede opvoeding. Je bent gezegend met een goede gezondheid – ook al vind je dat af en toe zelf niet, maar vergeleken bij vele anderen ben je dat. Je bent gezegend met een familie die van je houdt, en met financiële zekerheid, en met de volstrekte vrijheid te doen en te laten wat je wilt. Je bent ook gezegend met een besef van achting voor de prestaties van je grootmoeder en dat maakt je razend, dat weet ik. Je komt ertegen in opstand wanneer je maar kunt. Maar als je geen achting had voor *De Hartsvriendin*, dan zou je geen minuut hier blijven. En er is mededogen. Daar ben je ook mee gezegend. Je hebt met je moeder te doen en je hebt met Grace te doen. Dat alles houdt je hier. Je bent een heel bijzondere jonge vrouw, Sophie.'

'Maar wat moet ik dan dóen?' riep ze uit. Het was mooi om alles te zijn wat pastoor Jim zei, maar dat deed niets af aan de rusteloosheid die ze voelde.

Hij pakte haar hand. 'Hou vol. Je geeft je moeder en grootmoeder alle steun die ze nodig hebben, want dit is een moeilijke tijd voor hen, maar je houdt goed in gedachten dat eens alles beter zal worden.'

'Niet voor Grace.'

'Ja, ook voor Grace. Op dit moment weet ze wat er met haar gebeurt. Uiteindelijk zal ze het niet meer weten. Het is onze taak ervoor te zorgen dat ze zich zoveel mogelijk op haar gemak voelt, zolang haar bewustzijn intact blijft. Geef het wat tijd, Sophie. Stukje bij beetje zal alles beter worden. Je familie maakt een moeilijke tijd door. Stel je een persoon voor die een van zijn ledematen verliest. Aanvankelijk is er schrik en pijn, daarna de genezing, en daar is aanpassing voor nodig, je opnieuw oriënteren, en veranderen. Je leven zal niet altijd zo zijn. Er zullen verschuivingen optreden als zich nieuwe feitelijkheden voordoen, maar jij zult steeds meer je inbreng hebben, omdat je moeder je daarvoor nodig heeft. Dan zul je in staat zijn de veranderingen te dirigeren en te helpen ze te vormen. Beschouw het als een uitdaging. Jij, Sophie Dorian, verkeert in een eersteklas positie om persoonlijk *De Hartsvriendin* vorm te geven. Eerlijk gezegd ben ik diep onder de indruk.'

Als je 't zo stelde, was Sophie dat ook.

Grace werd wakker doordat iemand haar bij de schouder pakte. Ze wist even niet waar ze was, tot ze Jims gezicht zag. Toen glimlachte ze.

'Tijd om naar bed te gaan,' zei hij.

Ze nam aan dat dit wel zo zou zijn, hoewel ze zich niets van de afgelopen avond herinnerde. Ze begon daaraan te wennen, en ook aan het in goed vertrouwen dingen aannemen. Als Jim zei dat het tijd was om naar bed te gaan, dan was dat zo.

Ze bracht zijn hand naar haar wang. 'Dit is fijn.'

'Op de bank liggen dutten?'

'Wakker gemaakt worden door jou.'

Hij kuste haar hand met een tederheid die tranen in haar ogen bracht.

'O Jim.'

'Ja liefje?'

'Het lot heeft ons niet goed behandeld.'

Hij bekeek haar hand, streelde haar vingers met zijn duim. 'Geen enkel leven is volmaakt. We zijn in veel andere opzichten wel goed geslaagd.'

'Maar denk jij ooit… wens jij ooit…?"

Hij raakte haar lippen aan. 'Ssst.'

'Jij?' fluisterde ze.

Hij knikte.

'Ik droom erover,' zei ze. 'Ik droom over ons samen. Zal het ooit zo zijn?'

'Ja, ooit.'

'En zul je dan van me houden?'

'Heel veel.'

'Zelfs na… na…'

'Ssst.'

'Dit is mijn straf, zoveel jaar later.'

'Nee. Het is gewoon Gods wil.'

'Maar als het geen straf is, waarom dan wel?'

'Om de rest van ons een kans te geven om te tonen hoeveel we van je houden.'

Ze drukte zijn hand stijf tegen zich aan. 'Ik ben bang.'

'Ik ben er toch?'

'Maar als ik jou nou weerzin inboezem?'

'Dat zul jij nooit doen.'

'Onwetend.' Ze deed haar ogen dicht tegen haar tranen en herhaalde zachter: '…wetend.' Langzaam deed ze haar ogen weer open. 'Als jij iets anders was, zou ik er een eind aan maken voordat het ergste kwam.'

'Maar dat ben ik niet, en dat doe je niet,' beval hij. 'Je doet mij dat niet aan, of Francine, of Sophie.'

'Het is zo'n zware last.'

Hij streelde haar haar. 'We houden van je. Liefde gaat over het zorgen voor mensen. Dat heb je al deze jaren voor ons gedaan. Nu is het onze beurt.'

Op dat moment verwenste Grace de liefde. Ze vond liefde een pijnlijke band. Ze vond liefde genadeloos. Liefde maakte haar ziekte zoveel moeilijker te accepteren. Het maakte het weggaan rampzalig.

Francine kwam om elf uur thuis. Ze was fysiek uitgeput – met vermoeide ledematen en pijnlijke spieren – maar geestelijk voelde ze zich stralend, sterker dan vele dagen het geval was geweest. Ze trok een lang en hooggesloten nachthemd aan, dat alle schrale plekken als gevolg van Davis' stoppelbaard aan het oog onttrok, en ging naar Sophies kamer.

Hoewel het licht nog brandde, lag de nachtvlinder te slapen.

Terwijl Francine vanuit de deuropening naar haar stond te kijken, kwamen alle verschrikkingen van de vorige nacht weer bij haar boven. Ze hadden al even over het gebeurde gepraat, maar even was niet genoeg. Sophie weet haar zorgeloosheid aan woede. Die woede moest in banen worden geleid. Net als Francines zelfzucht. Ze wilde Sophie bij zich hebben, maar Sophie wilde waarschijnlijk liever bij haar vriendinnen in de stad zijn.

Sophie bewoog, deed haar ogen open, rekte zich uit. 'Hoi,' fluisterde ze. 'Wanneer ben je thuisgekomen?'

'Een tijdje geleden.' Ze liep naar het bed en liet zich erop zakken. Haar ogen vielen op iets pluizigs op de sprei. Toen ze eraan trok, bleek het een oor te zijn. 'Wat is dit?'

Sophie haalde een beeldschone teddybeer te voorschijn. 'Mijn cadeau van pastoor Jim. Het is om me eraan te herinneren dat we nooit zo volwassen zijn als we denken.'

'Dat is heel lief.' Francine zei droog: 'Hij schiet altijd in de roos. Hoe voel je je?'

'Prima. Mijn bloedsuikerspiegel is de hele dag constant geweest.'

'En in emotioneel opzicht? Voel je je ellendig maar wil je dat niet tegen me zeggen?'

'Ik zou het wel tegen je zeggen,' zei Sophie. 'Echt. Ik voel me niet ellendig. Trouwens, pastoor Jim zei dat ik er goed aan had gedaan jou er even uit te sturen.' Haar ogen gingen naar Francines gezicht. 'Je ziet er beter uit. Wat heb je gedaan?'

Francine probeerde niet te blozen. 'O, een beetje rondgereden. Hier en daar gestopt.' Aan de ene kant had ze zo'n ongelofelijke avond gehad en had ze alles zo heerlijk gevonden, dat ze haar beste vriendin, Sophie, het liefste álles had verteld. Maar aan de andere kant, de verstandige kant, kon ze dit niet doen. Francine had geen idee waar haar relatie met Davis op uit zou draaien. Slippertjes voor één avond waren geen goed voorbeeld voor dochters.

'Ik heb gewoon mijn geest wat losgemaakt,' zei Francine zonder te liegen. 'Een beetje afstand gebracht tussen mezelf en alles wat me bezighield. Ik heb er te dicht op gezeten. Heb de dingen niet in perspectief kunnen zien.'

'Kun je dat nu wel?'

Francine knikte. Hoewel de details van de toekomst onduidelijk waren, voelde ze nieuwe hoop. 'We moeten dingen veranderen. Herhalingen van gisteravond kunnen echt niet. Er is meer in het leven dan alleen het verleden. We hoeven niet aan dit huis geketend te zitten.'

Sophie keek aarzelend. 'En Grace dan?'

Francine wist precies wat ze dacht. De nachtmerrie van het uitje van gisteren met Grace was een voorproefje van alles wat komen zou. Maar als zíj zich beperkten tot háár inkrimpende wereldje, zouden ze gek worden.

Dus zei ze, berustend maar vastberaden: 'Er zullen misschien tijden zijn dat we even bij Grace weg willen. Ik kan geen full-time verzorgster voor haar zijn, niet met al het andere waar ze me al mee heeft opgezadeld. Ik heb gewoon niets echt goed kunnen doen.' En dat was in Francines boek een grotere belediging voor Grace dan vrijaf nemen. 'We moeten hulp inhuren.'

Sophie zette grote ogen op. 'Echt?'

'Om te beginnen hebben we iemand nodig om bij Grace te zijn als wij er niet zijn.'

'Zal ze jou zo iemand laten aannemen?'

'Als we haar "assistente" noemen, zal dat wel lukken. We nemen ook iemand in dienst om met *De Hartsvriendin* te helpen. Degene die dit wordt, is misschien ook in staat om Grace met haar boek te helpen.'

'Hoe vinden we de juiste persoon?'

Francine haalde zich het beeld van Robin Duffy voor de geest. Ze kon schrijven. Ze kende *De Hartsvriendin*, kende Grace. Maar Robin betekende problemen, dus zei ze: 'Amanda zal ons helpen iemand te vinden. Ze heeft contacten in de uitgeverswereld. Bovendien vind ik dat het tijd wordt dat ze de waarheid kent.'

Sophie zette nog grotere ogen op. 'Grace heeft gezegd dat we dat niet mochten doen.'

Francine gaf haar een por. 'Hela! Waar blijft je opstandigheid?'

'Een beetje naar de achtergrond gedrongen. Ik heb nooit eerder meegemaakt dat jij haar niet gehoorzaamde.'

'Ik ben niet ongehoorzaam. Nou ja, niet met boze bedoelingen. Als ik net zo goed was als zij en als ik alles alleen af kon, dan zou het prima zijn om alles geheim te houden. Maar ik krijg aan alle kanten boze telefoontjes en ik kan dat er echt niet nog eens bij hebben. Als we niets doen, komt de hele wereld het te weten. Amanda zal onze buffer zijn. Als er nog enige hoop is dat we de toestand van Grace geheim kunnen houden, dan is zij het.'

Sophie keek verbaasd. 'Wanneer jij beslissingen neemt, dan doe je dat ook echt. Is dit allemaal het resultaat van één avond rondrijden?'

Francine was zelf bijna net zo verbaasd. Er was iets in Davis' huis gebeurd. Maar aan de andere kant was het misschien al de avond ervoor, in het ziekenhuis, gebeurd. Ze had het punt bereikt waar praktische overwegingen zowel haar angst voor Grace als haar angst om te mislukken te boven gingen.

Niet dat ze alle details had uitgewerkt. Dat deed ze terwijl ze sprak. Noem het impulsief, maar verdorie, ze wás ook impulsief, ze was helemaal niet als Grace, bij wie elk gebaar doordacht en gepland was. Maar Grace was niet degene die in haar eentje eigenhandig zo'n grote onderneming moest leiden.

Bij dat verbijsterende besef voelde ze iets van triomf, en ze grijnsde. 'Afgezien van het allereerste begin, toen *De Hartsvriendin* nog heel klein was, heeft Grace nooit eigenhandig haar carrière geleid. Ze heeft hulp gehad, eerst van mij, en toen ook van jou. Dus als zij het niet meer doet, dan hebben we een derde nodig. Ja?'

'Ja.'

'Ik zal Amanda morgenochtend opbellen om een afspraak te maken.'

'Wat zeggen we tegen Grace?'

Francine dacht daar even over na. Ze voelde een stoutmoedigheid die misschien ook iets te maken had met het feit dat ze de avond met een man uit Tyne Valley had doorgebracht. 'Een klein beetje maar, om haar niet van streek te maken. Als het doel is *De Hartsvriendin* draaiende te houden, dan heiligen de middelen het doel.' Om nog maar te zwijgen van het feit dat als Francine toch bezig was met zondigen – egoïsme, impulsiviteit, naar bed gaan met de vijand – één zondetje meer of minder er ook niet meer toe deed.

Francine ging de laatste tijd 's avonds altijd even bij Grace kijken. Ze moest er vaak aan worden herinnerd dat het tijd was om te gaan slapen. Ze had eveneens de geruststelling nodig dat de zitkamer leeg was.

Francine hoefde deze avond zelfs niet naar de zitkamer te gaan. Grace liep in de hal te ijsberen. Op het eerste gezicht zag ze er heel elegant uit in haar witte peignoir, haar huid goed ingevet en haar haar netjes geborsteld. Maar bij nader inzien bedierf haar angst het beeld.

Toen ze Francine zag, hield ze op met ijsberen, kneep haar lippen op elkaar en drukte haar handen tegen haar middel.

Francine vermoedde wat het probleem was. 'Zijn ze er weer?'

Grace knikte, maar sprak niet. Francine wist dat haar angst werd veroorzaakt zowel door de aanwezigheid van haar familie als door het besef dat ze hallucineerde.

'Ben je al naar bed geweest?' vroeg Francine.

'Nee. Jim kwam nog laat. Ik heb lang in bad gelegen en ben toen voor het ontbijt naar de keuken gegaan. Toen ik terugkwam, waren ze hier. Ik ben naar het kantoor gegaan en heb geprobeerd te werken, maar ik had geen idee wat ik moest schrijven.'

'Geen wonder. Het is al laat.'

'Ik weet gewoon niet wat ik wel of niet moet zeggen.'

Francine legde geduldig uit, omdat dit gesprek niet nieuw was: 'Vertel het verhaal van je leven. Daar gaat het bij een autobiografie om. Schrijf waar jij je comfortabel bij voelt.'

'Ik voel me nergens comfortabel bij.'

'Wil je zeggen dat je het boek helemaal niet wilt schrijven?' Dat was wél nieuw en het zou zeker een van Francines problemen oplossen. Zij zat lang niet zo aan dat project vast als Grace.

'Ik wíl het wel. Maar ik kan de wereld toch zeker niets over mijn jeugd vertellen.' Ze hield haar hoofd scheef en stak een hand op. 'Hóór je ze?'

Francine keek naar de zitkamer. 'Praten ze?'

'Heel luid!'

'Wat zeggen ze?'

Grace fluisterde angstig: 'Dat ik altijd problemen veroorzaak. Maar dat is niet waar. We waren soms wat wild en ongezeglijk. Maar niet altijd.'

Francine kon zich niet voorstellen dat Grace ooit wild en ongezeglijk was geweest. 'Nou ja, als we dronken, dan was het alleen omdat de hele stad dronk. Grote God, er viel niets anders te doen. En ik was níet de aanstichter. Ik ben nooit gearresteerd. Wolf wel, en Scutch. Maar Johnny en ik nooit.'

Dronken? Gearresteerd? Francine begreep er niets van. 'Moeder, waar héb je het over?'

'Ik niet. Zíj praten steeds maar. Ik zou nooit praten over wat er is gebeurd. We hebben een pact gesloten. We hebben gezworen dat we het nooit zouden vertellen.'

'Wie hebben dat gezworen?'

'Goed, ik was lichtzinnig. Maar zij waren veel erger. Ze stuurden ons met honger het huis uit. Ze stuurden ons zonder fatsoenlijke kleren naar buiten. Ze namen niet de moeite ons naar school te sturen – het kon ze allemaal geen steek schelen, tot de schoolinspecteur kwam, en dan zeiden ze dat wíj weigerden te gaan en dat was niet waar. Dus wie denken ze wel dat ze zijn om tegen mij te zeggen dat ik te veel dronk? Wie zijn zij om mij een slet te noemen? Ik heb het immers allemaal goedgemaakt?'

'Moeder,' zei Francine zacht, en ze pakte haar bij de arm in een poging haar terug te brengen naar de werkelijkheid. 'Het slaat allemaal nergens op wat je zegt.'

'Dat zullen zíj zeggen als ik deze dingen opschrijf. Dus dat kan ik niet. Ik kan dit boek niet schrijven.'

Francine stond voor een dilemma. Of Grace bedacht allerlei niet-bestaande verschrikkingen uit haar jeugd, óf ze had jarenlang gelogen.

Maar Grace loog niet.

'Ik denk,' stelde Francine vriendelijk – naar ze vermoedde geniaal – voor, 'dat je dingen uit alle brieven die je altijd hebt gekregen verwart met je eigen leven. Je was in jezelf gekeerd en verlegen. Je was geen herrieschopper. Je dronk niet en je was zeker geen slet.'

Grace vouwde haar armen over haar borst. 'Ga hún dat dan maar vertellen.'

'Oké.' Francine deed de deur naar de zitkamer open en kondigde luidkeels aan: 'Grace veroorzaakt geen problemen, ze drinkt niet en ze gaat niet met anderen naar bed. Dus jullie hebben het allemaal mis. En als jullie me niet geloven,' voegde ze eraan toe, 'dan moet je dat maar vragen aan alle honderdduizenden mensen over de hele wereld die aan haar lippen hangen.' Ze draaide zich weer om naar Grace en fluisterde: 'Zo goed?'

Grace knikte. Toen keek ze opeens heel schaapachtig. 'Je vind me zeker heel dom.'

'Nee,' zei Francine treurig. 'Ik weet dat jij ze hoort. Maar ze zijn nu weg. Je zult wel moe zijn.' Ze sloeg een arm om Grace's middel en bracht haar naar de slaapkamer. Ze merkte dat Grace in de zitkamer nerveus om zich heen keek, maar ze bleef doorlopen. 'Kan ik iets voor je pakken?'

'Nee. Het gaat allemaal best.' Grace drapeerde haar peignoir over de stoel naast het bed en glipte, gehuld in een zijden nachthemd dat haar broos deed lijken, in bed. Ze ging achterover in de kussens liggen en keek Francine fronsend aan. 'Waar heb jij gezeten?'

Francine pakte haar hand. 'Ik ben uit geweest. Ik had wat frisse lucht nodig.'

'Je werkt te hard.' Haar ogen bevatten iets van humor, maar dat verdween onmiddellijk weer. 'Ik maak me zorgen.' Haar diepere bedoeling was duidelijk.

'Dat moet je niet doen, moeder. Het lukt ons best.'

'Ik maak me zorgen. Dit hoort niet zo te zijn.'

Francine schudde instemmend haar hoofd.

Grace haalde diep adem, begon te spreken, zweeg weer.

'Wat?' drong Francine aan, net zoals Grace dat in de loop der jaren zo vaak had gedaan wanneer Francine wilde praten.

Grace bleef nog even in gedachten verzonken. Toen zei ze op zachte, verontschuldigende toon: 'Er is nog steeds dat probleem, weet je. Als ik de waarheid niet kan schrijven, wat moet ik dan wel schrijven?'

Francine had weinig angst voor het middendeel van het boek. Er waren genoeg anekdotes over *De Hartsvriendin*. Nee, haar angst was altijd geweest dat de jeugd van Grace te saai was om over te lezen. Ze bedacht dat Grace die zorg misschien ook zou hebben en daarom van alles en nog wat bedacht.

Maar het volgende moment drong het plotseling tot haar door dat er meer in haar jeugd gebeurd kon zijn dan Grace ooit had verteld.

Ze zette die mogelijkheid van zich af. Maar het kwam steeds weer bij haar boven. Wolf. Scutch. Johnny. De gedachte aan een verhaal dat nooit was verteld, was zowel schokkend als intrigerend. Als er ook maar een klein deel van de hallucinaties van Grace op waarheid was gebaseerd – als ze niet een stil, rustig muisje was geweest maar een wild kind, als ze uit een groter gezin kwam, als iemand van die familie nog in leven was – dan waren de consequenties verbijsterend.

13

Wanneer de wind aanwakkert, doe ik de deur dicht om mijn
kind tegen de kou te beschermen. Wanneer iemand haar
bedreigt, spreid ik mijn kracht als een wollen cape om haar
heen.

– Grace Dorian, in De Hartsvriendin

Francine en Sophie hadden de volgende middag een afspraak met
Amanda, in een befaamd eethuisje in Lower Manhattan. De haast
kwam van Francine. Ze wilde haar vastbeslotenheid niet kwijtra-
ken.

Amanda was uiteraard geschokt door het nieuws over de ziekte
van Grace, maar ze was niet echt verbaasd. Ze had begrepen dat er
iets aan de hand was, met alle geruchten in New York, en hoewel
het officiële bericht van de Dorians was geweest dat alles prima in
orde was, had ze lang genoeg met Grace samengewerkt – en had ze
de langdurige stilte van de vrouw vreemd genoeg gevonden – om
iets anders te vermoeden.

Het goede nieuws was dat ze het ermee eens was dat Francine
De Hartsvriendin schreef.

Het slechte nieuws was dat Katia Sloane zich afvroeg of het
boek van Grace ooit af zou komen.

Francine begon er zelf ook aan te twijfelen. Zij kon het boek
niet schrijven. Ze wist niet waar ze moest beginnen – vooral met
het oog op de stijl. De inhoud was nog twijfelachtiger, in het licht
van de hallucinaties van Grace.

Francine had de twijfels het liefst categorisch ontkend, maar het
onthutsende feit was dat zij weinig meer over de pre-Dorian jaren
van Grace wist dan de rest van de wereld. Zoals Grace haar altijd
had verteld, was ze een rustig kind uit een rustig gezin geweest in
een rustig stadje dat onder water was gezet en in de vergetelheid
was verdwenen. Er waren geen familieleden meer die in leven waren en geen kleine familie-anekdotes, hoewel de hemel wist dat

Francine in de loop der jaren erom had gesmeekt. Als je niet beter wist zou je denken dat het leven van Grace was begonnen toen ze John had ontmoet.

Als er waarde aan haar hallucinaties moest worden gehecht, dan was dat misschien niet helemaal waar. Francine voelde een sterke behoefte om meer over die eerste jaren te weten te komen voordat Grace ze voorgoed had verloren.

'Heb je Jim ernaar gevraagd?' vroeg Davis. Hij lag op zijn rug op de gewatteerde deken die ze voor de haard hadden neergelegd toen de gedachte om de liefde op de kale tegelvloer te bedrijven hen niet had aangelokt.

Francine leunde over zijn zij en ze voelde zich veilig genoeg, ontspannen genoeg, om het dilemma te delen. 'Tientallen keren. Aan hem heb ik niets.'

'Komt dat doordat hij het niet weet?'

'Ik denk het.' Ze gleed met haar hand over zijn ribben. Zijn huid was vochtig, warm door het vuur, muskusachtig door het bedrijven van de liefde. 'Niet dat hij zegt: "Ik weet het niet."'

'Wat zegt hij dan wel?'

'Of dat Grace er liever niet over praat, dat ik het haar zelf moet vragen, óf dat het niet echt belangrijk is. Ik weet zelfs niet of hij het me zou vertellen als hij het wist. Hij zou het als persoonlijke informatie beschouwen.' Ze legde haar oor op zijn hart en zuchtte voldaan. 'Dit is een van de heerlijkste dingen die er bestaan.' Hoewel ze jarenlang had gefantaseerd over het samenzijn met iemand die zo onvervalst mannelijk was als Davis, had niet een van haar fantasieën het luisteren naar de hartslag bevat. 'Misschien zijn het schuldgevoelens, die hartslag,' merkte ze op. 'Heeft pastoor Jim jóu iets verteld?'

'Nee mevrouw.'

'En Grace, toen je haar voorgeschiedenis opnam?'

'Ik heb alleen haar medische geschiedenis opgenomen. Ik heb haar gevraagd of er gevallen van seniele dementie in haar familie voorkwamen. Ze heeft dat ontkend.'

Hoe graag Francine ook de familie van haar moeder had willen kennen, toch zocht ze nu naar elke achtergrondinformatie. 'Als er maar íemand was aan wie ik iets kon vragen, maar ze zijn allemaal dood en ik zou niet wéten waar ik ook maar kon beginnen met zoeken naar mensen die ze heeft gekend toen ze opgroeide. Ze zijn allemaal verspreid toen het stadje onder water kwam.'

Ze had het altijd als een misdaad gezien dat land dat het verleden van mensen bevatte, onder water werd gezet. Ze had graag willen zien waar Grace was geboren, waar ze was opgegroeid, alles wat een rol had gespeeld in de zeventien jaar dat ze daar woonde.

Ze staarde over Davis' borst naar het vuur. 'Ze zou ons meer kunnen vertellen, maar dat wil ze niet. Ik heb het al eerder geprobeerd. Misschien begreep ze de vraag niet. Misschien sloeg haar geest met opzet een zijweg in. Maar als ik terugkijk, zit er een consistentie in. Ze wil niet over die jaren praten. Ik vraag me af waarom.'

Dit was slechts een van de vele vragen die Francine kwelden. Andere vragen hadden te maken met het feit dat de kogel nu door de kerk was. Nu Amanda de waarheid kende, was het officieel. De fakkel was doorgegeven. *De Hartsvriendin* was een generatie verschoven. Francines vaardigheden werden heel formeel, heel cruciaal, op de proef gesteld.

Het was opnieuw het grote concours. Haar stok was geharst, haar vingers waren stijf, haar maag kromp ineen. En nu moest ze spelen.

Ze haalde diep adem om haar buik te ontspannen. Het hielp als ze met haar hand over Davis' huid gleed, over zijn middel naar het litteken op zijn buik, dan verder. Ze keek op. 'Ik wil hier niet over nadenken. Leid me eens af.'

Zijn ogen stonden donker en ondeugend. 'Hoe word ik geacht dat te doen?'

Zijn adem stokte hoorbaar toen ze met de muis van haar hand over zijn erectie streek, en toen ze het zware eronder begon te masseren, was hij snel geïnspireerd.

Francine vond dat heerlijk aan Davis. Hij kwam snel overeind, had snel dezelfde begeerte als zij, nam snel de leiding en dreef haar tot zulke grote hoogten dat ze dacht dat ze van zaligheid zou sterven. Op het gebied van afleiding was hij het beste dat er bestond.

Het vuur in de haard viel in sintels uiteen voor hij zich ten slotte van haar losmaakte en nog wat blokken op het vuur wierp. Toen hij terugkeerde naar de deken, kruiste hij zijn benen en zette haar dwars op zijn schoot.

Ze nestelde zich daar met een beverige ademhaling. 'Het is schandelijk zoals ik je misbruik.'

'Het is geheel wederzijds.'

'Slechte dag?'

'Ja.'

'Wat?'

Het duurde even voor hij zei: 'Ik heb een patiënt verloren.'

'Aan wat?'

'Hij had Parkinson. Maar daaraan is hij niet overleden.'

'Waar dan wel aan?'

'Een overdosis pillen. Pillen die ik had voorgeschreven om hem te helpen slapen. Hij had ze opgespaard.'

Ze keek naar zijn bezorgde gezicht. 'O Davis, wat erg.'

'Zeg dat wel.'

'Maar je moet jezelf geen verwijten maken.'

'Dat is gemakkelijker gezegd dan gedaan.'

'Had hij iets door laten schemeren?'

'Helemaal niets. Zijn familie is net zo verbijsterd als ik.'

Francine probeerde zich voor te stellen hoe het zou zijn om elke dag met leven en dood te maken te hebben. Ze wist niet zeker of zij dat zou kunnen opbrengen. Vergeleken bij wat Davis deed, was het schrijven van columns een tamme bezigheid. 'Het zal wel heel moeilijk zijn om emotioneel afstand te bewaren.'

'Mmm.'

Ze streelde hem over zijn hals, gleed met haar hand over zijn adamsappel heen en weer.

Na een tijdje slaakte hij een zucht. 'Maar de dood is maar één kant van wat ik doe. Er komt ook genezing bij te pas. En dat is iets fantastisch.'

'Ik wed dat jij je meer om je patiënten bekommert dan veel andere artsen.' Hij was in zekere zin heel roekeloos in dat opzicht, zoveel als hij om mensen gaf.

'Ik heb me in elk geval behoorlijk om jou bekommerd,' zei hij met een gevaarlijke glimlach.

'Ik ben geen patiënt. Maar ik ben wel heel hulpbehoevend.' Ze besefte dat ze weer terug naar huis moest en daarom zei ze op zachtere, dringender toon: 'Dus wat moet ik met Grace doen?'

'Laat Jim maar aan mij over. Misschien laat hij zich tegenover mij iets ontglippen. Ik ben voor hem alleen maar een schoffie uit zijn geboorteplaats.'

Francine maakte een droog geluid. 'Alleen maar een schoffie. Jawel. Maar ik zou wel medeplichtig zijn wanneer ik jou zou laten proberen geheimen uit hem los te weken. We zouden allebei de eeuwige verdoemenis riskeren.'

'En daar geloven we geen van beiden in.'

'Hij is priester, Davis. Bovendien ben ik erg op hem gesteld. Ik kan hem niet misbruiken. Mijn geweten staat me dat niet toe. Grace herinnert zich haar jeugd. Ze wil er alleen niet over praten.'

'Blijf het dan proberen. Praat met haar. Stel gerichte vragen. Misschien tref je haar een keer op een zwak moment.'

'Maar als haar dat nu eens te machtig wordt? Als het haar overstuur maakt?'

'Is dat de laatste tijd nog gebeurd?'

'Niet sinds je haar medicijnen hebt voorgeschreven. Ze is een stuk kalmer. Ze kan zich nog altijd niet herinneren welke dag van de week het is. Maar ze is kalmer wanneer ze dingen vergeet.'

'Nou. Dat is dan in elk geval iets.'

Francine vermoedde dat hij gelijk had.

173

Sophie zat bij de manicure toen Robin Duffy binnenkwam en grote ogen opzette. 'Twee zielen, één gedachte. Ik heb me laten vertellen dat Lucy de beste manicure in de verre omtrek is. Ik had een afspraak voor half drie,' zei ze tegen Lucy. 'Ik ben een beetje te vroeg. Ik blijf hier wel wachten tot ik aan de beurt ben.' Ze hing haar jas aan de kapstok, nestelde zich op de bank naast de toonbank en glimlachte naar Sophie. 'Kom je hier vaak?'

Sophie was in een uitstekend humeur geweest voordat Robin was binnengekomen, maar nu niet meer. Ze had een hekel aan huichelaars. Robin was hier niet toevallig. Ze zocht informatie.

Ze keek haar recht aan en zei: 'Ik kom hier elke week. Ik neem aan dat je dat wist.'

Robin glimlachte. 'Nee.' Ze pakte *People* van tafel, bladerde er wat in, legde het blad toen neer en veinsde oprecht medeleven. 'Hoe gaat het met Grace? Ik heb haar al een tijd niet meer gezien. Ik hoorde dat ze ziek was.'

'Om je de waarheid te vertellen,' zei het duiveltje in Sophie, 'is ze bij vrienden in Antibes op bezoek. Maar dat is uiteraard niet voor publicatie bestemd.' Het was Robins verdiende loon om achter een dwaalspoor aan te gaan.

'Is Francine meegegaan?'

'Nee. Francine zit thuis te werken.'

'Arme Francine. Ik zou het heerlijk vinden om in Antibes te zitten.' Ze bladerde weer in het tijdschrift. Sophie kon wedden wat de volgende vraag zou worden toen Robin zei: 'Hoe lang blijft Grace weg?'

'Niet lang. Ze heeft veel werk te doen.'

Robin knikte. Ze ging demonstratief zitten lezen tot Sophies nagels waren gedaan en ze van plaats wisselden.

Sophie zou regelrecht de winkel zijn uitgelopen als ze ergens naartoe had kunnen gaan. Maar het was een gure, druilerige dag, niet erg geschikt voor een wandeling, en Gus zou nog zeker een kwartier wegblijven. Dus pakte ze het tijdschrift dat Robin had weggelegd, en begon erin te bladeren.

Robin zei: 'Ik heb geprobeerd iets te weten te komen over het stadje waar Grace is geboren. Voor een artikel over vrouwen uit kleine plaatsjes, die het in de wereld ver hebben geschopt. Weet jij de naam van dat plaatsje?'

Als ze het had geweten zou Sophie het niet hebben gezegd. 'Nee. Het is heel lang geleden.'

'Dat is mij ook verteld. Onder water komen te staan. Alleen kan ik nergens in Maine een plaats vinden die voor een stuwmeer is opgeofferd gedurende de jaren die Grace noemde. Je zou toch denken dat dat in het nieuws was geweest.'

'Vast wel. Maar misschien niet in het soort nieuws waar jij naar hebt gekeken.'

'Ik heb bijna alles bekeken. Maar zonder de naam van het plaatsje kan ik geen lokaal nieuws vinden, en als ik nergens anders iets kan vinden over een plaatsje dat is verdronken, kan ik de naam niet vinden.'

'Dat is een probleem,' zei Sophie en ze sloeg een bladzijde om, maar het duiveltje in haar binnenste was nog steeds aan het werk. 'Je probeert toch zeker niet Grace het gras voor de voeten weg te maaien, hè?'

'Hoe dat zo?'

'Ze zal in haar autobiografie alles vertellen.'

'Echt waar?'

Iets in de manier waarop ze het vroeg, deed Sophie zeggen: 'Waarom niet?'

'De details van haar vroegere leven zouden heel gênant kunnen zijn.'

'Gênant? Het leven van Grace? Doe niet zo gek.'

'Heb je haar ouders ooit ontmoet?'

'Die zijn gestorven ver voordat ik werd geboren.'

'Weet je dat zeker?'

'Natuurlijk weet ik dat zeker. Anders had ik hen toch zeker ooit wel ontmoet. Grace zou haar kleindochter niet voor haar ouders verborgen houden.'

'Maar stel dat het net andersom was? Stel dat ze haar ouders voor haar kleindochter verborgen hield?'

'Waarom zou ze dat in 's hemelsnaam doen?'

'Uit schaamte. Omdat ze uit een heel laag milieu komt.'

Sophie stond op en pakte haar jas bij wijze van protest. Ze was boos over Robins bemoeizucht en haar inbreuk op in iets dat een uur van ontspanning had moeten zijn.

Nadat ze haar armen in de mouwen van haar jas had gestoken, zette ze de kraag op en zocht de straat af naar Gus.

'Geen ontkenning?' vroeg Robin van achter haar.

'Het is de moeite van het ontkennen niet waard,' zei Sophie zonder zich om te draaien. 'Je hebt geen idee waar je 't over hebt. Daar komt m'n auto.' En voor deze ene keer precies op tijd. 'Bedankt Lucy. Tot volgende week.'

Ze liep de winkel uit zonder één woord tegen Robin te zeggen. Maar ze schoof wel op de achterbank.

'Hela,' protesteerde Gus met een omfloerste whisky-stem. 'Wat gaan we nou beleven?'

'Ik word bekeken. Rij maar snel weg.'

Hij reed de straat door, sloeg de hoek om en stopte.

Sophie wachtte tot hij uitstapte om te doen waarvoor hij was gestopt. Toen hij haar alleen maar in de achteruitkijkspiegel aankeek, zei ze: 'Wat is er aan de hand?'

'Ik heb je hier nodig.'

Ze besefte in een flits waarvoor hij haar nodig had en ze voelde een steek van ergernis. 'Sorry Gus. Ik ben niet in de stemming.'

'Zijn je nagels tegen de draad in gevijld?'

'Gus!'

'Je maakt dat ik me net een chauffeur voel.'

'Je bént ook de chauffeur.'

Zijn ogen hielden de hare vast in de spiegel.

Ze zuchtte. 'Rij nou maar, Gus.'

Hij gaf plankgas en reed de straat uit. 'Je hebt nog steeds de pest in over je verjaardag. Sinds die avond doe je heel vreemd tegen me. Je geeft mij er de schuld van.'

'Heb ik dat gezegd?' Ze gaf zichzelf de schuld, niet hem.

'Jij misschien niet, maar alle anderen wel. Je moeder, Jim O'Neill, zelfs Davis Marcoux.'

Davis? Sophie wist van de connectie met Tyne Valley, maar ze schatte dat Davis begin veertig was en Gus eind twintig, wat hen nou niet direct tot leeftijdgenoten maakte. 'Hoe goed ken je Davis?'

'Niet zo heel goed. Maar hij kent mijn familie. Hij denkt dat hij de dienst uitmaakt nu hij zo'n hoge piet van een dokter is. Hij heeft gezegd dat ik me anders moet gaan gedragen. En het ouwe mens heeft ook zoiets gezegd.'

Sophies ergernis vlamde weer op. 'Moet je haar nou echt het ouwe mens noemen? Ze is m'n grootmoeder!'

Dat bracht hem even tot zwijgen, maar slechts voor de duur van twee straten. 'Je hebt daar nooit eerder moeilijk over gedaan. Je hebt dus de pest in.'

Ze dacht daar diep over na. 'Nu je 't zegt, ja, ik heb de pest in. Je had er echt niks van gekregen als je mij een beetje in de gaten had gehouden, weet je.'

'We gingen samen uit, ik was je kindermeisje niet.'

Sophie herinnerde zich Grace's wens dat ze met een goede, verantwoordelijke man zou trouwen, die goed op haar zou letten. Dat trouwen leek haar nog steeds niets, maar de rest – zelfs dat op haar letten – klonk nu lang niet zo slecht als toen. Wat er die nacht met haar was gebeurd, had haar dood kunnen betekenen.

Ze probeerde zich te herinneren of Gus, die paar keer dat ze elkaar sindsdien hadden gezien, op enigerlei wijze uitdrukking had gegeven aan wat er was gebeurd, of zich had verontschuldigd. 'Ben jij door dat alles dan niet geschrokken, al was het maar een beetje?'

'Jawel. Het heeft me bijna m'n baan gekost.'

En dat vertelde haar precies hoeveel ze voor hem betekende. Niet dat ze enige illusies had gehad. Maar toch. 'Klootzak,' mompelde ze toen hij de oprit indraaide. Zodra de auto voor de deur stopte, was ze eruit en liep de stoep op.

Hij greep haar bij de elleboog. 'Wat dacht je van vanavond?'

'Waarvan?'

'Om naar mij toe te komen?'

Ze bekeek hem even van top tot teen, waarbij haar blik even op zijn kruis bleef rusten voordat ze naar haar elleboog keek die hij vasthield. 'Als ik daar behoefte aan heb.' Ze rukte de elleboog los.

'Kreng.'

Ze stormde naar binnen en smeet de deur achter zich dicht, waarna ze naar het kantoor liep en Gus uit haar gedachten zette. Ze wilde Francine over Robin Duffy vertellen.

Maar Francine was er niet, wat Sophie nog bozer maakte. Ze hadden afgesproken dat een van hen bij Grace zou blijven tot ze een nieuw iemand in dienst hadden genomen – en dat vond Sophie nóg vervelender. Ondanks alle rationele overwegingen die zeiden dat het verstandig was om voorzichtig te doen, vond Sophie het een vreselijk idee dat Grace in de watten moest worden gelegd. Het leek zo op hetzelfde soort manipulaties waar Grace zo goed in was.

Ze wilde juist haar toevlucht zoeken tot haar gedeelte van het huis, toen haar oog langs de werkkamer van Grace gleed. De deur stond open. Grace stond voor het raam met afhangende schouders, haar hoofd gebogen. Haar houding was zo weinig karakteristiek dat Sophies boosheid zakte. 'Hoi oma.'

Grace keek op. Haar gezicht lichtte even op, maar werd toen weer somber. Haar ogen gingen terug naar haar handen. 'Marny moest op me passen. Het was zonde van haar tijd. Ik heb haar teruggestuurd naar haar kantoor.'

Ze klonk niet manipulatief. Ze klonk verslagen. Maar verslagenheid was voor Grace iets volstrekt onbekends, althans, dat was het tot nu toe geweest.

Sophies boosheid was verdwenen. Ze wist niet wat ze tegen deze andere Grace moest zeggen. Toen merkte ze dat Grace iets met haar handen deed. Ze kwam nieuwsgierig dichterbij. 'Wat doe je daar?'

Ze vlocht een touwtje door haar vingers. 'Kop-en-schotel-schemerlamp. Dat deden we vroeger altijd. Maar ik kan het me niet meer helemaal herinneren. Ik kom maar tot hier.' Ze deed haar pinken omlaag en het touwtje werd recht. 'Ik wou dat ik de rest nog wist.' Ze schudde het touwtje uit. 'Voor sommige stukken heb je vier handen nodig.' Ze vlocht het touw weer rond haar vingers. 'Mijn zusjes en ik deden altijd een wedstrijd wie het het snelste kon.' Ze stak de vingers van iedere hand om beurten in het touwtje. Het ene patroon maakte plaats voor het volgende.

Sophie zei luchtig: 'Je praat niet vaak over uw zusters.'

Grace keek op. 'Zusters?'

'Je zei dat je dit altijd met uw zusters speelde.'

'Met mijn vriendinnen. Ik speelde het met mijn vriendinnen.'

Sophie liet haar jas op een stoel vallen. 'Vertel me dan eens iets over hen. Hoe heetten ze?'

Grace keek naar haar vingers en fronste weer. 'De gebruikelijke namen. Rose, Mary, en Rosemary, dat soort namen. Dit wordt niets.' Ze liet een hand vallen. 'Het is weg.' Het touwtje bungelde slap naast haar neer. Ze zuchtte en keek uit het raam. 'Ik kan niet werken. Ik zit te wachten tot je moeder thuiskomt.'

'Waar is ze naartoe?'

'Ze is keramische tegels gaan uitzoeken.'

Sophie wist niets van plannen om iets te veranderen – tenzij Francine eindelijk de vloerbedekking in haar kleedkamer wilde veranderen, waar Legs zo'n puinhoop van had gemaakt. Maar met keramische tegels?

'Ze zei dat het voor een kennis was. Ik weet niet meer wie.' Grace liet zich in een stoel zakken, staarde uit het raam en zuchtte. 'Het duurt nog veel te lang voor het voorjaar wordt.'

De verslagen toon in haar stem zei dat ze zich afvroeg of ze het zo lang zou maken. Sophie wuifde haar twijfels opzij. 'Het is voorjaar voor je het weet.'

'We krijgen zelfs eerst de feestdagen nog.'

'Maar die zullen heel leuk zijn. De Dorians hebben altijd gewéldige feestdagen.'

'Ze zullen dit jaar anders zijn.'

'Misschien nog wel leuker. We hoeven geen hele meutes mensen te logeren te vragen. Het enige wat die doen is ons eten opeten, onze wijn morsen, en op de zitting van de wc-pot plassen. Dit jaar gaan we gezellig iets met elkaar doen.' Gezellig onder elkaar was niet zo dynamisch als een groot feest, maar het beperkte de mogelijkheden van een ramp. Het was ook heel gepast. Niemand wist hoe Grace over een jaar zou zijn. Dit was misschien wel haar laatste heldere seizoen. Deze tijd met haar samen moest ten volle worden benut.

'Alleen maar wij,' zei Grace.

'Alleen maar wij,' bevestigde Sophie.

'En Jim.'

'Natuurlijk.'

'En misschien Robert.'

Sophie zweeg. Robert leek van het toneel te zijn verdwenen.

'En voor jou?' vroeg Grace. 'Ik wil dat je trouwt.'

Sophie voelde een steek van irritatie. Die oude, bazige Grace kwam daar ook altijd weer mee. 'Dat is misschien niet mogelijk.'

'Waarom niet?'

'Omdat ik nog niemand heb gevonden om lief te hebben.'

'Vergeet de liefde. Ik was ook niet verliefd op je grootvader.'

Sophie schrok. 'Echt niet?'

'Natuurlijk niet. Hij had veiligheid te bieden. De liefde kwam later.'

'Dat is ongelofelijk. Ik dacht altijd dat het een romance uit een sprookje was.'

Grace schudde haar hoofd. 'Voor mij niet noodzakelijk. Voor jou niet noodzakelijk.'

'Maar de tijden zijn veranderd, oma. Ik hoef helemaal geen man. Ik hoef er echt niet zomaar eentje voor de lol. Vroeger trouwden de mensen om geborgen te zijn. Nu niet meer.'

'Jawel, toch wel. Alleen noemen ze het nu liefde.'

'Opa heeft altijd geborgenheid gehad. Waarom wilde hij dan trouwen?'

Grace bleef een tijdlang peinzend voor zich uit staren. Toen keek ze wat verward op en zei: 'Er heeft iemand gebeld, vlak voordat je thuiskwam.'

'Ho, ho,' plaagde Sophie. 'Nou niet opeens van onderwerp veranderen, hè? Wat werd opa er beter van? Ik wed dat hij stapelverliefd was.'

Grace fronste. 'Ze noemde haar naam, maar ik kan me die niet herinneren.'

Sophie had als kind vaak met Francine de trouwfoto's van Grace zitten bekijken. 'Je was een beeldschone bruid. Ik wed dat hij je het knapste, friste meisje vond dat ooit naar de stad was gekomen.'

'Fawn? Nee. Was het Lily?' Grace maakte een geluid van frustratie. 'Ze was van de krant. Dat zei ze.'

Sophie werd stil. 'Wat? Wie zei dat?'

'De vrouw die opbelde.'

'Van welke krant?'

Grace kneep haar lippen opeen. Ze keek niet-begrijpend.

Sophie kreeg een verbijsterende gedachte. 'Het was toch zeker niet Robin, hè?'

Het gezicht van Grace klaarde op. 'Ja, dat geloof ik wel.'

Sophie stond perplex. 'Maar hoe heeft ze tot jou kunnen doordringen? Marny had de telefoon op moeten nemen, en anders Margaret.' Dat was de keten die ze hadden opgezet om ervoor te zorgen dat de verkeerde mensen Grace niet bereikten. 'Hoe heb je in 's hemelsnaam de telefoon op kunnen nemen?' Ze snapte er niets van.

Grace stak haar kin in de lucht. 'Ik heb m'n hele leven al telefoons opgenomen.'

Sophie verdeed geen tijd met kibbelen. Ze moest weten hoeveel schade er was aangericht. 'Wat zei Robin?'

'O, het gebruikelijke.'

'Wat is het gebruikelijke?'

'Gewoon beleefde... hoe noem je dat?' Ze gebaarde. 'Beleefde piet... pad.'

'Piet... pad?'

'Pietpad... Je wéét wel. Beleefde... piet... pad.'

'Prietpraat?'

'Prietpraat.'

'Vroeg ze nog naar je boek?'

Grace liep naar het dressoir.

Sophie volgde haar. 'Wat heb je haar verteld, oma?'

Grace deed een deurtje open en haalde een bekende vaas te voorschijn.

'Je hebt toch niet afgesproken haar te ontmoeten, hè?'

Grace hield de vaas in de holte van haar elleboog, stak haar hand erin en haalde een klein doosje rozijnen te voorschijn. 'Eet dit maar op. Je hebt al een tijdje niets gehad en het is tijd om wat te eten.'

Gedurende een onderdeel van een seconde was Sophie weer een klein kind. In die tijd had de vaas op de hoek van het bureau van Grace gestaan, gevuld met het soort lekkernijen waar jonge, actieve suikerpatiëntjes laat op de dag van snoepten als hun bloedsuikerspiegel dreigde te dalen.

'Niet te geloven dat u die nog hebt,' peinsde ze.

Grace duwde haar het doosje in de hand. 'Eet dit op. Doe het voor mij.'

Sophie voelde een prop in haar keel. *Eet dit op. Doe het voor mij.* Het was een oud refrein waar ze jarenlang grapjes over hadden gemaakt. Maar Grace maakte nu geen grapjes. Ze scheen zich niets van die grapjes te herinneren, of van de keren dat ze deze zelfde woorden had gezegd. Ze werden nu in volslagen onschuld uitgesproken, recht uit de geest en uit het hart, met het soort zorgzaamheid dat te vaak overschaduwd was geweest door de druk van het werk en de volwassenheid.

Op dat moment drong pas goed tot Sophie door hoe het wereldje van Grace kromp. Het verleden kwam weer boven en vaagde de toekomst weg. Oma liet het afweten.

Ze glimlachte door haar tranen heen toen ze gehoorzaam het doosje openmaakte en enkele rozijntjes in haar mond stopte. Ze waren zo hard als steentjes en heel erg muf. Toch slikte ze die eerste paar door en ze stak haar hand uit naar meer.

14

Genialiteit mag ontzag wekken, maar beter dan briljant-
heid is gewoon gezond verstand.

– Grace Dorian, in De Hartsvriendin

Francine had nog geen twee stappen het huis in gezet toen Sophie
haar aanklampte. 'Grote problemen, mam. Robin Duffy kwam bij
Lucy binnen en begon vragen te stellen, en toen heb ik haar verteld dat Grace in Europa zat. Ze moet de telefoon hebben gegrepen zodra ik de winkel uit was en ze is op de een of andere manier
tot Grace doorgedrongen, dus ze weet dat ik heb gelogen over dat
Grace weg was, en ik heb géén idee wat Grace haar heeft verteld.
Toen had Grace het tegen mij over haar zusters, maar toen ik ernaar vroeg, ontkende ze dat. Er is iets vreemds aan de hand.'

Vreemd was er wel een woord voor, dacht Francine. Angstaanjagend was een ander woord.

'Dus… had Grace nou zusters of niet?' vroeg Sophie.

'Die had ze niet,' antwoordde Francine en aarzelde toen. 'Tenzij
die vroeg zijn gestorven, net als haar broer,' redeneerde ze hardop.
'Maar waarom zou ze wel over zijn dood en niet over die van de
anderen praten? Nee, er kunnen geen andere zusters zijn geweest.'

'Tenzij Grace liegt.'

Nog maar kortgeleden zou Francine categorisch die mogelijkheid hebben ontkend. Nu zei ze eenvoudig: 'Tenzij Grace liegt.'

'We zullen er zelf achter moeten zien te komen of ze liegt,' fluisterde Sophie.

Francine stemde daarmee in, hoewel niet zonder aarzeling.
Grace was altijd de goedheid in eigen persoon geweest, een liefde-
volle en zorgzame moeder, een succesvolle carrièrevrouw. Ze pré-
dikte niet alleen mededogen, ze bracht het in praktijk in haar columns, in haar steun aan goede doelen, in het royale van haar
geven. Te suggereren dat ze zou liegen, leek een blasfemie.

'We zouden moeten beginnen met haar voor Robin te waarschuwen,' ging Sophie verder. 'Ze moet eens goed door elkaar worden gerammeld. Als ze weet wat er op het spel staat, wordt het haar misschien duidelijk. Trouwens, ze zei dat jij op pad was voor keramische tegels. Fantaseerde ze dat?'

Gedurende een onderdeel van een seconde overwoog Francine ja te zeggen. Het was gemakkelijk om alles op rekening van de warhoofdigheid van Grace te schrijven. Maar het was niet de waarheid, en de waarheid was, zeker nu, van het grootste belang. Ze zei luchthartig: 'Dat fantaseerde ze niet.'

'Waar moest je keramische tegels voor uitzoeken?'

'Voor de vloer van de keuken van Davis Marcoux.'

Sophie glimlachte nieuwsgierig. 'Voor de vloer van de keuken van wíe?'

Francine deed nonchalant. 'Van de goede dokter. Hij vindt het heel moeilijk om dat soort dingen uit te zoeken, dus heb ik aangeboden hem een handje te helpen.'

De nieuwsgierige glimlach verdween niet. 'En jij vond het zo vreselijk om dingen voor je eigen kamers uit te zoeken.'

'Het is makkelijker om dat voor een ander te doen. Dan staat er minder op het spel. Hij moet ermee leven, ik niet.' Francine keek even naar de kamer van Grace, met het oog op een dringender probleem dan Davis. 'Is ze daar nu?'

'O ja. Ze zit op je te wachten. Ga je haar erover aanspreken?'

Francine wist niets anders te bedenken. 'We moeten weten wat er gaande is.'

Ze voelde een steek van medelijden toen ze Grace achter haar bureau aantrof, diep weggezakt in de stoel, met een verloren blik. Dit was een schaduw van de Grace die ze haar hele leven had gekend, een flauwe afspiegeling van de sterke, gerichte, drijvende kracht. Deze Grace was een oude vrouw.

De oude, treurige ogen klaarden op toen ze Francine zag. 'Je bent terug. Ik was bang dat je met vakantie was gegaan.'

'Zonder jou iets te vertellen?' berispte Francine haar, en ze glimlachte ondanks alles. 'Dat zou ik heus niet doen. Je wist toch waar ik was?'

'Maar je bleef een eeuwigheid weg.'

'Een paar uur maar.' Ze schoof een stoel bij. 'Sophie zei dat je met Robin Duffy had gesproken. Wat zei ze?'

'Robin Duffy?'

'Ze schrijft voor de *Telegram*.'

Grace fronste. 'Heeft ze gebeld? Ja, er heeft iemand gebeld. Maar we hebben niet lang gesproken. Ze vroeg hoe het met me ging. Ik zei dat het goed met me ging.'

'Nog iets anders?'

Grace fronste, dacht diep na, schudde haar hoofd.

182

'Het is belangrijk,' hield Francine aan.

'Had ik dan iets móeten zeggen?'

'Je had niet met die vrouw moeten praten, en daarmee uit. Ik ben bang dat je iets over je jeugd hebt verteld. Robin zit daarin te graven.'

'Maar waarom?' vroeg Grace.

Francine herinnerde zich de brief die Robin haar had gestuurd. 'Ze verbeeldt zich dat ze een expert is op het gebied van *De Hartsvriendin*. Ze is ongetwijfeld op zoek naar iets dat niemand anders heeft gebracht. Niemand heeft ooit iets over je jeugd gebracht. Niemand weet daar iets van af, zelfs ik niet. Je zult het me moeten vertellen, mam. Vertel me alsjeblieft iets dat Robin de moeite van het brengen waard vindt.'

'Er is niets,' zei Grace.

'Dat wil ik best geloven,' smeekte Francine. 'Echt waar. Maar je zegt steeds dingen die maken dat ik me van alles afvraag.'

Grace verstrakte. 'Er is niets.'

'Geen zusters? Geen geheimen?'

'Níets.'

'Weet je 't zeker? Ik moet weten wat er is. Ik kan *De Hartsvriendin* niet blijven schrijven, ik kan je boek niet schrijven als ik de feiten niet ken.'

Grace kneep haar lippen op elkaar. 'Er is niets.'

'Je had toch zusters?' zei Francine zacht, met een plotselinge overtuiging. Ze voelde de nieuwheid van dit alles, de opwinding, de spanning. 'Is er iets vreselijks gebeurd? Was er een ziekte? Een bedrog? Een schandaal?' Als er iets heel pijnlijks was gebeurd, kon ze begrijpen waarom Grace het misschien had verdrongen.

Grace fronste.

'Vertel het me alsjeblieft.'

Grace schudde haar hoofd.

'Betekent dat dat er niets te vertellen valt, of dat je het niet wílt vertellen?'

'Ik kan het niet,' zei Grace en ze sloot haar ogen.

'Je kunt het niet omdat het zo erg is? Er is niets dat zo erg kan zijn, mam. Maar een journaliste als Robin Duffy kan het wel slecht máken, als we zoiets niet in de kiem smoren. Je zegt dat ik niet voldoende boven op de dingen zit. Nou, dat probeer ik nu wel te doen. Ik probeer *De Hartsvriendin* te redden. Ik probeer je boek te redden. Ik probeer de enige geschiedenis die ik ooit heb gehad te redden.' En verdraaid, ze was bang. 'Is er íets dat je me kunt vertellen?'

Grace begon langzaam, rustig te wiegen.

Francine wachtte tot ze ging spreken, maar het geschommel ging door, en toen Grace ten slotte haar ogen opendeed, keek ze naar buiten door het raam over het golvende gazon naar de rivier. Haar blik zei dat ze kilometers ver weg was met haar gedachten. Francine had geen idee waar.

Grace was altijd dol geweest op dit uitzicht. Volgde hieruit dat het uitzicht haar deed denken aan iets aardigs uit haar kinderjaren?

Misschien wel, misschien niet.

Volgde hieruit dat als Grace zusters had, die nog in leven waren?

Misschien wel, misschien niet.

Volgde hieruit dat als Grace over deze dingen had gelogen, ze ook over andere dingen had gelogen?

Misschien wel, misschien niet.

Francine voelde zich plotseling hulpeloos, alsof het hele leven haar ontglipte en zij dit gewoon maar liet gebeuren. Ze gedroeg zich typisch als Francine, een fletse imitatie van de Grace die de koe bij de horens zou hebben gevat.

Hoe greep je die koe bij de horens?

Als je niet briljant was, moest je je gezonde verstand gebruiken, zei Grace altijd, maar er was maar één klein beetje gezond verstand dat Francine op dat moment kon bedenken. Ze zocht naar nog iets anders, kon het niet vinden, zocht opnieuw, maar er was niets.

Hoe greep je die koe bij de horens?

Gedreven door de behoefte om te handelen en ja, ook instinct, liep ze terug naar haar werkkamer en rommelde daar in de bak met ingekomen stukken tot ze de brief had gevonden die Robin Duffy haar drie maanden geleden had gestuurd.

Nog geen twee uur later ging Francine het cafétje in het centrum van de stad binnen. Omdat ze vastbesloten was Grace-punctueel te zijn, was ze vijf minuten te vroeg. Ze had zich nauwelijks aan een hoektafeltje genesteld toen Robin binnenkwam.

Ze liep de kleine ruimte door en gleed op een stoel. Haar leren schoudertas viel op de vloer met een zware plof, die op de dodelijke wapens van haar beroep wees. Hijgend legde ze haar hand tegen haar borst.

'Ik hoop dat ik je niet heb laten wachten. Toen je had gebeld, ben ik naar huis geracet om de auto te halen, die er natuurlijk niet was, omdat mijn zoon was vergeten dat hij zijn zusje naar haar bijlesleraar voor wiskunde moest brengen, zodat ik hem moest opsporen, naar huis brengen, haar afleveren, en toen moest tanken omdat er uiteraard bijna geen benzine meer in zat...' Ze was buiten adem.

Francine had zich geen beter begin kunnen voorstellen. Een afgepeigerde Robin was minder gevaarlijk. 'Ik was hier zelf ook pas een paar minuten,' zei ze met een glimlach. 'We zijn allebei vroeg. Mijn excuus is dat ik de dochter van Grace Dorian ben. En het jouwe?'

Robin deed haar sjaal af. 'Het mijne is dat ik de dochter van een discipel van Grace ben. De rest van de wereld kan te laat komen, maar voor mij is dat volstrekt onmogelijk, zo is punctualiteit bij me ingebakken.' Ze knoopte haar jas los en leunde, opgelucht dat ze eindelijk zat, in haar stoel achterover.

'Ik waardeer het bijzonder dat je op zo'n korte termijn kon komen.'

'Het leek mij niet zo'n korte termijn. Ik heb maandenlang gewacht om een keer met jou te kunnen praten. Is dit een interview?'

'Nee. Is er iets dat loopt, in die tas van je?'

Robin haalde een cassetterecorder uit haar tas en zette die op het tafeltje. Het bandje stond stil.

'Dank je,' zei Francine en ze zag de serveerster naderen. 'Kan ik je iets aanbieden?' vroeg ze aan Robin.

Robin bestelde zwarte koffie.

Francine bestelde hetzelfde en keek de serveerster na. Toen ze daarna weer naar Robin keek, zag ze een behoedzaamheid die die van haarzelf weerspiegelde. 'Je vraagt je waarschijnlijk af waarom ik om deze ontmoeting heb gevraagd.'

'Ik veronderstel dat het iets te maken heeft met dat ik Sophie vandaag heb gesproken.'

'Slechts indirect. Jouw naam is in de afgelopen jaren vaker naar voren gekomen dan deze ene dag. Je bent min of meer een doorn in het vlees geweest.'

Robin keek werkelijk gegeneerd. 'Dat komt door het soort werk. De dagen van de beschaafde journalistiek zijn voorbij. Een journalist moet heel taai zijn om te overleven. Er zijn tijden dat ik het vreselijk vind, maar ik heb geen andere keus. Ik ben een alleenstaande moeder. Ik moet een verhaal schrijven dat verkoopt, als ik mijn kinderen naar een universiteit wil kunnen laten gaan.'

Francine kon haar haar motieven niet kwalijk nemen. 'Hoe oud is het zusje van de zeventienjarige zoon die deuken in auto's maakt?'

'Veertien. Een geweldige kattenkop.'

Francine lachte. 'Ik herinner me die dagen. Maar het wordt eens weer beter.'

'Wanneer?' vroeg Robin zo oprecht dat Francine in de lach schoot.

'Over een paar jaar. In elk geval tegen de tijd dat ze naar de universiteit gaat. Op afstand wordt een relatie altijd weer anders.'

'Ik weet niet zeker of ik dat haal.'

Francine had precies hetzelfde gezegd, zoals veel van haar vriendinnen dat ooit hadden gezegd. Het was typisch iets voor moeders om te zeggen. Dat hadden Robin en zij in elk geval gemeen. 'Zit je fulltime bij de *Telegram*?'

'Ik werk freelance voor diverse tijdschriften, maar de *Telegram* is vast.'

'Ben je er contractueel aan verbonden?'

Robin zei, nu behoedzaam: 'Nee. Hoe dat zo?'

Francine bekeek haar nauwkeurig. Ze was een aantrekkelijke vrouw – klein, rossig, in blauwe spijkerbroek – met een aardige glimlach, een bedreven pen, en een oprechte belangstelling voor *De Hartsvriendin. Het is mijn droom om de best-geïnformeerde journaliste te worden in zaken die met Grace te maken hebben. Ik weet niet zeker of ik dit voor mijn moeder wil of voor mezelf, maar mijn verleden bij* De Hartsvriendin *maakt mij tot de perfecte kandidaat,* had ze in haar brief geschreven. Als een briljante inval en gezond verstand veel met elkaar te maken hadden, dan zou het in dienst nemen van haar heel briljant zijn.

'Ik ben op zoek naar een ghostwriter.'

Robins ogen werden groot. 'Voor het boek van Grace?'

Francine knikte. 'Grace en ik weten niets van het schrijven van boeken. We hebben het geprobeerd, maar daarnaast moet ook iedere week *De Hartsvriendin* worden geproduceerd. We hebben hulp nodig.'

'Bied je mij die klus aan?'

'Ik zit erover te denken.'

'Ik ben verbijsterd,' zei Robin, en dat klonk gemeend.

'Waarom? Je bent schrijfster. Je kent Grace beter dan de meeste anderen.'

'Maar we hebben zo onze meningsverschillen gehad, Grace en ik, jij en ik.'

'Dat komt doordat we verschillende belangen hadden. Als we hetzelfde belang hebben, zouden die verschillen wel eens kunnen verdwijnen.'

'Ik ben gewoon verbíjsterd,' herhaalde Robin. Toen hapte ze opeens naar lucht en zei beschuldigend: 'Je wilt dat ik m'n mond hou!'

'Wát zeg je?'

'Dat is het toch zeker, nietwaar?' Ze keek zelfvoldaan. 'Ik kom te veel in de goede richting met mijn vermoedens. Sophie heeft je verteld over het stadje dat niet onder water was gezet. Zal ik je nog iets anders vertellen? Er is nergens iets over een Grace Laver in Maine te vinden, op of in de buurt van de gegevens die zij verschafte. Ik heb van alles en nog wat doorgenomen. Ik heb vriendinnen die van alles en nog wat hebben doorgenomen. Dus

186

óf ze heet geen Laver, óf ze is niet in Maine geboren. Wie is ze?' Francine wenste dat ze het wist. Ze had de grootste moeite om niet net zo radeloos te kijken als ze zich voelde, en die radeloosheid ging diep. Grace's verleden was ook haar verleden. Alles wat ze niet wist had met haar eigen afkomst te maken.

Ze vond haar zelfbeheersing terug bij de sterke koffie die voor haar werd neegezet, één slok, een tweede, en toen zette ze de kop neer. 'Wat ben je nog meer te weten gekomen?'

'Niet veel,' zei Robin, 'maar ik ben ermee bezig. Grace is heel interessant – op het ene punt heel openhartig, op het andere raadselachtig. Toen ik haar de vorige zomer interviewde, kreeg ik de indruk dat ze niet wilde praten over de periode voordat ze haar man ontmoette. Hoe meer research ik naar die vroege jaren verricht, hoe raadselachtiger ze wordt. Ik kom niet verder.'

Francine wist er alles van. Reken maar. En het ergste was nog dat zij Grace binnen handbereik had, met alle antwoorden, terwijl ze weigerde iets te onthullen.

Robin ging verder, nu oprechter. 'Misschien is het een obsessie van me. Grace was het voorbeeld waarmee ik ben opgevoed, maar ik kon alles nooit zo goed als zij. Jarenlang heb ik geprobeerd aan haar maatstaven te voldoen. Nou, die maatstaven beginnen er wat arbitrair uit te zien, alsof Grace ze heeft geschapen toen ze *De Hartsvriendin* schiep. Er zijn te veel vragen, Francine.'

'Dat weet ik maar al te goed,' flapte Francine eruit, want alles wat Robin haar had verteld, had ze zichzelf al duizend keer verteld. Ze vermoedde dat Robin het begreep. Dus als ze zich te snel blootgaf, dan was dat pech. Ze moest de gok nu wagen.

'Kom voor ons werken,' zei ze. 'Je krijgt een eigen werkkamer in ons huis, je naam komt even groot op het boek, je krijgt een onkostenvergoeding voor onderzoek. We zullen je meer betalen dan bij de krant. En je hebt vrije toegang tot Grace.'

Robins mond viel even open. Toen slikte ze moeizaam. 'Je meent het écht.'

'Volstrekt. Het zou de problemen voor ons allebei oplossen. Jij wilt over Grace schrijven, ik heb iemand nodig die dat doet. Jij hebt geld nodig, ik heb hulp nodig.' Ze had ook iemand nodig die wist hoe ze moest graven en Robin was daar een expert in. Haar in dienst nemen was écht een briljante vondst. Hoe kon je die vrouw beter onder de duim houden, voorkomen dat ze Grace pijn zou doen, dan haar op de loonlijst hebben? Palm je vijand in, zei Grace altijd. Dat leek heel verstandig.

'Hoeveel vrijheid zou ik hebben?'

'Zoveel als je nodig hebt om een goed boek te schrijven.'

'Hoe definieer jij "goed"?'

Francine dacht even na. Toen zei ze: 'We willen dat dit boek een succes wordt. Grace ziet het als het beslissende werk over haar leven, het belangrijkste, het meest blijvende dat ze ooit zal doen, maar ze zal zich niet tot sensatie laten verleiden om de verkoopcijfers op te krikken.'

'Hebben we het wel of niet over carte-blanche?' vroeg Robin. 'Want ik heb geen zin in witwassen. Ik heb geen zin om de kliekjes van andere interviews op te warmen. Iets dat ik doe, moet wel eerlijk zijn.'

'Er zijn diverse niveaus van eerlijkheid,' betoogde Francine. 'Jouw stuk na het ongeluk van Grace was technisch eerlijk, maar in de toespelingen niet. Je had dat stuk net zo eerlijk kunnen schrijven, maar wel iets vriendelijker. Het is de vriendelijke eerlijkheid, de zachtaardige eerlijkheid die we voor het boek van Grace zoeken. Iets zwart op wit zetten dat afbreuk doet aan haar image zal heel nadelig zijn.'

'Voor jou. Niet voor mij. Je kunt nóg zo tegen sensatie zijn, maar je verkoopt er wel boeken mee.'

'Als dat jouw uitgangspunt is, zitten we hier onze tijd te verdoen.' Francine begon overeind te komen.

Robin greep haar bij de arm. 'Wacht. Het brengen van sensatie is niet mijn eerste prioriteit. Ik heb zo mijn maatstaven.' Ze trok haar hand terug en sloot die om haar koffiekopje. 'Als ik voor jou werk, zou ik mijn ontslag moeten nemen bij de krant. Er is daar misschien geen plaats voor mij om naar terug te gaan.'

'Dat hoef je misschien niet. Je zou betere mogelijkheden hebben. We zullen je bovendien een voorschot geven, plus royalty's, zodat je de komende jaren inkomsten hebt.' Amanda kon het contract opstellen. Het was veel beter de opbrengst te delen dan helemaal geen opbrengst te hebben, wat het geval zou zijn als het boek nooit werd geschreven. Niet dat de Dorians het geld nodig hadden. Maar Robin Duffy had het wel nodig.

Francine vermoedde dat ze dat dacht, want ze werd verzoenend. 'Een van de ergste dingen aan de krant was, dat ik steeds door een redacteur op m'n nek werd gezeten. Zal Grace dat doen?'

'Grace zal je echt niet de wet voorschrijven als je dat bedoelt.' Grace was in haar huidige toestand niet in staat om iemand de wet voor te schrijven, maar dat wilde Francine Robin nu nog niet vertellen. Dat was zeer geheime, gevaarlijke informatie. 'Je zult dezelfde vrijheid hebben als ik, of als Grace. De beslissingen over wat er in het boek komt, zullen gezamenlijk worden genomen.'

'Zijn er twijfelachtige dingen, buiten wat ik al heb gevonden?'

Francine zei heel rustig, vol vertrouwen, ook al wist ze voor een deel dat ze daar nog niet zo zeker van kon zijn: 'Ik weet het niet. Grace heeft nooit veel over haar jeugd gepraat.'

'Hoe ver is ze met het boek?'

'Ze heeft aantekeningen. Ze weet niet zeker hoe ze die moet rangschikken' – en dat was nog heel zwak uitgedrukt – 'en daarom hebben we iemand als jij nodig.'

'Waarom is ze niet hier? Als dit boek zo veel voor haar betekent, had ik dat wel verwacht. Is ze ziek?'

'Ze zit thuis te werken.'

'Waarom zei Sophie dan dat ze in Antibes zat?'

'Omdat je haar een beetje boos maakte. Ze had de indruk dat jij dacht dat ze jong en naïef genoeg was om ongewild iets te zeggen dat ze voor zich had moeten houden. Sophie is scherp. Je moet haar niet onderschatten.'

'Weet ze van onze ontmoeting?'

'Ja.' Dat was niet waar, maar wat gaf het.

'Zorg dat je je vijand voor je wint?'

Dat ook, dacht Francine met een glimlach. 'Je bent goed op de hoogte van de uitspraken van Grace.'

'De uitspraken van Grace zijn me met de paplepel ingegoten.'

Francine zag even iets van een verwante ziel. Ze besefte opeens dat ze het misschien wel leuk zou vinden om met Robin samen te werken. 'Arme jij. Arme wíj.' Ze schudde verbaasd haar hoofd. 'Je bent echt de beste keuze voor deze klus.'

'Maar zal ik het overleven?'

'Het overleven dat je met Grace werkt? Ja, dat zul je overleven.' Grace niet, maar dat had niets met het boek te maken. 'Je moet het maar zó bekijken. Als je aan je kinderen denkt, levert het werken voor ons minder risico's op met een grotere beloning dan al het andere dat je kunt doen.'

'En als ik nou nee zeg?'

'Dan moeten we iemand anders in de arm nemen. Maar jij bent onze eerste keus.'

Robin draaide het koffiekopje in haar handen rond. 'Zelfs ondanks sommige dingen die ik over Grace heb geschreven?'

'Dat maakt het samenwerken des te interessanter. Ik bewonder je om je volharding. Zoals ik al eerder heb gezegd, ben je heel vasthoudend geweest.'

'In mijn tien jaren als journaliste heb ik niets gedaan dat een voordracht voor de Pulitzer-prijs waard was.'

'Dat is waar. Maar jij hebt iets dat niemand anders heeft. Je bent hier persoonlijk bij betrokken. Je bent met Grace opgegroeid. Net als ik.'

Robin wist niet of het een kwestie van noodlot, geluk of zuivere volharding was waardoor de kans van haar leven haar in de schoot werd geworpen, maar ze was buiten zichzelf van blijdschap. Wat kon het toch raar lopen in het leven. Wat kon het toch gewéldig lopen.

Wat zou het schrijven van de biografie van Grace voor haar betekenen? Het betekende regelmatige werktijden, om te beginnen, en dat betekende dat ze meer tijd voor haar kinderen had. Het betekende dat ze zich diepgaand op één onderwerp kon richten in plaats van oppervlakkig met van alles tegelijk bezig te zijn. Het betekende geld, en dat betekende dat ze de auto kon laten repareren, een betere flat kon gaan zoeken, of misschien zelfs een klein huis, als de kinderen van school waren. Het betekende naamsbekendheid, en dat betekende een toekomst van mogelijkheden die groter en beter waren dan alles wat de *Telegram* haar te bieden had.

Vreemd genoeg had ze niet verder dan de *Telegram* gedacht. Maar aan de andere kant was dat ook niet verwonderlijk. De allemachtig hoge maatstaven waaraan zij onderworpen was geweest – en die tussen haar en haar ouders een vervreemding hadden veroorzaakt die aan haar huwelijk had geknaagd tot dat kapotging, en die haar relatie met de kinderen vele malen op het spel hadden gezet – die maatstaven dreigden haar tot mislukken te doemen. Dus had ze geleerd haar doelen laag te stellen en alles zo goed mogelijk te doen. Nu begon dit eindelijk vruchten af te werpen.

Haar moeder was erin gebléven als ze dit had geweten.

En haar vader? Ze had hem na de dood van haar moeder niet meer gesproken. Robin vroeg zich af of het hem iets kon schelen wat zij deed. Ze vroeg zich af of hij er de ironie van zou inzien. Haar broer wel, maar die zag de dingen net zoals zij. De maatstaven van Grace hadden haar eerst vernederd, nu zou Grace haar verheffen.

Ze zei nog niets tegen de kinderen, tegen haar vrienden, tegen iemand bij de *Telegram*. Ze zou haar schepen niet achter zich verbranden tot ze een contract zwart op wit had. En dat kreeg ze twee dagen later. En toen was ze buiten zichzelf van vreugde. De voorwaarden waren goed. Béter dan goed. Door met Grace samen te werken zou Robin twee keer zoveel verdienen als nu... drie keer... vier keer zoveel.

Er was uiteraard die clausule. Als voorwaarde voor het betreden van het Dorian-huis, moest ze ermee instemmen dat alles wat ze zag of hoorde over Grace of haar familie, anders dan wat er in het boek verscheen, vertrouwelijk zou blijven. Er mocht geen sprake zijn van onthullingen aan roddelbladen, geen vervolgen op het eerste, geen tijdschriftartikelen over het leven met de Dorians.

Tijdens haar overspannen fantasieën had Robin zich het boek van Grace voorgesteld als het eerste van verscheidene lucratieve publicaties waaraan haar naam verbonden was. Daar kon geen sprake van zijn als ze de overeenkomst tekende.

Maar de clausule deed ook andere mogelijkheden vermoeden –

namelijk dat er allerlei geheimen waren achter de muren van de Dorians. Grace Dorian mocht dan misschien nooit haar haar in de war hebben, met afgebladderde nagellak lopen of haar goede humeur verliezen. Maar als er andere dingen waren – en als Robin die te weten kwam, en ze kon Grace ervan overtuigen dat de wereld van haar zou houden ondanks haar tekortkomingen, wat waarschijnlijk niet het geval was, want de mensen waren nu eenmaal wispelturig, maar wat kon dat bommen – dan zou alles wel eens heel goed uit kunnen pakken.

Er waren meer manieren om een probleem aan te pakken, schreef Grace altijd. Robin zette haar toekomst daarvoor op het spel.

15

Net als de waarheid kan de zon soms schuilgaan achter
wolken, worden verduisterd door de maan, of naar de
andere zijde van de aarde worden verwezen. Maar ze komt
altijd weer op om te schijnen.

– Grace Dorian, in de talkshow van Donahue

Grace voelde zich thuis het veiligst, want daar was alles vertrouwd,
nu zelfs van etiketten voorzien om haar eraan te herinneren wat
waar was. Ze beging nu af en toe op de vreemdste plekken vernederende vergissingen die ze haar hele leven had willen vermijden.

Aangezien de achtertuin ook veilig was, ging ze daar met Francine wandelen. De lucht was helder en fris, de groenblijvende
heesters waren overdekt met een laagje rijp, het gazon was maag-
delijk wit. Ingepakt in een dikke laag kleren voelde ze zich veilig
voor kou en nattigheid.

Ze was dol op sneeuw – alles werd er zo zuiver van, de dingen
die door de kou waren gedood werden erdoor bedekt, en de tuin
golfde dan als een stralend, aaneengesloten geheel vanaf het huis
naar de begroeide rivieroever omlaag. Ze zocht naar vogelsporen
en vond die; ze zag een lief grijs beestje naar een boom snellen en
omhooggaan, met een pluimige staart zwiepend achter hem aan.
Ze probeerde zich te herinneren hoe het dier heette, maar was de
gedachte toen alweer kwijt.

Bij wijze van voorzorgsmaatregel haakte ze tijdens het wandelen haar arm door die van Francine. Ze verloor soms haar evenwicht, wist niet meer wat onder of boven was, en kwam dan op de
grond terecht. De keren dat dit was gebeurd, was er gelukkig niemand in de buurt geweest om getuige te zijn van deze vernederende situatie.

'Moeder?'

'Ja, lieverd?'

'Kunnen we over je boek praten?'

'Op zo'n mooie dag?' Praten over het boek maakte dat ze geprikkeld en onzeker werd. Ze moest zich concentreren, dat was alles. Een paar uur flink doorwerken en het boek was af.

'We houden onszelf voor de gek,' zei Francine. 'We kunnen het niet alleen.'

'Lieve help. Denk maar aan het glas.'

'Halfvol en niet halfleeg. En een goed begin is het halve werk. Maar dat is er nog niet, mam. Het boek is voor nog geen derde klaar, of zelfs maar voor een kwart. We hebben een ghostwriter nodig. Ik heb Robin Duffy ingehuurd.'

Grace had die naam eerder gehoord, maar ze wist niet meer waar. 'Ken ik Robin Duffy?'

'Ze schrijft voor de *Telegram*. Haar moeder was een van je grootste fans. Robin is opgevoed aan de hand van jouw columns.'

'Heb ik haar ooit ontmoet?'

'Ze heeft vorige zomer een interview met je gehad. Je vond dat goed.'

Grace herinnerde zich opeens iets anders. 'Zij was degene die dat vréselijke artikel na mijn ongeluk heeft geschreven.'

'Ja, ach, dat was een communicatiestoornis,' zei Francine haastig. 'Het kan zowel mijn fout als die van een ander zijn geweest, maar het punt is dat er geen communicatiestoornissen zullen zijn als ze aan onze kant staat. Amanda vindt het een geweldig idee. En Katia ook.'

Robin Duffy had na haar ongeluk een afschuwelijk artikel geschreven. Robin Duffy wilde haar te grazen nemen. En Amanda en Katia waren al net zo.

'Ik vind 't geen geweldig idee,' zei Grace. Ze rukte haar arm los en begon in stroomafwaartse richting te lopen. Ze was nog geen vijf stappen ver gekomen toen ze struikelde over een boomwortel die onder de sneeuw verborgen zat. Francine ving haar op en hield haar vast.

Grace schopte tegen de wortel. Iedereen, alles, scheen het af en toe op haar te hebben gemunt. Zelfs een boomwortel. Het was een... een... ze spanden gewoon tegen haar sámen!

Ze liet zich terugloodsen naar het huis, naar veiliger terrein. 'Ik wil niet dat iemand anders mijn boek schrijft.'

'Jij schrijft het nog steeds. Maar er is iemand anders nodig die je daarbij zal helpen. Dat is alles.'

'Het is mijn boek.'

'Het is geen boek als het niet wordt geschreven.'

Grace keek Francine woedend aan. 'Die toon van jou is heel ongepast. Wat bezielt je? Wil je me soms kapot hebben? Vind je 't léuk om me zo te kleineren?'

Francine ontkende dit uiteraard. 'Ik probeer er alleen maar

voor te zorgen dat het boek verschijnt. Katia smeekt me om het manuscript.'

'Ik heb tijd nodig, geen hulp. Lieve help, je zou denken dat ik een kind was. Ik kan mezelf aankleden. Ik heb geen kleedster nodig.'

'Natuurlijk niet...'

'Waarom heb je er dan een aangesteld?' Grace kon zich de naam van de vrouw niet herinneren, maar ze had nu al slechte voorgevoelens over haar.

'Jane Domenic is geen kleedster. Ze zal je assistente zijn.'

'Jij bent mijn assistente. Zij is gewoon een babysit.' Grace liet zich niet voor de gek houden. Ze had veel gelezen. Ze wist dat dit zou komen. Het was de meest vernederende gebeurtenis die ze tot nu toe had meegemaakt.

'Jane Domenic is geen babysit. Ze heeft de afgelopen twaalf jaar gewerkt als directiesecretaresse en duizendpoot met een tachtigurige werkweek voor een Wall Street-bons. Ze is uitermate hoog gekwalificeerd. Jij hebt het eerste recht op haar, maar ze zal Sophie en mij ook kunnen helpen.'

'Ik kan het uitstekend alleen af, dank je wel.'

Francine zuchtte. 'Alsjeblieft mam. Je hebt me gesmeekt jou te helpen dat boek te schrijven. Je hebt toegegeven dat je het niet alleen afkunt.'

Grace kon zich dat alles niet herinneren. Ze zou er beslist nooit om hebben gesmeekt. 'Help jíj me dan. Niet de een of andere buitenstaander.'

'Maar ik weet helemaal níets over het schrijven van een boek,' riep Francine, 'en zelfs als ik het wel deed, dan zou je me nog niet de informatie die ik nodig heb willen geven!'

'Mijn schuld. Altijd mijn schuld.' Ze rukte aan haar arm, maar Francine hield vast.

'Oké. Als jij dat geen goed idee vindt, kunnen we die eerste jaren overslaan en een leuk, klein boek maken met daarin ook wat uittreksels uit je columns, vermengd met het verhaal van je leven, vanaf het moment dat je papa ontmoette.'

Grace verstijfde. 'Betrek je vader hier niet bij. Hij heeft er niets mee te maken. Hij zat heel ergens anders toen *De Hartsvriendin* werd geboren.'

'Hij was er. Ik was er. Ik heb hem hier zelf gezien.'

Grace was verbijsterd. Ze had zo hevig haar best gedaan het verleden uit te wissen. En dat was haar gelukt. Of niet soms?

'Probeer je me in de val te lokken?' vroeg ze, want ze wist zeker dat zíj niets had gezegd.

Of liever gezegd, ze dácht dat ze niets had gezegd.

Maar er waren dingen die ze zich niet kon herinneren. Er waren grote leemten waar hele reeksen gebeurtenissen hadden moeten zijn. Gisteren bijvoorbeeld. Ze kon zich niet herinneren wat ze had gedaan. Misschien had ze gewerkt, had ze toen haar haar laten doen, was daarna gaan winkelen. Misschien had ze zelfs een bespreking gehad met Amanda. Of was dat eergisteren geweest? Nee. Toen had ze met Mary geluncht. Dat was toch zo?

Francine zei: 'Ik heb morgen met Robin in een café in de stad afgesproken. Daarna zal ik haar hier brengen om jou te ontmoeten.'

'Robin?' vroeg Grace. Ze veronderstelde dat Robin een nieuwe vriendin was. Francine had haar nieuwe vriendinnen altijd aan Grace voorgesteld, ze had altijd haar goedkeuring willen hebben. Zo'n braaf meisje.

'Robin Duffy,' zei Francine. 'De vrouw die je boek gaat schrijven.'

Maar... maar dat was geen vriendin. 'O nee. Zij gaat me niet ontmoeten. En ze gaat mijn boek niet schrijven. Ze zal alles verdraaien wat ik zeg, tot het er als modder uitkomt.'

'Modder?'

'Modder. Je weet wel, vies.'

'Ik zal haar dat niet laten doen.'

'Je zult het niet tegen kunnen houden. Ik weet hoe schrijvers werken. Ze krijgen ergens lucht van, en dan geven ze niet op voordat... voordat...' Haar geest werd leeg. Ze zwaaide de ontbrekende gedachten weg. Alles wat overbleef was een angstig voorgevoel. 'Niet goed.'

'Ik zal haar goed in de gaten houden,' hield Francine vol. 'Er zal niets gebeuren zonder jouw toestemming. Ze zal je geen kwaad kunnen doen. Dat belóóf ik je.'

Het voorgevoel was een grote, donkere wolk. 'Ze zal me wél kwaad doen.'

'Dat kan ze niet.'

De wolk werd donkerder, daalde over haar neer. Grace wilde hem wegduwen, maar hij was te groot, te zwaar. Ze jammerde van frustratie. 'Het is niet goed, dat verzeker ik je, niet goed.' Ze rukte aan haar arm, schudde Francine van zich af tot ze vrij was. Toen wilde ze ervandoor gaan, maar haar schoenen konden geen houvast vinden op de gladde ondergrond. Ze viel met een nieuwe kreet op de grond.

Francine knielde vlug naast haar neer en hielp haar te gaan zitten. 'Lieve help, mam. Heb je je pijn gedaan?'

Grace greep naar haar knie. Die voelde vreemd aan. 'Ik denk dat ik iets heb verdraaid.'

Francine betastte de knie. 'Er is niets dat onder een vreemde hoek naar buiten steekt. Doet dit pijn?'

'O lieve help. Kijk eens naar mijn broek. Helemaal nat.'

'Alleen maar de knieën, waar je gevallen bent.' Francine veegde de sneeuw weg. 'Kun je erop staan?'

'Ik ben geen invalide,' mompelde Grace, hoewel ze zich door Francine overeind liet helpen. Na haar handschoenen recht te hebben getrokken, rechtte ze haar schouders en begon weg te lopen, maar voelde toen een steek in haar knie.

'Doet 't pijn?' vroeg Francine.

'Een beetje. Vreemd, maar ik heb zeker iets verstuikt. Ik was me er niet van bewust dat ik iets deed. Ik begin kennelijk oud te worden.'

'Eenenzestig is niet oud,' zei Francine.

Dit beetje pijn in haar knie was waarschijnlijk alleen maar een beetje artritis, maar het herinnerde Grace aan de dingen die moesten gebeuren. Ze zou er niet eeuwig zijn. Niemand was er eeuwig. Treurig. Heel treurig, vond ze. Het huis zag er prachtig uit, zo nat en fris, met sneeuw op de erkers en op de uitspringende dakdelen. Straks werd het voorjaar. Daarna kwamen de bloemen.

Grace was dol op bloemen, ze was dol op de verzameling kleuren langs de rand van het terras. Ze zou een feest geven in april, wanneer alles in bloei stond. De uitnodigingen zouden met de hand beschilderde randen hebben. Ze had dat ooit eerder ergens gezien. Heel mooi.

Een zomerfeest. Beslist.

Francine was opgelucht toen Davis even langskwam op weg naar huis. Ze had behoefte aan zijn toverkracht. Het was een vermoeiende middag geweest.

Grace had zich sierlijk uitgestrekt op de bank in haar zitkamer, waar ze naar Mozart lag te luisteren. Toen hij binnenkwam, protesteerde ze dat ze helemaal geen dokter nodig had, maar ze kromp ineen toen hij haar knie onderzocht.

'Er is niets gebroken,' zei hij even later in de hal tegen Francine. 'Als de pijn of de zwelling toeneemt, kunnen we er een röntgenfoto van laten maken, maar het heeft geen zin haar nu al naar het ziekenhuis te slepen. Dat zou haar alleen maar overstuur maken.'

Francine besefte dat maar al te goed. Zelfs de regelmatige afspraken met Davis brachten Grace uit haar evenwicht en maakten haar moeilijk te hanteren.

Davis liep naast haar en keek af en toe naar haar omlaag. Francine dacht terug aan die avond, zeven maanden geleden, toen hij voor het eerst naar het huis was gekomen. Ze was toen woedend geweest, had zich zelfs bedreigd gevoeld, maar ook erg onder de indruk, en het gebons van haar hart zei haar dat dit nog steeds zo was. Maar haar hart vertelde haar niet wat ze verder moest doen nu het zakelijke gedeelte was afgehandeld.

'Hou Grace een beetje in de gaten,' zei hij op een toon die professioneel genoeg was om haar geen houvast te bieden. 'Ze vergeet misschien dat de knie gewond is, en dan belast ze hem meer dan hij kan hebben. Moet ik een verpleegster zoeken om haar vannacht in de gaten te houden?'

De gedachte was hemels, maar het kon niet. 'Grace zou een nachtzuster eenvoudig niet pikken. Ze wordt al kwaad wanneer ik zeg dat ik extra hulp wil inhuren. We hebben daar vanmiddag een uitbarsting over gehad.' Hij wist al van Jane Domenic. Nu vertelde ze hem over Robin.

Hij slaakte een gesmoorde kreet. 'Heb je de vijand ingehuurd?'

Ze gaf hem met haar elleboog een por in de ribben.

Hij trok haar grinnikend naar zich toe. 'Heel slim.'

Zijn lof kietelde haar inwendig. 'Of heel slim, óf uitermate dom,' zei ze. 'Robin zou ons een dolksteek in de rug kunnen geven.'

'Ze zal geen rechtszaak willen riskeren om haar kinderen te beschermen. Bovendien, als het waar is wat ze zegt, maakt Grace deel uit van wie zij is.'

'Maar ook deel van al haar frustraties. Ze is net als ik, Davis. Ze heeft altijd in de schaduw van De Geweldige Vrouw moeten leven. Laten we hopen dat ze meer positieve gevoelens heeft dan negatieve. Ik heb nou al maanden met dit boek in m'n maag gezeten. Ik kan je niet zeggen hoe fijn ik het zal vinden om hulp te hebben.'

Ze hadden de vestibule bereikt. Davis gebaarde met zijn kin naar de hal ertegenover en vroeg, nu met hese stem: 'Wat is er die kant uit?'

'Eetkamer. Keuken.'

'En verder?'

Ze glimlachte. 'Drie keer raden.'

Hij pakte haar hand en ging op weg.

Ze probeerde hem lachend af te remmen. 'Wauw. Ho. Stop. Wat wilt u, dokter Marcoux?'

'Drie keer raden.'

'Dat gaat echt niet,' riep ze, nog steeds lachend. 'Niet nu.'

Toen hij pardoes bleef staan, botste ze tegen hem op en werd toen tegen de elegante wand met fluweelpapier van Grace's kamer gedrukt. Hij hield haar handen achter zijn rug en boog zich over haar heen.

Zijn mond was vlak boven de hare. 'Ik heb je slaapkamer nog nooit gezien,' mompelde hij.

'Dat weet ik.'

'Ik wil 'm zien.'

Ze schudde haar hoofd.

'Waarom niet?'

'Je laat Legs schrikken.'

'Ze kent me inmiddels. Bedenk een betere smoes.'

'Het is er een bende.'

'Het kan nooit erger zijn dan mijn huis.'

Francine keek van zijn mond naar zijn ogen en zei, opeens serieus: 'Ik heb behoefte aan afstand tussen het een en het ander, Davis. Wat wij hebben – wat wij doen – plaatst me in een andere wereld. Hier staat alles in het teken van Grace en haar ziekte. Vooral wanneer je bedenkt hoe we elkaar hebben ontmoet, wil ik dat onze relatie daar volledig van gescheiden blijft.'

'Bij mij thuis ontvlucht je alles. Je zou hier ook alles kunnen ontvluchten. De sleutel is niet waar je bent, maar met wie je bent.'

'Misschien binnenkort. Maar nu nog niet.'

Hij bewoog zich tegen haar aan en maakte een geluid dat zei dat ze geweldig aanvoelde. Het gevoel was wederzijds. Ondanks het feit dat de mystiek was verdwenen, dat ze al exact wist wat er onder zijn kleren zat, dat ze alles had aangeraakt en had geproefd. Maar de nieuwigheid noch de attractie was verdwenen. Ze hield van zijn geur, hield van de lichaamswarmte die die geur verspreidde, ze hield van de belofte van die hitte. Wanneer hij dichtbij kwam, beefde ze vanbinnen.

Hij bedekte haar mond met een kus die van gefluister naar liefkozing naar hongerige begeerte ging, en ze gaf zich over aan het genot, greep deze kleine mogelijkheid tot vluchten, zoals die zich voordeed.

Toen werd er luid een keel geschraapt. 'Neem me niet kwalijk. Eh… sorry. Stoor ik misschien?'

Francine begreep niet onmiddellijk van wie de stem was. Tegen de tijd dat het tot haar doordrong, was het te laat.

Haar tong gleed langzaam van die van Davis. Hun monden maakten zich van elkaar los. Ze haalde beverig adem en legde haar voorhoofd op zijn kin. 'Sophie.'

'Ik liep net de hal door en toen zag ik jullie,' zei Sophie op brutale toon. 'Wat een verrassing.'

'Sophie,' zei Francine, iets nadrukkelijker.

'Op zoek naar keramische tegels, hè?'

'Sophíe!'

'We hebben geweldige tegels gevonden,' zei Davis, hoewel zijn stem gespannen klonk. Francine wist waardoor. Het was dezelfde reden waarom hij niet wegliep. 'Ze komen uit Italië,' zei hij. 'Dertig bij dertig centimeter. Beetje bruin, roodbruin van kleur. Heel warm om te zien.'

'Dat zal vast wel,' zei Sophie.

Francine keek opzij. Een ander kind dat haar moeder in de armen van een man had aangetroffen zou beschaamd zijn gevlucht. Maar Sophie leek volledig op haar gemak zoals ze daar op nog geen meter afstand tegen de muur geleund stond. En ze was niet van plan weg te gaan. 'Is dit iets nieuws?'

'Dat zou je wel kunnen zeggen, ja,' zei Francine.

'Is het iets waar ik me zorgen over moet maken?'

'Nog niet.'

'O, nou, maar dan heb ik toch één waarschuwing.'

'Een waarschuwing?'

'Jullie zijn typisch van die jaren zeventig mensen, van *make-love-not-war*, maar dat is nu anders, want we leven in het aids-tijdperk. Ja, ik weet dat het moeilijk is om je voor te stellen dat mensen als jullie ook aids kunnen oplopen, maar je weet het nooit zeker, dus wat ik wil zeggen is dat als jullie absoluut, beslist geen onthouding kunnen opbrengen, jullie beslíst condooms moeten gebruiken, en dan niet zomaar de eerste de beste oude...'

Francine was onder Davis vandaan geglipt om Sophie met één hand het zwijgen op te leggen en haar de hal uit te loodsen. 'Je begint te veel praatjes te krijgen, meisje.'

Sophie fluisterde vanuit haar mondhoek: 'Dokter Marcoux?'

'Wat mankeert er aan dokter Marcoux?' fluisterde Francine terug.

'Je had toch zo de pest aan hem?'

'Nee. Ik had de pest aan hem om wat hij zei. Daar zit verschil in.'

'Ben je met 'm naar bed geweest?'

'Wat is dát nou voor een vraag?'

'Dat soort vragen stel jij ook aan mij.'

Francine stond op het punt op hun verschil in leeftijd te wijzen toen ze opeens zweeg. Grace stond op de plek waar de hal in de foyer uitkwam. Haar blik was als een onweerswolk. Zonder iets te zeggen, draaide ze zich om en liep kreupel terug naar haar zitkamer.

Francine probeerde te bedenken hoeveel ze had gezien, maar ze vermoedde uit die blik dat het meer dan genoeg was, en ze stond in tweestrijd of ze de confrontatie moest aangaan en alles moest bekennen, of het moest ontkennen, toen Sophie zei: 'Ga jij naar Davis, dan bekommer ik me om Grace.'

Davis had de vestibule bereikt tegen de tijd dat ze weg was. Francine had inmiddels ook een humeur als een onweerswolk. 'Dát,' zei ze, 'is nou precies de reden waarom ik jou mijn slaapkamer niet wilde laten zien.'

'Als je mij die had laten zien, was dát niet gebeurd.'

'Je begrijpt 't niet. Grace is hier nog niet aan toe.'

'Waar aan toe? Dat jij haar dokter kust? Ik dacht dat we dat punt al hadden behandeld. Onze relatie valt volledig buiten het professionele. Dus wat is het probleem?'

'Grace. Ze heeft van die starre ideeën. Ze is het niet gewend dat ik mannen in de hal sta te kussen. Het was beter geweest als ze de kans had gehad ons samen te zien. Dan was ze er beter op voorbereid geweest.'

'Vanwaar die noodzaak? Je bent een volwassen vrouw.'

'Die heel veel om haar moeder geeft,' zei Francine op overredende toon, 'en die toevallig een moeilijke periode in haar leven doormaakt. Laat me met haar praten, Davis.'

'Laat míj met haar praten.'

'Om wat te zeggen? Dat haar dochter je opwindt? Dat je in geen jaren in bed zoveel pret hebt gehad als met haar?'

'Wat dacht je van omdat ik van jou hou?'

Francine rolde met haar ogen. 'Dat zeg je niet omdat het niet waar is, omdat ik jouw toekomst niet ben. Dat heb ik je vanaf het begin al verteld.' Ze legde haar handen om zijn hals, streek met haar duimen over zijn kaak. 'Ga nu naar huis, Davis. Ik bel je later nog wel. Alsjeblieft?'

Hij keek even alsof hij ertegenin wilde gaan – hij leek heel donker en heroïsch – en op dat moment werd Francine half verliefd op hém.

Het volgende moment legde ze haar vingertoppen op zijn mond en fluisterde: 'Later,' en liet hem achter zodat hij zelf de deur uit kon stappen, terwijl zij achter Grace aan ging.

Grace zat in de zitkamer, maar ze luisterde niet langer ontspannen naar de symfonische geluiden die de kamer vulden. Ze zat rechtop, met haar lippen stijf opeengeknepen, terwijl Sophie tegen haar praatte.

Francine kon niet verstaan wat Sophie zei. Het gepraat hield onmiddellijk op toen ze binnenkwam.

'Nou, dat was een hele verrassing,' zei Grace, op zo'n levendige toon alsof de ziekte van Alzheimer nooit had bestaan. Francine probeerde ontspannen te klinken. 'Hij is een aardige man.'

'Weet Robert van hem?'

'Ik betwijfel het. Robert kent de details van mijn leven niet. Hij heeft geen enkele reden die te kennen.'

'Die heeft hij wel als je wilt dat hij met je trouwt.'

Francine besloot dat dit het geschikte moment was. Als Grace zo helder was, zou ze ook realistisch zijn. 'O mam, jij bent de enige die wil dat ik met hem trouw. Ik wil niet. Hij wil niet. Het zit er gewoon niet in. Er is níets tussen ons.'

Vanuit haar ooghoek zag Francine hoe Sophie een vuist in de lucht stak en met haar mond 'Zet 'm op!' vormde. Ze had haar misschien vrolijk toegegrijnsd als Grace niet zo onthutst had gekeken.

'Dus jij hebt iets met mijn dokter, maar volgens mij is het niet meer dan een bevlieging. Was dat ook niet het probleem met je huwelijk?'

Haar geheugen werkte opeens perfect, peinsde Francine droog. 'Davis en Lee verschillen van elkaar als dag en nacht. Lee was volstrekt inwisselbaar met iedere keurige jongeman die ik ooit op de golfclub heb ontmoet. Davis is geen keurige jongeman van de golfclub.'

'Daarom zal het ook niet werken. Hij is te anders.'

'Ik verwacht helemaal niet dat er iets werkt. Hij heeft me gekust. En daarmee uit.' Het was niet echt een leugen. Ze hadden elkaar in de hal alleen maar gekust.

'Ik heb veel meer gezien,' hield Grace vol. 'Veel meer. Het is niet goed om dat op klaarlichte dag te doen. Stel je eens voor wie er zomaar voorbij had kunnen komen. En dat met de kinderen erbij. Lieve hemel.'

Kinderen? Francine huiverde toen ze bedacht wat Grace dacht of zich herinnerde of zich verbeeldde. 'En als ik nou zou willen dat het wel iets met Davis werd, zou dat dan zo slecht zijn? Hij is een goede man, een uitstekende dokter.'

'Hij heeft een afkomst van niets,' zei Grace.

'En is dat van belang? Je hebt column na column geschreven over het feit dat liefde belangrijker is dan geld. Wat zou het anders maken als hij een groot familiekapitaal achter de hand had?'

'Als Jim er niet was geweest, was hij in de goot beland.'

'Misschien wel, misschien niet. Maar hij ligt niet in de goot. Hij is een alom gerespecteerd arts. Hoe kun je daar nou bezwaar tegen hebben?'

'Hij komt uit Tyne Valley!' riep Grace uit, alsof dat alles verklaarde.

Maar Francine begreep er niets van. 'Pastoor Jim komt daar ook vandaan. Maakt dat hem tot iets minders?'

'Pastoor Jim' – de stem van Grace werd zachter – 'is een geweldige man.'

'Ja. En hij komt uit Tyne Valley. Net als Davis Marcoux.'

'Dat is niet hetzelfde. Je moet niet met Davis Marcoux omgaan.'

'Moeder,' zei Francine met een ongelovig lachje, 'je praat onzin.'

'Ik praat onzin. Ik praat onzin. Dat is alles wat ik te horen krijg. Ik praat géén onzin, maar het bevalt jou niet wat ik zeg. Davis Marcoux is mijn vriend niet. Hij is jouw vriend niet. Hij brengt ongeluk.'

'Moeder!'

'Ik wil hem hier niet in huis!'

'Dat spijt me dan geweldig,' zei Francine, nu geïrriteerd. 'Ik was van plan hem voor Thanksgiving uit te nodigen.'

'Als je hem te eten vraagt, kom ik niet aan tafel.'

Francine zuchtte. 'Kom op, mam. Doe niet zo mal.'

Maar Grace leek vastbesloten. 'Ik kom niet.'

'Hoor eens,' zei Francine, nu vriendelijk en overredend, 'laten we niet kibbelen. Je hebt grote kans dat hij niet eens wíl komen eten.'

'Hij zal bewijzen tegen me verzamelen. Hij zal me in de gaten houden en verslag uitbrengen. Ik kan dat niet hebben.' Ze leek bijna in tranen en ze boog haar hoofd. 'Niet op deze manier. Het is niet goed. Het is niet goed om te zien.'

Francine was onmiddellijk een en al berouw. Als Grace zo deed, huilerig, met gebogen hoofd, zich pijnlijk bewust van haar ziekte en van het inkrimpen van haar persoonlijkheid, dan viel er weinig te zeggen bij wijze van troost. Dus sloeg ze een arm om haar heen, drukte haar tegen zich aan en zei op kalme toon: 'Als Davis hier is, zal het zijn als vriend.'

'Maar je zei dat we het gewoon onder ons zouden houden.'

'Maar hij is helemaal alleen.'

'Hij zal naar mij zitten kijken.'

'Hij zal naar de televisie kijken. Hij is dol op voetbal.'

Grace trok zich terug, wierp Francine haar meest afkeurende blik toe en stond op. 'Ik wil hem hier niet in dit huis hebben. En nu ga ik aan het werk. Ik kan het me niet veroorloven een beetje rond te lummelen. Ik heb een column te schrijven.'

Robin Duffy arriveerde de volgende morgen om vijf voor negen in het café. Ze vond dat Francine er wat geagiteerd uitzag toen ze een minuut later gehaast binnenkwam. 'Je zit je waarschijnlijk af te vragen waarom ik hier wilde afspreken voordat we naar het huis gaan.' Ze wenkte de serveerster. 'Koffie, heet en sterk, met aardbeien en een broodje. Robin?'

Robin had zich inderdaad afgevraagd waarom ze daar hadden afgesproken. Hoewel ze niet dacht dat ze daar uitsluitend voor het ontbijt zaten, bestelde ze hetzelfde als Francine, minus het broodje. Ze had bij wijze van uitzondering samen met de kinderen ontbeten. Niet dat een extraatje kwaad zou kunnen. Haar nerveuze energie verbrandde alles wat ze at.

'Er zijn dingen die je moet weten voordat je Grace ontmoet,' zei Francine.

'Aha,' kon Robin zich niet bedwingen. 'Nu komt de aap uit de mouw.'

'Ik kon je niet alles vertellen voordat je veilig aan onze kant stond.'

'Ik vermoedde al zoiets. Ik heb me proberen voor te stellen welke geheimen er boven water zouden komen. Ik heb een paar mooie bedacht.'

'Zoals?'

'Zoals dat Grace vijf jaar geleden is gestorven en met experimentele middelen kunstmatig in leven is gehouden, maar dat die middelen een virus hebben gekregen, zodat ze tijdelijk op een zijspoor staat tot de technocraten een oplossing hebben gevonden.'

Francine pakte de koffie aan van de serveerster, glimlachte, en schudde haar hoofd. 'Sorry.'

'Dan val ik terug op mijn oorspronkelijke theorie. Drugs, alcohol, of ziekte.'

'Ziekte,' zei Francine, open en eerlijk. 'Ze heeft de ziekte van Alzheimer.'

Robin verstijfde, met het koffiekopje in haar hand. De ziekte van Alzheimer... Ze had aan kanker gedacht. Ze had zich een hartkwaal voorgesteld, of een beroerte, of iets fysiek verminkends, zoals MS of de ziekte van Parkinson. Ze had totaal niet aan Alzheimer gedacht.

'Ze heeft het al een tijdje geweten,' zei Francine. 'Ik hoorde het in april.'

Robin hoefde niet lang na te denken. 'Het ongeluk.'

'Ze wist niet hoe ze de auto moest stilzetten. Zo eenvoudig was het. Toen ik jou die avond in het ziekenhuis zag, had ik zojuist de diagnose gehoord. Ik wilde het toen nog volledig ontkennen, en de eerste drie maanden daarna ook.'

Er hoefde nu evenmin uitvoerig te worden gerekend. 'Tot Chicago, in juli?'

Francine wierp haar een berouwvolle blik toe. 'Je hebt 't snel door.'

Maar snel door hebben was iets heel anders dan de volledige omvang van de tragedie beseffen. 'Ik heb nooit aan Alzheimer gedacht. Dat is niet het soort ziekte dat je met Grace Dorian in verband brengt.'

'Ik maak echt geen grapjes,' merkte Francine op.

'Is het erg slecht met haar?'

'Het hangt ervan af wat je als slecht betitelt. Is ze de gelijkmatige, zich inlevende, alleswetende, betrouwbare persoon die altijd eigenhandig *De Hartsvriendin* heeft geschreven? Nee. Ze kan niet meer schrijven, ze kan niet meer de juiste woorden vinden, ze kan niet meer scheppend bezig zijn zoals vroeger. Maar ze functioneert nog altijd, ze communiceert nog steeds. Er zijn tijden dat ze zo rationeel is dat je aan de diagnose begint te twijfelen. En dan slaan de stoppen opeens door.'

'Slaan de stoppen opeens door?' vroeg Robin, die zich begon af te vragen hoe zwaar haar werk zou zijn.

'O, ze wordt niet gewelddadig of zo. Ze verandert gewoon van onderwerp, begint onzin uit te slaan, of wordt zwijgzaam en in zichzelf gekeerd. Ze is ook af en toe paranoïde. Ze is er bijvoorbeeld van overtuigd dat jij voor ons komt werken om haar te grazen te nemen. Ik heb haar verteld over de overeenkomst die jij hebt ondertekend. Ik weet niet zeker of ze die vertrouwt. In elk geval,' zei Francine schaapachtig, 'kan ze in het begin misschien een beetje moeilijk zijn.'

Robin kreeg opeens een vreselijk vermoeden. 'Wanneer is ze erachter gekomen dat je mij hebt ingehuurd?'

Francine zei nu wat schuldbewust: 'Gisteravond. Hoor eens, ik denk niet dat het echt moeilijk zal zijn. Je zult gewoon een beetje harder moeten werken om haar vertrouwen te winnen. Hoe vaker ze je op kantoor ziet, hoe meer ze je aanwezigheid zal accepteren. Bovendien vergeet ze veel. Als je vriendelijk voor haar bent, als je haar prijst om alle medewerking die ze je geeft, dan zal ze denken dat zij jou zelf heeft ingehuurd. En het is echt niet zo dat jij al het werk zult moeten doen. Ze heeft aantekeningen. Massa's. Zoals ik al heb gezegd, ze moeten gewoon op een rijtje worden gezet. En ze kan praten. Ze kan vragen beantwoorden. Ze herinnert zich bijna alles over het begin van *De Hartsvriendin*. Oude herinneringen blijven aanwezig, maar recente...' – ze maakte een beweging met haar hand – 'verdwijnen gewoon.'

'En hoe zit het met haar kinderjaren?' vroeg Robin. Die vielen zeker in de categorie oude herinneringen. 'Daar ben ik op tegenstellingen gestuit.'

'Haar kinderjaren,' herhaalde Francine.

'De waarheid,' drong Robin aan, terwijl ze een steek van ergernis voelde. 'Je bent me wel een uitleg verschuldigd, Francine. Het was misschien aardig geweest als ik alle feiten had gekend voordat ik me in een contract had vastgelegd.'

'Er staat een ontsnappingsclausule in. Ik heb die er juist om die reden in laten zetten. Als je wilt stoppen, moet je dat eerlijk zeggen. De geheimhoudingsclausule blijft van kracht, maar verder ben je in alle opzichten vrij.'

'Ik ben niet in alle opzichten vrij,' verklaarde Robin, terwijl ze dacht aan alle opwinding, het gevoel van eer en triomf in haar reactie op het verzoek, en de teleurstelling die ze zou voelen als ze de klus nu afwees. 'Ik heb altijd zo dolgraag over Grace willen schrijven.'

'Om de mythe te ontmaskeren.'

'Om het hele verhaal te vertellen zoals niemand het ooit heeft verteld. Er is niets onwettigs, immoreels, of onfatsoenlijks aan de ziekte van Alzheimer. Daar ontmasker je geen mythe mee. Maar de waarheid over haar identiteit doet dat misschien wel. Vertel me eens over haar jeugd.'

Francine aarzelde even voor ze opkeek en met volslagen openhartigheid bekende: 'Wat ik je onlangs heb verteld is de waarheid. Ik weet niet meer dan jij. Mínder, feitelijk. De tegenstellingen die je hebt gevonden zijn misschien uit onderzoek voortgekomen. Die van mij komen van Grace, omdat ze ze ongewild heeft laten vallen, en dat maakt ze heel twijfelachtig. Ze heeft hallucinaties. Het beeld is altijd hetzelfde. Haar familie zit in de kamer ernaast – ouders, broers en zusters.'

'Ik dacht dat ze maar één broer had.'

Francine wierp haar een dat-dacht-ik-ook blik toe.

De serveerster zette twee schaaltjes aardbeien en één broodje neer. Robin plukte wat aan haar aardbeien en probeerde te verwerken wat Francine had gezegd. 'Hebben ze ook voornamen?' vroeg ze.

'Haar ouders heten Thomas en Sara. Haar broer heet Hal.'

'En haar zusters?'

'Ik heb hen nooit voldoende geloofwaardig geacht om ernaar te vragen.'

'Ik zou op zoek kunnen gaan naar Thomas, Sara en Hal. Vooral Hal. We zouden het jaar kunnen vinden waarin hij is gestorven. Er moeten toch ergens gegevens staan genoteerd.' Ze zweeg. 'Tenzij hij helemaal niet is gestorven.'

'Dat moet wel. Dat deel van het verhaal is nooit veranderd. Niet één keer. Grace heeft steeds gezegd dat hij op vijfjarige leeftijd aan kinkhoest is overleden.' Ze legde een hand op haar borst. 'Moet je je eens voorstellen dat dat níet zo is! Moet je je eens voorstellen dat ik een oom en een tante heb? Nichten, neven?'

Robins opwinding steeg. Dit was haar boek. *De Grace Dorian die niemand heeft gekend.*

'Het probleem is,' zei Francine, 'dat Grace alles ontkent behalve haar oorspronkelijke verhaal. En dat verhaal is misschien waar. Hallucinaties hoeven niet noodzakelijkerwijs juist te zijn.'

'Ik ben een expert in het snuffelen. Ik zal de waarheid achterhalen.'

'We hebben niet veel tijd.'

'Wanneer moet het manuscript worden ingeleverd?'

'Dat is het probleem niet. Het probleem is het verstand van Grace. We moeten alles wat erin zit, eruit zien te krijgen voordat het dichtklapt.'

Gedachten die verdwenen, verledens die werden uitgewist, persoonlijkheden die werden weggevaagd. Robin zou onmenselijk zijn geweest als ze niet met Grace te doen had gehad. Bovendien had ze met Francine te doen. Het moest afschuwelijk zijn om te zien hoe je moeder langzaam maar zeker haar verstandelijke vermogens kwijtraakte.

Ze vroeg zacht: 'Hoe lang heeft ze nog?'

Francine haalde haar schouders op. 'Weken, maanden, jaren – wie weet? Daarom wilde ik dat je meteen zou beginnen.' Ze kneep haar lippen even opeen. 'Dus... doe je mee?'

Robin hoefde zich niet te bedenken. Ze was niet van plan de kans van haar leven te laten lopen. 'Ik doe mee, in voor- en tegenspoed.' Ze fronste. 'Waarom zeg ik dat nou? Waarom kies ik zo'n beladen term?'

'Omdat de maatschappij relaties altijd naar de maatstaven van huwelijken beoordeelt. Hoe lang ben je al gescheiden?'

'Zes jaar.'

'Is het een beetje in goede verstandhouding afgehandeld?'

'In zo'n goede verstandhouding als het maar bij een huwelijk kan gaan. Hij is een denker, ik ben een doener. Onze persoonlijkheden gingen in verschillende richtingen. Hij heeft de kinderen met de feestdagen en in de vakanties, omdat ze bij mij moeten zijn wanneer ze naar school gaan. Het is echt niet eerlijk. Hij heeft de leuke dingen.' Bij wijze van uitleg voor haar gemopper voegde ze eraan toe: 'De feestdagen staan voor de deur. Alles gaat dicht, het leven stagneert. Voor een doener als ik is dat heel moeilijk. Als de kinderen dan weg zijn, is het dubbel moeilijk. Ik weet nooit wat ik in m'n eentje moet doen.'

'Kom naar ons,' bood Francine aan. 'We blijven dit jaar thuis, gewoon onder elkaar. Het zal heel rustig zijn.'

Robin was even uit het veld geslagen door dit aanbod. 'Meen je het echt?'

'Dat je bent uigenodigd? Jazeker.'

Toen niets in Francines blik op iets anders wees, schudde ze verbaasd haar hoofd. 'Mijn moeder was erin geblèven als ze dit had geweten – haar dochter die voor Grace Dorian werkt, haar dochter die Thanksgiving bij Grace Dorian doorbrengt. Ongelofelijk.'

Francine leek hier blij mee te zijn. 'Dus je komt dan?'

Robin wilde best. Haar broer zat met zijn nieuwste vlam in San Francisco, en alles was beter dan duimen te zitten draaien. Bovendien mocht ze Francine wel; ze had haar vanaf het eerste begin al gemogen. Ze vond haar wat losser dan Grace, minder intimiderend, toegankelijker. 'Misschien vindt je moeder het niet goed.'

'Tja. Dat is waar. Maar ik heb haar dokter ook uitgenodigd, en dat vindt ze ook niet goed. Misschien kunnen we haar wijsmaken dat jij zijn vriendin bent. Nee. Dat zou ze nooit slikken.'

'Waarom niet? Is hij zo erg?'

'Nee. Hij is geweldig. Maar ze heeft me gisteren op heterdaad betrapt toen ik hem kuste, en ze was woedend. Ze zou zich geen moment laten wijsmaken dat hij bij jou hoorde.' Francine nam een hap van haar broodje. 'Dit zou wel eens een heel interessante Thanksgiving kunnen worden.'

'Interessant is altijd beter dan eenzaam.'

'Eenzaam? Dat zal het ook voor ons zijn. We zijn meer gewend om met veel te zijn – borrelen op de club, diner voor meer dan

206

twintig mensen bij ons thuis. Grace is misschien niet overmatig gezellig, en daarmee uit. Dus kom vooral. Hoe meer ze met je te maken heeft, hoe sneller ze zich open zal stellen. En hoe dan ook, ík heb je gevraagd, ik wil dat je komt. Verdraaid, het is ook mijn Thanksgiving.'

Wanneer je het in de context plaatste van rebellie tegen niemand anders dan Grace Dorian, kon Robin het niet afslaan.

16

Mannen zijn solitaire wezens, vrouwen hebben meer
gemeenschapszin. Voor een man is het bewaren van een
geheim een daad van trots. Voor een vrouw is het iets
wanhopigs.

– Grace Dorian, in De Hartsvriendin

Grace wist dat het Thanksgiving was – niet omdat haar kalender
dit zei, want die bracht haar alleen maar meer in verwarring, niet
omdat Francine haar hieraan herinnerde, want ze vergat zulke opmerkingen weer even snel, evenmin omdat de winkels de chocola-
de kalkoenen verkochten waar zij zo dol op was, want ze was in
geen maanden naar een winkel geweest. Ze wist dat het Thanksgiving was vanwege de geuren. Die brachten bij haar alle Thanks-
givings van vroeger weer boven, zoals ze die samen met John en
massa's vrienden in dit huis had gevierd.

De vrienden zouden dit jaar ontbreken. Af en toe begreep ze
waarom en voelde ze verdriet over het verstrijken van de tijd. Andere keren voelde ze slechts gemis en de vragen die erbij hoorden.
Wat ontbreekt er? Waar zijn ze? Waarom zijn ze niet hier?

Maar de vragen waren vluchtig, net als zoveel andere dingen in
haar hoofd. Vroeger was haar leven een voortdurende reeks gebeurtenissen geweest. Nu werd het in momenten gebroken. De gebeurtenissen deden zich onoverzichtelijk voor. Ze had geen greep
meer op de volgorde.

Dus bleef ze achter met een verzameling emoties die grillig tot
een geheel werden gevoegd door de geuren van gebraden kal-
koen, warme, kruidige wijn en verse pasteien.

Er ontstond opschudding toen ze in de keuken verscheen in
haar mooiste zwarte jurk, waarop Margaret haar naar haar kamer
terugbracht om iets eenvoudigers aan te trekken voor het ontbijt.
O ja, Grace verklaarde de vergissing door te zeggen dat ze de
zwarte jurk alleen maar aan had willen trekken om zeker te weten

of hij paste, maar de vergissing betekende wel een slecht begin van de dag. Ze bleef de hele morgen wat beverig, ze wist niet goed wat ze moest doen, wanneer ze zich aan moest kleden of naar beneden moest gaan om haar plaats aan het hoofd van de tafel in te nemen. Haar gevoel voor tijd was steeds verder vervaagd. Ze scheen niet meer te weten wat wanneer was.

Om alles nog erger te maken, was Jim er niet.

'Het is nog te vroeg voor Jim,' verklaarde Francine. 'Het is pas tien uur. Hij is nog bezig de mis op te dragen.'

Grace wachtte een poosje. Toen hij nog steeds niet kwam, begon ze te vrezen dat hij hun plannen was vergeten.

'Pastoor Jim jou vergeten?' plaagde Francine. 'Dat zou hij nóóit vergeten. Het is pas elf uur. Hij is waarschijnlijk nog in de kerk en daarvandaan gaat hij naar het ziekenhuis om zieke parochianen te bezoeken. Hij komt hier zodra hij klaar is.'

Grace wachtte nog wat langer. Toen bedacht ze dat hij het misschien was vergeten.

'Welnee mam,' hield Francine vol. 'Hij heeft me beloofd dat hij om twee uur hier zou zijn. Dat duurt nog een uur. Maak je geen zorgen. Hij komt echt.'

Robin Duffy was degene die kwam, waardoor Grace onmiddellijk gespannen raakte. Ja, Robin was nu bij hen in dienst, maar toch voelde Grace zich te koop staan. Robin hield haar in de gaten, was zelfs een beetje vol ontzag. Grace kende die blik, kende de eerbiedige houding. Robin was een fan. Ze was ook journaliste. Grace kon zich geen enkele fout veroorloven.

Dat gold nog sterker toen Davis Marcoux binnenkwam. Hij bekeek haar met een volstrekt andere blik – te medisch, te onderzoekend, te alwetend op té veel punten – en hij zat gewoon te wachten tot ze zich een keer vergiste.

Ze speelde op safe en bleef rustig en glimlachend zitten, reageerde slechts op opmerkingen die rechtstreeks tot haar waren gericht. Net zoals ze dat vroeger had gedaan, toen ze bij de ingang van de Palm Court had gestaan en de elegante dames daar had bekeken en hen had nagedaan, deed ze nu Francine na. Toen Francine een toostje met kaviaar pakte van het dienblad dat Margaret presenteerde, deed Grace dit ook. Toen Francine haar cocktailservetje netjes om het stokje wikkelde dat bij de garnaal hoorde, deed Grace dit ook.

Francine was een heel goede gastvrouw geworden. Grace wist niet wanneer dit was gebeurd, maar het was heel geruststellend.

Verder was er weinig geruststellends, vooral de afwezigheid van pastoor Jim. Grace probeerde voortdurend op haar horloge te kijken. Toen dit haar niet lukte, wierp ze Francine bezorgde blikken toe.

'Hij komt eraan,' verzekerde Francine haar keer op keer.

Maar Grace wist niet waar hij was. Ze vroeg zich af of hij ziek was geworden. Of was verdwaald. Of... het ergst van alles... terug was gehaald naar het... naar het... naar de plek waar priesters naartoe gingen om te studeren en te bidden om nooit meer terug te komen. Als dat gebeurde, ging ze dood. Daar was geen twijfel over mogelijk, ze ging hoe dan ook dood. Op de een of andere manier. De toekomst was al somber genoeg. Die zonder Jim onder ogen te moeten zien, was ondenkbaar.

Toen arriveerde hij, even lang, en recht en meelevend als altijd. Toen hij haar bij de hand nam, voelde ze voor het eerst in dagen een diepe opluchting.

Ze had het liefst de hele middag zijn hand vastgehouden. Dat was natuurlijk verboden. Maar hij wás er, met zijn geruststellende glimlach.

Francines glimlach betekende ook een troost. Ze wist wanneer ze hun gasten naar de eetkamer moest leiden, wist waar iedereen moest zitten, wist welk eetgerei ze het eerst moest gebruiken. Grace volgde haar voorbeeld en een tijdlang ging alles goed. Toen begon haar geest over vragen te struikelen.

Waarom was Robert er niet? Als er enige hoop was geweest voor Francine en hem, dan had hij vandaag bij hen moeten zijn.

Waarom was Davis Marcoux er? Was zijn aanwezigheid uit voorzorg, voor het geval zij volledig de kluts kwijtraakte?

En waarom keek Sophie zo bedroefd? Was ze ziek? Of piekerde ze over iets? Grace maakte zich daar ongerust over. Ze wilde voor Sophie alle vrede, geluk en succes van de wereld.

Grace was tijdens de maaltijd een paar keer van tafel opgestaan – om even haar handen te wassen, had ze heel beschaafd verklaard – maar de drang der natuur was wel het minst van alles. Er waren ogenblikken dat ze eenvoudigweg niet stil kon blijven zitten, dat de rusteloosheid overweldigend was, dat scherpe steken van emotie haar overeind deden schieten.

Het ene moment was het begeerte, het verlangen naar dingen die niet zo konden zijn. Het andere moment was het woede, of treurigheid, of angst. De feestdagen waren altijd moeilijk. Hoe vaak had ze haar lezers niet op het hart gedrukt dat de eerste feestdagen zonder geliefden het moeilijkst waren – en ja, ze had het gevoeld na de dood van John, die breuk in de traditie, maar dit was anders. De enige verandering na de dood van John was zijn afwezigheid geweest. Hier... nu... alles.

Misschien was dat de verklaring geweest voor de angst die ze voelde, het besef van dingen die begonnen te rotten, de haast. Sommige lijders aan Alzheimer bleven jarenlang op hetzelfde niveau, sommigen zelfs lang genoeg om aan een natuurlijke oorzaak te overlijden. Grace wist dat dit bij haar niet zo zou gaan. Ze kon het dagelijks slechter zien worden, ze kon het gestage afnemen van haar verstandelijke vermogens merken, zelfs mét haar verstandelijke vermogens.

Het eten was een perfect voorbeeld. Aanvankelijk had ze problemen met het zich herinneren of ze zelfs wel had gegeten. Daarna had ze moeite om te besluiten wat ze moest eten, vooral wanneer er meerdere keuzen waren. Toen ontdekte ze dat ze vergat dat je op wafels stroop deed en op broodjes kaas. Er waren tijden dat ze twee, of zelfs drie keer zout op haar ei deed, en God mocht weten wat ze nog meer deed dat ze zich niet herinnerde, en nu dit. Een feestelijke Thanksgiving-tafel die met meer zilver, met meer porselein, met meer extra prullaria was gedekt dan waar zij mee wist om te gaan.

Ze had het ooit geweten. Ze had haar lezers ooit de functie van al die dingetjes bijgebracht. Nu moest ze anderen imiteren. Ze was weer terug in het Plaza, een niemand, en ze stond van buitenaf te kijken hoe het er toeging.

Het dessert was net geserveerd toen Grace voelde hoe haar ogen vol tranen schoten. Ze wist niet waarom. Erger nog, ze wist niet wat ze moest doen. Dus bleef ze daar stil zitten, terwijl de tranen haar over de wangen stroomden.

Jim pakte haar hand, maar het was Sophie die haar op de schouder tikte en zei: 'Ik kan dit spul toch niet door mijn keel krijgen. Ga je een eindje met me wandelen, oma?'

Grace liep eindeloos dankbaar achter haar aan de eetkamer uit naar de hal. 'Waar gaan we heen?' vroeg ze toen Sophie haar de zilveren lynx gaf die het laatste cadeau was geweest van John aan haar.

'Een eindje lopen. Waar zijn je laarzen?' Ze viste ze onder uit de kast en hielp Grace erin.

Grace pakte haar bij de schouder om haar evenwicht te bewaren. 'Het is niet eens zo lang geleden dat ik dit voor jou deed. Toen begon je met "Dat kan ik zélf, oma." Vier jaar oud en een heel zelfstandige jongedame.'

'Het was gewoon een kwestie van trots,' zei Sophie terwijl ze haar eigen jas aanschoot. 'Ik wilde net zo volwassen zijn als mama en jij.'

Die gedachte leek belangrijk. Grace probeerde hem vast te houden toen ze het huis uitstapten, maar ze werd afgeleid toen Legs ontsnapte en langs hen heen schoot.

'Lieve help.'

'Stil maar, oma. Ze wil alleen maar even rennen.'

'Ik mag die hond niet.'

'Waarom niet?'

Grace wilde iets zeggen over haar angst voor de eerste en blijvende indruk van het beest... toen ze werd overvallen door de paarse gloed die de avondschemering over het terrein van het landgoed spreidde. Het was mooi... nee, meer dan dat... de woorden ontglipten haar... maar ze hield van dit licht. Het vereenvoudigde de dingen, maakte wezenlijke vormen duidelijk. Wezenlijke vormen waren goddelijk.

Zo was zij nu ook, minder door de mensen geschapen, wezenlijker. Wat was ze trots geweest op haar verworven kennis en de macht die deze meebracht. Misschien kwam het door haar zonde dat ze zo werd gestraft. Hield God meer van haar nu ze tot Zijn essenties werd teruggebracht?

Wat was die uitdrukking ook alweer? Trots komt voor de val? Waar had ze dat gehoord?

'Zei jíj dat?' vroeg ze toen ze haar arm door die van Sophie schoof terwijl ze langzaam over de oprit begonnen te lopen.

'Wat?'

'Iets over trots?'

'Ik zei dat ik er trots op was om net zo onafhankelijk te zijn als jij.'

Grace glimlachte. Dat was wat ze had geprobeerd zich te herinneren. 'Je lijkt in dat opzicht op mij. Onafhankelijk. Zelfs als kind al.'

'Echt waar?'

'Ik deed nooit wat mijn ouders zeiden.'

'Waren ze erg streng?'

'Ze waren vooral...' – ze zocht naar het woord, en toen ze het vond, zegende ze de koude avondlucht omdat deze haar hoofd helder maakte – 'kwaad. Boze mensen. Ze hadden niet veel. Mijn vader had het gevoel...' – ze zocht opnieuw, maar het woord wilde niet komen, dus draaide ze eromheen – 'hij had het gevoel dat hij niet veel was, omdat hij geen geld kon verdienen. Hij had dit vooral wanneer hij naar mijn moeder keek. Dus reageerde hij dit op haar af.'

'Sloeg hij haar?'

'Lieve help, nee. Er zijn andere manieren om wreed te zijn.'

Ze liepen zwijgend verder. Toen, omdat ze zich veilig voelde, zoals ze Sophie in de omhullende avondschemering vasthield, peinsde Grace: 'Hij praatte niet veel. Als hij praatte, was hij meestal dronken. Hij zei geen aardige dingen. Mijn moeder strafte hem af door tegen ons te gillen.'

'Wat deed jij?'

'O, ik bleef vaak hele avonden weg, bij mijn vrienden.'

'Echt waar?' vroeg Sophie, en ze klonk verrukt.

'We dansten. We rookten. We dronken.'

'Oma, ik ben geschokt.'

Grace gaf haar een por. 'Helemaal niet.'

'Echt waar. Ik kan me jou niet rokend voorstellen. Of drínkend.'

Grace haalde diep adem. De herinnering was opeens minder leuk. 'Tja, dat kan tragisch zijn.'

'Er is iets gebeurd, hè?'

Grace wist genoeg om zich te realiseren dat ze zich op glad ijs had begeven. 'Jíj,' zei ze, haastig op zoek naar veilig terrein, 'kreeg een insulineshock.'

'Dat kon ik niet helpen. Wat is er met jóu gebeurd?'

'Waarom heb je er niet voor gezorgd dat je iets in je maag had?'

'Oma.'

'Je zag er daarnet aan tafel niet erg gelukkig uit.'

'En dan zeggen ze nog dat het korte-termijngeheugen het eerste verdwijnt,' plaagde Sophie. 'Zo zie je maar weer hoe weinig zíj er-van weten.'

Ze liepen verder.

'Het is interessant, deze ziekte,' zei Grace ten slotte. 'Ik heb min-der gedachten. Maar de gedachten die ik heb zijn belangrijk. Ik maak me zorgen. Over je moeder. Over jou.'

'Niet doen. Je hebt genoeg andere dingen om je zorgen over te maken.'

'Wat dan wel? Niets is zo belangrijk als jij.'

Sophies greep op haar verstrakte. Ze bleven lopen, de oprit af, weg van het huis, dieper de nacht in.

'Wat mankeert eraan?' vroeg Grace na een tijdje.

Sophie barstte in lachen uit. 'Vandaag? Of iedere dag?'

'Vandaag.' Grace zag een lichte flits door de duisternis gaan. Ze klampte zich aan Sophie vast. 'Wat is dat?'

'Legs.'

'Wat?'

'Francines hond. Die doet echt niets.'

Grace dacht aan een andere keer, een andere hond. Het was een vals beest geweest, zoals hij schuimbekkend aan het eind van een ketting op het gazon van het huis van de gebroeders Gruber had gestaan. Er midden in de nacht langs lopen – niet hollen – was de zwaarste proeve van moed geweest. Johnny en zij hadden het sa-men een keer gedaan. Ze konden niet ouder zijn geweest dan zes jaar.

'Die hond had iemand doodgebeten,' vertelde Grace aan So-phie, voor het geval ze de betekenis van wat zij hadden gedaan niet begreep.

'Legs? Welnee. Legs kruipt nog liever in de kast dan dat ze ooit een vlieg kwaad zou doen.'

'Dat zei Johnny ook, maar alleen om mij gerust te stellen.'

'Opa heeft Legs helemaal niet gekend.'

Grace wist niet goed wat ze bedoelde. John had niets te maken met die kettinghond. Of wel? Ze begreep het niet meer en zei daarom maar: 'Lieve help.'

Ze hadden het eind van de oprit bereikt, maakten een wijde bocht en begonnen weer terug te lopen. Het huis was als een ornament, het leek sierlijker dan ooit.

'De dingen veranderen,' zei Sophie. 'Dat is moeilijk.'

Grace dacht aan haar kleindochter. 'Jij bent dol op verandering. Je houdt van avontuur. Ik ben meer rigide dan jij. Jij komt tegen mij in opstand.'

'Misschien.'

'Je zou jezelf pijn kunnen doen.'

'Het punt is, je kunt nog zo voorzichtig zijn, en dan gebeurt er zoiets als dit en dan is alle goede zorg geen shit waard – sorry oma, maar dat is de beste manier om het uit te drukken.'

'Lieve help,' was alles wat Grace kon bedenken om te zeggen, want ze kon deze gedachten niet helemaal volgen, en toen begon de hond naast haar te draven. Ze kon niet goed zien of hij liep te schuimbekken.

'Neem jou nou,' zei Sophie. 'Je hebt altijd volgens de regels geleefd – méér dan dat – je hebt alles goed gedaan… en nu dit.'

'En nu dit.' Ze liep weer door de nacht. Probeerde haar angst weer te bedwingen.

'Zal ik je eens een geheim vertellen?' zei Sophie op een vertrouwelijke toon, als dikke vriendinnen onder elkaar. 'Ik bedoel, ik had nooit gedacht dat ik dit tegenover jou zou toegeven, maar als ik op dit moment mocht kiezen waar ik ter wereld was, dan zou ik nu hier, bij mam en jou, willen zijn, om Thanksgiving te vieren zoals we het altijd hebben gevierd.' Ze zweeg. 'Daarna zou ik morgen weggaan om iets heel wilds te gaan doen.'

Grace fluisterde, al even vertrouwelijk, opgewonden: 'Iets wilds?'

'Zoals op een motorfiets het land doorkruisen. Of naar Parijs verhuizen en hele middagen in kleine cafés over literatuur praten. Of me bij de CIA melden als bedrijfsspion.'

Grace kreeg even een visioen. 'We konden samen vluchten, ergens opnieuw beginnen, een nieuwe naam aannemen, ander werk zoeken.' Toen Sophie niet gretig op dit aanbod inging, zei ze: 'Ik heb het ooit gedaan. Ik zou het weer kunnen doen.' Ze dacht daarover na terwijl ze verder liepen.

'Misschien,' zei Sophie zachtmoedig. 'We zullen erover nadenken.'

Grace liep er korte tijd later over na te denken toen ze het huis bereikten. Toen Sophie de deur opendeed, schoot er een hond

langs hen heen naar binnen. Grace schrok. 'Lieve help! Wat…
Stuur die hond naar buíten!'

'Het is Legs maar, oma. Ze is braaf.'

'Heb jij énig idee wat voor smerigheid die honden meenemen?
Ze zitten in iedere steeg in de vuilnisbak te rommelen.' Ze bleef
staan en keek nerveus om zich heen, eerst op de veranda en toen
naar de vestibule. Haar moeder was er. Daar was ze van overtuigd.
Dat was háár stem geweest.

Maar Francine kwam naar hen toe met een glimlach op haar gezicht. 'Zijn jullie daar. We zijn net klaar. Hoe was de wandeling?'

Grace liet het antwoord aan Sophie over, terwijl andere handen
haar uit haar jas en haar laarzen hielpen. Ze had haar aandacht op
die andere handen gericht tot ze opkeek en haar adem inhield. Er
kwam een jongere man naar haar toe, samen met een vrouw die ze
niet kende.

Haar stem klonk heel zacht. 'Johnny?'

'Dat is Davis,' zei Jim en hij sloeg een troostende arm om haar
heen. 'Met Robin. We gaan in de zitkamer Triviant spelen. Jij bent
mijn partner. Niemand weet zoveel van kunst en literatuur als jij.'

Davis? Natuurlijk. Hoe had ze die fout kunnen maken? Johnny
was veel jonger. Toch was er iets aan hem geweest dat haar aan
Tyne Valley deed denken.

Francine treurde die Thanksgiving Day om Grace. Ze treurde om
de vrouw die vol levenslust en vrolijkheid was geweest, de vrouw
die competent, optimistisch en energiek was geweest. Ze treurde
om de vrouw die de feestdagen van de Dorians tot iets unieks had
gemaakt. Ze treurde om haar moeder, die haar het leven, met liefde en gezelligheid, had geschonken.

Grace had die nacht een droom. Ze zat weer met de jongens in de
schuur, met wat vriendelijk geplaag en de gestolen whisky van
Scutch, en het akelige gevoel dat ze soms kreeg wanneer de dingen
uit de hand dreigden te lopen. Sparrow zat aan haar ene kant,
Johnny aan de andere, en ze gaven lachend de fles door, waarbij zij
ook haar deel kreeg. Er bestond geen betere manier om de narigheid te verdringen.

Wolf maakte een omtrekkende beweging en schoof vlak achter
haar op een manier die geen twijfel liet bestaan over welk effect de
drank op hem had.

'Laat haar met rust,' zei Johnny.

'Jezus, ze voelt zo lekker aan.' Hij schoof nog dichterbij, met zijn
dijen tegen haar heupen.

'Laat haar met rust,' waarschuwde Johnny.

'Je moet eerlijk kunnen delen. Jij bent niet de enige met behoeften.'

'Ga bij haar weg, Wolf,' dreigde Johnny.

'Want anders?'

De woorden bleven net lang genoeg in de lucht hangen om Johnny Wolf weg te laten sleuren en een flinke duw te geven. Hij kwam op het platgetrapte stro een eindje verderop terecht en verroerde zich niet. Verroerde zich niet. Verroerde zich niet.

Grace werd verschrikt wakker. Ze huiverde, transpireerde, hijgde, wilde dat Wolf van de grond opstond, omdat Johnny misschien het werktuig was geweest, maar zij was de oorzaak, en dat akelige, akelige gevoel was echt geworden...

Ze krabbelde snel uit bed, deed de slaapkamerdeur open en keek voorzichtig in de zitkamer. Goddank, die was leeg. Ze holde erdoorheen de hal in en de trap af, helemaal naar de keuken. Even bleef ze met haar hand op haar borst tegen de deur geleund staan. Langzaam maar zeker werd ze wat rustiger.

Er stond een ketel op het fornuis. Ze wist niets anders te bedenken dan thee te zetten, en daarom stak ze het gas aan. Daarna schoof ze een stoel tegen de muur en ging met het volle uitzicht op alle deuren zitten.

Ze keek op de klok. Ze keek om zich heen, naar haar handen, en toen weer naar de klok. Ze keek naar de achterdeur. Ze luisterde naar geluiden uit de hal.

Ze wachtte. Ze wist niet zeker waarop. Maar dat wachten leek goed te zijn.

Toen was er iets dat haar zei dat ze in beweging moest komen. Met waakzame ogen, haar rug tegen de muur, schoof ze zijdelings de keuken uit, de hal door naar haar werkkamer. Eenmaal binnen deed ze de deur met een zucht achter zich dicht en liet zich in een stoel zakken. Deze kamer stelde haar meer op haar gemak dan de andere. Hij was vervuld van de attributen van een sterke, machtige Grace. Ze keek langzaam om zich heen, begon zich langzaam te ontspannen.

Toen explodeerde de nacht in een geluid en ze schoot overeind.

Er was een moment van volslagen verlamming, een kruising van paniek en paranoia. Ze rende instinctief haar kamer uit.

'Brand! Brand!' gilde ze toen ze de hal bereikte, want dat scheen ze te moeten doen. Toen volgde ze de vage nevelslierten naar de keuken. Door de dichtere nevel door zag ze hoe er iemand stond te koken.

'Grote genade!' schreeuwde ze luid, boven het lawaai uit. 'Grote genade! Wat doe jij nou?'

'Ik probeer,' schreeuwde Francine, die bij de gootsteen stond en de kraan liet lopen, 'deze ketel op te laten houden met roken.'

'Was je thee aan het zetten? Op dit uur? Lieve help!' Ze bedekte haar oren. 'Wat een lawáái!'

Zelfs terwijl ze dit zei, zag ze Sophie bij de achterdeur staan. Het lawaai hield op. Francine draaide de kraan dicht, zette de ketel in de gootsteen en deed het raam open. Sophie zette de ventilator aan.

Geen van hen zei veel, behalve Francine: 'Ga weer naar bed, mam.' Maar Grace had het verslagen gevoel dat ze iets had misdaan.

Toen Robin eenmaal haar gang kon gaan in de werkkamer van Grace, voelde ze zich als in luilekkerland. Er waren boeken, dagboeken en mappen. Er waren foto's van Grace met beroemde mensen, en brieven van fans. Er waren flarden van aantekeningen die Grace had gemaakt onder het mom van aan haar boek te beginnen. Er waren ook rissen geheugensteuntjes – over wie mensen waren, hoe dingen werkten, wat er wanneer moest gebeuren – die waren geschreven en herschreven in een treurig getuigenis van het afnemende vertrouwen van Grace in zichzelf.

Robin nam alles door, in de dagen tussen Thanksgiving en Kerstmis. Soms werkte ze alleen achter het bureau van Grace, of met de papieren over haar eigen bureau uitgespreid in een kleinere kamer verderop in de gang. Of ze werkte samen met Francine of Sophie.

Ze hadden haar met schokkend gemak geaccepteerd, de vroegere aanvaringen in aanmerking genomen, en ze waren het meestal met elkaar eens als ze over Grace praatten, over *De Hartsvriendin* in heden en verleden, over hun gezinsleven. Het gesprek werd vaak persoonlijk.

Robin maakte nooit aantekeningen tijdens die gesprekken, ze luisterde alleen maar en nam alles in zich op. In haar wildste dromen had ze zich niet zo'n onthullende kijk op de Dorians durven wensen.

Samenwerken met Grace was een grote uitdaging. Ze was beleefd, zelfs formeel, en hield het maar één uur achter elkaar vol – waarbij ze het ene moment beheerst en kalm bleef zitten, en het volgende ongeduldig heen en weer liep – voordat ze er genoeg van kreeg en de kamer verliet. Ze had veel verhalen over *De Hartsvriendin* te vertellen, maar ze kwam er niet uit zichzelf mee. Robin moest in haar notities naar aanwijzingen zoeken en haar ernaar vragen, en dan ging het gesprek dagenlang verder, terwijl Grace's aandacht kwam en ging.

Er waren prachtige verhalen bij – interessant, vermakelijk, ontroerend. Robin kon een zeker respect voor de prestaties van Grace niet ontkennen. Ze kon evenmin haar medeleven met Grace's lot ontkennen. De Grace die ze zag was het tegendeel van de Grace jegens wie ze wrok had gekoesterd – en dat betekende

217

niet dat de wrok was verdwenen, het betekende alleen dat ze die niet steeds kon volhouden.

Het kwam voor een deel door de veranderingen die het werken voor Grace in Robins leven teweeg hadden gebracht. Verdwenen waren het koortsachtige tempo dat haar man tot razernij had gebracht, de gedrevenheid om alles te proberen in een poging in iets uit te blinken, de drang tot compenseren en tegenover de kinderen de schuldgevoelens over haar afwezigheid af te kopen. Er heerste nu plotseling orde en regelmaat, ze had een duidelijk afgebakende werkdag waaromheen ze de rest van haar leven kon organiseren. Er was flexibiliteit wanneer een van de kinderen haar nodig had, en tijd en aandacht voor hen, zelfs wanneer zij daar geen behoefte aan hadden. Het schrijven van dit boek was de eerste vaste bezigheid die ze in jaren had gehad. Ze had eindelijk eens tijd om ádem te halen.

Dat alles, en psychologische voldoening. Doordat zij was verkozen om het leven van Grace Dorian op schrift te stellen, had ze succes – dankzij Grace – op een manier die – vanwege Grace – vroeger niet mogelijk zou zijn geweest.

Ze was nog niets schokkends te weten gekomen. Maar de vroegste jaren van Grace moesten nog worden aangeboord.

Op een morgen vlak voor Kerstmis gaf Francine haar een lijst. 'Moeder noemt deze namen. Het zijn vrienden uit haar kinderjaren. Noemt ze hen ergens in haar aantekeningen?'

Robin las de lijst door. Geen van de namen kwam haar bekend voor. 'Wat zegt ze over hen?'

'Niet veel. Wanneer ik haar ernaar vraag, klapt ze dicht. Ik dacht dat jij misschien kon proberen er iets uit te krijgen als je met haar praat. Subtiel. Heel voorzichtig. Misschien komt er dan iets uit.'

'Misschien vertikt ze het dan wel helemaal.'

'Nee. Ze mag je. Ze heeft het gevoel dat jij *De Hartsvriendin* kent.'

Robin was buitensporig verheugd. 'Heeft ze dat echt gezegd?'

'Jawel. Dus. Wat denk je? Hebben we materiaal voor een boek?'

'O zeker, en ik heb pas tweederde van alles doorgenomen, maar er zit pakkend spul bij. Zoals de man die Grace een proces wegens het onttrekken van affectie heeft aangedaan toen zij zijn vrouw had geadviseerd zijn late vergaderingen, uitvoerige zakenreisjes en vreemde creditcard-afboekingen eens te onderzoeken. Of omgekeerd, de vrouw die Grace als "de andere vrouw" aanklaagde toen haar man van haar wilde scheiden omdat zij niet aan de maatstaven van Grace kon voldoen. Dan was er het echtpaar dat alle columns over seks uitknipte en daar een plakboek van maakte om hun dochter de feiten van het leven bij te brengen. Mijn moeder heeft ook zoiets gedaan.'

'Heeft ze een plákboek gemaakt?'

'Nee. Ze gaf me gewoon de columns die ze van toepassing acht-te. Ze heeft me zelf nooit iets over seks verteld. Alsof dat te erg was om over te praten. Te erg of te lekker. Ik ben er nooit achter geko-men welke van de twee. Ik heb nooit de moed kunnen opbrengen haar daarnaar te vragen.'

'Ik weet hoe dat is,' zei Francine. 'Gek, we denken dat wij anders zijn dan onze ouders, dat we over alles kunnen praten. Maar dat kunnen we niet tegenover hen. Zij hebben de toon gesteld. Zeker waar het seks betreft. Wil je mijn mening weten? Volgens mij de-den ze het heel veel.'

'Mijn moeder vást niet,' zei Robin stellig.

'Hoe weet je wat zij deed als je broertje en jij op school zaten?'

'Ik kan het me nog steeds niet voorstellen.' Robin dacht erover na en schudde haar hoofd. Het beeld paste niet.

'Hoe was je vader?'

'Schutterig. Dociel. Gehoorzaam. De enige keer dat hij zijn stem verhief, was om voor mijn moeder op te komen wanneer mijn broertje of ik onze mening durfden te geven, zo loyaal was hij.'

'Het is dan maar goed dat hij eerder is gestorven dan zij. Hij had zich misschien heel verloren gevoeld zonder haar.'

'O, hij is nog steeds in leven.'

'O sorry. Ik dacht...'

'Het geeft niet. Ik heb hem na haar dood niet meer gezien. Zij en ik konden niet met elkaar overweg. En hij en ik hebben geen zin het daar nog eens over te hebben.'

'Treurig,' zei Francine.

Dat vond Robin ook, met iets van een nieuw inzicht dat de laat-ste tijd was ontstaan. De ziekte deed Grace steeds verder afblad-deren, maakte haar steeds minder tot de persoon die ze ooit was geweest, verwijderde haar elke dag verder van Francine en Sophie – terwijl Robin haar gezonde, heldere vader gewoon liet zitten.

Ze vermoedde dat ze hem maar eens moest bellen. Maar hij had zich nooit om háár emotionele welzijn bekommerd, zelfs niet toen ze ging scheiden. Ze wist niet waarom zij zich dan om hém zou be-kommeren.

Nou ja, ze wist wél waarom. Maar ze wist niet zeker of ze wel zo vergevensgezind was om dat te kunnen doen.

'Hoe dan ook,' zei ze met een zucht, 'hoe zat 't met John Do-rian? Hield hij van lichamelijk contact?'

'Alleen bij Grace. Hij was vriendelijk, hartelijk en lief voor ons allemaal, maar niet echt gevoelig of aanhalig.'

'Hoe was zijn familie?'

'Stijf, uit wat ik van Grace heb gehoord. Zij heeft hem wat losser gemaakt.'

'Ik neem aan dat zij inmiddels allemaal zijn overleden?'
'Er zijn feitelijk nog steeds broers en zusters. Hij was de oudste, dus hij moest de boerderij overnemen, bij wijze van spreken. De anderen zijn naar elders vertrokken. Er waren wat moeilijke gevoelens. Hij wilde er niet over praten.'
'Over die gevoelens of over de familie?'
'Beide. Ik heb er vaak naar gevraagd. Ik was altijd op zoek naar familie van zijn kant, omdat er bij Grace niets was. Tenminste…' – ze aarzelde, en keek Robin hulpzoekend aan – 'er lèèk niets van de kant van Grace te zijn.'

Robin voelde een spanning in haar binnenste. Als Grace niet wilde praten, dan waren er vast anderen die dat wel wilden. *De echte Grace Dorian.* Het was haar pad naar de roem. 'Ik heb geen toegang tot haar persoonlijke dossiers, maar jij wel. Er moet toch ergens een geboortebewijs zijn? Heeft ze een kluis?'

'Ja. Haar advocaat heeft de sleutel. Maar hij zou die nooit aan mij geven zonder toestemming van haar. Niet zolang ze nog helder van geest is.'

Robin gooide het over een andere boeg. 'Hoe zit het met een goede vriend? Iemand in wie ze veel vertrouwen heeft? Jim O'Neill?'

'Hij is weliswaar haar beste vriend. Zo loyaal als wat. Maar hem kun je wel afschrijven. Hij zal haar niet verraden.'

'Hoe lang kennen ze elkaar al?'

'Zo lang ik me kan herinneren.'

'Heb je er bezwaar tegen als ik met hem praat?'

'Nee. Maar hij zal je niets vertellen.'

'Wat dacht je van het proberen van de broers of zusters van je vader?'

'Zou moeilijk kunnen zijn. Het laatste dat ik heb gehoord is dat ze verspreid langs de westkust woonden. Ik heb Grace wel eens naar hen gevraagd, maar ze heeft niets losgelaten. Dorian is geen ongebruikelijke naam. Ik zou niet weten waar ik moest beginnen.'

'Zijn ze niet op zijn begrafenis geweest?'

Francine schudde haar hoofd. 'Ik zou hen hebben gebeld, als Grace niet zo overstuur was geweest. Maar ze was heel nadrukkelijk. Ze wilde hen er niet bij hebben. Toen het tijd was om papa's kantoor uit te ruimen, heeft ze zelf alles ingepakt. Als er papieren waren die met zijn familie te maken hebben, dan zitten ze bij de rest in het archief, veilig verzegeld.' Ze aarzelde. 'Ik heb nooit een reden gehad het zegel te verbreken. Of de moed ertoe.'

Robin bedacht dat het Grace waarschijnlijk niet meer zou opvallen, toen Francine zacht zei: 'Ik denk dat ik het nu wel zou kunnen doen. Misschien is er een adresboek. Dat zou ons een uitgangspunt geven.'

Francine vond die avond het adresboek, maar ze vertelde het niet meteen aan Robin. Er was iets dat haar weerhield.

'Ik vraag me steeds maar af wat dat is,' zei ze tegen Davis. Ze was ook niet van plan geweest hem iets te vertellen, maar er was iets bijzonders aan het plamuren van badkamermuren na samen een warme douche te hebben genomen en na samen de liefde te hebben bedreven. Het hart lag haar op de tong.

Ze lag op haar knieën de plinten te verven met de gelijkmatige streken die Davis haar had bijgebracht. 'Ik heb het altijd vervelend gevonden dat we nooit contact hadden met zijn familie. Het zijn mijn ooms en tantes. Ik heb hen toevallig ooit ontmoet. Ik was met papa in New York. We zeiden gedag en gingen toen ieder ons weegs, en dat was het.'

'Wat heeft de breuk veroorzaakt?'

'Jaloezie, inhaligheid, de gebruikelijke dingen die families uit-eenscheuren. Papa was de oudste. De anderen konden het niet hebben dat hij het huis en de houtzagerij erfde. Ik weet zelfs niet of die vier nog in leven zijn. Maar er moeten ook nichten en neven zijn. Ik heb altijd nichten en neven willen hebben.' Ze ging op haar hurken zitten. 'Dus waarom bewaak ik dat adresboek alsof het de doos van Pandora is?'

'Omdat het dat misschien ook wel is,' zei Davis op zijn bekende plompverloren manier. 'Heb je erin gekeken? Staan er adressen in?'

'Ja. Maar dat zijn oude adressen. Misschien zijn het wel allemaal doodlopende sporen.'

'Alle vier? Niet waarschijnlijk. Je kunt met een van hen contact opnemen. Voer jij de telefoongesprekken?'

'Robin zou 't moeten doen, ze staat te popelen. Maar eigenlijk is het mijn werk, vind je niet? Als ze bij mij ophangen' – haar groot-ste angst – 'kan Robin het overnemen.' Ze veegde afwezig met de kwast langs het hout.

Davis legde zijn kwast op de bovenkant van de verfbus en ging op de grond zitten. 'Wat is het ergste dat kan gebeuren?'

'Als ze niet meteen ophangen?' Francine ging weer op haar knieën liggen. 'Een donderpreek over John, daarna over Grace, dan over mij.' Ze wierp hem een scheve blik toe. 'Het is weer die oude angst om te worden afgewezen.'

Hij verschoof wat tot hij naast haar zat. 'Iedereen die jou afwijst, is niet wijs.' Hij pakte de kwast uit haar hand en legde hem weg.

'Jawel, ach,' glimlachte ze, 'jij bent bevooroordeeld.'

Hij sloeg zijn grote hand om haar dij en trok haar steviger tegen zich aan. Op zachtere toon, met zijn ogen op haar mond gericht, zei hij: 'Ik zal je missen met de kerstdagen.'

'Vast niet. Je gaat toch naar huis?'

'Er is niemand in Tyne Valley zoals jij. Wie moet ik dan liefhebben?'

'Als jij met een ander naar bed gaat, maak ik het gelijk uit.'

'Aha. Ultimatums. Daar kick ik op.'

'Davis!'

'Weet je zeker dat je niet met mij mee naar huis gaat?'

'Ik kan niet naar het noorden als ik naar het zuiden ga.'

'Dus de reis gaat door?'

Francine knikte. 'Ik heb vandaag de bevestiging gekregen. We hebben een privé-jet naar St. Bart's, een privé-villa, privé-strand, privé-kok. Met een beetje geluk vergeten we helemaal dat het de feestdagen zijn.'

'Wat vindt Grace ervan?'

'Ze wenste alleen dat Jim mee zou kunnen. Maar dat kan hij natuurlijk niet. Niet met Kerstmis. Maar al het andere aan de reis zal zo gecontroleerd verlopen dat er niets mis kan gaan.' Ze keek hem aan. Zijn trekken waren even ruig als altijd, maar op de een of andere manier nu vriendelijker, heel dichtbij en bezorgd. 'Denk je ook niet?'

'Vast wel. Grace zal de eerste dag misschien een beetje van slag zijn, maar daarna, in een privé-omgeving zonder vreemden, zal ze prima zijn. De verandering van omgeving zal Sophie en jou goeddoen.'

'Het is gewoon dat Thanksgiving zo moeilijk was. Als sommige dingen hetzelfde blijven en andere niet...' Het was afgrijselijk geweest om steeds te moeten glimlachen, terwijl ze inwendig wilde huilen. Ze wilde niet nog eens zo'n marteling moeten doorstaan. 'Ik doe dan liever iets heel anders. We zullen tot na oud en nieuw wegblijven en uitgerust terugkomen. Wat zeg je wel van zulk optimisme?'

'Niet slecht,' zei hij en hij fluisterde een kus op haar lippen, een op haar wang, een op haar kin.

Ze deed haar mond open om de volgende kus te kunnen grijpen, maar hij bleef net buiten haar bereik. Dus deed ze haar ogen dicht en genoot gewoon van de voorpret.

Ze besefte dat het uitstorten van haar hart bij Davis niets te maken had met de intimiteit van de badkamer, maar met Davis zelf. Hij was begrijpend en aanspreekbaar, intelligent en vermetel, zorgzaam en gezellig. En hij had schuine praatjes in bed.

Dat vond ze heel leuk.

17

Ik ben een optimist. Ik droom overdag, en ik slaap 's nachts.

– Francine Dorian, in De Hartsvriendin

Eenmaal terug in New York, na tien dagen op St. Bart's, wist Sophie dat ze er goed uitzag. Ze had vele lagen wit over elkaar aan, die ze stukje bij beetje had aangetrokken naarmate het vliegtuig noordelijker kwam, tot ze was ingepakt als een sneeuwhaas, maar uitgerust en lekker bruin. Zelfs de koude lucht die haar overviel toen ze de beschutting van de terminal verliet om Gus te zoeken, kon haar stemming niet drukken. Toen ze hem zag, zwaaide ze en holde weer terug naar Francine en Grace. Toen die eenmaal waren ingestapt, liep ze naar de kofferruimte, waar Gus bezig was hun bagage in te laden, en ze gaf hem een snelle knuffel. 'Hoe heb jij het gehad?'

Hij glimlachte niet. 'Niet zo goed als jij.' Hij boog zich in de kofferruimte om dingen anders te leggen. Zijn stem klonk beschuldigend: 'Je bent naar het strand geweest.'

Ze vroeg zich af wat hij had gedacht dat ze zou doen als ze tien dagen op een Caribisch eiland zat. 'Strand, zwembad – het weer was perfect. Het is er geweldig.'

'Dat zal best.'

'Hoe was het in Tyne Valley?' vroeg ze, in de hoop zijn stemming wat op te vijzelen. Hij had de kerstdagen thuis doorgebracht.

'Geweldig,' zei hij. 'Ik ben de hele tijd dronken geweest.'

'Gus, nee toch zeker!'

Hij wierp haar een veelbetekenende blik toe voordat hij zich weer oprichtte. 'Ik had toch gezegd dat ik dat zou doen als je me alleen liet.'

'O nee, ga nou niet mij de schuld ervan geven,' zei ze, maar hij sloeg de klep van de bagageruimte met een klap dicht en hield het achterportier open op de manier van een echte chauffeur.

Sophie was niet van plan haar stralende vakantiehumeur te laten bederven. Met een zelfgenoegzaam lachje liep ze langs hem heen, deed het voorportier open en schoof naar binnen. Ze draaide zich opzij, zodat ze hem aankeek, drapeerde een arm over de rugleuning en zei tegen het tweetal achterin: 'Moet ik de verwarming wat hoger zetten?'

Grace keek wat onzeker, op haar gedesoriënteerde manier.

Francine keek geamuseerd, vanachter de enorme zonnebril die ze gedurende het grootste deel van de reis had gedragen. 'Het is hier warm genoeg, dank je.'

'Ben je blij om weer naar huis te gaan, oma?'

Grace gaf geen antwoord. Ze fronste naar het raam.

'Oma?'

Gus draaide het verkeer in. 'Heeft u een goede vakantie gehad, mevrouw Dorian?' vroeg hij in het achteruitkijkspiegeltje.

'Zeker,' antwoordde Francine voor Grace. 'We hebben allemaal erg genoten.'

Dat gold zeker voor Sophie. Ze had zich niet zo triest gevoeld als met Thanksgiving, geen verdrietige herinneringen aan vroegere feestdagen gehad. De omgeving was daarvoor te anders geweest.

'En,' zei Gus op gedempte toon tegen Sophie, 'wat heb je nog meer gedaan behalve in de zon zitten?'

'Langs het strand gelopen. Oma vond dat fijn om te doen. Het was er heel geïsoleerd, heel vredig.'

'Klinkt stomvervelend.'

'Het was heel romantisch.' Ze kon de verleiding om hem een beetje jaloers te maken niet weerstaan. Dat verdiende hij, met zijn chagrijnige houding! 'Er waren wat winkeltjes en café's, terrasjes om te gaan zitten en met mensen te praten.'

'Heeft zíj met mensen gepraat?' mompelde hij met een bedenkelijke blik in de spiegel.

'Verscheidene keren.' Grace was af en toe heel lief en gezellig geweest. 'Het ging prima, zolang wij maar in de buurt bleven.'

'Stomvervelend,' mompelde Gus.

'Het was helemaal niet vervelend. Het was heel gezellig om zo met haar om te gaan. Bovendien,' plaagde Sophie, 'ging ik 's avonds uit. Mam en ik hebben om de beurt op Grace gepast. Er werd gedanst in een cafétje aan het water. Het was héél romantisch.'

Zijn profiel verstrakte.

Ze draaide zich voldaan om en staarde door de voorruit naar buiten, terwijl ze hem verder negeerde. Ze was niet van plan haar goede humeur door hem te laten bederven, nu ze het eindelijk een beetje naar haar zin begon te krijgen. Jarenlang had haar familie een twijfelachtige vreugde voor haar betekend, was die een bron van zowel trots als verdrukking geweest. Het was ongelofelijk – en misschien wel wreed om te zeggen – maar die verdrukking werd nu minder.

Hoe viel dat te verklaren? Goed, ze miste die kanten van de oude Grace waar ze dol op was, maar ze miste beslist niet die kanten die ze altijd vreselijk had gevonden. De tijden veranderden. St. Bart's had haar doen inzien dat het nieuwe niet noodzakelijkerwijs slechter was.

'Je hebt iemand ontmoet, hè?' gromde Gus een tijdje later. Ze keek hem verbaasd aan. 'Hoe kom je daar zo bij?'

'Je doet zo voldaan.'

'Ik zit gewoon een beetje na te genieten van de vakantie.'

'Wie is het?'

Sophie schoof wat naar het portier om Gus beter te kunnen bekijken. Hij was niet veel langer dan zij, maar hij had een brede borst, slanke heupen en sterke handen. Hij was goed gebouwd en vreselijk onzeker.

Was het haar missie in dit leven om zijn ego te strelen? Nee, dank je feestelijk.

'Het is eerlijk gezegd een Fransman,' antwoordde ze. 'Blond haar, heel lang. Zakenman. Vliegt rond in zijn zakenvliegtuig.'

'Ben je met 'm naar bed geweest?'

Sophie keek even achterom, ving Francines blik achter de vliegeniersglazen en knipoogde. 'Die vraag ga ik niet beantwoorden. Mijn moeder zit mee te luisteren.' Francine wist dat er helemaal geen Fransman was geweest. Maar dat vertelde Sophie niet aan Gus.

Hij zei niets meer tegen haar voor ze thuiskwamen, voor de auto was uitgeladen en alle bagage was verdeeld. Sophie zat in haar eigen zitkamer de boodschappen op haar antwoordapparaat af te luisteren, toen hij haar koffers in de slaapkamer zette en tegen de deurpost leunde.

'Ga je 't me nog vertellen?' vroeg hij.

Ze deed niet alsof ze niet begreep waar hij het over had. 'Kalm aan. Ik ben niet met 'm naar bed geweest.'

'Maar dat wilde je wel, hè?'

'Ik heb daar eerlijk gezegd nog niet aan gedacht.'

Gus wierp haar even een woedende blik toe, maakte een sputterend geluid, richtte zich op en liep naar de deur. 'Als jij er niet aan hebt gedacht, stelt hij als vent niks voor.'

'Hela,' riep ze, om hem tot staan te brengen. 'Wat heeft dat te betekenen? Doe een beetje normaal, Gus. Seks is niet alles.'

Hij bleef stokstijf staan met zijn rug naar haar toe. 'Die indruk heb ik anders wel altijd van jou gehad. Als er meer is in dit leven, weet jij daar niets van.'

'Niet bij jóu in elk geval,' kaatste ze terug. 'Dat is een ding dat zeker is.'

Hij draaide zich langzaam om. Ze had durven zweren dat ze een gekwetste blik in zijn ogen zag voor die door woede werd gemaskeerd. 'Heb je iets te klagen?'

Ze dacht daar een minuut over na. Gus was haar toekomst niet, was nooit een serieuze kandidaat geweest. Althans niet in háár ogen. Als hij andere ideeën had, werd het hoog tijd – had Francine dat niet een poosje geleden nog gezegd? – dat ze duidelijke taal tegen hem sprak.

Haar verontwaardiging verbleekte toen ze bedacht hoe ze dat kon doen zonder nog meer verdriet te veroorzaken. Ze mocht hem tot op zekere hoogte wel, voelde mededogen, fysieke aantrekkingskracht, misschien zelfs verbondenheid.

'Waar wil je naartoe?' vroeg ze.

Hij deed overdreven alsof hij voor, achter en opzij keek. 'Volgens mij ga ik nergens naartoe.'

'In het leven. Wat wil je?'

'Ach Jezus.' Hij trok zijn pet af en haalde een hand door zijn haar. 'Wat is dat nou voor een vraag?'

'Een heel goede vraag. Stel jij je die nooit?'

'Eerlijk gezegd niet.'

'Misschien moet je dat toch eens doen.'

'O ja? Waarom?'

'Omdat jij geen doel in het leven hebt. Mensen hebben een doel nodig.'

'En wat is jouw doel?'

'Gezond blijven. Succes hebben in mijn werk.'

Hij snoof smalend. 'Alsof jij echt nog meer geld nodig hebt.'

'Niet om het geld. Voor mijn zelfrespect. Waar zit jouw zelfrespect?'

Hij keek haar recht aan. 'Het mijne zit bij Grady's.'

'Een bar. Dat is geweldig.'

'Denk daar niet te gering over. Het houdt me gelukkig.'

'Nee. Het houdt je dronken. Daar zit verschil tussen.'

'Je komt er een eind mee.'

'Tja,' zei ze en ze ademde diep in, 'misschien scheiden zich hier onze wegen.'

'Bedoel je dat ik op moet rotten?'

'Ik bedoel dat je eens ná moet denken. Je een stuk in je kraag drinken lost niets op. Je komt er in deze wereld niet verder mee.'

'En wat doet dat dan wel?' vroeg hij scherp. 'Ik ben geen studiehoofd. De enige reden dat ik mijn diploma van highschool heb gekregen, was omdat de directrice verzot op me was. Geschokt? Moet je niet zijn. Zulke dingen gebeuren voortdurend.'

'Ben je met de directríce naar bed geweest?'

'Niet naar bed! We deden het op het bureau in haar kamer. Ik heb het diploma meegekregen, maar verder niet veel – geen verstand, geen geld, geen geluk. Dus waar moet ik naartoe? Wat denk jij dat ik in dit leven zou moeten willen?'

Sophie had allerlei doelen van vrienden en vriendinnen kunnen spuien, maar Gus was anders dan zij. 'Het gaat erom wat jij wilt, niet wat ik wil. Jij moet degene zijn die het beslist. Maar dat kun je niet doen als je de hele tijd dronken bent.'

Hij tuitte zijn lippen. Zijn onbeschaamde ogen gleden over haar lichaam, bleven op haar borsten rusten, daarna op haar schoot, alvorens weer omhoog te gaan. Hij richtte zich op en zette de pet op zijn hoofd. 'Is dat alles, mevrouw?'

'Gus…' protesteerde ze, omdat ze wilde dat hij luisterde, maar hij had zich al omgedraaid en ging weg.

'Ik heb dienst,' riep hij. 'Als je meer wilt weten, kom dan vanavond naar me toe. Na afloop kunnen we praten.'

'Je bent dus terug!' zei Davis.

Francine begon te glimlachen. 'Jawel. Ongeveer een uur geleden.'

'Je klinkt blij. Is dat omdat de reis een succes was, of omdat je opgelucht bent weer thuis te zijn?'

'Beide. We hebben het heerlijk gehad, maar het is fijn om weer thuis te zijn.' En het was heel fijn om zijn stem te horen. Ze had tot op dat moment niet beseft dat ze die zo had gemist. 'Gelukkig nieuwjaar.'

'Jij ook. Hoe gaat 't met Grace?'

'Op dit moment kán het niet beter. Pastoor Jim is zojuist gearriveerd. Ze heeft het goed gedaan, Davis. We hebben je advies opgevolgd en zijn de eerste dagen dicht bij huis gebleven. Daarna zijn we af en toe een uurtje met haar gaan winkelen. Zolang een van ons er maar bij was, ging alles goed met haar. Nee,' zei ze voor hij erover kon beginnen, 'ik hou mezelf niet voor de gek met te denken dat ze beter wordt. Wij worden beter in het omgaan met haar. Dat is alles.'

'Mooi zo. Ben je een beetje uitgerust?'

'Eigenlijk wel, ja. Sophie en ik hebben om de beurt op haar gepast en ze kon het goed met de kokkin vinden, dus zijn we zelfs af en toe samen uit geweest.'

'Ben je bruin geworden?'

'Heel behoorlijk.'

'Overal?'

Francines glimlach werd zedig. Ze zei niets.

'Ik weet hoe die Franse eilanden zijn,' zei Davis. 'Op z'n minst topless.'

'We hadden ons eigen privé-strand.'

'Naakt. Shit. Wat doe je nu?'

Ze zei heel onschuldig: 'Ik ben bezig met uitpakken.'

'Kan ik naar je toe komen? Ik wil je iets laten zien.'

'Je hebt een tatoeage.' Ze plaagde hem daar veel mee, zei dat een man met zijn verleden een tatoeage móest hebben.

'Nee. Een paard. Kun je paardrijden?'

Een paard? 'Eh… ik heb het ooit gedaan. Maar nu al in geen jaren meer.'

'Trek een spijkerbroek aan. En iets warms.'

'Davis, het is midden in de winter!'

'Dat is de beste tijd. Tot straks.'

'Davis? Davis!' Ze hoorde de zoemtoon, keek naar de telefoon, hing op.

Een paard?

Zonder acht te slaan op de rommel op haar bed trok ze een spijkerbroek aan, een coltrui, en een dikkere trui eroverheen. Ze trok wollen sokken aan en keek uit het raam. Het werd nu snel donker.

Een paard? Midden in de winter? In het dónker?

Tijdens hun vlucht had ze sombere momenten gehad bij de gedachte aan de werkelijkheid die thuis wachtte, maar hier was niets sombers aan. Alles leek stralend.

Ze wurmde zich in de trui, bekeek zichzelf in de spiegel, vond dat ze er dik uitzag. Dus trok ze de trui uit en pakte iets minder kolossaals. Daarna voegde ze zich bij Grace en pastoor Jim in de salon.

'Weet u iets over Davis en een paard?' vroeg ze aan Jim.

Hij grijnsde. 'Alleen dat hij vroeger voor plaatselijke boeren de stal heeft moeten uitmesten, als straf voor allerlei zonden. Dus hij heeft nu zelf een paard?'

Dat wist Francine niet zeker. 'Misschien heeft hij er een geleend. Hij komt hierheen.'

'Hij hoeft echt niet bij mij te kijken,' protesteerde Grace en ze hield Jims hand stevig vast. 'Ik voel me uitstekend.'

Hij streelde haar heel teder over de wang. 'Nog beter dan dat. Je moeder ziet er stralend uit, Francine. Die eilanden schijnen haar goed te doen. Je hebt in de zon gezeten, Grace.'

Grace bloosde. 'Ik ben heel voorzichtig geweest. Een dame wordt niet bruin, weet je. Maar de zon was zo zalig. Ik kon de verleiding niet weerstaan om af en toe onder de parasol vandaan te komen.'

Francine genoot van dit beeld. Het leek een plaatje uit een kinderboek. Of uit een van die kunstwinkeltjes die ze op St. Bart's hadden bezocht. Seurat, dacht ze.

De bel van de voordeur ging. Ze was halverwege de hal toen ze zich realiseerde dat Grace niet had gemopperd omdat ze Davis zou ontmoeten. Ze was zo egocentrisch – zoals zoveel Alzheimer-patiënten – dat ze alleen maar bang was dat hij voor haar kwam.

Francine was desalniettemin dankbaar dat ze zich niet schuldig hoefde te voelen toen ze de deur opendeed.

Eén blik op hem, en ze voelde weer vlinders in haar buik. Ze legde een hand op haar borst en deed een stap naar achteren.

'Hallo,' zei Davis grijnzend. 'Klaar?'

Zijn wangen waren rood, zijn adem wit, zijn sjaal neon-groen. Plus een Stetson, een lange leren jas, en laarzen, en hij was bestoven met een laagje sneeuw. Voor ze tegen hem kon zeggen dat hij er spectaculair uitzag, trok hij de pijp van zijn spijkerbroek op, om haar een paar ingewikkeld bewerkte laarzen te tonen. 'Dit zijn de echte. Vind je ze niet gaaf?'

'Waar heb je díe gevonden?'

'Ik heb een tijdje moeten zoeken.' Hij draaide zich om en liep de stoep af. Aan de keurige, beschaafde, glimmend gepoetste koperen lantaarnpaal stond een paard vastgebonden. Paard, lantaarnpaal, alles wat er te zien was, was bedekt met een dun laagje sneeuw.

Davis pakte iets vanachter het zadel vandaan. Tegen de tijd dat hij weer bij de deur was, hield hij net zo'n leren jas als die van hem open. Als betoverd schoof Francine de ene arm erin en toen de andere. Hij maakte achterlangs de knopen aan de voorkant dicht, sloeg zijn armen om haar middel en begroef zijn gezicht in haar hals. De kus die hij daar plaatste was luid, nat en koud. Zijn mond bleef liggen op de plaats van de kus, en er klonk warmte en humor in zijn stem.

'Ik heb voor jou een hoed aan de zadelknop hangen, maar je moet je eigen laarzen even halen. Sorry. Met alleen wollen sokken kom je niet ver.'

Francine haastte zich niet om bij hem weg te gaan. Ze voelde zich in zijn armen alsof ze thuis was, al was het een ander thuis dan ze haar hele leven had gekend. Dit thuis was zorgeloos en ongestructureerd, zelfs een beetje ondeugend. Het was vol belofte van het onverwachte.

Ze sloeg haar armen om de zijne en zei tegen zijn koude wang: 'Gaan we echt rijden? Nu? Waar heb je dat paard vandaan? Je bent toch zeker niet helemaal vanaf jouw huis hierheen gereden? Echt? Hoe kón je? Het is tien minuten met de auto. Dat is minstens een halfuur… nee… méér op een paard. Mínstens. Ik moet je waarschuwen, Davis. De vorige keer dat ik ging rijden ben ik in een tomatenaanplant getuimeld en heb mijn stuitbeen gebroken. Ben je vergeten wie je voor je hebt?'

Hij lachte in haar nek. 'Helemaal niet. Maar ik ben degene die

rijdt. Jij hoeft je alleen maar aan mij vast te houden. Vertrouw je erop dat ik op je zal passen?'
'Ja.'
'Ga dan maar gauw je laarzen zoeken. En je wanten en een sjaal. Ik zal je vragen beantwoorden zodra we aan boord zijn.'

Het paard was inderdaad van hem. Het kwam uit Tyne Valley. Hij had het enkele jaren geleden van een vriend van zijn zuster gekocht, die het geld nodig had. Het was geen raspaard, zelfs geen mooi paard, hoewel Francine dat soort kleinigheden niet opmerkte omdat het geheel zo provocerend was. Het paard was groot en zachtmoedig en het kon galopperen wanneer het daartoe werd aangedreven. Meestal draafde het in een rustig tempo.

Francine zat knus achter Davis, met haar armen om zijn middel geslagen. Toen het huis eenmaal was verdwenen, was het enige licht het vage blauw van de sneeuw, het enige geluid het fluisterend neerdalen van die sneeuw en het gedempte hoefgetrappel in de zachte berm langs de weg.

Davis leidde het paard met kalme hand, gaf af en toe een ruk aan de teugel hier, een por met een knie daar. Ze had kunnen weten dat hij hier ook goed in zou zijn. Omdat ze zelf een stuntel was, vond ze dit dolmakend. Omdat ze zelf een vrouw was, vond ze dit uitermate aantrekkelijk.

Ze reden de weg een eindje af voor ze een pad door het bos namen. Francine wilde hem eigenlijk tientallen dingen vragen – over het paard, over zijn bezoek aan Tyne Valley, over dat veelvoud aan zonden waar pastoor Jim het over had gehad – maar ze zei niets. Ze ging te veel op in de schoonheid van het winterse bos, het ritme van het paard, het schuiven van haar dijbenen tegen de flanken van Davis, de warmte van zijn rug.

Hij hield in toen ze de rivier bereikten. Ze legde haar wang tegen de zijkant van zijn schouder, zodat zij ook iets kon zien. De rivier was bevroren, met sneeuw bedekt, op wat verraderlijke plekken na die zachtjes door de nacht klaterden.

Ze wilde die melodie niet met haar stem verstoren en zei daarom niets. Davis moest er net zo over hebben gedacht, want hij bleef heel lang zo zitten, terwijl hij haar handen op zijn middel vasthield. Toen trok hij zacht aan één hand. 'Kom eens voorop zitten.'

Ze was best in voor een grapje en liet zich – al was het niet zonder een enkele kreet of gil – door hem naar voren helpen, met eerst een arm om hem heen en daarna een been, toen haar bovenlichaam en heupen, tot ze tegenover hem in het zadel zat. Hij schoof een hand onder haar achterwerk en hees haar op het stukje schoot dat hij overhield, met zijn benen aan weerszijden van het paard. Tegen de tijd dat ze goed naar zijn zin zat, was het niet zo'n kleine schoot meer – een feit dat ze met een katachtige glimlach constateerde.

'Warm genoeg?' vroeg hij en hij schoof haar hoed naar achteren, zodat hij haar beter kon zien.

Ze sloeg haar armen om zijn middel. 'Op jouw paard? Altijd.'

Hij grijnsde.

'Zeg,' zei ze, 'waar laat je hem als je er niet met mij op gaat rijden?'

'Wát zeg je?' vroeg hij met nauwelijks bedwongen vrolijkheid.

'Je páárd,' specificeerde ze preuts.

'Mijn paard. Eh… het is trouwens een zij. Ik stal haar bij Paley. De plek waar ze in Tyne Valley stond, staat nu te koop. Ik begreep dat het slechts een kwestie van tijd was voordat ik haar moest komen halen, en omdat ik er nou toch was, en omdat ik wist dat Paley hier ruimte had, heb ik gewoon een paardentrailer gehuurd en het gedaan.'

'Hoe was het met je familie, of moet ik daar niet naar vragen?'

Hij werd meteen ernstig. 'Je kunt ernaar vragen. Ze zijn hetzelfde. Ouder en armoediger, net als het stadje. Ik ben voor de zoveelste keer oudoom geworden.'

'Oudoom! Daar ben jij toch zeker nog veel te jong voor.'

Hij wierp haar een scheve glimlach toe. 'O nee hoor. Jij had ook al oma kunnen zijn.'

'Welnee. Ik ben daar ook nog veel te jong voor.'

'Sophie is niet te jong om een kind te krijgen.'

'Toch wel. De tijden zijn veranderd.'

Hij zuchtte. 'Niet in Tyne Valley. Ze raken bij ieder kind verder achterop en toch krijgen ze ze, en wie zijn wij om te zeggen dat ze dat niet moeten doen? Maar het staat er daar allemaal slecht voor.'

'Hoe gaat het met je vader?'

'Die gaat steeds verder achteruit. Emfyseem, levercirrose, waarschijnlijk nog tien andere dingen, maar hij wil geen dokter zien, zich zelfs niet door mij laten behandelen. Ik laat pillen achter. Hij gooit ze weg.'

'Wat verdrietig. Dat moet heel frustrerend zijn.'

'Hij is een koppige ouwe bok,' mompelde Davis, op een manier die erop wees dat het echt heel frustrerend was. 'Ik heb hen met Kerstmis allemaal mee uit eten genomen, in een leuke oude herberg. Ze vonden het heerlijk. Maar afgezien daarvan valt er niet veel te vertellen, als we eenmaal klaar zijn met bijpraten over wie waar zit en wat doet. Ik denk steeds dat ze ook wel eens naar mijn werk zullen vragen, maar dat doen ze nooit. Ik vermoed dat het zo ver van hun wereld is, dat ze niet weten waar ze moeten beginnen.

Of dat, of ze zijn gewoon niet geïnteresseerd. Hoe dan ook, we hadden niet veel tijd om te praten. Ik ben de dag na Kerstmis weer hierheen gekomen.'

'Maar ik dacht dat je de hele week zou blijven!' riep Francine. Ze voelde zich vreselijk dat zij zo lui in de zon had gelegen terwijl hij alleen in zijn huis zat.

Hij trok een zuur gezicht. 'Het gaat allemaal heel stroef. Ze weten niet wat ze met me moeten beginnen, net zomin als ik weet wat ik met hen aan moet.'

Ze sloeg haar armen om zijn nek. 'Wat vreselijk verdrietig. Het samenzijn met mijn familie betekent alles voor me. Ik wou dat jij dat ook had.'

'Misschien komt dat ooit nog eens,' zei hij luchtig, en kneep haar even. 'Ik heb je gemist. Geef me een kus.' Hij boog zijn hoofd en gaf haar een lange kus. Hij trok zijn handschoenen uit, schoof zijn handen in haar jas, onder haar armen, omhoog naar haar schouders. Hij streelde die, en kuste haar nogmaals.

Francine voelde dezelfde aanzwellende, intens diepe schok in haar buik die ze altijd voelde wanneer hij haar kuste. Hij voerde haar mee, weg hiervandaan, tot ze aan niets anders kon denken dan aan Davis, tot hij haar begerig maakte naar volledigheid.

Zijn stem klonk rauw toen hij zijn hoofd ophief. 'Verdomme, wat doe je dat goed. Je weet me wel op te winden, Frannie.'

'Daar is niet veel voor nodig,' hijgde ze. Haar binnenste smachtte. Ze schoof tegen hem aan om verlichting te zoeken.

Hij gromde. 'Doe dat nog eens.'

Maar dat was wreed geweest, gezien de beperkingen van de situatie. 'Misschien is het beter als ik dat niet doe.'

'Doe het nog eens,' beval hij terwijl hij haar kin in zijn hand hield en daarna zijn mond op haar lippen drukte. Toen zijn tong in haar mond drong, had hij zijn zin. Volslagen hulpeloos drukte ze zich tegen hem aan.

Hij grijnsde tegen haar mond. 'Je hebt me gemist, hè?'

'Welnee, helemaal niet.' Dat was zijn verdiende loon. 'Ik heb niet één keer aan je gedacht.'

'Niet één keer?'

'Nou, misschien één keer.' Ze vond zijn riem en maakte de gesp los.

'Wat doe je nou?'

'Even opwarmen.' Ze schoof haar handen in zijn spijkerbroek en zijn onderbroek. Hij was heet genoeg om in haar behoefte aan warmte te voorzien.

'Ooo, liefje. Wat doe je dát goed.'

'Gewoon een kwestie van zelfbehoud,' merkte ze op, maar er school een element van wanhoop in. Ze wilde meer dan alleen wat

handtastelijkheden op de rug van een paard. 'Het sneeuwt, Davis.'
Hij maakte een begerig geluid en hield haar handen stil. Toen trok hij ze, met een beverige zucht, weg en maakte zijn kleren weer dicht. Hij draaide haar om, met haar gezicht naar voren, wendde behoedzaam zijn paard en reed weer in de richting van het huis.

Teruggekomen bij de lantaarnpaal gleed hij van het paard en hielp haar omlaag, zodat ze middel aan middel stonden. 'Ik heb een voornemen voor het nieuwe jaar.'

'Vertel op.'

'Ik wil binnenkort een keer met je slapen.'

Ze probeerde niet te glimlachen. 'Héb je dat dan nog niet gedaan?'

'Nee. Ik ben nog nooit naast je wakker geworden. Niet 's ochtends, maar dat wil ik wel.'

'Ik zie er 's ochtends vreselijk uit.'

'Ik ook. Daar gaat het niet om.'

Ze wist dat het daar inderdaad niet om ging. Maar ze wist niet wat ze moest zeggen. De hele nacht met Davis doorbrengen – niet alleen de liefde bedrijven, maar de hele nacht naast hem liggen, wakker worden met lome kussen, koffie, de ochtendkrant – dat was iets heel anders. Het was serieus. Misschien was het te veel.

'Hoe dan ook,' maakte hij de spanning wat minder door te zeggen, 'er is geen haast bij. Heb je intussen zin om naar een ijshockeywedstrijd te gaan?'

Dat was een nieuwe gedachte. 'Ben ik nog nooit naartoe geweest. Hebben we het over Madison Square Garden?'

'Nee. De Hotchkiss School. Dokters tegen knorren.'

'Speel jij mee?' vroeg ze opgewonden. 'Wat ben jij, dokter of knor?'

'Dokter.'

'Maar je hebt op college aan ijshockey gedaan.'

Hij grijnsde scheef. 'Dat weten de knorren niet. Voorzover zij weten, scoor ik per ongeluk.'

'Dat is niet eerlijk.'

'Klopt. Maar soms is een beetje oneerlijk doen wel eens goed voor het moreel. En voor de portemonnee. De verliezer betaalt het diner. Daar ben jij ook voor uitgenodigd. De wedstrijd is zondagmiddag om twee uur. Ik moet je om één uur komen halen. Kun jij een oppas voor Grace regelen?'

Francine moest onwillekeurig aan de veranderingen in dit leven denken. Vroeger had ze Grace gevraagd op Sophie te passen. Nu vroeg ze Sophie om op Grace te passen.

Sophie had zaterdagmorgen met vriendinnen in de stad afgesproken en zou zondag terugkomen. Ze beloofde Francine voor één uur thuis te zullen zijn.

Toen dat was geregeld, piekerde Francine over wat ze moest aantrekken. Na drie keer haar kast overhoop te hebben gehaald en van alles te hebben gepast en afgekeurd, zette ze de televisie aan om te zien wat mensen bij hockeywedstrijden droegen, en besloot toen dat ze iets nieuws nodig had.

Op vrijdagavond ging ze winkelen. Sophie, die het drama in haar kleerkast had aanschouwd, schopte haar zo ongeveer het huis uit. Ze had zelf toch geen plannen, zei ze. Ze wilde fris zijn voor de volgende dag met haar vriendinnen, zei ze. Ze zou bij Grace blijven tot pastoor Jim kwam, en wanneer hij weer weg was, zei ze.

Dus ging Francine.

18

Neem een voorbeeld aan de dans. In een goede
choreografie is de strategisch getimede pas achteruit van
even groot belang als de passen die een danser vooruit
brengen.

– Grace Dorian, in De Hartsvriendin

Sophie at die avond samen met Grace in de eetkamer, waar ze
haaks op elkaar aan de lange tafel zaten. Ze had de voorkeur gegeven aan een wat minder vormelijke maaltijd in de keuken, waar
fouten als sladressing op de gebakken aardappels en tong die met
een lepel werd gegeten niet zo storend waren geweest. Maar het
diner was een ritueel. Tot de dag dat Grace dat vergat, zou het in
de eetkamer worden geserveerd.

Niet zo lang geleden zou Sophie zich boos hebben gemaakt over
dit rigide gedrag, maar het was moeilijk om wrok te blijven koesteren. Niet zo lang geleden was ze verrukt geweest als Grace een
blunder beging, maar de vreugde over ongeregeldheden was verdwenen. Waar Grace ooit de tafelgesprekken had beheerst en geleid, had Sophie nu de grootste moeite om het gesprek gaande te
houden, om Grace zich maar zo veel mogelijk op haar gemak te laten voelen. Het was treurig, altijd zo treurig, die vergeten woorden, de dwalende geest, de nieuwe missers. Op zulke momenten
begon Sophie terug te verlangen naar de oude Grace.

Grace stond van tafel op zelfs nog voordat haar geliefde vruch-
tentaart was geserveerd. Ze moest zich wat opfrissen, zei ze, en ze
moest zich klaarmaken voor de komst van pastoor Jim. Sophie
wist haar ervan te overtuigen dat haar blauwe avondjurk te overdreven was en dat ze beter een eenvoudige rok en blouse kon aantrekken – hoewel niet voordat Grace haar ervan had beschuldigd
haar relatie met Jim te saboteren.

Treurig, heel treurig. Dit was niet de Grace die ze kende.

Ze was opgelucht toen pastoor Jim arriveerde. Hij kuste Grace
op de wang en haakte zijn arm door de hare.

In de zuidvleugel verkleedde Sophie zich in sporttenue. Ze controleerde haar bloedsuikerspiegel en bracht twintig minuten op de hometrainer en twintig minuten in de tredmolen door, waarna ze opnieuw mat. Na haar gezicht en nek te hebben afgedroogd, plofte ze in een stoel en pakte de telefoon.

Anderhalf uur later zat ze nog te praten, toen Gus in de deuropening verscheen. Hij droeg een versleten spijkerbroek en een zwart jasje. Zijn haar was verward, zijn blik duister. Zijn handen zaten gebald in zijn zakken.

Ze voorvoelde problemen en maakte een eind aan het gesprek. 'Wat is er?' vroeg ze.

'Waar heb je gezeten?'

Ze wierp hem een verbaasde blik toe. 'Hadden we dan plannen?'

'Ik heb verdomme de hele week op je zitten wachten.'

Hij had gedronken. Ze kon het zien, ze kon het horen, een veelbetekenende roekeloosheid, een vage verwildering. 'Gus,' waarschuwde ze.

Hij kwam naar haar toe, stak zijn kin omhoog naar de telefoon. 'Wie was dat?'

'Samantha.'

'Was het die kerel van vorige week?'

'Ik zei dat het Samantha was. En vóór haar Julie en Kate.'

'Jawel.' Hij stond over haar heen gebogen, schijnbaar onverzoenlijk. 'Wie was het?'

'Gus,' protesteerde ze. Ze probeerde te lachen maar ze begon toch zenuwachtig te worden. 'Wat is je probleem?'

Bij wijze van antwoord bekeek hij haar van top tot teen. Tegen de tijd dat zijn ogen weer op haar gezicht werden gericht, waren ze donkerder dan ooit. Hij boog zich verder over haar heen, met zijn handen op de armleuningen van haar stoel. 'Mijn probleem is mijn jongeheer. Die heeft behoefte aan wat lichaamsbeweging.'

'Gus.' Ze zuchtte en wendde haar blik af.

'Gus, wat Gus? Gus, ik wil het? Gus, ik móet het? Gus, geef 't me snel?'

'Gus, niet nu!' snauwde ze terug en ze keek hem waarschuwend aan.

Hij wierp haar een woedende blik toe. Voor ze besefte wat hij van plan was, hees hij haar uit de stoel en sleurde haar naar de slaapkamer, terwijl hij mompelde: "Gus, nu niet!" M'n zolen! Je krijgt 't nu, liefje. En je krijgt 't goed.'

Sophie probeerde zich uit alle macht te verzetten, maar hij was sterker. 'Hou op, Gus! Je bent dronken! Dit wil je niet echt.'

'Ik heb dit de hele week al gewild,' gromde hij. Hij wierp haar op het bed en drukte haar omlaag met een arm over haar hals. Ze klauwde aan zijn arm en probeerde hem van zich af te duwen, maar hij hield gewoon haar ene been vast en gebruikte het getrappel van het andere been om haar broek omlaag te trekken.

'Ga van me af!' gilde ze, plotseling bang. Gus en zij hadden eerder wel ruige spelletjes gedaan, maar dit was geen spelen meer. Er was niets leuks aan de handen die aan haar kleren rukten, niets opwindends aan het lichaam dat het hare met bruut geweld omlaag drukte. Hoe ze haar best ook deed, ze kon zich niet losrukken. 'Stop! Jezus, Gus, hou óp!'

Hij hijgde hevig, niet van inspanning maar van opwinding, en hij lag nu helemaal boven op haar, met zijn jasje open over zijn ontblote borst, en hij deed snel zijn broek open.

'Ga van me af!' hijgde ze. 'Ga van me af! Ga van me af!' Ze duwde en duwde, maar het hielp niets. Ze krabde hem tot hij een kreet slaakte, maar hij ging alleen maar nog ruwer tekeer, rukte haar topje omhoog en stootte toen in haar.

Ze gilde één keer, en nog eens, doodsbang van de pijn, de hulpeloosheid en de angst, maar het beuken van zijn heupen hield niet op. Hij gromde bij de kracht van iedere stoot, ging steeds sneller en sneller.

'Néééé!' gilde ze, 'néééé!' maar met steeds minder kracht toen de arm steeds strakker om haar hals sloot. En toen greep ze die arm beet, worstelde om lucht te krijgen, vocht tegen de verstikking en tegen het verscheurende gevoel in haar binnenste en het afschuwelijke besef dat Gus, met weinig meer dan het draaien van zijn arm, de macht bezat om een eind te maken aan haar leven, en zij kon hem niet tegenhouden!

Ze voelde een rauwe paniek, ze werd draaierig en dreigde het bewustzijn te verliezen toen er een stem die niet van Gus was, tot haar doordrong.

'Wat heeft dít verdomme te betekenen...'

Gus werd van haar af getrokken.

'Wat heeft dít verdomme te betekenen...'

Hevig happend naar lucht draaide ze zich op haar zij, rolde zich tot een stijve bal op en bedekte haar hoofd tegen de woedende geluiden achter haar, en toen huilde ze, hoorde ze nog minder, en drukte, nog steeds hijgend, haar dijen tegen elkaar tegen de pijn en probeerde zichzelf onzichtbaar te maken, ondoordringbaar, onkwetsbaar. Toen het niet hielp, rolde ze zich nog verder op.

Toen werd het dekbed om haar heen geslagen en suste pastoor Jim haar met een beverig: 'Stil maar, liefje, stil maar. Hij is weg, hij zal je geen pijn meer doen.' Hij streelde haar haar. 'Je bent veilig, ssst, je bent nu veilig, ssst, hij is weg, stil nou maar, stil nou maar.'

Ze bleef naar adem snakken, bleef huilen. Met eindeloze zorgzaamheid nam hij haar in zijn armen en hield haar vast, met dekbed en al. Hij bleef zacht sussen en het was ongelofelijk dat hoewel mannenhanden en een mannenstem haar nog meer angst hadden moeten aanjagen, ze zich nu veilig voelde. Pastoor Jim was pastoor Jim, en hij was altijd vriendelijk, haar beschermengel. Zijn stem klonk zacht verdrietig en zijn omarming was als een balsem, niet als boeien.

'Ik had geen idee dat hij zoiets zou doen, geen idee, anders had ik hem geen voet hier in huis laten zetten,' zei hij.

Ze huilde nu wat zachter. 'Niet uw schuld.'

'Ik wist dat hij een drankprobleem had. En ik wist dat hij zich met jou bemoeide. Ik had moeten beseffen dat die combinatie problemen zou geven.'

Haar snikken maakten plaats voor lage, hikkende geluiden. 'Ik bemoeide me ook met hem. Het is mijn eigen schuld. Ik heb hem uitgedaagd en hem toen gemeden. Hij wilde wraak.'

'Grote genade, hij heeft die wraak ook genomen. Ben je gewond, meisje?'

'Já!' Ze begon weer te huilen.

Hij bleef haar nog een tijdje in zijn armen houden. 'Ik denk dat we naar het ziekenhuis moeten gaan.'

'Nee!' Ziekenhuizen betekenden vreemde, koude, tastende handen op de plaats waar ze het meeste pijn had. Ze ging er niet heen. De enige plaats waar zij wilde zijn, was een plek waar ze haar wonden kon likken en zich kon verbergen. Maar waar? 'Stel dat hij terugkomt?' riep ze. 'Hij kan hier zomaar naar binnen lopen, hij heeft een sleutel, hij heeft sleutels van alles.'

'We zullen morgenochtend nieuwe sloten laten aanbrengen. Ik heb hem ontslagen, Sophie. Hij komt echt niet terug. Maar ik wil dat jij naar een dokter gaat. Er zijn dingen die ze doen – in zulke gevallen.'

Het duurde even voor Sophie besefte wat hij bedoelde. Toen schudde ze haar hoofd met lange, zekere bewegingen, heen en weer. 'Nee. Geen dokter. Geen politie.'

'Hij heeft je verkracht.'

Heen en weer, zekere bewegingen. 'Ik wil geen aanklacht indienen.'

'Hij probeerde je te wúrgen. Dat is een poging tot móórd.'

'Ik kan het niet.'

'Hij moet gestraft worden. Hij heeft het recht niet...'

'Ik kán het niet,' jammerde ze en ze begon weer te huilen. Hoe moest ze uitleggen dat achter de angst en de pijn, dat achter de woede schuldgevoel lag en dat er achter dat schuldgevoel, zelfs nu, iets zachtmoedigers lag? Gus en zij waren maandenlang geliefden geweest. Hij was misschien kwaad en de kluts kwijt, hij dronk misschien te veel, maar hij was niet boosaardig.

'Jim?' klonk de stem van Grace, eerst ver weg, toen dichterbij. 'Jim? Jim, waar ben je? O… ben je híer! Maar… maar wat doe je daar? Wie is dat… wat… Claire?' Haar stem steeg. 'Wat is er aan de hand? Wat vreselijk, vreselijk, vreselijk, vreselijk! Johnny? Johnny! Wat doe je op dat bed? Lieve help. Lieve help.'

'Stil maar, Grace,' zei Jim. 'Sophie is een beetje geschrokken.'

De stem van Grace werd nu nog hoger. 'Ik had het kunnen weten! Het was gewoon… een… een… tijd! Ik hád het kunnen weten!'

'Grace, alsjeblieft! Waarom ga je niet terug naar de andere kamer…'

'En jou alleen laten… met haar?' riep ze. 'Ik zal… nee… nee! Wie? Wie ís dat? Grote genade! Johnny! Je wéét toch wie ze is…'

'Wie wie is?' klonk Francines stem toen ze de kamer binnenkwam. 'Waarom schreeuw je zo, Grace? Jim? Wat is er gebeurd?' Er was een stilte, en toen een angstig: 'Sophie?'

'Claire, Claire, Claire,' huilde Grace.

'Sophie is een beetje overstuur,' zei Jim tegen Francine. 'Als jij haar kunt overnemen, dan neem ik Grace.'

Pas toen hij haar in Francines armen duwde, en Francine op fluisterafstand was, vertelde hij haar wat er was gebeurd. Francine slaakte een gesmoorde kreet, en drukte Sophie tegen zich aan terwijl Jim een verontwaardigde Grace de kamer uitloodste.

'Het gaat best,' mompelde Sophie vanuit de plooien van het dekbed.

Francine drukte haar krampachtig tegen zich aan. 'Mijn God. Verkráchting!'

'Hij was dronken.'

'Dat is nog geen excuus! Stil maar, liefje, je bent nu veilig.' Ze wiegde haar. 'Wat is er gebeurd? Is het híer gebeurd? Praat er maar niet over als je dat niet wilt.'

Sophie was stil, niet omdat ze niet wilde praten, maar omdat ze te druk bezig was zich in de veiligheid van Francines armen te koesteren.

Na een tijdje vroeg Francine zacht: 'Heeft hij je geslagen?'

'Nee. Hij heeft me alleen omlaag gedrukt. Mijn adem afgesneden.' De herinnering deed haar huiveren. 'Ik dacht dat hij me zou vermoorden.'

Francine wreef door het dekbed heen over haar rug. Daarna vroeg ze: 'Bloed je?'

'Ik weet het niet.'

'Ik ga met je naar het ziekenhuis.'

'Nee! Daar ga ik niet heen.'

'Dan Davis. Ik zal Davis bellen.'

'Nee!'

'Ik had niet weg moeten gaan. Als ik hier was geweest, was dit niet gebeurd. Maar ik wilde een nieuwe spijkerbroek, een stomme nieuwe spijkerbroek...'

'Het was anders ook gebeurd,' huilde Sophie, 'als het niet vanavond was, dan wel een andere keer. Ik zag het aankomen. Ik had het moeten zien.'

Francine sloeg haar armen nog steviger om haar heen. Ongelofelijk genoeg begon ze te huilen.

'Niet doen, mam.'

'Ik kan 't niet helpen.' Ze snoof en zei met gebroken stem: 'Ik wil dat je naar een dokter gaat.'

Maar het enige dat Sophie wilde, was een warm bad. Zodra ze in staat was om in beweging te komen, en zo ver was het nog niet. Om te beginnen had ze het koud, huiverde ze bij elke gedachte aan de verschrikking van een mogelijke dood. En verder durfde ze het dekbed niet van zich af te doen, was ze bang om naar de schade te kijken, was ze bang dat delen van haarzelf op het bed zouden vallen. Haar lichaam was van pijnlijk naar schraal gegaan – keel, borst, dijen, en daartussen – maar ze durfde zich niet te bewegen uit angst meer pijn te krijgen.

'Als je in bad gaat,' zei Francine overredend, 'zul je alle bewijzen wegspoelen. Zelfs als je geen aanklacht indient, zal het toch helpen om hem bij jou vandaan te houden als het ziekenhuis een verslag heeft van wat er met jou is gebeurd. Dit was niet jouw schuld, Sophie.'

'Ik heb hem uitgedaagd.'

'Uitdagen is geen rechtvaardiging voor verkrachting. Je hebt niets gedaan om zoiets te verdienen.' Ze knuffelde Sophie en wiegde haar. 'Hoe voel je je nu?'

'Beverig.'

'Heb je een injectie nodig?'

'Nee.'

'Weet je 't zeker?'

Sophie wist dat emotionele schokken hyperglycaemie konden veroorzaken, maar ze voelde niets van de symptomen – geen koorts, geen misselijkheid, geen dorst. Als er al iets was, dan wees haar beverigheid eerder op een láág bloedsuikergehalte. Maar ze was ervan overtuigd dat die beverigheid aan de schrik te wijten was.

'Laat me iets te drinken voor je halen,' zei Francine en Sophie had het hart niet om haar tegen te houden. Ze hoopte dat het niet iets sterks zou zijn. Ze had het liefst sinaasappelsap, en ze kreeg ook sinaasappelsap. Ze nam langzaam een slokje.

'Beter?' vroeg Francine toen ze het op had, ze pakte het glas van haar aan en veegde toen het haar uit haar gezicht.

Sophie knikte. Ze had één arm buiten het dekbed gestoken. Ze moest zien of de rest intact was, ze moest zich schoonwassen en weer zichzelf zien te worden. 'Ik zou nu graag in bad willen.'

'Weet je het zeker?'

Ze wist het heel zeker. Ze diende geen aanklacht in, ze wilde haar persoonlijke narigheid niet aan anderen bekendmaken, ze wilde geen minuut langer dan nodig was terug hoeven denken aan alle gebeurtenissen van die avond.

'Het was anders geweest als ik hem niet had gekend,' probeerde ze uit te leggen. 'Maar dit was Gus. Hij was niet echt van plan mij te vermoorden. Hij was alleen maar kwaad en stomdronken...' Ze snikte even. Nee, hij had niet geprobeerd haar te vermoorden, maar hij had het wel kunnen doen, en dan was zij dood geweest en dan was hij een moordenaar geweest, en God mocht weten wat de straf daarvoor was. 'Een nachtmerrie. Een náchtmerrie. Oké, hij is dus een rotzak. Maar nu zit hij zonder werk, is hij ontslagen, weg. Hij raakt zijn huis en zijn inkomen kwijt. Wat moet hij beginnen?'

'Heb je met hem te dóen?'

Ze probeerde na te denken. 'Ik voel... wel iets.'

'Geen liefde,' verklaarde Francine.

'Nee. Geen liefde. Misschien voel ik een beetje met hem mee. We waren allebei wat verloren. En er is ook iets vertrouwds. We waren minnaars. Hij kon soms nors zijn, maar hij heeft nooit eerder een hand tegen me opgeheven. Soms vond ik Gus aardig.'

'Ik niet. Ik kan hem wel vermoorden.'

Sophie glimlachte zelfs. 'Jij bent mijn moeder. Dat hoor je ook te willen doen.'

'Jij ook, na alles wat hij heeft gedaan. Waar is mijn strijdlustige rebel?'

Sophie zuchtte, opeens heel moe. 'Die is realistisch geworden. Als ik naar het ziekenhuis ga, als ze hun bewijs hebben en de politie bellen, en als er ook maar één iemand iets naar de media uit laat lekken – kun jij de koppen in de kranten dan al voor je zien? Kun je de telefoontjes horen? Alle roddelkranten in het land – "Dorian-kleindochter verkracht door chauffeur". Daarna, als ze een tijdje hebben rondgesnuffeld – "Dorian-verkrachting besluit hartstochtelijke liefdesaffaire met chauffeur".'

Het was het niet waard. Sophie was nooit iemand geweest om zich te laten voorstaan op de naam Dorian. Grace was het enige publiek geweest waarnaar ze ooit had verlangd. Sophie had nooit de aandacht van de media gevraagd, nooit het voetlicht gezocht. Om daar op zo'n manier in te belanden, zou een nog wredere aanslag zijn dan de andere.

Ja, ze was boos – en bang door haar machteloosheid – en verbijsterd door het besef dat haar greep op haar leven beperkt was. Ze was ook verdrietig. Haar relatie met Gus was vanaf het eerste begin gedoemd geweest, maar ze had niet gedacht dat er op deze manier een eind aan zou komen. Dus dat verlies was er. Maar er was meer. Het verlies van haar onschuld. Verdwenen was het gevoel van onkwetsbaarheid. Verdwenen was de illusie dat ze haar neus kon ophalen voor van alles en nog wat, en dat ze daar straffeloos onderuit kwam. Ze was zelf verantwoordelijk voor haar daden. Net als de rest van de wereld.

Terwijl Sophie een bad nam, haalde Francine het bed af, fatsoeneerde alles voor het oog, en probeerde niet te denken aan de blauwe plekken op Sophies lichaam.

'Hoe is het met haar?' vroeg pastoor Jim vanuit de deuropening.

Francine leunde vermoeid tegen het bed. 'Ze overleeft het wel. Hoe is het met Grace?'

'Kalmer.'

'Jim, wie is Claire?'

'Claire?'

'Toen ik thuiskwam, hoorde ik Grace gillen. Ze had het over een Claire, en over Johnny. John is mijn vader, maar ik heb werkelijk nooit iemand de naam Johnny voor hem horen gebruiken. Claire is een nieuwe. Ken jij een Claire?'

Jim haalde zijn schouders op, vertrok zijn mond in een grimas, schudde zijn hoofd. 'Heb je het aan Grace gevraagd?'

'Nog niet.' Ze had gehoopt dit te kunnen vermijden door pastoor Jim aan de tand te voelen. 'Ze reageert niet goed op vragen over het verleden. Ik vind het vervelend om haar van streek te maken. Maar het is wel vreemd.'

'Wat is vreemd?'

'Johnny. Jij hebt m'n vader gekend. Hij was geen Johnny. Misschien was het Grace's koosnaam voor hem. Maar dan zou je toch denken dat die haar ooit wel eens was ontsnapt als ik in de buurt was.' Francine probeerde uitdrukking te geven aan haar gevoelens zonder zich een verrader te voelen, maar het lukte niet. 'Ik heb steeds maar het gevoel dat ze het over iemand anders heeft.'

'Hoe dat zo?'

'Gewoon, door de context. Oké, ze heeft Davis een keer voor Johnny aangezien. Dat had onschuldig kunnen zijn – een jongere man, een jongere John Dorian – ook al lijken ze niet veel op elkaar. Meestal noemt ze Johnny in één adem met haar ouders.'

Pastoor Jim keek verloren. Hij trok een wenkbrauw op en schudde zijn hoofd.

Francines moederlijke antenne, die op de badkamer was gericht, ving af en toe wat gespetter van water op, maar het was een vredig geluid. Dus vroeg ze: 'Wanneer heb jij Grace voor het eerst ontmoet?'

'Ik ben naar hier verhuisd kort nadat zij hier was komen wonen. Ze was in die tijd een trouwe kerkgangster.'

'En jullie tweeën hebben veel gepraat?'

'Ze was altijd een fascinerende vrouw.'

'Heeft ze ooit over haar familie gepraat?'

'Francine...'

'Ik weet het.' Ze stak een hand op. 'Ambtsgeheim en zo. Maar ze zegt vreemde dingen, en sommige slaan gewoon nergens op. Er zijn te veel vragen. Ik begin me af te vragen wie ik ben.'

'Je bent het kind van je ouders.'

'Maar wat was er daarvoor? Ik ken geen enkel familielid. Is dat niet ongelofelijk?'

Pastoor Jim haalde zijn schouders op. 'In deze tijd niet.'

'Maar het is wel treurig, heel treurig. Dus misschien is Claire mijn tante, hoewel Grace, als ik haar naar de namen van haar zusters vraag, ontkent dat ze die had. Dus misschien is – was – Johnny een familielid, een vriend, een vríendje. Waarom wil ze niet over hem praten? Waarom wil ze nérgens over praten?'

'We hebben er vaak over gepraat, zij en ik. Maar toen ze met je vader trouwde, begon ze een nieuw leven. Het andere is over en voorbij.'

'Dat kan wel zijn, maar waarom wil ze er niet over práten?'

'Die vroegere jaren zijn heel moeilijk geweest.'

De deur naar het verleden ging op een kiertje open. 'Het is mijn erfenis, Jim, het gaat om wie ik ben,' smeekte ze. 'Het is alles wat Grace heeft gemaakt tot wie zij is... nee, ik ontken het niet. Mensen draaien zich niet zomaar om en worden van de ene dag op de andere iemand anders, zonder enig overblijfsel uit het verleden. Zelfs als Grace zulke dingen niet zo vaak had geschreven, is het nog een kwestie van gezond verstand. Het gaat míj ook aan wie haar ouders waren. Als ik daar niet snel achter kom, zal ik het nooit weten.'

Ze wachtte – inwendig smekend – en zuchtte toen. Jim was óf een trouwe dienaar van God, óf een trouwe dienaar van Grace, ze wist niet wie – en toen riep Sophie haar vanuit de badkamer en was het niet meer van belang. Hoezeer ze ook wilde weten waar ze vandaan was gekomen, Sophie was waar ze heen ging.

Omdat Sophie liever niet in haar eigen kamer wilde slapen, en al helemaal niet alleen wilde zijn tot er nieuwe sloten op de deuren waren gezet, sliep ze die nacht bij Francine. Zelfs toen had ze nachtmerries. Ze schoot twee keer, badend in het zweet, overeind. Tot twee keer toe praatte Francine haar weer in slaap.

Omdat ze zich geradbraakt voelde en niet in het minst in de stemming voor een uitstapje, belde ze haar vriendinnen in New York af en bracht de zaterdag thuis door. Net als Grace had ze behoefte aan vertrouwde muren en bekende gezichten. Hoewel hun redenen verschilden, was veiligheid en geborgenheid hun doel.

Pastoor Jim hielp daarbij. Hij hield persoonlijk toezicht op het vernieuwen van de sloten, praatte persoonlijk met Marny over het lot van haar broer, zag er persoonlijk op toe dat Gus zijn spullen pakte en vertrok.

Margaret hielp ook. Ze maakte Sophies suite van top tot teen schoon, waste alles wat er te wassen viel, holde naar de winkel voor nieuwe lakens en een nieuw dekbed en zorgde dat alles zacht en nieuw leek en aanvoelde.

Toch was Sophie nog steeds gespannen. De scène met Gus bleef haar te veel bezighouden, de pijn, de angst, het gevoel van machteloosheid waren te nieuw. Als diabeticus was haar bijgebracht dat ze haar lot zelf in handen hield. Maar Gus had haar iets anders bijgebracht.

Ze merkte dat ze steeds naar Grace toe trok. Vreemd, maar toch ook weer niet. Grace was de ruggengraat van het gezin. Grace zou met haar praten, haar van haar schuldgevoelens bevrijden, zou haar verzekeren dat wonden zouden genezen, angst zou verdwijnen, haar greep op de wereld terug zou keren. Grace had de antwoorden.

Maar nu niet. O, ze hield Sophies hand wel vast. Ze vroeg hoe ze zich voelde. Ze streelde haar haar en glimlachte op de liefhebbende manier die ze aan de dag legde wanneer ze niet Grace Dorian, *De Hartsvriendin*, was, maar ze maakte geen opmerking, hoe indirect ook, over wat ze had gezien of gezegd.

Sophie en pastoor Jim? In iedere andere situatie zou het lachwekkend zijn geweest. Nu was het treurig, zelfs angstaanjagend, om te bedenken hoe ver de geest van Grace kon afdwalen. Grace was altijd heel bestendig geweest. Maar dat was ze nu niet meer, en Sophie voelde het gemis.

Bestendigheid was iets waar ze nu behoefte aan had – bestendigheid, geborgenheid, gezelligheid. Zonder zich goed te realiseren dat ze ertegen opzag, was ze opgelucht toen Francine haar vertelde dat ze nu maar beter niet de hele zondagmiddag met Grace alleen thuis moest blijven, maar met Davis en haar mee moest gaan.

Jane Domenic was meer dan bereid om op Grace te passen, en hoewel Grace op haar beurt niet zo bereid was, stelde Francine Sophies behoeften op de eerste plaats. Toen Davis om één uur voorreed, troonde ze Sophie mee naar zijn pick-up.

'Dit is dwaasheid,' protesteerde Sophie.

'Helemaal niet.'

'Jullie hebben mij er helemaal niet bij nodig.'

Francine had een arm door de hare gestoken en trok haar mee.

'Ik wel.'

'Maar ik zit jullie in de weg!'

'In welke weg? Hij moet hockeyen, daarna gaan we met zijn vrienden eten.' Ze bleef vlak voor de auto staan, nam Sophies gezicht in haar handen en zei: 'Ik kom niet alleen. Als Davis dat niet begrijpt, moet hij dat maar snel weten. Als hij van mij houdt, moet hij ook van m'n dochter houden, oké?' Ze draaide Sophie in de richting van het portier van de passagiersplaats en duwde haar omhoog en naar binnen. Zelf ging ze bij het raam zitten. Toen ze zich iets naar voren boog om voor Sophie langs naar Davis te glimlachen, voelde ze haar maag een buiteling maken. 'Hoi.'

'Hoi daar.'

'Dit was niet mijn idee,' zei Sophie vlug.

'Dat dacht ik al,' zei Davis. 'Geen enkele knappe jonge meid die bij haar volle verstand is, zou vrijwillig haar zondagmiddag opgeven om te kijken naar een paar ouwe knarren die hun langvervlogen jeugd proberen te laten herleven.'

Sophie wierp hem een twijfelende blik toe. 'Langvervlogen jeugd?'

'Ik kon vroeger de hele nacht blijven schaatsen zonder buiten adem te raken. En nu? Vergeet 't maar! Met de ogen in m'n achterhoofd is het al hetzelfde. Ik wist vroeger instinctief wat er overal gebeurde, maar nu heb ik niet meer die... die *Gestalt*, als je begrijpt wat ik bedoel. En wat mijn knieën betreft...' Hij maakte een sputterend geluid.

'Wat mankeert er aan je knieën?' vroeg Sophie.

'Die willen niet meer. Maar het enige dat ik vraag is dat jullie me niet zullen uitlachen. Dit zou wel eens heel gênant kunnen worden.' Hij keek Francine aan. 'Misschien moeten jullie maar geen van beiden meegaan.'

'Wij gaan mee,' zei Sophie.

'Weet je 't zeker? We hebben het hier echt over een sullige vertoning, hoor.'

'Ik heb wel behoefte aan iets om te lachen.'

'Ik heb je gevraagd níet te lachen.'

Met opeengeknepen lippen stak Sophie haar rechterhand omhoog.

Davis keek Francine aan. Ze drukte haar vingertoppen tegen haar mond om de vrolijkheid daar te verbergen en ze beaamde Sophies eed door ernstig haar hoofd te schudden.

Uiteindelijk viel er veel te lachen, hoewel niet ten koste van Davis. De wedstrijd werd ernstig genomen, maar niet té; de rivaliteit was hevig, maar niet té. De toeschouwers, allen vrienden of bekenden van de spelers, juichten degene toe die op dat moment de wedstrijd spannend maakte. De puck onderscheppen bracht gejoel teweeg, vechtpartijen geschreeuw, een goal deed het publiek op de tribunes en masse overeindspringen.

Francine en Sophie begonnen de middag bijeen gekropen, maar het enthousiasme van de anderen werkte aanstekelijk. Sophie kwam het eerst in de stemming; ze sprong tegelijk op met de rest, joelde mee met de rest, ging toen weer zitten, keek Francine aan en zei: 'Dit is leuk.'

Francine merkte dat ze zelf ook genoot. Binnen de kortste keren waren Sophie en zij gewoon twee gekken op de tribune en hadden ze net zoveel plezier met het toejuichen, bespotten en uitdagen van de spelers als de spelers zelf.

Davis was, uiteraard, de beste op het ijs. Hij snelde voort met een uiterst efficiënte manier van bewegen, bracht zijn stick naar de puck op een manier die zijn tegenstanders alle kanten uit deed schieten, gleed sierlijk over het ijs, met zijn armen in de lucht, wanneer hij scoorde.

'Zijn knieën laten het afweten, hè?' merkte Sophie het ene moment op, om het volgende moment overeind te schieten en haar eigen rauwe kreet toe te voegen aan de andere toen er een gevecht uitbrak.

De gevechten vormden de hoogtepunten van de wedstrijd. Er was veel vertoon van geduw, armgezwaai en geschreeuw op het ijs, enkele keren gevolgd door het leeglopen van de tribunes, maar het gelach overheerste zelfs bij deze vredespogingen. Het gelach duurde voort tijdens het diner dat volgde en dat werd gegeven in een soort familierestaurant dat er geen enkel bezwaar tegen had als een aantal gasten wat sterk rook. Er werden toosts uitgebracht. Er waren grapjes. Er waren koude biertjes en vrolijke plagerijen.

Francine en Sophie deelden een tafel met Davis, een van zijn teamgenoten en diens vrouw, en de broer en zuster van de vrouw. De teamgenoot, een oude studiemakker van Davis, had een praktijk als internist in westelijk Massachusetts. Zijn vrouw had een praktijk als advocaat, samen met haar zuster die zes jaar jonger was. De broer, die nog jonger was, was het zwarte schaap van de familie. Hij was beeldend kunstenaar.

'Hoorde je wat hij zei?' vroeg Sophie die avond aan Francine toen ze weer thuis waren, Grace in bed hadden gestopt en met de gezichten naar elkaar onder Sophies nieuwe dekbed waren gekropen en het licht hadden uitgedaan. Haar stem was een fluistering in de duisternis. 'Hij verzorgt illustraties voor de Audubon Society. Daarmee kan hij in zijn onderhoud voorzien terwijl hij aan echte kunst werkt. Hij heeft al wat tentoonstellingen gehad. Zijn werk hangt in galeries in New York en San Francisco. Ik denk dat hij heel goed is.'

'Dat denk ik ook,' zei Francine. Ze wilde niet overdrijven, voor het geval Sophie zou denken dat ze haar wilde sturen. Maar de kunstenaar – Douglas – leek een heel vriendelijke, bescheiden, gemakkelijke jongeman.

'Hij heeft me mee uit gevraagd.'

'O ja?'

'Om te gaan eten. Ik heb gezegd dat ik 't nog niet wist.'

'Waarom niet?'

'Dat weet jij ook wel.'

Francine streelde haar over haar haar. Ze was blij met deze opening en zei: 'Er is geen haast bij. Ga over een paar weken een keer met 'm uit eten. Of nooit, als hij je niet genoeg interesseert. Maar word niet kopschuw, Sophie. Scherm je niet van de wereld af. Niet iedere man is als Gus.'

'Dat weet ik. Maar het was heel angstaanjagend wat er is gebeurd. Ik heb het helemaal niet zien aankomen. Stel dat ik het een volgende keer ook niet zie?'

'Dan zul je het wél zien. Je weet dan waar je voor uit moet kijken – drinken, frustratie, woede. Je zult jezelf niet meer in een kwetsbare positie plaatsen.'

'Misschien als Douglas lelijk was. Of sááái…'

'Dan zou jij je doodongelukkig voelen. Jij houdt van interessante mensen. Omdat jíj interessant bent. Je hebt pit. Verlies dat niet, Sophie.'

'Ik vind Davis trouwens wel leuk. Jij?'

Francine glimlachte. 'Jawel.'

'Is alles nog steeds zo dik aan tussen jullie?'

'Wie zegt dat het dik aan was?'

'Dat zegt niemand. Ik heb 't gezien.'

'Wat heb je gezien?' vroeg Francine, die probeerde de kus in de hal te minimaliseren.

'Ik heb zijn tong gezien.'

'Jézus, Sophie! Je hoort niet naar zulke dingen te kijken als je mensen elkaar toevallig ziet kussen.'

'Nou, ik heb 't toch gezien. En, is het menens?'

'Hoe moet ik dat weten? Ik heb 'm lange tijd niet meer gezien.'

'Volgens mij wel. Ik zag hoe je naar hem keek. Er waren duidelijk gevoelens.'

Gevoelens? O ja. Zeker die middag. Davis was perfect geweest met Sophie. Hij had de juiste hoeveelheid aandacht en vrolijkheid geboden om haar gedachten van Gus af te leiden, zonder dat punt te benadrukken. Hij was met Francine ook perfect geweest, heel hartelijk, hecht, sexy.

Ze vond dat hij net zo schaatste als hij de liefde bedreef, een beetje ruw, een beetje soepel, brutaal maar vakkundig.

'Zou je met 'm willen trouwen?' vroeg Sophie.

'Nee. Hij wil baby's.'

'Hou je van 'm?'

'Ik vind 'm aardig.'

'Heel aardig?'

'Eh ja. Maar ik ben niet geschikt voor hem. Ik ben te oud.'

'Te oud voor wat?'

'Voor baby's.'

'Je bent daar niet te oud voor, dat is trouwens helemaal niet van belang...'

'Toch wel.' Vooral als je bedacht dat haar misschien hetzelfde lot was beschoren als Grace.

'Het enige dat van belang is, is de verhouding tussen jullie tweeën.'

'Maar hij wil kinderen.'

'Jij kunt best kinderen krijgen.'

'Als ik in de wachtkamer van een verloskundige zat, zou ze denken dat ik de grootmoeder was.' En als ze zich daar nu eens naar gedroeg, en nog erger, wanneer haar baby een tiener werd?

'Er zijn massa's nieuwbakken moeders van jouw leeftijd. Jij zou nog twee, of zelfs drie baby's kunnen krijgen als je dat wilde.'

'Eén per jaar. Zie je 't voor je?'

'Je zou er echt niet alleen voor staan.'

'Ik ga geen baby's krijgen om die door een ander groot te laten brengen.'

'Dat bedoel ik niet, en dat weet jij ook. Zou je geen baby's van Davis willen hebben?'

Francine deed haar mond open om te zeggen dat ze hoe dan ook geen baby's wilde krijgen, maar de woorden kwamen er niet uit. De gedachte aan baby's van Davis was heel verleidelijk.

Net als het slikken van calciumsupplementen om osteoporose te voorkomen – een verjongende crème op haar ouder wordende hals te smeren – en grijze haren uit te trekken – en het slikken van een organisch drankje dat de een of andere holistische figuur als preventief middel tegen de ziekte van Alzheimer aanprees.

'Ik zou er geen bezwaar tegen hebben,' zei Sophie. 'Als jij met hem wilde trouwen, bedoel ik.'

'Grace wel. Hij komt uit Tyne Valley.'

'Pastoor Jim ook, maar als je ziet hoe Grace naar hem kijkt, dan zou je denken dat ze geliefden waren.'

'Sophie!'

'Echt waar. Denk je dat ze dat ooit zijn geweest?'

'Nee.'

'Ze zit de hele dag te wachten tot hij komt. Zegt dat je niets?'
'Het zegt mij dat ze hem aanbidt. Dat betekent niet dat ze geliefden zijn geweest.'
'Denk jij dat ze vóór opa een minnaar heeft gehad?'
'Ze zei altijd dat het grootste geschenk dat een vrouw bij haar huwelijk aan een man kon geven haar maagdelijkheid was.' Maar aan de andere kant... 'Ze heeft ook gezegd dat ze is geboren als Grace Laver, in een klein stadje in Maine dat onder water is komen te staan. Ik weet niet wat ik nog moet geloven of niet.'

'Het is ook van invloed op hoe wij over onszelf denken,' zei Sophie met een geeuw.

Francine geeuwde ook. 'Tja.' Ze dacht daar een poosje over na, en ze wilde dit juist als een understatement betitelen, toen ze besefte dat Sophie sliep.

19

We kunnen nooit volledig het verleden van ons afschudden.
Lang nadat de zon is ondergegaan, werpt de dag van
gisteren schaduwen op vandaag en morgen.

– Grace Dorian, in een toespraak voor de
Nationale Vereniging voor de Bevordering van de
Geestelijke Gezondheid

Francines pogingen om contact op te nemen met de broers en zusters van John Dorian leverden niets op. Twee van de nummers in het adresboek waren niet meer aangesloten, het derde werd opgenomen door iemand die beweerde geen familie te zijn van díe Dorian, de vierde hing op toen ze haar naam noemde, waarop ze het adresboek aan Robin gaf.

Robin had niet gelukkiger kunnen zijn. Ze was ervan overtuigd dat zij meer van een onwillig persoon gedaan kon krijgen dan Francine. Als niet-Dorian kon zij onschuldiger en vasthoudender zijn.

In de veronderstelling dat persoonlijke ontmoetingen waarschijnlijk meer opleverden, en omdat Francine aarzelde om Grace alleen te laten, vloog Robin alleen naar de Westkust. Na in Sacramento te zijn geland, huurde ze een auto en reed naar het adres in Johns boek – een van de telefoonnummers die buiten dienst waren – om zijn jongste broer Milton te zoeken. Het huis was van gemiddelde grootte, goed onderhouden, met een aardige tuin. De deur werd opengedaan door een jonge vrouw, die beweerde het huis te hebben gekocht toen Milton Dorian was gestorven. Voorzover zij wist had hij altijd alleen gewoond.

'Met wie hebt u bij de verkoop te maken gehad?'

'Alleen maar met makelaars en notarissen.'

'Geen familie?'

'Niet dat ik weet.'

Robin kreeg de naam van de makelaar, via wie ze eventueel de notaris kon opsporen om te weten te komen of Milton kinderen had. Maar een leeftijdsgenote van Milton zou meer kunnen weten over Grace. Dus vertrok ze de volgende morgen naar San Jose om op zoek te gaan naar Millicent Dorian Bluett.

Haar huis leek veel op het andere, middelmatig van grootte, goed onderhouden, fraaie tuin. Zelfs de Georgian-stijl kwam overeen. Het duurde even voor Robin zich realiseerde dat beide huizen overeenkomst vertoonden met het grotere familiehuis aan de Housatonic.

Een lange vrouw opende de deur. Robin zocht naar een gelijkenis met de John die ze op de foto's had gezien, maar de vrouw vroeg: 'Ja?'

Robin glimlachte. 'Millicent Bluett?'

'Wie bent u?'

'Mijn naam is Robin Duffy. Ik ben schrijfster. Ik werk aan een biografie over Grace Dorian...'

'Toen u opbelde was u haar dochter,' zei Millicent beschuldigend. 'Ik vertelde u toen, en ik vertel u nu, dat ik geen familie ben van Grace Dorian.'

'Van haar man...'

'Ik ben géén familie,' zei de vrouw en ze deed de deur voor Robins neus dicht. Even later ging hij weer open. 'En probeer nou niet te doen alsof je iemand anders bent. Ik weet niet wie je echt bent, of wat je wilt, maar je zult 't niet van mij krijgen.'

De deur ging weer dicht en bleef dicht. Robin wachtte vijf minuten voor ze opnieuw durfde te bellen. Ze vermoedde dat de vrouw achter het raam had staan kijken, want de deur was nauwelijks open of er klonk een snerpend: 'Ik had toch gezegd dat je weg moest gaan!'

'Nog één vraag,' zei Robin op haar snelst, op haar nederigst. 'Als u niet de juiste Dorian bent, dan weet u misschien wie het wel is. Ik probeer iets over Grace Dorian van vóór haar huwelijk te weten te komen...'

De deur viel met een klap dicht.

Robin hield op met praten. Gesloten deuren verstrekten geen informatie. Evenmin als strenge oude dames die zich onverzettelijk opstelden.

Maar er waren meer manieren om je doel te bereiken. Nietwaar Grace?

Toen Robin Millicents huis verliet, zocht ze het dichtstbijzijnde familierestaurant. Het heette Over Easy, en het was er klein maar bedrijvig. Ze ging naar binnen, zocht een plaats aan de bar en bestelde koffie. De serveerster voerde drie gesprekken tegelijk.

Robin dronk haar koffie op. Toen de vrouw haar kopje wilde bijschenken, legde ze haar hand erop. 'U schijnt iedereen hier te kennen,' merkte ze op met een blik op de andere gasten.

'Dat mag ook wel. Ik werk hier al tweeëndertig jaar. Bijna iedereen die binnen een straal van dertig kilometer woont, is hier wel eens binnen geweest.'

'Ik ben op zoek naar familie van Grace Dorian.'

'Grace Dorian?'

'*De Hartsvriendin.*

'Of ík *De Hartsvriendin* niet ken!' Ze trok een krant onder de bar vandaan en bladerde hem door. 'Ze staat hier. Ik lees haar altijd. Ik ben het niet altijd met haar eens, hoor, vooral de laatste tijd niet. Ze begint te modern te worden.' Ze boog zich naar voren en fluisterde: 'Ze opperde zelfs dat jongelui het zélf moesten doen – als je begrijpt wat ik bedoel – in plaats van seks te hebben. Wij zouden dat nóóit aan onze kinderen vertellen. Wie zei je ook alweer dat je was?'

'Ik ben schrijfster. Er is een Dorian die hier drie straten vandaan woont. Er was me verteld dat ze familie was.'

'Een Dorian? Hier? Gossie, dat heb ik nooit geweten. Hoe heet ze?'

Mis poes, dacht Robin. Binnen enkele minuten stond ze weer op straat, terwijl ze zich afvroeg hoe ze had kunnen denken dat zo'n bekakte vrouw als Millicent Dorian Bluett een tent als Over Easy zou bezoeken.

Aan de andere kant hadden zelfs bekakte mensen wel eens ijzerwaren nodig. Ze stak de straat over, ging de ijzerwarenwinkel binnen en vroeg naar de eigenaar.

'Daar praat je mee,' zei een man met HARRY op zijn shirt.

Ze glimlachte. 'Harry. Hoi.' Ze stak haar hand uit. 'Ik ben Robin Duffy. Ik schrijf een artikel over Grace Dorian, je weet wel, *De Hartsvriendin?*'

'Zeker. M'n vrouw leest haar stukjes.'

'Ik ben op zoek naar verloren familieleden van haar. Ik begrijp dat er een Dorian hier in de stad woont.'

'Millie. Maar ze is geen familie. Dat weet ik. Ik heb 't een keer gevraagd. Dat moest ik van m'n vrouw. Zij stuurt de rekeningen, en ze zag de naam. Dat was jaren geleden.'

'Helemaal geen familie?'

'Nee, en ze vindt 't ook niet prettig als haar daarnaar wordt gevraagd. Ik heb de indruk dat de mensen haar daarmee achtervolgen. Ze zal er haar buik wel van vol hebben.'

Haar buik ervan vol hebben of defensief zijn, dacht Robin. Met een inwendig 'Opnieuw mis poes' bedankte ze Harry en liep terug naar de auto. Ze reed enigszins ontmoedigd nog eens twee blokken verder en trapte toen opeens op de rem. Langzaam reed ze achteruit.

THE TURNED LEAF luidde een houten bordje dat voor een onopvallend boerenhuis hing. In de ramen die het dichtst bij de garage waren, stonden boeken. In de hoek van het ene raam stond een bordje OPEN.

Robin stopte op de oprit en zocht de dichtstbijzijnde deur. Het was binnen heel bedompt.

'Hallo. Kan ik u ergens mee helpen?' vroeg een oudere vrouw vanaf haar uitkijkpost op een kruk achter de toonbank.

Robin hoorde bij het seizoen passende muziek, rook jaren van oude boeken, zag schommelstoelen te midden van de kasten, en besloot dat als er één plek in de stad was die Millicent Dorian bezocht, het deze was.

'Reken maar,' zei ze. 'Ik ben helemaal uit New York gekomen om familieleden van Grace Dorian op te sporen. Weet u wie Grace Dorian is?'

'Ja,' zei de vrouw op vlakke toon.

'Weet u wie Millicent Bluett is?'

'Ik ken Millicent al jaren.'

Goddank, dacht Robin. 'Heeft u het ooit met haar over haar schoonzuster gehad?'

'Zeker. Ze hadden een heel hechte band. Ze was verpletterd toen de arme ziel stierf.'

'Stierf? Grace niet.'

'Lynette. Ik heb haar nooit ontmoet, omdat ze met haar gezin in het noorden woonde en zo, maar Millie ging elk jaar naar hen toe. Alfred is nu ook overleden, God hebbe zijn ziel. Dat was haar broer. Alfred.'

Robin wist van Alfred. Hij was de eerste broer die na John kwam. 'En hoe zat 't met John?'

'John wie?'

'John Dorian. Een andere broer. Heeft ze het ooit over hem gehad?'

'Nee.'

'Hij was met Grace getrouwd. Heeft Millicent het ooit over Grace gehad?'

'Niet tegen mij.'

'Maar je wist dat ze familie waren?'

'Nee. Dat wist ik niet.'

Robin trok zich terug voor beraad. Als Millicent familie was van Alfred, als ze familie was van John, maar als ze niet wilde praten en haar vriendinnen niet wilden praten, en als Alfred en Milton allebei dood waren, dan restte haar nog slechts één persoon.

Janet Dorian Kerns.

Robin bracht haar huurauto terug en vloog naar Seattle, maar het was pas laat in de volgende middag dat ze de vrouw opspoorde via drie bezoeken aan naar verhouding kleinere huizen. Janet leek schokkend veel op Millicent. Robin hoopte dat zij wat spraakzamer zou zijn.

Na zich te hebben voorgesteld, zei ze: 'Ik kom hier op verzoek van Francine Dorian. Ze is op zoek naar familieleden. Haar vader is drie jaar geleden gestorven. Zijn naam was John.'

Janet keek haar zwijgend aan.

'Uw naam stond in Johns adresboek. Ik neem aan dat u zijn zuster bent.'

Janet verblikte of verbloosde niet.

'Ik werk samen met Francine – en met Grace, haar moeder – aan een boek. We proberen de jeugdjaren van Grace te reconstrueren.'

'Er is iemand die me heeft opgebeld,' ging Janet in de aanval.

'Dat moet Francine zijn geweest. Maar u hing op.'

'John is geen broer van me.'

Robin hield haar adem in. Dit was misschien het dichtst bij een bekentenis dat ze zou komen. Maar aan de andere kant… 'Ik heb begrepen dat er onenigheid is geweest.'

'U hebt geen idee.'

'Ik meen begrepen te hebben dat het iets met Grace te maken had.'

'Wie heeft dat gezegd?'

'Is het niet waar?'

Janet leek zich te vermannen. Ze richtte zich verder op en stak haar kin in de lucht. 'Doet er niet toe.'

'Toch wel,' drong Robin aan, bang dit spoor te verliezen nu ze zo dichtbij was gekomen. 'Dit is precies het soort dingen dat de fans van Grace willen weten.'

Janets ogen werden hard. 'Ik hang de vuile was niet buiten.'

'O, maar dat hoeft ook niet,' nam Robin gas terug. 'Maar alles wat u me vertelt zou mij een betere kijk op Grace geven. Het zal me helpen een eerlijker boek te schrijven. Was die onenigheid vanwege Grace?'

'Waarom vraagt u dat aan mij? Waarom vraagt u het niet aan Grace?'

'Omdat Grace moeite heeft erover te praten.' Dat was geen leugen. 'Het is iets emotioneels.'

'Nou, ik heb geen idee waarom dat zo is,' zei Janet en ze trok een schouder op. 'Ze kende ons niet eens. Zij heeft haar intrek genomen, en wij gingen weg.'

'Heeft John jullie gedwongen te vertrekken?'

Janet sloot zich opnieuw af. Ditmaal stapte ze van de deur weg naar achteren. Robin stapte even snel naar voren. 'Nee, nee, mevrouw Kerns. Sluit u me alstublieft niet buiten. U bent de eerste die ik heb gevonden. Alstublieft. Ik ben er helemaal voor naar hier gekomen.'

Dat maakte haar echt kwaad. 'Ik heb niet gezegd dat u moest komen. Ik heb duidelijk gemaakt dat ik niet wilde praten toen ik bij dat meisje de hoorn ophing.'

'Francine is uw nichtje.'

'Dat is ze niet. John heeft ons buitengesloten, eruitgeschopt. Hij was de oudste zoon. Hij kreeg alles.' Die bekentenis leek de sluizen te openen. 'Hij had kunnen delen, als hij dat had gewild, maar hij wilde het niet, en toen hij eenmaal was getrouwd, waren wij niet langer welkom. We woonden daar in het huis. Hij vroeg ons te vertrekken. Niet dat we wilden blijven. Niet met die vrouw. Ze wond hem om haar pink, en daarmee was de kous af. Het was interessant dat zij iets van zichzelf maakte, terwijl hij de houtzagerij sloot en met riskante investeringen al het familiekapitaal verspeelde – of dat is in elk geval het verhaal dat wíj hoorden. We hebben het nooit geloofd. Hij heeft gewoon zijn bezittingen verstopt, zodat wij hem niet voor de rechter konden slepen. Weet u, toen John stierf moest de erfenis naar zijn erfgenaam gaan, maar hij had geen erfgenaam.'

'Toch wel. Francine.'

Janet gaf eerst geen antwoord. Ze bleef zo lang zwijgen dat Robin begon te vrezen dat ze door het onderbreken van de monoloog de vloed had ingedamd.

Toen zei Janet, met nadrukkelijk gesproken woorden en een blik vol minachting: 'Toen John Dorian jong was, is hij tijdens een polowedstrijd van zijn paard gevallen en eronder terecht gekomen. Als gevolg van dat ongeluk was hij onvruchtbaar.'

Onvruchtbaar. Robins hoofd tolde. Onvruchtbaar betekende dat Francine biologisch niet van John kon zijn. Dit betekende dat Grace voor haar huwelijk een andere man had gehad, méér dan reden genoeg om haar verleden te verbergen.

En Francine wist het niet.

Robin probeerde de implicaties hiervan te bevatten. Toen ze in het vliegtuig terug zat, probeerde ze dat nog steeds, maar er was iets dat een domper zette op wat een triomfantelijke stemming had moeten zijn. Ze had ten dele ook het gevoel dat ze op zoiets persoonlijks was gestuit, dat ze zich begaf op terrein waar ze niets te maken had.

'Wat?' vroeg Francine ongelovig.

Robin aarzelde en herhaalde toen zacht en op spijtige toon: 'Onvruchtbaar.'

Francine voelde hoe haar maag ineenkromp. 'Misschien was het pas na mijn geboorte. Dat zou kunnen verklaren waarom Grace nooit andere kinderen heeft gekregen, maar eigenlijk niet waarom mij dat nooit is verteld. Janet moet hebben gelogen, of ze was in de war.'

'Ze zei dat hij in zijn jeugd met polo een ongeluk had gehad.'
'Hij speelde geen polo.'
'Ook niet als jongen?'

Francine kon daar geen antwoord op geven. Het enige dat zij wist was dat hij het als volwassene nooit had gespeeld, en dat hij niet steriel was geweest. Als hij dat wel was geweest, had hij haar niet kunnen verwekken. 'Janet kletst uit haar nek. Schrap die mogelijkheid van steriliteit maar.'

Maar ze moest er wel steeds aan denken, ze moest voortdurend denken aan John en aan bepaalde dingen die zij altijd als normaal had beschouwd. Zoals zijn gebrek aan demonstratief gedrag jegens haar. Zoals zijn acceptatie van Grace, Francine en Sophie als een drie-eenheid die hem dikwijls buitensloot. Zoals zijn laconieke houding over het gebrek aan belangstelling voor Francine van de kant van zijn eigen familie, en over Sophies diabetes, die niet op een eerdere generatie kon worden teruggevoerd.

Francine dook in de huwelijksakte van haar ouders om te zien of ze tegen haar over de datum hadden gelogen. Dat hadden ze niet. Zij was negen maanden na hun huwelijk geboren. Daar was niets mis mee.

Maar het punt van die onvruchtbaarheid was als een slang die rondkronkelde, zich met twijfels en overwegingen voedde.

Onwillekeurig keek ze vaker naar Grace wanneer Grace niet wist dat ze er was, terwijl ze zich afvroeg of het op de een of andere manier mogelijk was. De trouwfoto's van Grace verklaarden haar tot een beeldschone bruid. Zelfs zonder de elegante kanten jurk, zelfs zonder de ingewikkelde sluier, de parels om haar hals, de diamant aan haar vinger, was ze een schoonheid geweest. Als ze in lómpen gehuld was geweest, zouden de mannen nog oog voor haar hebben gehad.

Misschien was dat ook wel zo geweest. Misschien was dat oog wederzijds geweest. Misschien had het een tot het ander geleid en was Grace opeens zwanger geweest. Misschien had ze het niet geweten toen ze naar New York was gekomen. John en zij hadden elkaar de eerste week ontmoet en waren binnen een maand getrouwd. Misschien was er een reden geweest voor de haast. Misschien was de huwelijksakte veranderd. Misschien was Grace tíen maanden zwanger geweest. Misschien had John zelfs niet geweten dat Francine niet van hem was.

Maar hij moest het hebben geweten. Net als Grace.

John was dood. Grace ging langzaam die richting uit.

Als Francine al een identiteitscrisis moest doormaken door alle veranderingen in huis, dan maakte dit alles die nog erger.

Ten einde raad, moe van al het gepieker, ging Francine op zoek naar Grace. Ze trof haar in haar slaapkamer, staande bij wat de volledige inhoud van haar kleerkast leek.

'Wat doe je daar?' vroeg ze zo vriendelijk mogelijk.

Grace schoof wat kleren heen en weer. 'Ik maak schoon. Ik maak altijd schoon.' Twee keer per jaar, met de regelmaat van de klok, verwijderde ze ongewenste kleren uit haar kleerkast.

'Maar je hebt het vorige maand nog gedaan.'

'Volgens mij niet.'

Francine voelde een intense treurigheid. 'Kom, ik zal je helpen alles weer in de kast te hangen. Als je nog meer weggooit, heb je straks niets meer om aan te trekken.' Het feit dat ze deze kleren, die uitermate ongeschikt waren voor haar inkrimpende leven, niet meer nodig had, was niet van belang. De kleerkast van Grace was altijd net zo elegant geweest als de vrouw zelf.

'Mooi,' zei Grace en ze pakte een rood wollen pak van de stapel en hield dat voor zich omhoog. 'Mooi. Ik heb dit aan gehad in Dallas. Ik moet 't eigenlijk aan die aardige vrouw geven... je weet wel, in de stad... van die winkel...'

Francine had geen idee welke winkel, maar Davis had haar aangemoedigd specifiek te zijn over dingen. 'Concreetheid' was het woord dat hij gebruikte voor wat Grace nodig had nu ze niet langer in staat was zelf haar gedachten te vormen. Dus zei Francine: 'De kledingwinkel?' omdat dit het eerste was dat haar te binnen wilde schieten. Grace kende de vrouw van die winkel nauwelijks, had er feitelijk nooit iets gekocht, en Francine betwijfelde of de vrouw zin zou hebben in de afdankertjes van Grace. Maar daar ging het niet om. Het ging erom dat ze Grace een woord, een persoon, een aanknopingspunt gaf.

Grace klaarde op. 'De kledingwinkel. Wil je dit aan haar geven?'

'Dat zal ik doen.'

Francine legde het rode pak opzij en begon de andere kleren weer in de kleerkast te hangen. Ze wist niet zeker of dit wel het goede moment was om over onvruchtbaarheid te beginnen. Grace was niet op haar best. Maar aan de andere kant was ze vaak niet op haar best en de tijd drong.

Ze haalde diep adem en zei toen, in de hoop Grace onverhoeds uit haar tent te lokken: 'Mam? Weet je nog dat ik je vertelde dat Robin naar Californië zou gaan? Nou, ze heeft daar Janet Dorian ontmoet.' Toen er geen reactie kwam, voegde ze eraan toe: 'De zuster van papa.' Niets. 'Janet zei iets waar wij niets van begrijpen, maar jij bent de enige die het kan weerleggen. Ze zei dat papa onvruchtbaar was.'

Grace keek verwilderd naar de kleren op het bed.

'Hoor je me, mam?'

Ze keek op. 'Wat zei je ook alweer?'

'Janet zei dat papa steriel was. Was hij dat?'

'Waarom zei ze dat?'

'Ik weet het niet. Misschien uit wraak. Het is een onzinnig idee. Ik bedoel,' Francine dwong zichzelf tot een lach, 'hij is de enige vader die ik ooit heb gekend.'

'Ik denk het niet.'

'Wat denk je niet?'

'Ik denk het niet,' herhaalde Grace, alsof dat een antwoord was op alles.

'Jij denkt niet dat hij onvruchtbaar was? Het is niet iets dat je moet denken. Het is iets dat je moet weten.'

'Ik dénk het niet,' hield Grace vol.

Francine probeerde kalm te blijven. Een ja of een nee, dat was alles wat ze wilde horen. Ze had geen behoefte aan details, ze had geen behoefte aan grootse herinneringen of verklaringen. Ze vroeg niets aan Grace dat Grace niet kon geven. Een ja of een nee. Dat was alles.

'Ik heb heel vaak gevraagd waarom jullie nooit meer kinderen hebben gekregen,' zei ze op enigszins smekende toon. 'Dat was niet mogelijk geweest als papa steriel was. Als hij steriel was, hadden jullie míj ook nooit kunnen krijgen, wat betekent dat iemand anders mijn biologische vader is. Ik ben nu drieënveertig jaar oud, ik heb het recht het te weten.'

'Heilige Maria...'

'Néé. Géén onbevlekte ontvangenis,' riep Francine. Haar maag kromp ineen. 'Hoor eens, papa is dood, dus hij kan er geen bezwaar meer tegen hebben dat jij het vertelt. Ik zal hem er heus niet minder om achten – eigenlijk méér, als je beseft wat hij allemaal voor het kind van een ander heeft gedaan. En ik zal jou er niet minder om achten. Verdraaid, ik was zelf zwanger van Sophie toen ik met Lee trouwde... Zou dát geen grote grap zijn,' weidde ze onwillekeurig verbitterd uit, 'nadat ik me zo schuldig voelde omdat ik jou had teleurgesteld.' Dat was maar een van de vele dingen waar ze anders tegenaan zou kijken als haar afkomst niet klopte.

Grace bedekte haar oren en schudde haar hoofd.

Francine haalde haar handen weg en zei dringend: 'Alsjeblieft, mam. Ik moet het weten.'

Grace ademde snel. 'Ik denk het niet,' fluisterde ze.

'Het zijn mijn genen, het is mijn erfenis. En voor Sophie geldt hetzelfde.'

'Ik denk het niet.'

Francine greep haar handen steviger vast. 'Zeg het me toch. Was papa steriel? Ik kom er toch wel achter. Ik laat dit niet los voordat ik het zeker weet. Als jij het me vertelt, hoef ik niet ergens anders te zoeken. Het blijft meer geheim wanneer jij het me vertelt.'

Grace kneep haar lippen op elkaar.

'Wat is er dan zo vreselijk?' riep Francine. 'Dus jij was zwanger toen je hem ontmoette. Nou en? Het kan míj niets schelen. Ik wil alleen maar de waarheid horen. Wie was mijn vader? Je móet het me vertellen.'

'Ik denk het niet.'

'Móeder!'

Haar schreeuw had nauwelijks tegen de muren weerklonken toen het gezicht van Grace betrok en ze begon te huilen. Er was niets damesachtigs aan de manier waarop ze huilde, niets beschaafds of volwassens. Het was het onbeheerste, ongeremde verdriet van een kind dat in alles de kluts kwijt was, en het brak Francines hart.

Grace had niet geweten wat er aan de hand was. Overal op haar bed lagen de kleren verspreid, maar ze kon zich niet herinneren dat zij ze daar had neergelegd. Misschien had zij het gedaan. Of iemand anders, al wist ze niet waarom. Het enige dat ze wist was dat er te veel mensen in het huis rondliepen, en dat het hier een bende was.

De dingen lagen niet op hun juiste plaats. Ze wist niet of ze het allemaal weer kon fatsoeneren.

Neem dat gedoe over John. Ze wist niet waarom Francine het had genoemd of wie het haar had verteld, maar er was opeens zo'n gezoem in haar hoofd dat ze niets kon verstaan van wat John zei, behalve wat fragmenten.

'Goed... geeft niet... alsof het van mezelf is...' Heel kalm, heel geruststellend. Zelfs opgelucht, omdat hij ook zijn geheimen had gehad. Maar die geheimen bleven tussen hen. Daar waren ze het over eens. Dat hadden ze gezwóren.

Fragmenten. Ze hoorde dingen, voelde dingen, dacht dingen. Maar die kwamen en gingen zonder enige volgorde.

En nu begon er iets los te komen, zonder dat ze wist wat ze daaraan moest doen. Ze hoorde dit te weten. Ze zou het een jaar geleden hebben geweten, misschien zelfs een week geleden. De mensen kwamen de hele tijd voor antwoorden naar haar toe. Maar die had ze nu niet. Ze had nu niets meer. Na zoveel jaar. Zoveel werk. Niets.

Overweldigd door dit alles, nu ze geen enkele greep had op wat dan ook, begon ze te huilen. Ze haatte de afschuwelijke geluiden die ze maakte, haatte haar natte gezicht, maar ze kon niet tegenhouden wat er gebeurde en dat maakte het allemaal nog erger.

Plotseling werden er armen om haar heen geslagen. Ze straalden hartelijkheid, zorgzaamheid en liefde uit. En warmte en vergevensgezindheid. Haar moeder? Nee, die niet. Toch waren de armen heel moederlijk. Ze gaf zich over aan de troost ervan, en de dingen werden beter.

Francine vond pastoor Jim in het kleine klaslokaal boven het souterrain van zijn kerk. De lucht bevatte nog steeds iets van de januarikilte die werd geleid door de natuursteen waaruit de hele kerk was opgetrokken, maar de ruimte was niet somber. Dit kwam door pastoor Jim. Hij was een verwarmende aanwezigheid, met zijn ogen, zijn stem, zijn glimlach.

Hij gaf catechisatie aan een klas kinderen die allemaal op zijn of haar manier aan houten lessenaars zaten. Francine wist nog goed hoe ze zelf een van die kinderen was geweest. Pastoor Jim – een pastoor Jim met meer haar op zijn hoofd – was nieuw geweest in de parochie. Hoezeer Francine de beperkingen van het lokaal en het stampwerk van de catechismus ook verafschuwde, toch was ze dol geweest op pastoor Jim.

Er waren veertig jaren verstreken en veel van het haar van pastoor Jim was verdwenen, maar de catechismus was nog steeds hetzelfde, net als de liefde van de kinderen voor hun leraar.

Francine wachtte vlak buiten het lokaal, leunend tegen de stenen muur, vol ongeduld maar ook weer niet, luisterend naar de kalmerende stem van pastoor Jim. Toen het tijd was, holden de kinderen naar buiten en glipte zij naar binnen.

Hij keek verschrikt naar haar op, met één arm uitgestrekt en de andere vol boeken. 'Francine? Is alles goed met Grace?'

'Met haar wel.' Het huilen was opgehouden en vergeten toen ze naar de serre was gebracht. 'Maar met mij niet.' Ze glimlachte smalletjes. 'Het zijn weer de oude dingen die bovenkomen.' De glimlach verdween. 'Wist jij dat mijn vader steriel was?'

Pastoor Jim werd bleek. Hij legde zijn boeken neer en plaatste zijn vingers op het bureau. 'Wie zegt dat hij dat was?'

'Zijn zuster. Volgens haar ben ik niet haar nichtje. Grace wilde het niet bevestigen of ontkennen en daarna begon ze te huilen.' De herinnering daaraan bracht tranen in Francines ogen. 'Het was vreselijk, vreselijk. Daarna kon ik niet verder aandringen. Dus probeer ik het bij jou. Je hebt mijn vader gekend. Heeft hij ooit een probleem genoemd?'

Pastoor Jim keek peinzend. 'Nee.'

'En Grace?'

'Dat moet een privé-probleem zijn geweest, iets tussen je ouders...'

'...en God, en omdat jij een dienaar van God bent, moet je dat hebben geweten.'

'Niet noodzakelijkerwijs. Niet, tenzij de situatie voor hen problemen veroorzaakte die ze niet aankonden.'

Francine was dol op Jim. Ze vertrouwde hem. Maar hij beschermde Grace opnieuw. 'Waarom kun je me geen direct antwoord geven? Alles wat ik wil is een ja of nee. Was John Dorian steriel of was hij dat niet?'

'Dat kan ik je niet zeggen.'

'Kun je dat niet? Of wil je het niet?' Er welden tranen in haar ogen op. 'Dit is niet zomaar iets onbenulligs. Het heeft met mijn afkomst te maken. Ik zou dat heel belangrijk willen noemen. Maar niemand wil me de waarheid vertellen. Het is niet eerlijk, Jim.'

Toen werd alles aan Jim zachter. Hij kwam naar haar toe, sloeg een vriendelijke arm om haar schouders en zei op kalmerende toon: 'Waarom is het zo belangrijk, Frannie? Afgezien van wat de waarheid mag zijn, John was je vader. Hij hield van je, hij gaf om je, gaf meer om je dan enig meisje kon hebben gewild.'

'Dat kan wel zo zijn,' erkende ze, 'maar ik ben geen klein kind meer en ik krijg er genoeg van steeds met een kluitje in het riet te worden gestuurd. Het is waar, hè? Hij was steriel.'

Pastoor Jim schudde zijn hoofd, niet in ontkenning maar in droefheid.

Francine rukte zich los en begon weg te lopen. 'Er zijn andere manieren om erachter te komen.'

'Frannie...'

Ze draaide zich met een ruk om. 'Ik kom er wel achter. Als Grace en jij spelletjes willen spelen, ga gerust je gang. Ik heb er genoeg van.'

Francine aarzelde of ze Davis zou vragen een blik op de medische dossiers van John te werpen. Steriliteit zou ongetwijfeld in zijn dossiers vermeld staan en er waren dossiers genoeg van de laatste jaren van zijn leven. Maar Davis ernaar vragen zou hem hebben gecompromitteerd. Ze kon dat niet doen tenzij alle andere mogelijkheden waren uitgeput.

Paul Hartman was niet alleen de internist van Grace, maar ook van John, en hij was soms golfpartner en dikwijls gast op hun feestjes. Hij was degene die Grace in eerste instantie naar Davis had gestuurd en hij bleef haar vaak bezoeken. Hij vertrok nooit zonder Francine eraan te herinneren dat ze hem beslist moest bellen wanneer ze hulp nodig had.

Daarom vond ze het geen probleem om hem die avond thuis te bellen om te vragen of ze hem kon spreken, en twintig minuten later zijn zware koperen deurklopper te hanteren. Ze liep met hem naar een met leer beklede bibliotheek, maar bleef met haar jas aan staan. Ze sloeg het glas cognac af.

'Er doet zich een probleem voor, Paul. Ik moet de waarheid weten. Je hebt mijn vader heel lang behandeld... hoe lang wel niet?'

'Ik hou hier al dertig jaar lang praktijk,' zei hij zonder pauze, 'John was een van mijn eerste patiënten.'

'Was hij onvruchtbaar?'

Paul schrok. 'Onvruchtbaar? Hoe kom je daarbij?'

'Ik heb 't van zijn zuster. En ik denk dat het waar is. Het geeft antwoord op een aantal vragen. Helaas roept het ook weer andere vragen op. Was hij steriel?'

'Maar Francine,' zei Paul berispend, 'je weet dat ik geen persoonlijke informatie kan verstrekken.'

'Dus hij was steriel,' besloot ze.

'Dat heb ik niet gezegd.'

'Maar niemand ontkent het. Jullie doen allemaal hetzelfde, jullie spelen de vraag terug, vermijden een rechtstreeks antwoord. Als het niet waar was, had er wel iemand gezegd: "Nee, hij was níet steriel." Waarom mag ik dat niet weten? Wat voor kwáád schuilt erin op dit late tijdstip? John is overleden en Grace heeft belangrijker dingen te verbergen dan een voorechtelijke liefdesaffaire. Maar voor mij bestaat er niets belangrijkers. Ik ben het product van die affaire. We hebben het over mijn afkomst.'

Paul krabde zijn achterhoofd, streek het haar daar glad, haalde diep adem en keek haar smekend aan.

'Alsjeblieft Paul?' Haar stem trilde. 'Ik weet niet tot wie ik me anders moet richten. John is dood. Grace gaat snel achteruit. Ik heb geen familieleden om het aan te vragen, want ik kén geen familieleden, dus als Grace is overleden, is er níets meer.'

Hij keek verloren.

Ze greep hem bij de arm. 'Als John niet mijn biologische vader is, zou ik kunnen uitzoeken wie het wel is, en als ik dat eenmaal doe, zou ik een sleutel hebben tot wie Grace is. Dat is het grote probleem hier, Paul. Grace wil niet praten, ik weet niet hoeveel opzettelijk is en hoeveel niet, maar als ik die sleutel kan vinden, ben ik misschien in staat dingen op te helderen voordat ze gestorven is.'

Ze hield haar ogen op hem gericht, bleef wachten. Ze trok even aan zijn arm. 'Alsjeblieft?'

Hij liet zijn schouders zakken. 'Je bent wel vasthoudend.'

'Ik ben wanhopig. Was John Dorian mijn vader?'

Hij aarzelde een laatste minuut voordat hij met tegenzin zei: 'Ik heb het hem nooit ronduit gevraagd, maar ik denk van niet. Hij was steriel. Toen ik vroeg hoe het was gekomen, had hij het over een ongeluk. Toen ik hem vroeg wanneer, zei hij veel jaren geleden. Ik herinner me zijn ogen toen hij het me vertelde, me waarschuwde niets anders te vragen, dus deed ik dat niet. Het is nooit meer ter sprake gekomen.'

Francine slaakte een lange, beverige zucht. Ze liet zich in een stoel zakken en legde haar hoofd in haar handen. Ze nam deze keer wel Pauls cognac aan, omdat ze iets nodig had om haar op de been te houden. Een halfuur. Dat was alles wat ze dacht nodig te hebben om Davis te bereiken.

Hij wachtte haar bij de deur op, trok haar uit de kou naar binnen en hoorde haar verhaal aan. Toen nam hij haar in zijn armen en hield haar vast terwijl ze beefde en huilde en even zwak was als ze wilde zijn zonder hem het gevoel te geven dat ze zwak was. Hij maakte dat ze zich eerlijk voelde, dat ze zich in al haar zorgen gerechtvaardigd voelde. En toen ze dit allemaal had uitgesproken en moe was geworden van al haar woorden, toen ze vergetelheid zocht, bedreef hij op zo'n zorgzame wijze de liefde met haar, dat ze na afloop in tranen was.

Zijn hartstocht was een lied dat over, naast, onder haar zweefde, haar vasthield en hoog ophief. Of het zijn handen op haar rug waren die haar optilden of zijn mond die langs de rand van haar borst gleed, of de welving van zijn brede torso of de wrijving van zijn behaarde lichaamsdelen over delen van haar die gladder en kleiner waren, hij maakte dat ze zich beter voelde.

En het was niet alleen maar seksueel. Ze had het met Lee net zo seksueel gehad. Dit was anders. Het was van ziel vervuld.

Als hij de liefde met haar bedreef was er een element van verbazing, eerst in zijn ogen, dan in de rest van zijn lichaam. Hij maakte dat ze zich gewijd voelde, waar ze ook waren of hoe ze de liefde ook bedreven, en ze probeerden alles uit, zo hard, zo lang, zo intens mogelijk. Zijn lichaam wiegde haar voortdurend, zijn handen aanbaden haar. Hij maakte dat ze zich volmaakt voelde.

Ze was natuurlijk verliefd op hem. Het zou dwaas zijn als ze zichzelf voor de gek hield en het ontkende. Ze hield van hoe hij eruitzag, aanvoelde, dacht. Ze was dol op alle pret die ze hadden, en op de hartstocht die ze deelden. Ze hield van de manier waarop ze op hem kon leunen zonder dat ze allebei op de grond rolden.

Ze was dol op de manier waarop hij zijn vingers door haar haar vlocht, haar gezicht met zijn ogen streelde, en fluisterde: 'Ik hou van je' wanneer de golf van orgastisch genot haar eindelijk wat adem toestond. En ze hield van de manier waarop hij geen antwoord eiste, de manier waarop hij begreep dat nu haar heden zo wankel was, ze niet over de toekomst kon nadenken.

Binnenkort. Maar niet nu.

Francine vroeg hem niet ronduit of hij wilde snuffelen, maar drie dagen nadat ze hem had verteld dat John steriel was, gaf Davis haar een kopie van het oude ziekenhuisrapport waarin stond vermeld dat de steriliteit van John te wijten was aan een ongeluk bij het paardrijden op negentienjarige leeftijd.

20

Hoe complex het leven ook mag lijken, toch zijn de
grootste mysteries even simpel als de kreet van een baby, of
de glimlach van een vriend.

– Grace Dorian, in De Hartsvriendin

'En wat nu?' vroeg Robin.

Francine had zich dezelfde vraag voortdurend gesteld. Het antwoord was altijd een volgende vraag: *Wie ben ik?*

Ze was de moeder van Sophie, die haar nu meer nodig had dan
ooit. Ze was de minnares van Davis, die nu begeriger was dan ooit.
Ze was de dochter van Grace, hoewel Grace haar niet langer bij
haar naam noemde.

Was ze *De Hartsvriendin*? Ze probeerde Tony tevreden te stellen met vijf columns per week, hoewel ze op haar kop kreeg omdat
ze geen spreekbeurten wilde houden. Of eigenlijk kreeg Grace op
haar kop omdat ze geen spreekbeurten wilde houden. De verzoeken bleven komen. Ze werden steeds moeilijker om af te slaan.

Grace had gewild dat ze in het openbaar verscheen, maar dat
was niet wat Francine met haar leven wilde. Nog afgezien van haar
angst om in het openbaar te spreken, ze bleef liever thuis bij de
mensen van wie ze hield.

Was Grace teleurgesteld in haar? Waarschijnlijk wel. Dan kon
een beetje meer ook geen kwaad.

'We moeten gewoon uitzoeken wie mijn vader dan wel is,' zei ze
tegen Robin en ze wierp Sophie een droge blik toe. 'Makkelijk
zat.' Ze wisten allemaal dat dit niet zo was. Zonder een beginpunt
bij Grace, was er geen beginpunt voor Grace's minnaar. Maar er
was een klein stadje in New England, waar Grace een band mee
had. 'Laten we bij Tyne Valley beginnen.'

'Grace komt niet uit Tyne Valley,' ging Sophie ertegenin. 'Ze
háát de Valley. Pastoor Jim is de enige reden dat ze daar ieder jaar
geld naartoe stuurt.'

'De vraag is,' zei Robin terwijl ze iedereen rond de keukentafel nog eens koffie inschonk, 'of er een andere reden kan zijn.'

'Davis had de indruk dat Grace uit de Valley kwam,' zei Francine. 'Hij was stomverbaasd toen ik zei dat ze daar niet vandaan kwam.'

'Nou, ik moet dat heel gemakkelijk kunnen nakijken,' verklaarde Sophie. 'Er moeten geboortebewijzen, schoolrapporten, oude kranten zijn. Als we hiervandaan niets bereiken, ga ik daar wel naartoe.' Haar gezicht betrok opeens.

'Gus zal er niet zijn,' verzekerde Francine haar zacht. 'Hij zit in Chicago. Davis' vriend heeft dat bevestigd.' En ze dacht dat het Sophie goed zou doen om eens van huis te zijn. Sinds het gebeuren met Gus had ze voornamelijk thuis gezeten, en had ze via de telefoon met haar vriendinnen gecommuniceerd. Het bleef te bezien of ze dit uitstapje kon opbrengen – niet dat Francine haar alleen zou laten gaan. Ze zou Robin meesturen.

'Werken we met de naam Laver?' vroeg Robin.

'Er zit voorlopig niets anders op. Terwijl jij dat doet, zal ik contact opnemen met Joseph Crosby. Hij is de priester die de giften van Grace beheert. Pastoor Jim geeft leiding, pastoor Crosby deelt uit.'

'Waarom vragen we het niet gewoon aan pastoor Jim?' Dit kwam van Sophie.

'Omdat hij niet wil praten. Ik denk dat hij Grace beschermt.'

'Stel dat pastoor Crosby dat ook doet?'

Francine had die mogelijkheid overwogen. 'Misschien kan ik hem ermee overvallen. Het is toch februari nu? Onze accountant regelt toch de belastingaangifte van Grace, nietwaar? Ik zal tegen pastoor Crosby zeggen dat we een overzicht nodig hebben van de fondsen waaraan het geld van Grace wordt besteed.'

'Zou jij tegen een priester liegen?' zei Sophie, niet helemaal serieus, maar toch wat aarzelend.

Francine keek haar recht aan. 'Dat is dan de schuld van pastoor Jim. De schuld van Grace. De schuld van John Dorian.' De gekwetste gevoelens die nooit ver onder de oppervlakte zaten, kwamen weer naar boven. 'Er zijn afschuwelijk veel mensen die óns niet de waarheid hebben verteld. Op de een of andere manier lijkt een kleine leugen gerechtvaardigd, gezien de grotere waarheid die we zoeken.'

In Tyne Valley waren geen gegevens van een Grace Laver die daar was opgegroeid. 'We hebben alles doorgespit,' meldde Sophie bij hun terugkeer. 'Ik heb in vijf jaargangen van highschool-albums drie andere Graces gevonden, maar de gemeentesecretaris, die achtendertig jaar geleden dit werk van zijn vader heeft overgenomen, wist van alledrie te zeggen wie het waren. Hij had nog nooit van Laver gehoord. Van Grace Dorian, ja. *De Hartsvriendin* ja. Grace Laver, nee.'

'En hoe zit het met Thomas, Sara en Hal?'

Sophie schudde haar hoofd. 'Er zitten hopen gezinnen in het armste deel van de stad. Volgens pastoor Crosby kent niemand al hun namen, komen en gaan ze gewoon, zijn de mannen de ene dag thuis en de volgende dag verdwenen, rennen de kinderen rond in vodden, gaan er veel vroeg dood.'

'De vader van Davis?'

'Hadden we niets aan.'

'Dronken?'

'Jawel.'

Francine wist hoe Davis daaronder leed. Het was een van de redenen waarom ze zijn aanbod om haar zelf naar Tyne Valley te brengen, had afgeslagen.

'Pastoor Jim daarentegen is zeer geliefd,' vertelde Robin. 'Hij is een plaatselijke held. Iedereen in de stad weet wie hij is. Enkelen herinnerden zich de tijden van vroeger. Hij schijnt heel wild te zijn geweest, voordat de kerk hem heeft getemd.'

Davis had Francine ook zoiets verteld. Nu vroeg ze zich af of er meer achter dat verhaal zat. 'Vlak voordat hij naar het seminarie ging, is een vriend van hem gestorven. Kon je daar meer over te weten komen?'

'Gemakkelijk,' zei Robin. 'De mensen met wie ik daar heb gesproken, waren geweldig behulpzaam. Toen ik zei dat ik een boek over Grace schreef, hebben ze alle hulp geboden die ze konden geven. Ik heb namen en getallen.'

'Ze zullen vast zwijgzamer zijn wanneer je terugbelt,' waarschuwde Francine, 'vooral als iemand anders je voor is.' Er moest daar ergens een vader zijn die drieënveertig jaar lang onbekend was gebleven en die dit misschien niet veranderd wilde hebben. Niet voor de eerste keer sinds ze de waarheid over John te weten was gekomen, koesterde ze wrok jegens deze onbekende man.

Ze keek Sophie aan. 'Hoe leek het daar?'

'Tyne Valley? Het wordt omringd door bergen, zoals je zou verwachten. Het ziet er slaperig uit, pittoresk.' Ze fronste. 'Je weet hoe Grace voor Margaret een nieuwe jas kan kopen die niet helemaal past? Zo ziet het centrum van Tyne Valley er ook uit. Alles is pas geverfd en gerepareerd, maar het is een vlag op een modderschuit.'

'De mensen daar zijn moe,' zei Robin wat vriendelijker, 'zelfs de jongeren. Het leven is niet gemakkelijk. Dus wordt het geld van Grace des te meer gewaardeerd. Pastoor Crosby heeft niets dan lof voor haar.'

'Hij ontkende dat Grace ervandaan kwam,' bracht Sophie te berde.

Francine had hem dezelfde vraag gesteld en had er sindsdien over lopen piekeren. 'Hij is daar gekomen toen Grace al weg moet zijn geweest. Hij kent de waarheid misschien niet. Wat het geld betreft, dat gaat naar een kerkfonds dat ter beschikking van pastoor Crosby staat – voor als er iemand hulp nodig heeft na een brand of bij medische noodgevallen, als iemand geen werkloosheidsuitkering heeft en een overbrugging zoekt tot hij weer een baan heeft gevonden. Er zijn jaarlijkse giften aan het Verfraaiingscomité en aan de ongehuwde moeders, een vaste gift aan de bibliotheek en een aan het tehuis voor mishandelde vrouwen.'

'Mishandelde vrouwen,' peinsde Sophie. 'Interessant. Echtelijke mishandeling is een veelvoorkomend thema in de columns van Grace.'

'En dat zou kunnen betekenen,' ging Francine vanzelfsprekend verder, 'dat zij is mishandeld, of dat haar moeder is mishandeld, of haar zusters, als ze zusters had, maar we schieten niets op als we geen naam hebben.' Tegen Sophie zei ze, nieuwsgierig maar aarzelend: 'Heb je... heb je daar ook iets gevóeld?'

'Iets van een genetische band? Nee. Jij zou dat sneller moeten voelen dan ik. Maar als Grace daar écht vandaan komt, zou dan niet iemand het verband leggen?'

'Er zijn jaren verstreken sinds ze is vertrokken. De mensen zijn misschien vergeten hoe ze er toen uitzag. Ze hebben waarschijnlijk alleen recente foto's van haar gezien. Door kleding en make-up kan iemand er volstrekt anders uitzien, en als niemand een verband zoekt...'

'Hoe zouden ze dat níet kunnen doen, gezien de bedragen die zij schenkt?'

'Wij hebben ook geen verband gezocht,' antwoordde Francine. Je moet je eigen fouten ook eerlijk onder ogen kunnen zien, zei Grace altijd. 'We hebben gewoon aangenomen dat ze dat geld gaf vanwege pastoor Jim.' Ze kwamen steeds weer bij hem terug. 'Hij is de sleutel,' zei ze vol overtuiging. Helaas hield haar ergernis jegens hem hier op. Hij was voor haar nog altijd een priester en een vriend. Ze kon hem niet in de rug steken.

'Laat mij eens zien wat ik te weten kan komen,' zei Robin. Haar stem was kalm. Haar ogen zeiden dat ze begrip had voor Francines dilemma.

Francine was haar eindeloos dankbaar.

Davis wijzigde de medicatie van Grace, in de hoop de ziekte af te remmen, maar Francine zag nog steeds weinig verandering. Helderheid werd verwardheid, zonder enige waarschuwing. Grace kon zich concentreren op een gesprek, rationeel antwoord geven, al was het dan met de korte, eenvoudige zinnen zoals ze die tegenwoordig gebruikte, om bij het volgende onderwerp een totaal andere kant uit te gaan. De overgang was soms zo naadloos, dat Francine ervan overtuigd was dat ze het expres deed. Grace dwaalde af, of deed alsof wanneer Francine gevoelige onderwerpen aansneed.

En gevoelige onderwerpen sneed ze aan. Hoewel ze erdoor verscheurd werd – ze vond het vreselijk om Grace van streek te maken, ze wilde het haar nog steeds zoveel mogelijk naar de zin maken – wilde ze toch zolang er nog rationele informatie in het hoofd van Grace zat, proberen die eruit te krijgen.

De gevoeligste onderwerpen waren de afkomst van Francine, de echte naam van Grace, en Tyne Valley. Grace was óf overstuur en begon onsamenhangend te babbelen wanneer ze werden aangeroerd, óf ze was zo sluw als een vos in het ontwijken van een gesprek erover. Francine schoot helemaal niets op.

'Het is alsof ze door mijn vingers glipt,' probeerde Francine Davis uit te leggen. 'Ik vang de dingen op die ik al weet, maar de rest stroomt weg en ontglipt me. Ik ben er soms heel dicht bij. Ik weet zéker dat ze iets wil zeggen, en dan verandert ze weer van gedachten. Het is heel griezelig. Ze is veel dingen kwijtgeraakt, maar dát niet. Ze vertelt geen geheimen.'

'Blijf dicht in de buurt,' adviseerde Davis. 'Vertel Jane en Margaret wat jij wilt horen. Hou de geest van Grace actief. Bekijk oude foto's met haar. Misschien komt er onbedoeld iets uit.'

Francine probeerde dat. Ze kreeg verwijzingen naar Thomas en Sara, naar Hal, naar zusters van Grace, hoewel die nooit namen hadden. Ze kreeg verwijzingen naar Johnny en naar de jongens in de schuur – naar Scutch en Sparrow, en naar Wolf die niet opstond, niet opstond... en dit werd altijd op gekwelde toon twee keer herhaald. Maar ze kreeg nooit achternamen, kreeg nooit genoeg om het incident een tijd of een plaats te geven. Het kon zijn gebeurd toen Grace zes was, of tien, of zestien.

Toen kwam Robin terug van een tweede tocht naar Tyne Valley, met meer informatie over pastoor Jim. 'Zijn vrienden en hij waren geen echte boeven. Ze kampeerden in leegstaande huizen, leenden auto's van hun ouders zonder erom te vragen, pikten sterke drank uit geheime voorraden die ze toevallig aantroffen. Ze deden niet aan vuurwapens of geweld.'

'Maar een van hen is gestorven.'

'Dat was William Duey. "Hij heeft zich doodgedronken," stond er in de krant, en de mensen die het zich herinnerden, zeiden hetzelfde. Niemand kende de details, behalve dat hij met zijn vrienden had zitten drinken. De krant noemde hun namen niet. Het was een heel rechtlijnig overlijdensbericht. Ik weet zelfs niet of de politie wist wie er allemaal bij waren.' Ze keek in haar notitieboekje. 'Maar de mensen die er toen bij waren, noemden Spencer Heast, Francis Stark, Rosellen McQuillan, en natuurlijk, James O'Neill. Pastoor Jim was degene die de dokter ging halen. Tegen die tijd was iedereen behalve het meisje weg.'

'Rosellen McQuillan,' zei Francine, de naam proberend.

'Ze was lange tijd het vaste vriendinnetje van James O'Neill. Ze vertrok uit het stadje toen Jim naar het seminarie ging.'

Francine vroeg zich af of Grace Rosellen McQuillan kon zijn geweest, maar ze verwierp die gedachte snel. Het was een mogelijkheid geweest als er ook een Scutch, een Sparrow of een Wolf op de lijst van de vrienden van pastoor Jim had gestaan – en misschien was dat ook wel zo, als ze hun bijnamen hadden genoemd. Maar hoe zat 't met Johnny? Hij was het vriendje van Grace geweest, daar in die schuur, met Wolf. En Wolf had zich niet 'doodgedronken'. Hij was gevallen en hij had zijn hoofd beschadigd.

Zonder een gigantische hoeveelheid fantasie klopten de oppervlakkige gegevens gewoon niet.

Grace lag op de bank te slapen. Pastoor Jim had de plaid tot haar kin opgetrokken, onder haar schouder ingestopt, haar wang gestreeld.

Francine keek toe vanachter het schaakbord. Ze richtte zich weer op de stukken toen pastoor Jim terugliep naar zijn plaats en ze deed of ze zich concentreerde.

Maar toen, omdat ze moe was van het in het duister tasten, van het op muren stuiten, van een lafaard zijn, keek ze op. 'Hou je van Grace?'

Jim trok snel een wenkbrauw op voor hij zich weer op het schaakbord richtte. 'Ik ben priester.'

'Je komt hier iedere dag, soms zelfs twee keer per dag. Het is als je tweede thuis.'

'Ik heb een goede smaak, vind je niet?'

'Wat ik vind,' zei Francine, 'is dat je Grace met zoveel zachtaardigheid behandelt, dat het óf liefde, óf krankzinnigheid moet zijn. Jij bent geen krankzinnige, Jim. Je bent toegewijd, dat wel. Misschien gesloten. Maar niet krankzinnig.'

'Dank je. Ik beschouw dat als een compliment.'

Omdat hij geen antwoord gaf op haar vragen, gooide ze het over een andere boeg. 'Als je geen priester was geworden, was je dan met Grace getrouwd?'

'Grace was al getrouwd.'

'Als je haar eerder had ontmoet, laten we zeggen in Tyne Valley.'

De enige reactie die ze kreeg – zo je het al een reactie kon noemen – was het bewegen van een vinger op de rand van het schaakbord.

Dus ging ze verder. 'We hebben geprobeerd allerlei mogelijke achtergronden voor Grace in elkaar te passen. Eén theorie is dat ze in Tyne Valley is geboren – niet als Grace, zelfs niet als Laver; die namen hebben we nagetrokken en geschrapt. Dus misschien was ze zo iemand als Rosellen McQuillan.'

Toen keek hij wel op. 'Hoe ben je achter Rosellen gekomen?' Hij beantwoordde de vraag zelf. 'Robin en Sophie.'

'Het schijnt dat je een wilde jongen was.'

Hij schraapte zijn keel. 'Ik was jong. Ik vocht tegen wat mijn ouders van me vroegen.'

'Hoe lang heb jij iets met Rosellen gehad?'

Zijn ogen werden zacht bij de herinnering. 'Altijd, leek het wel. We hebben als kinderen samen gespeeld. Tegen de tijd dat we naar school gingen, waren we bijna onafscheidelijk.' Er gleed een kleine glimlach langs zijn mond. 'O, ik heb de nodige tijd met jongens doorgebracht, en zij met meisjes, maar de rest van de tijd waren we samen. Zelfs in een menigte. We waren verwante zielen. We wisten wat de ander dacht zonder iets te hoeven zeggen.' Hij zuchtte, vlocht zijn vingers op de tafel ineen, bekeek ze. 'Ze vormde een belangrijker deel van de jaren waarin ik opgroeide dan enig ander. We waren tegelijk in de puberteit. We gingen naar elkaar toe met de meest intieme dingen, dingen waarmee we niet naar onze ouders konden gaan.'

'Waarom niet?'

'Mijn familie was daarvoor te godsdienstig. Ik was degene die priester moest worden. Vleselijke zaken...' Hij schudde zijn hoofd in een nadrukkelijk nee.

'En haar familie?'

'Te min. Maar we hielden van elkaar. Dat maakte de rest gemakkelijker te verdragen.'

'Maar je vertrok.'

Hij keek verslagen. 'Ja.'

'Heb je daar spijt van?' vroeg ze en ze berispte zichzelf onmiddellijk om deze domme vraag. Natuurlijk had hij er geen spijt van. Hij hield van God en de kerk. Hoe groter de opoffering was, des te groter het bewijs van die liefde.

Ze was verbijsterd toen hij fluisterde: 'Soms.' Zijn ogen vonden de hare even, werden toen weer neergeslagen.

'Je houdt nog steeds van haar.'

'Zo'n liefde sterft nooit.'

'Waar is ze nu?'

Hij kneep zijn lippen opeen en keek naar zijn handen. Toen hij weer opkeek, stonden zijn ogen vol tranen.

Francine kon geen andere vraag stellen.

Annie Diehl belde met een uitnodiging voor een talkshow voor Grace en ze was niet blij toen Francine die afsloeg. Even later belde Tony om te vragen wat Grace tegen talkshows had, en hij was niet blij toen Francine zei dat ze genoeg had van dat soort dingen. Korte tijd daarna belde George om te vragen waarom ze in 's hemelsnaam een publicist betaalden als Grace geen afspraken wilde boeken.

Amanda belde om zich te verontschuldigen dat ze geen betere buffer was. 'Ze beginnen ongeduldig te worden,' waarschuwde ze. 'Ze weten dat er iets met haar aan de hand is en ze willen weten wat het is. We zullen het hun binnenkort echt moeten vertellen.'

'Nog niet,' zei Francine. Grace was heel pertinent geweest. Francine wilde zo lang als maar menselijk mogelijk was, gehoor geven aan haar wensen.

Nog geen dag later kwam Robin erbij zitten om een variatie op dit thema te spelen. 'Ik heb de grote lijnen van het boek opgezet en ben klaar om te gaan schrijven. Het zou binnen een maand kunnen worden gedaan. Het begin en het eind zijn een ander punt. Oké, we zijn nog steeds met het begin bezig. Maar het eind? Hebben we het over Alzheimer? We moeten voor Kerstmis verschijnen. Zoiets als dit in het openbaar brengen, midden in het seizoen van goede wil, zou het succes van het boek garanderen.'

'Dat weet ik wel zeker,' merkte Francine op. 'We zouden grote koppen krijgen – tv, kranten, tijdschriften. Grace zou het vréselijk vinden.'

Robin keek haar zwijgend aan.

'Ik weet het, ik weet het,' zuchtte ze. 'Ze weet er misschien zelf niets van, maar stel dat ze het wél te weten komt? Stel dat het het láátste is dat ze ooit nog zal begrijpen? Ik zal haar dan nog meer teleurgesteld hebben dan ooit tevoren. Kan ik zoiets de rest van mijn leven op m'n geweten hebben?'

Die avond ging Francine met Davis uit winkelen. Hij moest een huis meubileren, en omdat zij had geholpen de vloeren, muren en ramen af te werken, sprak het vanzelf dat ze hier ook mee zou helpen.

Ze doolden van de ene elegant ingerichte kamer naar de andere. De meeste waren Francine veel te stijfjes. 'Maar luister niet naar mij,' waarschuwde ze. 'Ik heb een vreselijke smaak.'

'Wie heeft dat gezegd?'

'Grace, die een onberispelijke smaak heeft.'

'Heeft ze zelf alles ingericht?'

'Met een binnenhuisarchitect die het werk deed. Het huis is vorig jaar voor *Architectural Digest* gefotografeerd.'

'Mooi. Goed. Maar ik wil míjn huis niet zo braafjes als dat. Ik wil dat mijn huis warm, uitnodigend en leuk is.'

Hij pakte haar bij de hand en liep met haar terug door de kamers, wees in de ene kamer een bank aan, in de andere een stoel, in een derde een bureau, in een vierde een kast, met weinig aandacht voor dingen die typisch bij elkaar hoorden. Francine vond alles prachtig wat hij uitzocht.

'Deze dingen passen niet bij elkaar,' zei ze. 'Grace zou dit nooit goedkeuren.'

'Ik maak me geen zorgen over Grace. Ik maak me zorgen over jou.' Hij stopte haar hand in de zak van zijn jasje, trok haar heel dicht tegen zich aan terwijl ze verder liepen.

Ze wist niet zeker of ze de rest ook wilde horen. Dus zei ze: 'Ik maak me écht zorgen over Grace. De mensen willen haar zien. Hoeveel langer kunnen we het feit dat ze ziek is nog verbergen?'

Davis zei niets, hij bleef haar gewoon stijf tegen zich aangedrukt houden en liep verder. Hij bleef staan bij een mediterrane zitkamer. De kleuren waren fel, de smaak nadrukkelijk.

'Dat kleed koop ik,' zei hij. Daarna: 'Waarom wil je het nog steeds verborgen houden?'

'Omdat Grace het wil.'

'Wil zij het? Of wil jij het?'

Deze vraag overviel Francine. Zo had ze het nog niet bekeken. Maar ze kon er niet onderuit. 'Ik. Ik wil het niet.'

'Geneer je je dat ze ziek is?'

'Hemel nee. Maar ik ben er gewoon nog niet aan toe dat de mensen weten dat zij het werk niet doet. En ik wel,' – wat de kern van de hele zaak was.

'Ieder ander zou juist de hele wéreld vertellen dat zij het werk deed,' zei Davis toen hij de mediterrane kamer uitliep. 'Je zou trots moeten zijn. Je doet het zonder Grace en je doet het goed.'

'Dat weet ik nog niet zo zeker.'

'Heb je klachten gehad?'

'Nee.'

'Zegt dat je niets?'

'Ik weet het niet. Wat zegt het jou?'

'Dat weet je best.'

Ze grijnsde. 'Ja, maar ik vind het leuk om het jou te horen zeggen. Daarom breng ik zoveel tijd met je door, Davis. Je bent goed voor mijn ego.'

Ze waren bij een safari-uitstalling met een hemelbed dat in dunne, witte gordijnen gehuld was. Hoewel de accessoires van avontuur spraken, was het bed heel elegant.

'Trouw met me, Frannie.'

Ze hield haar adem in en gaapte hem aan.

Hij grijnsde. 'Tong verloren?'

'Nee. Ik bedoel niet verloren, maar hij deed 't even niet. Ik ben geschokt.'

'Ik weet niet waarom je dat zou moeten zijn.' Hij sloeg een arm om haar schouders en leidde haar de kamer uit. 'Ik zeg steeds maar dat ik van je hou.'

'In de hitte van de hartstocht.'

'Nou en? Er is iets tussen ons dat klikt, en dat maakt dat jij steeds terugkomt voor meer. Daar hoef ik geen liefde voor te beloven. Toch zeg ik het. Zegt jóu dat niets?'

Ze draaide haar hoofd opzij zodat haar wang op zijn pols lag. 'O Davis.'

'Wat, o Davis?'

'We hebben het hier al eerder over gehad.'

'Ik heb je nooit eerder ten huwelijk gevraagd.'

'Maar ik heb je gezegd dat ik geen geschikte vrouw voor je ben. Ik kan jou niet geven wat je nodig hebt.'

'Ik heb anders de indruk dat je dat al aardig doet.'

'Baby's. Daar ben ik te oud voor.'

'O ja?' zei hij en hij haalde diep adem. 'Nou, misschien niet. Waarom proberen we het niet?'

Haar blik ging naar zijn gezicht. De duivelse tekens waren er allemaal – het litteken, de donkere ogen, het verwarde haar, de baardschaduw – maar de mond was recht, zonder scheve grijns. 'Je meent het.'

'Reken maar.'

'*Proberen*?'

'Het zonder condoom doen.'

Francine ving de nieuwsgierige blikken op van twee jonge vrouwen vlakbij. 'Stil maar,' zei ze toen ze voorbijliepen. 'Ik zal hem laten testen. Je kunt niet voorzichtig genoeg zijn.'

Maar ze dacht niet aan veiligheid. Ze dacht aan het eindeloze werk dat een baby met zich meebracht, het gekwijl, de luiers, het gehuil, de boertjes, het geknuffel, het spelen, de vreugde...

'Ik zal me laten testen als je dat wilt,' zei Davis.

Ze snoof smalend. 'Volgens mij hebben we dat punt al behandeld de eerste keer dat we de liefde bedreven. Je hebt toen ook niets gebruikt.'

'Het was de eerste keer in jaren dat ik niets gebruikte.'

'Nou, het was de eerste keer in jaren dat ik het hoe dan ook dééd, dus we zijn veilig.'

Ze kwamen een keuken binnen. Het was een vroeg-Amerikaanse keuken met vrolijke kleuren, volledig handwerk. 'Ik wil die pannen,' zei Davis.

'De pannen zijn niet te koop, alleen de tafel en de stoelen, maar jij hebt al een tafel en stoelen.'

'Zijn die van koper?'

'Ze verkópen die pannen niet.'

'Ik vind deze keuken mooi. Hij is huiselijk en gezellig.'

Francine dacht aan waar hij vandaan was gekomen en alles wat hij als kind niet had gehad. Ze had eerder gedacht – en ze dacht het nu – dat hij een geweldige vader zou zijn.

'En, hoe denk je erover?' vroeg hij op een terloopse manier waarvan ze wist dat hij helemaal niet terloops bedoeld was.

'Ik denk dat er een aantal grote problemen is.'

'Zoals?'

'De ziekte van Alzheimer. Stel dat ik het ook krijg? Is het eerlijk om nu een kind te krijgen terwijl ik weet dat ik misschien ziek ben tegen de tijd dat het van highschool komt?'

'Je zou binnen vijf jaar aan iets heel anders kunnen sterven, maar het is onzin om niet te leven vanwege die angst. Denk eens aan alles wat je een kind intussen zou kunnen geven.'

'Maar mijn leven is zo chaotisch.'

'Wat is chaotisch? Je moeder is ziek, dus heb jij het bedrijf overgenomen, maar dat doe je goed. Je hebt de touwtjes strak in handen.'

'Maar om een baby te nemen...'

'Je zou het niet alleen doen. Je zou het samen met mij doen. Ik zou ook mijn deel leveren. En als je niet zwanger wordt...'

'Dan zou ik kapot van verdriet zijn. Ik zou het mezelf nooit vergeven, want jij wilt het zo graag.'

'Maar ik wil jou nog liever.'

'Dat zeg je nu, maar als er geen kind komt, zeg je over tien jaar misschien iets heel anders.'

'Je hebt nu vruchtbaarheidsbehandelingen, reageerbuisbevruchting, kunstmatige inseminatie, of we zouden een kind kunnen adopteren, maar dat is nu allemaal niet van belang. Hou je van me?'

Ze zuchtte. 'Een heleboel.'

'Wil je baby's?'

'Ik ben dól op baby's.'

'Wil je er een van mij?'

Ze slaakte een diepe, begerige zucht en opeens leken alle zorgen van de wereld niet van belang. 'Reken maar.'

Hij grijnsde. Toen greep hij haar bij de hand en ging er in gestrekte pas vandoor.

'Maar je hebt nog helemaal niets gekócht, Davis,' protesteerde ze toen ze van de ene kamer naar de andere zeilden.

'O ja, hoor. Ik heb echt iets gekocht.'

Het bed was gehuld in geel, de kussens waren donkergroen met wit. Hierbij waren lakens van het witste batist, zacht en geurig. Een rustieke hoge ladenkast keek toe, evenals schilderijen met jachttaferelen en een boeket lavendel, en als het koperwerk boven hun hoofd een boodschap bevatte, drong die niet tot hen door.

De herberg was elegant en duur en de kamer was alleen vrij omdat het halverwege de week was. Davis had Francine onderweg één telefoongesprek toegestaan om Sophie het nummer van zijn semafoon te geven. Ze hadden geen andere kleren bij zich. Die hadden ze niet nodig. Met wederzijdse instemming sliepen ze weinig.

Grace was bang. Er was iets dat ontbrak, maar ze wist niet wat. Ze zat op de rand van haar bed en probeerde de stemmen in de zitkamer te negeren. Ze wachtte op hulp, maar die kwam niet.

De stemmen stegen. Ze schoof van het bed op de stoel, zocht toen steun bij de muur. Daarvandaan stak ze razendsnel een hand uit en greep de telefoon.

'Waar ben je?' riep ze voorzichtig fluisterend, maar alles wat ze hoorde was een zwaar gezoem.

Ze liet de hoorn vallen, sloeg haar armen om haar middel en keek naar buiten, maar ze kon in het donker niets zien.

Er was iets dat ontbrak. Woorden, gedachten, troost.

Stil, heimelijk, bewoog ze zich langs de muur naar de deur. Ze wist dat ze daarbuiten waren, maar er zat niets anders op. Ze kon niet de hele nacht alleen blijven.

Ze duwde de deur voorzichtig open en tuurde naar buiten. Ze hield hen nauwlettend in de gaten, koos een moment dat ze ruzie maakten met elkaar, glipte toen door de kier en snelde naar de deur aan de andere kant van de zitkamer. Haar blote voeten maakten geen geluid, maar ze moesten het geritsel van haar nachthemd hebben gehoord, want hun hoofden werden snel omgedraaid. Ze vluchtte de hal in en smeet de deur achter zich dicht, trok hem stevig aan om zeker te weten dat hij in het slot viel.

O, ze waren woedend. Ze kon hen horen schreeuwen. Bang dat ze deze keer achter haar aan zouden komen, holde ze door de hal weg. Er ontbrak iets. Iemand.

Ze moest hulp gaan zoeken, maar ze wist niet welke kant uit, er waren geen borden, geen wijzers. Dus holde ze een paar stappen, drukte zich plat tegen de muur, holde nog een paar stappen. Ze schoot een kamer in, maar er was daar niemand. Geen troost. Ze schoot een andere kamer in. Nog erger. Pikkedonker.

Alles was zo; als het niet pikkedonker was, dan wel schemerig. In de hoeken doken donkere gestalten op die haar de adem benamen, haar weg deden hollen met één oog over haar schouder. Ze hadden het op haar gemunt, ze hoorde hun boze gepraat. Ze moest door blijven lopen, ze moest iemand vinden die kon maken dat ze zich veilig voelde.

Ze liep een andere kamer in, daarna weer een die daaraan grensde, en ze was er zo zeker van dat ze hier hulp kon krijgen, dat ze de deur dichtdeed en zich opsloot. Ze draaide zich om en zag een lampje op de tafel branden; ze keek hoopvol verwachtend om zich heen en zag toen – ze slaakte een gesmoorde kreet en drukte zich vol afschuw plat tegen de muur – een hond!

Ze was er geweest! Ze kon deze keer onmogelijk langs hem heen! Hij was te dichtbij, te groot, te woest!

Jammerend drukte ze een hand tegen haar borst om het wilde gebons van haar hart te smoren. Ze overwoog de deur open te doen en te vluchten. Maar zíj waren daarbuiten, luid en duidelijk, en bovendien zou de hond haar aan flarden scheuren als ze probeerde weg te lopen. Kettinghonden, smerige honden, schuimbekkende honden zaten om goede redenen geketend, had haar moeder altijd gezegd.

Dat deze hond niet aan de ketting lag, maakte het allemaal des te angstaanjagender.

Maar… hij zat niet aan de ketting. En hij schuimbekte ook niet. Hij zag er zelfs niet smerig uit, en ze had dat echt wel gezien als het zo was, want zijn vacht was heel kort. Deze hond was helemaal niet monsterlijk. Hij was mager en vreemd gevormd. Hij kroop niet in elkaar. Hij zag er niet uit alsof hij aan wilde vallen.

Vreemd, maar hij maakte hetzelfde soort jankend geluid als zij. Ze vroeg zich af of hij ook bang voor haar was.

'Brave hond,' zei ze met beverige stem. 'Brave hond. Brave hond.' Omdat haar benen wiebelig voelden, liet ze zich langs de muur op de vloer glijden.

De hond bukte zijn kop. Met zijn ogen op haar gericht deed hij een stap naar voren. Ze slaakte een gesmoorde kreet. Hij bleef staan en jankte.

'Brave hond, brave hond, brave hond,' fluisterde ze.

Hij zwiepte met zijn korte staart en deed zijn kop weer omlaag. Ze vond dat hij er op die manier helemaal niet griezelig uitzag. Ze vond dat hij er treurig uitzag. Misschien zelfs eenzaam.

Toen hij deze keer naar voren kwam, hield ze zich stil. Ze dacht niet dat hij haar kwaad wilde doen en ze kon bovendien nergens heen. Toch stopte ze alles wat los was weg – handen, ellebogen, knieën, tenen.

Bij haar bewegingen bleef de hond staan en wachtte. Ze drukte zich zo plat mogelijk tegen de muur. Hij sloop verder. Toen hij op enkele centimeters afstand was, ging hij zitten. Zijn kop was op dezelfde hoogte als haar gezicht.

'Brave hond, brave hond.'

Ze moest hem laten weten dat ze geen vijand was, dat ze niet bij die schreeuwerds van buiten hoorde. Dus stak ze een beverige hand uit. De hond snuffelde eraan. Bij de eerste aanraking trok ze haar hand terug naar haar borst. De hond keek slechts toe. Hij hijgde niet, ontblootte geen tanden. En hij was níet vies, dat zag ze nu van dichtbij. En hij stonk ook niet, zoals haar moeder altijd, altijd had gezegd.

Terwijl ze toekeek, met een mengeling van verbazing en afschuw, strekte hij zich op de grond uit, bij de bobbel in haar nachthemd die haar voeten markeerde, en hij legde zijn snuit op zijn voorpoten. Om de paar seconden keek hij naar haar op.

De vuist aan haar borst ging langzaam open. Ze liet een aarzelende hand zakken en raakte zijn kop aan, terwijl ze dacht: brave hond, brave hond. De kop voelde knokig maar zacht en glad aan. En warm.

De hond maakte een geluid. Ditmaal geen gejank, maar iets liefs. Ze wreef hem over de kop. Toen hij niet gromde of wegging, wreef ze nog eens.

Het was een áárdige hond. Hij voelde lief aan, helemaal zijdeachtig en glad. Hij scheen het fijn te vinden wat ze deed. Hij maakte dat ze zich minder alleen voelde, bijna tevreden, in de stille nacht.

Pas toen, bij het nadenken over die stilte, besefte ze dat het lawaai buiten was verdwenen. Ze luisterde. Het was waar. Of ze hadden het zoeken naar haar opgegeven en waren vertrokken, of ze waren te bang geweest voor de hond om nog te blijven.

Toen haar spanning minder werd en haar ledematen verslapten, gleden haar voeten onder het nachthemd vandaan. Even later bedekte de hond ze met zijn kop en maakte ze warm.

21

Verdrietige herinneringen zijn als knoesten in een stuk
grenenhout. Hoewel geschuurd en geschaafd, zullen ze
nooit helemaal verdwijnen, en met goede reden. Ze zullen
karakter toevoegen aan het voltooide werk.

– Grace Dorian, in De Hartsvriendin

Robin zat tot laat in de avond achter haar computer te werken. Ze
ging zo op in haar werk dat ze niets hoorde tot een stem haar oor
bereikte. 'Mam?'

Ze draaide zich met een ruk om. 'Megan? Megan! Je liet me
schrikken.' Ze keek op de klok. Het was bijna één uur. 'Wat doe je
zo laat nog op?'

'Ik moest naar de wc.' Haar stem was slaapdronken, ze kneep
haar ogen dicht tegen het licht. Ze zag er deze keer heel weerloos
uit. 'Hoe gaat het met je boek?'

Robin drukte op *Save*. Ze had geen zin om alles wat ze net had
geschreven kwijt te raken. Het was goed spul. 'Ik schiet lekker op.'

'Vind je 't leuk?'

'O ja.'

'Wanneer is het klaar?'

'Met een beetje geluk in mei.'

'Op tijd voor de diploma-uitreiking van Brad. En daarna?'

'Wat m'n werk betreft? Geen idee. Zo ver heb ik nog niet gedacht.'

Megan leunde tegen haar arm, die ze op de armleuning van de
stoel had gelegd. Ze zag er heel jong uit met haar onopgemaakte
gezicht, haar haar dat naar alle kanten uitstak, en het enorme T-
shirt dat haar nieuwe welvingen bedekte. Robin was dol op het onschuldige meisje dat ze was geweest. Ze was niet zo verrukt over
de kattige tiener die altijd ruzie maakte met haar broer, maar daar
binnenin groeide een vrouw. Robin zocht het soort relatie met die
vrouw zoals Francine met Sophie had, zelfs zoals Grace met Fran-

cine had gehad. Ondanks alle verschillen hadden ze een hechte band. Dus misschien had Grace toch iets goeds gedaan.

'Nog suggesties?' vroeg ze aan Megan.

Megan trok een schouder op. 'Je zult een berg geld verdienen. Misschien kun je een paar maanden vrij nemen.'

'Deze zomer?'

'In het najaar. Als Brad weg is. Ik heb jou nooit voor mij alleen gehad. Hij wel, voordat ik werd geboren. Nu is het mijn beurt.'

Robin schrok bij de gedachte dat Brad al zo groot was dat hij zijn spullen zou pakken en naar een universiteit zou gaan. Waar was de tijd gebleven? Ze had gedurende zijn hele leven lopen te hollen.

Niet dat zijn afwezigheid niet een zekere rust in het huishouden zou brengen, en ja, tijd voor Megan. 'Ik vind dat wel een leuk idee,' zei ze en ze sloeg een arm om het middel van haar dochter.

'Ik ook. Laat die ouwe Brad maar een ander pesten. Wauw. Dit wordt onwijs gaaf.'

'Ik denk dat je hem zult missen.'

'Echt niet.'

'Met wie moet je dan ruzie maken?'

'Dat weet ik niet.' Daarna, met een schaapachtige halve glimlach, 'misschien kunnen we via de telefoon kibbelen.'

'Dan zal ik moeten werken om de telefoonrekening te betalen.'

'Maar je zult dan al dat ándere geld hebben, dat door het boek blijft komen. Ga je talkshows en zo doen?'

'Misschien. Publiciteit is goed voor de verkoop.'

'Wil je nog meer boeken schrijven?'

'Misschien wel. Wat vind jij?'

Megan zoog haar lip naar binnen. 'Ik denk dat ik het leuker vind dat je boeken schrijft dan dat je steeds voor de krant weg bent. Ik vind 't leuk dat je *De Hartsvriendin* schrijft.'

Het leven was nu beslist gemakkelijker, peinsde Robin. Afgezien van normale werktijden en financiële zekerheid, was er dat beetje extra opwinding dat ze voelde wanneer ze het Dorian-terrein opreed, iedere keer dat ze het kantoor van Grace binnenging alsof ze er hoorde, iedere keer dat ze met Grace praatte. In haar verzwakte toestand was de vrouw heel menselijk. Ze was beminnelijk. Hoewel ze nog slechts een schaduw uitstraalde van het charisma dat ze ooit had bezeten, wilde dit niet geheel verdwijnen. *De Hartsvriendin* zou eeuwig blijven leven.

'Ik schrijf *De Hartsvriendin* niet,' zei Robin. 'Dat doet Francine.'

'Ze is je vriendin.'

'Ze is m'n baas.'

'Jullie gaan samen uit lunchen. Jullie gaan samen winkelen. Francine doet misschien het grootste deel van de column zelf,

279

maar jij helpt. Daar praat je het meeste over wanneer je thuis-komt.'

'Doe ik dat echt?'

Megan knikte.

Robin herinnerde zich maar al te levendig hoe haar eigen moeder iedere avond over *De Hartsvriendin* praatte. Het laatste dat ze wilde was dat de geschiedenis zich herhaalde. 'Is het héél erg?'

'Nee. Ik vind het wel leuk. Het is geweldig om de krant te lezen en te weten dat mijn eigen moeder er een hand in heeft gehad.'

'En hoe zit het dan met alle andere artikelen die ik heb geschreven?'

'Dat waren artikelen. Dit is *De Hartsvriendin*. Mijn vriendinnen lezen 'm altijd. Ik vertel hun dat ik over sommige columns hoor voordat ze in de krant komen. Ze zijn heel jaloers. Je bent een beroemdheid. Ik zou het niet erg vinden als je het bleef doen.'

Robin besefte dat ze het zelf ook niet erg zou vinden. Niet dat het waarschijnlijk was. Ze maakte slechts deel uit van *De Hartsvriendin* omdat ze het boek van Grace schreef – en dat deed ze verdomd goed, als ze zo vrij mocht zijn dat zelf te zeggen. Haar moeder zou trots zijn geweest. Ze was nooit lang tevreden. Perfectie was de enige manier die er bestond.

Haar moeder zou Grace nu moeten zien. Geen enkele perfectie te bekennen. Met Francine, Sophie, Robin, Jane, Marny, Margaret en natuurlijk Jim O'Neill was ze zelden alleen. Maar ze was het wel. Het geprat kon haar omringen, kon recht over haar hoofd heen gaan, terwijl zij mijlenver in haar eigen wereldje was, en er eenzaam, bang of verloren uitzag. Op zulke momenten had Robin echt met haar te doen.

Maar niet zoveel dat ze haar doel erdoor vergat. Haar doel stond haar duidelijk voor ogen toen ze de volgende morgen op haar werk arriveerde. Grace zat in de keuken te ontbijten. Toen Robin zich bij haar voegde, ging Margaret de bedden opmaken.

'Hoe gaat het er vanmorgen mee?'

'Goed,' zei Grace met een stralend gezicht. Ze kende Robin nu, hoewel ze zich niet altijd haar naam herinnerde. 'Hoe gaat 't met jou?'

'Met mij gaat het ook goed. Maar ik heb gisteravond te laat over de gegevens van dit boek gezeten. Ik kan nog steeds niet de plaats vinden waar jij bent geboren. Hoe heet die plaats?'

Grace fronste.

'De stad waar je bent geboren,' drong Robin voorzichtig aan.

'Dat is heel lang geleden.'

'Was het in New Hampshire?'

'Wij gaan nooit naar het noorden.'

'Omdat je daar niet naar terug wilt?'

Grace dacht daarover na. 'Lieve help,' was alles wat ze zei.

Dus gooide Robin het over een andere boeg. 'Heb je Margaret in Tyne Valley ontmoet?' Toen Grace haar een nieuwsgierige blik toewierp die tien verschillende dingen had kunnen betekenen, probeerde ze: 'Wonen je ouders daar nog steeds?'

'O, mijn ouders zijn dood.'

'Je zusters?'

'Zusters?'

'Je broer?' Toen Grace verward keek, zei ze: 'Hal.'

'Maar Hal is gestorven.'

'En hoe zit het met Johnny? Zit hij nog steeds in Tyne Valley?'

'Waarom is hij daar?'

'Misschien woont hij daar.'

'Johnny? Lieve help, nee.'

'Waar woont hij dan?'

Grace keek ongerust. 'Waarom vraag je dat?'

Robin ging verder rechtop zitten. 'Ik probeer je biografie te schrijven, maar ik heb die vroegere feiten niet.'

'Waarom blijf je dat stééds vragen?'

Op zachtere toon, omdat Grace eruitzag alsof ze ging huilen, wat Robin tot haar eigen ergernis een vreselijk gevoel gaf – zei ze: 'Omdat je lezers willen weten waar je bent opgegroeid en wat je daar hebt gedaan.'

'Ik zeg niets.'

'Maar als je wilt dat ze je boek kopen...'

'Helemaal niets,' riep Grace en ze stond op.

'Ik weet zelfs niet wat toen je naam was,' zei Robin, maar Grace liep gewoon de deur uit en verdween.

Grace was altijd al iemand geweest die veel knuffelde, maar ze werd nu nog aanhaliger. Ze vond het heerlijk om te worden gestreeld, in de armen te worden genomen, zelfs de geringste aanraking leek haar te kalmeren.

Dus ging Francine met haar op de pianobank zitten en zocht wat begeleidende noten op.

'*There's a long, long trail a winding...*' zong Grace met een zachte sopraan.

Francine rammelde een paar maten, kuchte, en viel toen bij.

'*...where the nightingale is singing,*' ging Grace verder, terwijl ze wiegend tegen haar aan leunde, '*and the white moon beams...*' Ze bleef zingen, Francine bleef spelen, ze wiegden samen door tot het eind, '*...'till the day when I'll be going down that long, long trail with you.*'

Francine was gaan janken als ze nog langer bij die woorden had stilgestaan, maar Grace was uitermate tevreden. 'Heel mooi. Je speelt goed.'

'Dank je. Jij zingt goed. Dat is een mooi lied.'
'Het was populair toen ik klein was.'
'Maar toen was je geen Grace.'
Grace glimlachte vreemd naar haar. 'Wat?'
'Hoe heette jij toen je jong was?'
'Toen ik jong was?'
'Ik geloof niet dat het Grace was. Het kan Doris zijn geweest. Of Kathleen.'
Grace zei niets.
'Ben ik warm?' plaagde Francine.
'Waar was je?'
'Wanneer?'
Grace gebaarde met haar hand over haar schouder.
'Gisteravond?' vroeg Francine, en voor deze ene keer peinsde ze er niet over eromheen te draaien. Er gingen zelden vijf minuten voorbij waarin ze niet aan Davis dacht, en aan wat ze probeerden te doen. Ze was verliefd. Ze wilde de goedkeuring van Grace. Het was misschien te veel gevraagd. Maar ze wilde het toch proberen.
'Ik was bij Davis,' zei ze.
'Davis?'
'Marcoux.'
'Iedere avond. Je zit daar iedere avond. Je bent nooit meer thuis. Altijd maar op stap. Ik weet niet waar je zit. Maar het is niet goed.'
De woorden waren zo absurd, de stem was zo volledig anders dan die van de lieve zangeres Grace van enkele ogenblikken geleden, dat Francine iets inviel. 'Zei je moeder dat vroeger altijd tegen jou?'
'Iedere avond. En jij zit bij hem. Dat weet ik.'
'Wie is hij?'
'Nou… nou, je hebt zelf zijn naam gezegd.'
'Niet mijn vent. Jouw vent. Wie was hij?'
Grace keek naar de deur. Haar gezicht werd hoopvol. 'Is Jim er?'
'Hij komt voorlopig nog niet. Maar denk eens na, Grace. Niet over pastoor Jim. Maar over het vriendje dat je vroeger had.'
Grace dacht. En dacht. Lief, bijna preuts, zei ze: 'Je vader was mijn vriendje.'
'Hoe heette hij?'
'Zeg jij het maar,' zei Grace.
'Johnny.'
'John.'
'Maar vóór John Dorian. Johnny. Johnny wie?'
Grace keek verward.
Francine wreef over haar arm, van haar pols naar haar schouder, luchtig, liefdevol. 'Het is belangrijk, mam. Ik wil familie hebben. Als ik ergens bloedverwanten heb, wil ik het weten.'

'Zijn familie mocht me niet. Heb ik je dat verteld? Ze zeiden dat ik niets was. Ze gingen weg toen ik kwam.'

Dat klonk als de Dorians. 'Waarom vonden ze dat jij niets was?'

'Geen geld.' Ze glimlachte triomfantelijk. 'Maar ik heb ze wel wat laten zien.'

Francine grinnikte onwillekeurig. 'Reken maar. En hoe zit het met de andere familie. Is er nog familie van ons in Tyne Valley?'

De glimlach van Grace verdween. Ze gromde.

'Ik heb een beginpunt nodig. Wat was jouw naam?'

'Vraag me dat niet. Ik heb er genoeg van.' Ze begon overeind te komen, maar Francine greep haar arm.

'Heb ik ooit iemand van je familie ontmoet?'

'Vraag me dat niet. Je probeert me in verwarring te brengen.' Ze maakte een klaaglijk geluid en schudde haar hoofd. Toen ze weer op het pianobankje ging zitten, wierp ze een angstige blik op de deur. 'Ze zitten achter me aan, weet je. Ik heb telefoontjes gehad van de president en de vice-president. Ze zeggen dat ik word beschermd, maar ik weet hoe die samenzweringen werken. Er is altijd iemand die door de ring van bewakers heen breekt. Het is een heel grote samenzwering. Uit Dallas.'

'Nee, nee, mam, het is geen samenzwering.'

Grace bleef nog eventjes onzeker. 'Nee?'

'Nee. Ik ben het maar, Francine. Je dochter. Ik wil weten waar ik vandaan kom.' *Omdat ik misschien weer een baby ga krijgen. Weer een baby. Ongelofelijk.* 'Ik moet het weten, mam.'

Grace legde een hand op haar borst. 'Lieve help. Ik weet 't niet.'

'Ergens in de stamboom van de familie zit iemand die suikerziekte had. Weet je ook wie?'

Grace dacht hierover na. 'Heeft... heeft...?' Ze wees naar de andere kamer.

'Sophie ja, maar in een vroegere generatie moet iemand het ook hebben gehad. Misschien een van je zusters?'

Grace trok aan haar arm. 'Ik moet gaan.'

'Waarheen?'

Ze plukte, plukte, plukte aan haar blouse. 'Dit... dit díng is niet goed. Ik dacht van wel. Maar ik heb niet gewinkeld. Ik moet andere kleren hebben.'

Toen ze deze keer opstond, liet Francine haar gaan.

'Oké Grace,' zei Robin, 'laten we eens brainstormen.' Het was de moeite van het proberen waard. Niets anders scheen te werken. 'Ik zal een bijnaam zeggen en dan geef jij de echte naam die erbij hoort. Geef me de eerste waaraan je denkt.'

Grace schoof achteruit op haar bureaustoel en vouwde haar handen in haar schoot. 'Waarom?'

'Misschien schiet je iets te binnen als we het op deze manier doen.'

Ze werd ongerust. 'Ik ben niet goed in het herinneren. Dat was ik vroeger wel. Maar nu niet meer. Ik kan m'n werk niet doen. Er is zo véél.'

'Daarom ben ik hier,' stelde Robin haar gerust. 'Ik help je alles gedaan te krijgen.' Maar de tijd begon te dringen. Ze kon niets in haar boek zetten dat niet was bevestigd, maar ze was in Tyne Valley geen steek opgeschoten en Grace had gelijk wat haar geheugen betrof. Het was slecht en het werd nog erger. 'Wanneer ik "Sparrow" zeg, wat is dan het eerste dat jou in gedachten komt?'

'Waarom stelt iedereen toch vragen?'

'Ik ben je biograaf. Het is mijn werk om vragen te stellen. Wie is Sparrow?'

'Ik ken Sparrow.'

'Wat is zijn echte naam?'

Grace keek nors. 'Dat weet ik niet. We noemden hem gewoon zo.'

'Hoe noemden zijn ouders hem?'

'Zijn ouders? Lieve help.'

'Hoe heetten zíj?'

Grace wuifde de vraag opzij.

'Scutch dan,' probeerde Robin.

Grace verstijfde. 'Hoe ken jij Scutch?'

'Ik weet het niet, maar jij noemt die naam heel vaak.'

'Echt waar?' Ze dacht daarover na.

'Scutch was ook een vriend. Hoe heette hij in werkelijkheid?'

'Praat ik over Scutch?'

'Wat was zijn achternaam?'

'Dat moet ik niet doen,' mompelde ze in zichzelf.

'Hoe zit het met Wolf?'

Grace's hoofd schoot omhoog. 'Ik heb niets gezegd. Helemaal níets.'

'Dat weet ik,' suste Robin, 'maar als je een vriend had die Wolf heette, wat zou zijn echte naam dan zijn?'

Grace draaide zich om in haar stoel, zodat ze met haar gezicht tegen de armleuning zat. 'Ik heb het niet gezegd.' Ze schudde haar hoofd, slikte. 'Ik niet.'

Robin raakte haar schouder aan. Die voelde tenger. 'Niemand beschuldigt jou, Grace. Ik stel alleen maar een vraag. Dat is alles.'

Grace trok zich in zichzelf terug. 'Heb ik het gezegd? Ik kan het me niet herinneren. Nee hoor. Ik heb het níet gezegd!'

Robin wilde geloven dat ze opzettelijk ontwijkend deed, maar ze was er niet helemaal zeker van. Grace zag er gekweld uit, alsof de geheimen die ze bewaarde even pijnlijk voor haarzelf waren als voor ieder ander.

Opeens leek het haar lastigvallen op het porren van een gewonde vogel met een stok. 'Wil je een kopje thee?' vroeg Robin.

Grace bleef zijwaarts ineengedoken in de stoel zitten.

Robin dikte het allemaal nog wat aan. 'Warme thee, misschien met een scone? Margaret heeft net een plaat in de oven geschoven. Ik zal er vlug een voor je halen als je dat lekker vindt. Thee met een scone, Grace?'

Grace haalde diep, beverig adem. Ze wierp Robin een hoopvolle blik toe. Omdat Robin wist dat ze haar niet kon troosten, vertrok ze naar de keuken.

Robins moeder was snel overleden, een half jaar na de diagnose, aan een hartaanval in plaats van aan de langzaam groeiende kanker. Robin had haar één keer aan het begin van die zes maanden gezien, een plichtmatig bezoek dat even oppervlakkig was geweest als de recente gesprekken die ze hadden gevoerd. Robin was niet één keer met haar meegegaan naar de dokter, had niet één nachthemd voor haar gekocht, niet één keer eten voor haar gekookt. Ze was opeens overleden, en toen was het te laat.

In de persoon van Grace vond Robin dat ze een tweede kans kreeg om zich te bewijzen. Naarmate de dagen verstreken, dacht ze minder aan het maken van koppen en meer over het schrijven van het beste boek dat ze vermocht.

Grace keerde haar gezicht naar de zon. Vroeger had ze zich zorgen gemaakt over het effect van de zon op haar haar en haar huid, maar dat was ze allemaal vergeten. Ze reageerde nu alleen op gevoelens.

Francine strekte zich uit op een luie stoel naast haar. Als het mei was geweest, zou de warmte onder het glas van de serre hebben gemaakt dat ze de ramen openzette en de ventilator aan. De wereld achter het glas was kristalhelder na een nacht van ijskoude regen. De zon was een fonkelende vreugde.

Legs wist de goede plekjes te waarderen en had zich in het zonnetje bij het voeteneind van de ligstoel van Grace gevlijd, waar ze niet te zien was tenzij Grace rechtop ging zitten om te kijken. Maar zelfs dan was het geen trauma geweest. Grace scheen haar angst voor de hond te zijn vergeten.

'Zit je lekker?' vroeg Francine.

Grace gaf geen antwoord, maar ze zag er tevreden uit.

'Ik heb de lijst bekeken van organisaties waaraan jij geld schenkt. Het Verfraaiingscomité van Tyne Valley is er één van. Ik wist niet dat jij die plaats ooit had gezien.' Ze wachtte, maar Grace leek niet te beseffen dat er een antwoord van haar werd verwacht. Dus vroeg ze direct: 'Ben jij ooit in Tyne Valley geweest?'

'We gaan niet naar het noorden. Ik hou niet van de kou.'
'Je geeft ook geld aan oorlogsweduwen. Heb jij jongens gekend die in de oorlog zijn gestorven?'
'De oorlog?'
'De oorlog in Korea?'
Grace moest op de middelbare school hebben gezeten toen die oorlog gaande was. Zelfs als ze haar einddiploma niet had gehaald – een verbijsterende mogelijkheid, besefte Francine – had ze jongens moeten kennen die waren gestorven.

Grace huiverde, maar ze bleef stil zitten, met gesloten ogen, haar gezicht naar de zon gekeerd.

'Had je vrienden die in Korea zijn gesneuveld?' herhaalde Francine.

'Ik weet niet wat er gebeurd is na mijn vertrek.'
'Na je vertrek waarvandaan?'
'Van highschool.'
'Welke highschool?'
'We vroegen ons af wat er zou gebeuren.'
'Met wie?'
'Met iedereen. Toen ging ik weg.' Ze haalde haar schouders op, alsof daarmee de kous af was.

Francine koos een andere benadering. 'Je geeft ieder jaar geld aan de openbare leeszaal van Tyne Valley.'

'Een bibliotheek is goed. Ik ging er vaak heen.' Ze haalde weer haar schouders op.

'Waar was de bibliotheek waar je naartoe ging?'
'Nou, in de stad natuurlijk.'
'Waar in de stad? Herinner je je wat ernaast was?' Er was een kruidenierswinkel naast de bibliotheek van Tyne Valley, zei Sophie, maar als Grace iets anders noemde dat opmerkelijk was, dan kon dit misschien op een ander stadje wijzen.

'We gingen door de zijdeur.'
'Waar was de zijdeur? Ik bedoel, wat zat ernaast?'
Grace wierp haar een Waar héb je het over?-blik toe. De gelaatsuitdrukking was zo normaal, en Francines behoefte om het te weten was zo sterk, dat ze op de rand van de ligstoel kwam zitten en Grace bij de schouders pakte. 'Vertel het me, mam,' smeekte ze, voordat dit moment van helderheid zou verdwijnen. 'Waar was die bibliotheek?'

Grace keek verschrikt op.
'Alsjeblieft. Waar wás hij?'
Niets.
'Je weet het. Ik wéét dat je het weet. Waar ben je geboren? New Hampshire? Vermont? Canada?' Francine schudde haar heel even door elkaar. 'Het zit daar in je hoofd.'

286

'Nee,' zei Grace.

'Echt waar. Samen met je naam. Dat is toch zeker het laatste dat zou verdwijnen. Je naam. Die ben je toch niet vergeten?'

'Grace.'

'Vóór Grace. Denk. Denk aan de man van wie je hebt gehouden, de man van wie je genoeg hebt gehouden om een baby van te krijgen, en die baby heb je daarna door een andere man groot laten brengen. Wie was hij? Wie was mijn vader?'

Grace trok haar kin in. 'Doe niet zo kwaad. Ik heb je nooit iets misdaan.'

'Je hebt het vóór je gehouden. Al deze jaren heb je mij iets laten geloven dat niet waar is.' En nu was er Davis en de mogelijkheid van een baby. Francine dacht na over genen op een manier zoals ze dat voor Sophie nooit had gedaan.

'Vertel het hun niet,' zei Grace.

'Vertel het míj, dan hoef ik het hún niet te vertellen.'

'We hadden thuis moeten blijven. Als ze wisten... als ze wisten...'

Francine streelde haar vingers. 'Als ze het wisten, wat zouden ze dan doen?'

'O nee! Help!' riep Grace. 'Vraag dat niet.'

'Wat zouden ze doen?'

'Schreeuwen. Slaan. Koken. Schoonmaken. Hollen. Hollen. Wég.'

'Heb jij dat gedaan? Ben je weggelopen toen ze je sloegen?'

Wat het ook mocht zijn geweest dat Grace in haar hoofd had, het was nu weg. 'Wat?' vroeg ze, met niets meer dan simpele nieuwsgierigheid.

'Ben je van huis gegaan omdat iemand je had geslagen?'

Grace gaf geen antwoord. Zelfs haar nieuwsgierigheid verdween.

'Is dat de reden dat je het huis voor mishandelde vrouwen financiert?'

'Mishandelde vrouwen? Schrijf ze, voor mij.'

'Naar wie moet ik schrijven?' riep Francine uit.

'In mijn column. De mensen weten niet wat ze moeten doen. Heb ik die brief beantwoord?'

Francine had geen idee welke brief ze bedoelde, en ze betwijfelde het of Grace dat wist. De woorden leken eerder een overpeinzing dan iets anders, en ze werden vergezeld van een nietsziende blik. Het moment van helderheid was verdwenen.

'Ja, ik denk dat je die hebt beantwoord,' antwoordde Francine treurig.

'Dat is mooi,' zei Grace en ze legde neuriënd haar hoofd weer tegen de rugleuning en deed haar ogen dicht.

Tot op dat moment had Francine Grace als haar tegenstandster gezien, als degene die willens en wetens informatie die zij zocht achterhield. In haar verlangen die te bemachtigen, had ze slechts terloops aandacht aan de inhoud geschonken. Nu vroeg ze zich voor het eerst af of Grace een slachtoffer was.

Gekweld door dit beeld besteedde ze meer tijd dan ooit aan het doornemen van het nieuwe pakket dat per koerier uit New York arriveerde.

'Lieve Grace,' schreef een vrouw. 'Een halfjaar geleden heb ik een man ontmoet die het antwoord op mijn gebeden leek. Hij was knap en had een goede baan. Hij zei dat hij van me hield. Hij betaalde zelfs een grote trouwerij. Toen veranderde hij. Hij begon te klagen over alles wat ik deed. Gisteravond vond hij het eten dat ik had gekookt niet lekker en toen heeft hij me geslagen…'

'Lieve Grace,' schreef een ander. 'Mijn vriend is vorige maand ontslagen en viert dat bot op mij. Hij schopt me wanneer hij langs me loopt. Als ik zeg dat hij dat niet moet doen, zegt hij dat hij gewoon tegen de stoel schopt omdat hij boos is. Maar het zijn mijn benen die helemaal bont en blauw zijn. Hij zegt dat als ik het ooit tegen iemand zeg, hij meer zal doen dan schoppen…'

'Lieve Grace,' schreef een derde. 'Ik ben zo langzamerhand door al mijn smoezen heen. Ik ben zo vaak van de trap gevallen, tegen de muur gelopen en in de douche uitgegleden, dat de dokters er vragen over gaan stellen. Begrijp je wat ik bedoel? Maar als ik mijn man verlaat, dan verlies ik alles. Hij is degene met de baan. De creditcards, de auto's, en het huis staan op zijn naam. Ik heb een paar jaar geleden een drugsprobleem gehad en ik ben sindsdien clean geweest, maar hij zal zeggen dat ik dat niet ben. Hij heeft de macht in handen.'

Schrijf ze, voor mij, had Grace gezegd. Dus deed Francine het.

> Jullie zijn niet alleen. Geweld tegen vrouwen heeft epidemische proporties aangenomen. Elke vijftien seconden, aldus de statistieken van de FBI, wordt er een vrouw geslagen door de man in haar leven. Ze vraagt er niet om en ze heeft het ook niet verdiend. Geen van jullie heeft het verdiend.
> Hoewel geweld tegen vrouwen over macht gaat, betekent het feit dat je wordt mishandeld nog niet dat je geen enkele macht hebt. Dat heb je wel. *Je bezit de macht om weg te gaan.* Je wilt het misschien niet. Misschien ben je bang, of beschaamd, of te trots. Maar is liefde de pijn en de vernedering waard van alles wat hij jou aandoet?
> Er zijn veel redenen waarom een man een vrouw slaat.

Die redenen gaan meestal dieper dan de frustraties over een verloren baan of een maaltijd die hij niet lekker vindt. Maar geweld is verkeerd. Hij heeft therapie nodig. Als hij weigert, zeg dan dat je samen naar een therapeut wilt. Als hij nog steeds weigert, zoek dan een advocaat. Dien een klacht in bij de politie. Laat hem door de rechtbank in bewaring stellen.

Wat je ook besluit te doen, ga nú tot daden over. Eén keer slaan moet jou de ogen openen voor waar je man toe in staat is. Wacht niet op een tweede pak slaag. Denk aan deze statistiek: bijna een derde van alle vrouwelijke slachtoffers wordt vermoord door hun man of hun vriend.

Zoek in je plaatselijke telefoonboek naar Blijf-van-mijn-lijfhuizen en telefonische hulpdiensten. Ik geef hieronder een lijstje van instellingen. Gebruik ze. Alsjeblieft.

Francine vond het een goede column. Hij was stoutmoediger dan enig andere die ze had geschreven, maar ze voelde zich ook stoutmoediger. Ze moest steeds maar denken aan wat Davis had gezegd over dat ze haar werk goed deed. Zijn vertrouwen bezorgde haar zelfvertrouwen. Ze had geen betere zaak kunnen uitkiezen om dit zelfvertrouwen voor te gebruiken.

Het was de eerste column van de volgende week. Francine las hem 's ochtends meteen aan Grace voor, toen ze nog fris was en er waarschijnlijk het meest van kon begrijpen. Ze luisterde en knikte, maar zei: 'Dat klinkt goed,' op een manier die erop wees dat ze er helemaal niets van had begrepen.

'We zijn nog nooit zo direct geweest,' zei Francine, 'maar dit weerspiegelt de hedendaagse toon en manier van doen. Mishandelde vrouwen móeten weggaan. Vind je niet?'

Grace knikte.

'Ik bedoel,' voegde Francine eraan toe, voor het geval ze er heel anders over dacht, 'ik weet dat zoiets soms gemakkelijker gezegd is dan gedaan, vooral wanneer er kinderen zijn, maar dit is een manier om het mishandelen op te laten houden.'

Grace knikte opnieuw.

'Zoals toen jij van huis wegging,' zei Francine, en daarna, uit angst dat ze Grace misschien af zou leiden van het eigenlijke onderwerp dat haar steeds meer ging boeien, voegde ze eraan toe: 'Tony vond het geweldig.'

Grace glimlachte. Francine had het afschuwelijke gevoel dat ze zich niet eens herinnerde wie Tony was, maar dat ze zich geneerde om het te vragen. Zelfs nu ze zoveel van zichzelf had verloren, bezat ze af en toe nog steeds het benul om de omvang van haar gemis te verbergen.

Francine zuchtte. 'Ik wil dat je trots bent op wat ik doe.'

Grace knikte.

'Ben je dat?'

Grace fronste. 'Wat?'

Francine zuchtte weer, gaf Grace een knuffel en ging weer aan de slag, terwijl ze bij zichzelf zei dat de column super was, dat *De Hartsvriendin* messcherp en bij de tijd was, en dat Grace hem zeker had goedgekeurd als ze zichzelf was geweest.

Toen belde Tony. Hij was witheet.

22

Het is mooi om moed gelijk te stellen aan grootse plannen
en verheven idealen. Maar het is meestal het bijproduct van
roekeloosheid en wensdromen.

– Grace Dorian, in de Oprah Winfreyshow

'Nu is de maat vol,' verklaarde Tony. 'Ze is al maandenlang aan het
afdwalen geweest, maar nu is ze echt te ver gegaan. De telefoons
staan roodgloeiend. De aanhangers van het gezin als hoeksteen
van de samenleving zijn razend. Eén moment van gebrek aan zelfbeheersing en de vrouw moet maar opstappen? Wat is dat voor advies?'

'Een heel verstandig advies,' vond Francine, hoewel ze een steen
in haar maag begon te voelen. 'Die brieven gingen niet over mannen die hun zelfbeheersing verloren. Ze gingen over mishandeling. Een man die één keer slaat, zal weer slaan, tenzij hij de boodschap krijgt dat slaan verkeerd is.'

'Dat moet je dan tegen hem zeggen. Dat is nog geen reden om
bij hem wég te lopen.'

'Allemachtig, Tony, denk jij soms dat die vrouwen niet geprobeerd hebben dat te vertellen? Denk jij dat in een hoek kruipen in
een poging de klappen af te weren niets zegt? Maar het komt niet
over. Zulke mannen moeten aan het schrikken worden gemaakt.'

'O, ze zullen zeker aan het schrikken zijn gemaakt. Ze zullen zo
geschrokken zijn dat ze iets ergers doen. Dat kon je uit de statis-
tieken lezen, weet je.'

Dat wist Francine, en het maakte haar bang, maar ze krabbelde
niet terug.

Tony raasde verder. 'Heb je enig idee wat er zou gebeuren als iedere vrouw die ooit was geslagen naar een Blijf-van-mijn-lijfhuis
ging? Dan zouden alle tehuizen uit hun voegen barsten.'

'Dat klopt, en dan zouden de mensen die ontkennen dat er een
probleem is, moeten toegeven dat er wel degelijk een is.'

'Jawel, en ondertussen hebben die mensen gedreigd met een boycot van de kranten die *De Hartsvriendin* brengen.'

Francine lachte. 'Leuk hoor.'

'Ik meen het. Een boycot.'

Deze keer lachte ze niet. 'Vanwege één column?'

'Die ene column heeft doel getroffen, juist op het ogenblik dat de extremisten een mikpunt zochten. Zoals altijd met gewelddadige onderwerpen, is het trotseren van echtgenoten net zo erg als abortus. Ook al hebben andere mensen hetzelfde gezegd als Grace, toch heeft zij een publiek dat die anderen niet hebben. Haar populariteit zal tegen haar worden gebruikt – tegen óns. Wij houden niet van boycots, Francine. Ik betwijfel het of haar andere relaties ervan houden.'

Francine kreeg plotseling een visioen van hoe het werk waar zij zo trots op was geweest *De Hartsvriendin* verwoestte. Ze probeerde de verschrikkingen daarvan te doorgronden toen Tony jammerde: 'Is het dan helemaal niet in Grace opgekomen dat er zoiets zou kunnen gebeuren? Haar publiek is de middenmoot van Amerika. Zij willen gematigde oplossingen voor de dingen, geen militante. Jezus, als ik niet beter wist, zou ik denken dat jíj het geschreven had. Waar zít ze trouwens? Ik heb haar al in geen maanden gesproken. Als ze weigert dat kasteel van haar te verlaten, dan is het geen wonder dat ze geen voeling meer heeft met de achterban.'

'Ze heeft wél voeling met de achterban,' blafte een boze Francine terug. 'Als ze dat niet had, dan zou er niet zoveel tumult zijn. Waar die extremisten bang voor zijn, is dat zoveel vrouwen het eens zullen zijn met haar column. En laten we het eens hebben over die mooie hoeksteen van de samenleving. Wat heeft het voor zin als de vrouwen in elkaar worden geslagen? Wat heeft het voor zin als de kinderen getuige moeten zijn van haat en gebrek aan respect en bloedvergieten?'

'Je moet één ding wel begrijpen, liever,' zei Tony op zalvende toon. 'Het gezin als hoeksteen van de samenleving is mijn zorg niet. Maar deze krant is dat wel. We hebben een bedrijf om winst te maken. Als we worden geboycot, is er geen winst.'

'Wat wou jij dan?' vroeg Francine uitdagend.

'Misschien een klein beetje nederigheid.'

'Grace moet haar excuses aanbieden omdat ze het juiste heeft gezegd? Dénk nou toch even na, Tony. Als het gezin door vrees bijeen wordt gehouden, is het geen knip voor de neus waard.'

'Heel welsprekend, hoor. Is dat jouw standpunt of dat van Grace?'

'Het mijne,' zei Francine zonder verontschuldiging, 'en ik verkeer in een positie om Grace op dit punt te beïnvloeden, dus het is goed dat je weet waar ik sta. We krabbelen niet terug, Tony. We drukken geen spijtbetuiging af. Iemand moet die pestkoppen trotseren. Ik ben trots dat *De Hartsvriendin* dat heeft gedaan.'

'En als de rubriek lezers verliest?'

'De rubriek zal geen lezers verliezen. Laten we nou even reëel blijven.'

'Oké,' zei hij met een luide zucht. 'Vertel me eens wat jíj vindt dat Grace moet doen.'

'Zomaar spontaan? In de oppositie gaan. Ik vind dat we een week lang alle columns aan het onderwerp mishandelde vrouwen moeten wijden. Laat die kerels maar met een boycot dreigen. Laat hen dat maar in het avondnieuws doen. Laat hen dat vanávond maar doen.' Ze grijnsde toen ze op dreef kwam. 'Hoe eerder hoe liever, hoe luider hoe beter. Er zullen brieven van onze lezers binnenstromen. Laten we afdrukken wat ze zeggen.'

'Stel dat ze het oneens zijn met Grace?'

'We hebben wel meer brieven afgedrukt van mensen die het oneens waren met Grace.'

'Zal Grace toegeven dat ze het mis had?'

'Is dat nodig?'

'Als de verkoopcijfers dalen misschien wel.'

Francine besefte opeens iets. 'Je zei dat je deze column goed vond. Je hebt me dat uitvoerig verteld – of was het allemaal naar-de-mond-praterij?'

'Je klonk wat down. Ik probeerde je op te vrolijken.'

'Apekool.' Hij had de macho-instincten van een pad. Maar hij vroeg haar in elk geval niet meer mee uit. Ze kon zich niet met Tony voorstellen, laat staan zijn kind krijgen.

Davis was iets heel anders.

'Je schijnt niet te begrijpen wat er op het spel staat als de zaken slecht gaan,' ging Tony verder. 'We zouden allebei onze baan kunnen verliezen.'

'Ik niet. Ik heb die zorg niet.'

'Even wakker worden, bijdehandje. Als we je column laten vallen, waar blijf jij dan?'

'Bij de *Telegram*,' zei Francine kalm. 'En bij alle andere kranten die zullen staan te trappelen om Grace Dorians column op te nemen, niet zozeer ondanks maar juist vanwége de boycot. Boycots genereren miljoenen dollars publiciteit. Ga maar na. *De Hartsvriendin* zal in het hele land in het nieuws komen. *Time, Newsweek, People* – de mogelijkheden zijn legio. De *Telegram* wil ons dolgraag hebben. Zal ik hen even bellen?'

'Grote God nee. George zou me víllen.'

'Steun ons dan, Tony. Want ik kan je wel verzekeren dat als je ons hierin niet steunt, wij met alle genoegen naar een ander stappen.'

'Heb je dat echt tegen hem gezegd?' vroeg een bezorgde Amanda via de luidspreker van de telefoon aan een gehoor dat bestond uit Francine, Sophie en Robin.

'Echt waar,' zei Francine. Ze had een zenuwachtig gevoel in haar maag als bewijs hiervan, maar ze krabbelde niet terug. 'Grace bleef Tony en George trouw toen de krant van eigenaar verwisselde en er slecht voorstond. Nu is het tijd om terug te betalen. Bovendien doet Tony onnodig paniekerig. De telefoontjes die hij heeft gekregen waren waarschijnlijk van anonieme leden van een anonieme groep, die niet eens weet hoe je een boycot moet organiseren. We hebben het hier over een heel klein deel van het publiek.'

'Maar een klein deel kan toch veel lawaai maken,' waarschuwde Amanda. 'Dat maakt dat soort lieden juist zo griezelig.'

'En omdát ze griezelig zijn, zullen wij het tegen hen op moeten nemen.'

'Met de nodige voorzichtigheid.'

'Er is geen ruimte voor voorzichtigheid wanneer het om mishandeling gaat.'

'Ik wist niet dat jullie zó uitgesproken waren op dat punt.'

Dat had Francine ook niet geweten. Maar de column had praktisch zichzelf geschreven. 'Misschien kwam het toen ik met Grace zat te praten, of toen ik hoorde dat ze een tehuis in Tyne Valley financiert...' Of toen ze naar Sophie had gekeken, die was mishandeld. Of doordat ze dacht over een ander kind, dat over een aantal jaren ook kwetsbaar zou kunnen zijn. 'Ik zou het liefst doen wat ik tegen Tony heb gezegd. Laten we iedereen trotseren die het waagt onze kranten te boycotten. Laten we een week lang brieven van lezers publiceren. Wat vind jij?' vroeg ze aan Sophie.

'Ik vind 't perfect,' vond Sophie zonder enige aarzeling.

'Robin?'

Robin grijnsde. 'Heel spannend. De gedachte om de mishandelden zelf te laten spreken is briljant. Wat zij te zeggen hebben, en het feit dat ze het kúnnen zeggen, zal die boycot de wind uit de zeilen nemen. Om nog maar te zwijgen van het feit dat – heel egoïstisch bekeken – hoe meer tumult Grace nu veroorzaakt, hoe beter het boek verkocht zal worden.'

'Amanda?'

Het bleef even stil. Francine hield haar adem in. Amanda was hun schakel met de commerciële wereld. Haar steun was een must.

Amanda zuchtte. 'Ik denk dat ik wel met dit alles zal móeten instemmen. Bovendien is de column al afgedrukt. Een hoop gewauwel achteraf zou geen goed beeld geven van alle voorbereidingen die erin worden gestopt.'

Francine kreeg even een schuldgevoel. Het was in wezen haar idee, haar voorbereiding, haar gebrek aan inzicht in het te verwachten probleem geweest – met dank aan Grace. 'Denk je dat er echt een boycot zal komen?'

'Misschien wil iemand het proberen. Maar ik betwijfel of het zal werken. Laten we hopen dat ik gelijk heb.'

Het verhaal haalde het vroege nieuws, het late nieuws, de amusementsprogramma's, en de ochtendkranten. Rond twaalf uur de volgende dag was er een boycot afgekondigd tegen de kranten die *De Hartsvriendin* brachten en stond de telefoon bij de Dorians roodgloeiend. Grace stond midden in de belangstelling. De journalisten wilden haar interviewen, de talkshows wilden haar hebben, vrienden en bekenden wilden haar spreken.

Francine had zichzelf in een onmogelijke positie gemanoeuvreerd.

Amanda's stem klonk opnieuw: 'Er zit niets anders voor je op, Francine. De wereld wil Grace, maar Grace kan niet verschijnen. Jij zult het moeten doen.'

Francines maag draaide zich om. 'Je weet dat ik dat niet kan.'

'Nee, dat weet ik niet. Oké, je bent wat zenuwachtig. Maar je bent een welbespraakt iemand, zeker op dit gebied. Ik heb je zelf gehoord.'

'Ze willen Grace, niet mij.'

'Ze kunnen Grace niet krijgen. Dus wat moet ik ze vertellen?'

Francine zocht koortsachtig naar bruikbare smoezen. 'Dat Grace ziek is. Dat ze niet kan reizen. Verdraaid, vertel ze gewoon dat *De Hartsvriendin* via haar columns spreekt, punt uit.'

Robin zei: 'Dat zou nog gaan als Grace niet altijd zo zichtbaar was geweest. Maar als er niemand namens haar verschijnt, zullen de speculaties steeds wilder worden en als dat gebeurt, zou de controverse zich wel eens van mishandelde vrouwen naar Grace kunnen verplaatsen.'

'Zou dat hoe dan ook niet gebeuren, wanneer ik opeens in plaats van Grace verscheen?'

'Niet als je alle vragen met open vizier tegemoet treedt. Wijs erop dat *De Hartsvriendin* al jarenlang een gezamenlijke onderneming is geweest en zeg dat Grace nu liever gewoon thuisblijft. De mensen verwachten Grace omdat ze nooit een alternatief hebben gehad. Geef hun er een, en ze zijn tevreden.'

Sophie kwam naar Francine toe. 'Ze heeft gelijk, mam. Je hebt misschien een hekel aan de publieke kant van het geheel, maar het zou nu veel erger zijn als je thuis blijft. Het zou als lafheid worden beschouwd. Of onverschilligheid. Alsof we er spijt van hadden.'

Dus was het drie tegen één.

Daarna werd het vier tegen één. Alleen gingen Davis' argumenten dieper. 'Weet je nog dat we het erover hadden dat je *De Hartsvriendin* op je eigen manier wilde doen? Nou, je bent er bijna. Je drukt je eigen stempel op zaken waarover je een paar maanden geleden niet zou hebben gepíekerd, maar dat was alleen maar omdat je nooit de kans had gehad. Dus hier is je kans om iets veel groters te doen.'

'Maar ik wíl helemaal geen beroemdheid worden,' smeekte Francine. In de afgelopen weken waren enkele dingen haar heel duidelijk geworden. Ze wilde een rustig leven – ja, om *De Hartsvriendin* te schrijven, maar meer nog om vrouw en – o ja – moeder te zijn.

Ze kon elk moment ongesteld worden.

Absurde gedachte.

Op haar leeftijd – zo ze al zwanger kon worden – zou het een hele tijd duren. Hadden Davis en zij het de allereerste keer ook niet zonder condoom gedaan? En ze was niet zwanger geworden.

Hij nam haar gezicht in zijn handen. 'Ik wil ook niet dat jij een beroemdheid wordt. Maar als je dit doet, zul je bewijzen dat je het kúnt, en als je het eenmaal hebt bewezen, hoef je het nooit wéér te bewijzen. De overdracht zal volledig zijn. *De Hartsvriendin* is van jou. Je kunt er vanaf dat moment mee doen wat je wilt – je kunt 'm hetzelfde houden, veranderen, eventueel alle verschijningen in het openbaar overboord zetten. Maar je kunt 'm nu niet laten stikken. *De Hartsvriendin* speelt daarvoor een te grote rol in je bestaan.'

Toen ze hem aankeek, volledig verloren in zijn liefde, geloofde ze alles wat hij zei. 'Stel dat ik moet overgeven op het bureau van Larry King?'

Hij lachte en drukte haar stevig tegen zich aan. 'Daarvoor ben je bij de juiste man, dametje. Ik heb precies wat jij nodig hebt.' Wat zij nodig had was iets kalmerends voor haar maag, en hoewel het niet veel deed voor een bonzend hart of transpirerende handen, werd haar grootste verlegenheid er wat door getemperd. Ze had genoeg andere dingen om haar op scherp te houden. Ze maakte zich zorgen dat ze over een draad zou struikelen en plat op haar gezicht zou vallen, of in de verkeerde camera zou kijken, of de naam van de gastvrouw zou vergeten. Ze maakte zich zorgen dat ze er onaantrekkelijk, gespannen uit zou zien, helemaal niet Grace-achtig. Ze maakte zich zorgen dat ze iets stoms zou zeggen, dat de mensen haar uit zouden lachen, dat ze *De Hartsvriendin* in verlegenheid zou brengen en alles wat ze probeerde te bewijzen zou ontkrachten.

Ze maakte zich zorgen over het lot van *De Hartsvriendin*, als het inderdaad tot een algehele boycot mocht komen.

Ze maakte zich zorgen dat Grace het huis uit zou gaan en zou verdwalen, omdat ze niet wist waar ze was of was vergeten waar ze heen wilde gaan.

Ze maakte zich zorgen dat Grace álles zou vergeten, zonder enige hoop achter te laten ooit nog bepaalde waarheden boven water te kunnen halen.

Ze maakte zich zorgen dat ze ongesteld zou worden.

Sophie was een geschenk uit de hemel, haar begeleidster annex supporter onderweg. 'Je was ongelofelijk, mam,' zei ze na de eerste show, en 'Indrukwekkend,' na de tweede, en 'Het kan me niet schelen wat je zégt, over dat je polsen beefden, maar je léék volmaakt kalm,' na de derde.

Na ieder optreden werd het gemakkelijker; niet dat Francine zich van tevoren ooit op haar gemak voelde of na afloop popelde om de banden te bekijken, maar ze merkte dat ze bijna elke vraag die werd gesteld kon hanteren. Straal zelfvertrouwen uit, zei Grace altijd, en dat werkte. Ze verscheen als *De Hartsvriendin*, dus wás ze *De Hartsvriendin*. Omdat ze had besloten zelfs niet te proberen er als Grace uit te zien, leek ze onconventioneler dan gepast was, met haar wapperende haren en haar losse kledij, maar er werden weinig vergelijkingen getrokken.

Dit baarde Francine eigenlijk zorgen. Ze begreep niet hoe mensen zo snel konden vergeten, ze begreep evenmin hoe Grace's vrienden, van wie de meesten nu van haar ziekte op de hoogte waren, weg konden blijven. Toch was de stroom bezoekers geleidelijk steeds minder geworden. De koningin was dood; lang leve de koningin.

Die gedachten deden bij haar het vuur oplaaien. Als ze *De Hartsvriendin* moest verdedigen, was ze hartstochtelijk. Met interviews die meestal draaiden om de plaats die *De Hartsvriendin* innam in het Amerikaanse leven, in plaats van om het beperktere onderwerp van echtelijke mishandeling, was ze in haar element. Met gebruikmaking van Robins analyse opperde ze dat de brieven die *De Hartsvriendin* iedere week ontving, de stemming van de mensen weerspiegelden. Ze lás de brieven, zei ze. Ze wist hoeveel *De Hartsvriendin* voor de lezers betekende. De gedachte dat krachten van buitenaf probeerden de column te manipuleren, betekende een belediging voor de miljoenen fans.

Ze was altijd het meest welbespraakt na het ontvangen van nieuwe gegevens met betrekking tot de boycot, die de vorm begon aan te nemen van pamfletten die bij kiosken werden uitgedeeld en demonstranten die zich op opvallende plaatsen opstelden. De krantenverkoop vertoonde een kleine daling, vertelde Tony haar voldaan toen ze ernaar vroeg. Pas toen ze verder doorvroeg, gaf hij toe dat de dip wel héél gering was en mogelijk verband hield met de late sneeuwstormen die sommige forenzen thuis hielden, en dat het twijfelachtig was of ze de algehele gezondheid van de krant zouden schaden.

Tegen het eind van de week was Francine blij dat ze naar huis kon. Robin had de brieven gesorteerd die New York had gestuurd, maar ze wilde zelf kunnen beslissen welke er zouden worden afgedrukt. Dus dat stond haar nog te wachten. En Grace, die niet goed met de telefoon om had kunnen gaan, die geagiteerder was dan anders, meer paranoïde. En Davis, die niet wist dat ze over tijd was. Eén dag maar. Maar toch.

'Je bent hier echt heel goed in,' merkte Sophie op, kort nadat ze op La Guardia landden. 'Weet je zeker dat je het niet nog eens wilt doen?'

'Van m'n levensdagen niet,' verklaarde Francine. 'Het lijkt me heerlijk om kluizenaar te worden. Je begrijpt toch zeker wel,' voegde ze er, half voor de grap, aan toe, 'dat wat ik heb gedaan, ik voor jou heb gedaan.'

'Ach welnee.'

'Toch wel. Ik moest je laten zien dat een vrouw zelfs dingen kan doen waarvan ze denkt dat ze ze niet kan.'

'Meen je dat?'

'Als ik mijn angst kan overwinnen om in het openbaar op te treden, kun jij wel met een jongen uitgaan.' Ze negeerde de waarschuwende blik die Sophie haar toewierp. 'Je kunt je niet eeuwig blijven verstoppen.' Hoe heerlijk ze het ook mocht vinden om Sophie om zich heen te hebben, een meisje van vierentwintig hoorde niet meer bij haar moeder te zitten.

'Ik verstop me niet,' protesteerde Sophie. 'Ik ga naar kennissen.'

'Alleen naar meisjes.'

'Ik ontmoet ook jóngens. Zo heb je Jamie, de chef, en Alex, de broer van Julies kamergenoot. En dan is Barry er nog, de producer, en Dave, de man van het geluid. En Douglas. We bellen veel met elkaar. Ik sta alleen niet te trappelen om uit te gaan.'

'Vanwege Gus?'

Sophie aarzelde en bewoog toen haar hoofd, op een manier die zei dat dit waarschijnlijk het geval was.

Francine zei begrijpend: 'Als ik niet wilde dat hij ver hiervandaan bleef, zou ik zijn werkgever opbellen om hem te laten ontslaan.'

Sophie snoof. 'Hij verdíent 't, die klootzak.'

'Maar hij is ver weg. En jij bent ouder en wijzer geworden. Echt waar. Als ik me aan een talkshow durf te wagen, kun jij je ook aan een afspraakje wagen.'

'Ik zal het doen. Over een poosje.'

Grace wist niets van de boycot. Francine had het haar niet durven vertellen – ze had niet geweten of ze het zou begrijpen, en zo ja, hoe ze zou reageren. Een kritische Grace zou haar nog nerveuzer hebben gemaakt. Dus had ze voor haar vertrek alleen maar gezegd dat ze een publiciteitstoernee ging maken, wat Grace vroeger plezier zou hebben gedaan maar wat nu in feite geen enkele reactie opriep.

Verwacht niet te veel, zei ieder boek over Alzheimer. Maar naarmate de week verstreek en haar zelfvertrouwen steeg, begon Francine te hopen. Grace had vast wel een van de televisieshows gezien. Ze zou vast onder de indruk zijn.

Francine was nerveus toen het huis in zicht kwam. Ze herinnerde zich andere scheidingen en herenigingen, het beklemmende gevoel dat ze als kind altijd had gehad, de opluchting haar moeder weer thuis te hebben. Haar opluchting was nu vermengd met ongerustheid.

Grace was in de keuken. Ze keek verschrikt op toen ze verschenen en ze zei met een hoge, beverige stem: 'Lieve help. Zijn jullie daar? Jullie zijn vroeg. Ik ben nog niet klaar.'

Francine dacht dat ze geheel voorbereid was geweest, maar toch was ze geschokt deze oudere, brozere en onnozelere Grace aan te treffen dan die in haar herinnering, dan degene naar wie ze verlangde.

Ze glimlachte door haar tranen heen en knuffelde haar. 'Ik heb je gemist, mam.' Ze bedwong zich. 'Je ziet er goed uit. Heel huiselijk.' Francine had haar in geen jaren een schort zien dragen. 'Wat doe je daar?'

'Eten koken. Er komt een hele menigte eten. Jullie zijn te vroeg.'

Herkende ze hen? Viel moeilijk te zeggen. Ze stond in elk geval niet met haar rug tegen de muur te roepen dat ze spionnen waren.

'O, maar ga rustig verder met koken,' stelde Francine haar gerust. 'Ons vliegtuig is nog maar net geland. Sophie en ik popelden om jou te begroeten.'

'Hoe gaat het ermee, oma?' vroeg Sophie en ze greep de hand van Grace. 'Wat maak je daar?'

'Iets… eh…' Grace leek naar de woorden te moeten zoeken. 'Iets lekkers.'

'Het is kalfsvlees à la Russe,' zei Margaret, 'met nieuwe aardappels en broccoli. Hebben jullie al gegeten?'

'In geen uren,' zei Francine, hoewel ze niet veel trek had met haar onrustige maag. 'En zeker niet zoiets als kalfsvlees à la Russe.' Ze streelde de wang van Grace. 'Het interview in L.A. is heel goed verlopen. Het wordt vanavond in het hele land uitgezonden. Wil je het samen met ons zien?'

Grace fronste. 'We hebben een hele menigte die komt eten.

Minstens honderd. Misschien wel driehonderd. Ik weet niet hoe lang ze zullen blijven.' Ze keek naar Francine, kennelijk verward. Opeens betrok haar gezicht. Ze klonk intens verdrietig. 'Waar wáren jullie? Ik heb overal gezocht. Ik kon jullie nergens vinden.'

Francine nam haar in haar armen, geschokt over hoe broos ze aanvoelde. Het duurde even voor ze iets uit kon brengen. 'We hebben alles gedaan wat jij wilde dat we zouden doen – talkshows en kranteninterviews. Je zou trots op ons zijn geweest. Ik ben niet één keer gestruikeld.'

'Je wás er niet,' jammerde Grace. 'Ik wist niet waar je was gebleven. Ik was bezorgd dat iemand je had meegenomen. Je had ontvoerd.'

'O nee. Dat was vast niet gebeurd. Daarom had ik Sophie meegenomen. Ze was mijn lijfwacht.'

'Ik heb er ook een,' zei Grace. 'Een hond.'

Francine hield haar op enige afstand en keek haar sceptisch aan. Tot ze Legs aan de andere kant van de tafel zag.

'Ze wijkt niet van je moeders zijde,' zei Margaret. 'Ze houdt de samenzweerders op afstand. Ze houdt zelfs de nare dromen op afstand. Grace neemt haar mee als ze gaat wandelen, hè, Grace? De frisse lucht is goed voor hen allebei.'

Francine had de goedkeuring van Grace willen hebben voor nog zeker tien andere zaken, tien belangrijker, dringender zaken. Toch voelde ze hier even blijdschap om.

'En?' vroeg Davis. Hij was regelrecht uit het ziekenhuis gekomen, door de voordeur naar binnen gegaan, had Francine bij de hand genomen en was door de hal naar de slaapkamer gelopen, die hij nog nooit had gezien.

Ze werd nu op schandelijke wijze plat tegen de gesloten deur gedrukt, en ze was te blij om hem te zien, te opgewonden om hem te voelen, zelf te veel gespannen om voor te wenden dat ze niet wist wat hij bedoelde. 'Eén dag. Dat hoeft helemaal niets te betekenen te hebben. Het zou het gevolg van de reis kunnen zijn.'

Davis grijnsde scheef. 'Het heeft wél iets te betekenen.'

'Ik ben altijd over tijd als ik gespannen ben.'

Hij schoof een hand tussen hen in. 'Je bent niet zomaar over tijd.'

'Eén dag, Davis. Dat is niets.'

Zijn grijns werd breder. 'Je bent lekker heet.'

'Davis,' protesteerde ze, hoewel dat moeilijk ging met zijn hand zo laag op haar buik, 'je luistert niet. Ik zou niets hebben gezegd als jij er niet naar had gevraagd. Je hoopt veel te snel, je laat mij veel te snel hopen, en dan zijn we straks heel teleurgesteld.'

Davis schudde zijn hoofd en grijnsde uitermate zelfvoldaan.

En Francine wilde natuurlijk graag geloven dat hij gelijk had, dus lachte ze verrukt. 'Je bent een arrogant beest. Wat zie ik in 's hemelsnaam in jou?'

'Iets beestachtigs,' zei hij en hij greep begerig naar haar mond.

Francine was twee dagen over tijd, toen drie dagen. Ze vertelde het aan niemand anders dan Davis en ze bleef hem op tien andere mogelijke oorzaken wijzen. Toen hij er bij haar op aandrong een zwangerschapstest te doen, hield ze de boot af. Ze was bang dat de uitslag negatief zou zijn.

De Hartsvriendin was een tijdverslindende afleiding. Van de duizenden brieven die waren gearriveerd, steunde twee derde van de schrijvers Francines standpunt, was van de rest de helft het met haar oneens, en vroeg het overige deel advies over variaties op het thema. Samen met Sophie en Robin selecteerde ze een representatief monster van de pro's en contra's om de volgende week te worden afgedrukt.

Terwijl de aandacht van de media verflauwde, bleven degenen die een boycot wilden actief. Twee van de kleinere aangesloten bladen lieten *De Hartsvriendin* vallen, wat kortstondig in het nieuws kwam. De andere aangesloten kranten bleven hun verkoop nauwlettend in de gaten houden.

Als Grace zich al bewust was van enige bedreiging van *De Hartsvriendin*, dan liet ze dit niet merken. Ze had ooit de kranten gespeld, maar nu deed ze niet meer dan voor de show de voorpagina bekijken wanneer ze voor het ontbijt naar de keuken kwam. Ze was in staat om losse woorden te lezen, maar wanneer ze in een groep waren geplaatst, tussen andere groepen in, was ze verloren. Dus las Francine haar voor – uit de krant, uit tijdschriften, uit boeken. Ze las haar niets voor over de boycot.

De tijd kroop.

Francine maakte momenten door van intense twijfel aan zichzelf, waarbij ze er beurtelings van overtuigd was dat ze *De Hartsvriendin* had geruïneerd, dat het boek van Grace een flop werd, dat ze helemaal niet zwanger was, dat Davis haar niet zou willen ondanks alles wat hij had gezegd, aangezien haar eigen vader haar kennelijk ook niet had gewild.

Toen belde George op om te zeggen dat de verkoopcijfers begonnen te stijgen, en belde Amanda om te zeggen dat *De Hartsvriendin* door vier nieuwe kranten werd opgepikt. En de demonstranten gingen uiteen en de pamflettenuitdelers keerden terug naar huis.

Francine zette al haar andere twijfels van zich af. Waar het *De Hartsvriendin* betrof was dit haar uur van glorie.

Triomfantelijk holde ze naar Grace en vertelde haar het verhaal van begin tot eind, waarbij ze haar aandacht op zich gericht hield door haar handen vast te houden en haar strak aan te kijken. 'We hebben gewonnen, mam!' riep ze tot besluit en ze wachtte tot Grace haar zou prijzen of een glimlach liet zien.

Er gebeurde niets.

Francine schudde even met haar handen. 'We hebben gewónnen,' herhaalde ze, nu dringender. Grace móest het begrijpen. 'We hebben niet alleen niets aan populariteit ingeboet, maar we hebben zelfs méér lezers gekregen. *De Hartsvriendin* is sterker dan ooit. Ben je daar niet blíj mee?'

Grace keek even onzeker. Toen knikte ze.

'Moet je je eens vóórstellen, moeder,' bleef Francine verder gaan, omdat ze zo graag een reactie wilde. 'Ik wist niet of ik er ook maar íets van terecht zou brengen. Weet je nog, toen je vroeg of ik het over wilde nemen? Ik was dóódsbang. Maar we hebben het gedaan. We hebben ons er schitterend doorheen geslagen.'

Grace bleef zwijgend zitten en zei toen: 'Dat is heel leuk.'

'Heb je mijn verhaal begrepen?'

'Ja.'

'Ben je trots op me?'

'Ja.'

Francine kon wel huilen.

Gedurende die dagen was het gemakkelijk geweest om de onbeantwoorde vragen met betrekking tot het leven van Grace te negeren. Plotseling, nu de crisis voorbij was en alle opwinding was geluwd, rezen die vragen weer op.

Grace had niets meer te bieden dan wat vage gedachtenslierten. Ze bleef hetzelfde – of liever gezegd, nooit hetzelfde. Ze kon kalm of geagiteerd zijn, spraakzaam of zwijgend, vol vertrouwen of paranoïde. Davis wijzigde de medicatie, in de hoop haar te stabiliseren, maar de ziekte was meedogenloos.

'Waarom gaat ze zo snél achteruit?' vroeg Francine hem toen Grace een heel vervelende aanval van paranoia had gehad.

'Het treft ieder slachtoffer weer anders,' verklaarde hij, eveneens gefrustreerd. 'Dit is helaas de manier waarop het Grace treft.'

De tijd begon te dringen. Francine moest weten wat Grace verborg, niet zozeer voor het boek als wel voor haarzelf. Ze smeekte Grace, maar Grace kon niets zeggen. Ze smeekte pastoor Jim, maar pastoor Jim kon niets zeggen.

Er was nog een tocht naar Tyne Valley nodig. Ze wist dat zij die zou moeten maken, want zij was degene voor wie het meest op het spel stond. Maar ze was bang voor wat ze zou vinden. Dus stelde ze het uit.

Toen hoorde Davis dat zijn vader was gestorven.

Zonder de geringste aarzeling – want Davis was de man die ze liefhad en zijn vader had hem gemaakt, en omdat ze wist dat ondanks de afstand tussen de twee mannen Davis treurde, en omdat Davis' vader de grootvader was van het kind dat ze misschien verwachtte, en omdat ze eerbied verschuldigd was aan hem en aan alle anderen die misschien door bloedbanden of huwelijk met haar verbonden zouden zijn – pakte Francine haar koffers.

23

Zoals met de meeste deugden, is eerlijkheid betrekkelijk.
Aan de ene kant heb je de vrouw die bekent dat ze een
leesbril heeft, aan de andere kant de vrouw die toegeeft dat
haar diamanten geleend zijn.

– Grace Dorian, in een interview in Mirabella

Tyne Valley was net zoals Francine zich had voorgesteld onbedui-
dend tot op het uitgestorvene af. Hoewel het halverwege de middag was, lag de hoofdstraat er verlaten bij.

'Benzinepomp, supermarkt, auto-onderdelen,' somde Davis op.
'Dat daar is het stadhuis. De gemeenteraad vergadert daar, meestal de tweede zondag in maart.'

'Eén dag?'

'Er valt niet veel te bespreken. Het belangrijkste doel is de mensen iets te doen te geven buiten het proberen het hoofd boven water te houden. Verderop in die straat is een garage. Er zijn altijd auto's die het begeven. Dat, en modder in maart, en de jaarlijkse
vergadering. Daar heb je de bibliotheek.'

Het was een aardig, wit huis op zo'n honderd meter voorbij de
kruidenierswinkel, en het had een deur aan de verste zijde. Francine vroeg zich af of dat de deur was waardoor Grace naar binnen en
naar buiten was geslopen als ze niet gezien wilde worden.

'Ik zal je de school laten zien,' zei Davis.

Francine pakte hem bij de arm. 'Dat kan wachten, als je liever
eerst naar je vader gaat.'

'Ik ben er nog niet aan toe.'

Ze schoof nog dichter naar hem toe. Hij legde zijn hand op haar
dij en wierp haar een glimlach toe, maar het was een zwakke glimlach, zeker voor hem. Ze legde haar hand op de zijne.

Hij liet haar de scholen zien waar hij keet had getrapt – de lagere school, de regionale middelbare school, ook al stond deze op
enige afstand. Toen reed hij terug naar de stad en stopte voor de

kerk, maar hij maakte geen aanstalten om uit te stappen. Zijn blik ging naar het aangrenzende kerkhof. Het duurde even voor Francine twee mannen zag die achterin bezig waren met graven.

Davis maakte een gepijnigd geluid.

Ze drukte zijn hand tegen haar hals. 'Ligt je moeder daar?'

Hij knikte.

Zij had niet op jonge leeftijd een van haar ouders hoeven te verliezen en ze kon zich maar met moeite voorstellen wat hij ten aanzien van zijn moeder voelde. En nu dan zijn vader.

Francine herinnerde zich Johns begrafenis en het hartverscheurende gevoel dat ze had gekregen toen ze die grond, dat gat, dat opslokken tot in alle eeuwigheid had gezien. Met een rilling besefte ze wat ze zou doormaken als Grace eerder heenging dan zij wilde – Grace, die eigenlijk voor eeuwig moest blijven leven, omdat ze zo goed was.

Maar dat was ze niet altijd geweest.

'Er is iets aan ouders,' mompelde Davis. 'Wanneer je hen verliest.' Hij stak zijn kin in de lucht. 'Als je ze daar moet achterlaten.'

De trilling in zijn stem maakte dat Francine moeite had haar zelfbeheersing te bewaren. Ze zette alle gedachten aan Grace opzij en zei: 'Je hebt voor hem alles gedaan wat je kon.'

'Het was niet genoeg. Hij heeft een treurig leven geleid. Hij is een treurige dood gestorven.'

Duncan Marcoux was alleen geweest, hij was verstijfd aangetroffen na een lange, koude nacht. Davis had haar dat meer dan eens verteld. Het kwelde hem nog steeds.

'Je hebt je best gedaan,' zei ze zacht.

'Ik ben hier weggegaan.'

'En door dat te doen, heb je honderden en honderden mensen geholpen.'

'Maar hem niet.'

'Je hebt hem trots gemaakt.'

Davis slaakte een ontmoedigd geluid. 'Hij wist nauwelijks wat ik deed.'

'Hij wist dat je dokter was.'

'Maar hij wist niet wat ik dééd. Niet echt.'

'Dat had hij ook niet nodig om trots op je te zijn.'

'Hij heeft er nooit iets van gezegd.'

'Dat betekent niet dat hij het niet was. Denk je niet dat hij tegen zijn vrienden in de kroeg over jou heeft opgeschept?'

'Jawel. Als hij dronken was.'

'Dan was hij misschien niet zo mededeelzaam als hij nuchter was, maar hij moet wel trots zijn geweest. Je hebt je diploma gehaald, de universiteit, en vele jaren opleiding tot specialist. Je hebt een praktijk opgebouwd en een huis. Je hebt heel veel mensen geholpen een beter leven te leiden. Hij moet heel trots zijn geweest, Davis.'

Davis bracht haar hand naar zijn mond en hield hem daar terwijl hij naar de werkende mannen keek alsof het zijn verantwoordelijkheid was, als Duncans zoon, om toezicht te houden. Na enige tijd zette hij de pick-up weer in de versnelling.

Hij reed helemaal terug, de stad door en aan de andere kant er weer uit, over een onverharde weg naar een steengroeve waar 's zomers de kinderen uit de stad kwamen zwemmen. Ze parkeerden daar even, en daarna reed hij met haar over een slingerende weg omhoog naar de uitkijkpost bovenop. Ze knoopten hun jassen dicht tegen de maartse wind en stapten uit.

Het uitzicht was prachtig, allemaal grijsgroen met hier en daar een oranje pannendak of een rode schuur, nog steeds winters kaal maar niet zonder charme. Francine ontwaarde omringende dorpjes aan hun witte torentjes die als spelden uit een landkaart verrezen.

'Voel je iets?' vroeg Davis.

Ze keek hem verbaasd aan. Ze had gedacht dat hij te zeer door zijn eigen gedachten in beslag werd genomen om nog aan haar te denken. Maar ze had beter moeten weten. Hij was een opmerkelijk gevoelige man. Dat was een van de dingen die ze zo lief aan hem vond.

'Ik vind het wel een aardig stadje,' zei ze. 'Het is klein, lief en rustig. Het groen is opvallend, en dan is het nog niet eens voorjaar. Of ik het gevoel heb dat ik in een ander leven hier ben geweest? Nee.'

'Je hebt de mensen nog niet ontmoet. De hele stad loopt uit voor condoleances en begrafenissen. Alsof het de grote jaarvergadering is.' Ze zouden die avond condoleancebezoek voor Davis' vader hebben, en hem de volgende morgen begraven. 'Misschien zal iemand iets in je herkennen, of iets weten dat helpt.'

'Misschien,' zei ze en ze schoof haar hand in zijn zak.

Toen Sophie veertien werd, had ze van Grace een klein, goud-op-snee boekje met gedichten gekregen. Ze kende de meeste ervan uit haar hoofd, en zelfs nu, een decennium later, ontleende ze nog steeds troost aan hun zangerige ritmes en opmerkelijke gedachten. In de hoop dat dit ook voor Grace zou gelden, had ze het boekje van zijn heilige plaats gehaald en probeerde ze haar favoriete gedichten voor te lezen.

Maar Grace was onrustig. Ze ging zitten, ze ging weer staan. Ze liep in de serre heen en weer, liep terug naar de stoel en ging zitten, om een minuut later weer te gaan staan.

Sophie sloeg het boek dicht. 'Wat mankeert eraan, oma?'

Grace vlocht haar vingers ineen en deed ze weer van elkaar.

Sophie keek naar het raam. 'Als het niet regende, hadden we een eindje kunnen gaan wandelen. Zullen we in plaats daarvan een ritje met de auto maken? Gewoon de straat uit en weer terug? Ik zal langzaam rijden.'

'Ik kan niet zo ver weg gaan.' Grace keek uit het raam, keek terug. 'Waar is ze?'

Het was de vierde keer binnen een uur dat Grace dat vroeg. Vroeger zou Sophie haar terecht hebben gewezen, maar deze Grace was ziek. 'Francine is met Davis naar Tyne Valley. Zijn vader is gestorven.'

'Zijn vader?'

'Duncan Marcoux.'

'Duncan Marcoux?' herhaalde Grace. Ze wiegde heen en weer, met haar handen ineengeslagen. 'Ik denk niet dat dat veilig is. Misschien houdt iemand haar vast.'

'Francine?'

'Waarom is ze niet hier?'

Nog steeds geduldig, nog steeds vol vertrouwen dat ze Grace gerust kon stellen, zei Sophie: 'Omdat Davis' vader is gestorven. Ze is naar Tyne Valley voor de begrafenis. Ze heeft tegen jou gezegd dat ze ging. Ze zal later opbellen.'

Grace wiegde nog wat heen en weer, verstrengelde haar handen verder in elkaar. Ze keek bezorgd naar de deur. Met angstige stem zei ze: 'Uit het hele land zitten mensen achter me aan. Ik geloof niet dat ik me goed heb verstopt. Ik heb een plaats nodig waar ze me niet kunnen vinden.'

Sophie sloeg een arm om haar heen. 'Je bent veilig, oma. Je bent bij mij. Ik zal goed op je passen. Kom mee. Laten we een eindje om het huis heen wandelen.'

'Waar is… eh… dat andere meisje?'

'Jane heeft een afspraak bij de tandarts. Ze is een uur geleden weggegaan.'

'Niet Jane,' zei Grace, zichtbaar gefrustreerd toen ze probeerde zich de naam te herinneren van degene die ze bedoelde.

'Robin?' vroeg Sophie.

'Robin is hier,' zei Robin, die binnenkwam. 'Jij,' zei ze tegen Sophie, met een twinkeling in haar ogen, 'hebt bezoek.'

Sophie was onmiddellijk op haar hoede. 'Wie?'

'Douglas.'

Met een blik van rauwe angst greep Grace haar arm vast. 'Lieve help. Lieve help. Waar is mijn hond? Ik zoek mijn hond. Mijn hond zal me beschermen als ze me aanvallen. Hond?' Ze keek aan de andere kant van de stoel en zocht toen koortsachtig om zich heen. 'Hónd?'

Legs lag onder een stoel vlak bij haar. Sophie wees en wachtte tot Grace zelf had gekeken. 'Ze let goed op, oma. Ze zal op je passen.'

Sophie liep naar de hal, niet zeker of ze Douglas wel wílde ontmoeten. Hij stond in de vestibule, gekleed in een spijkerbroek, een anorak, en hij was nat van de regen.

'Ik weet dat je me niet hebt uitgenodigd,' begon hij voor ze iets kon zeggen, 'maar ik kwam hier langs omdat ik op weg was naar Greenwich, dus toen dacht ik, laat ik even kijken of je thuis bent.'

Hij zag er nat, vriendelijk en onschuldig uit.

Ze leunde tegen de trapleuning, sloeg haar armen over elkaar en produceerde een glimlachje. 'Ik ben thuis. Wat is er in Greenwich?'

'Een galerie die belangstelling voor mijn werk heeft. Ik heb wat spullen in een bestelbusje dat buiten staat. Heb je zin om even te kijken?'

'Alleen maar kijken.'

Hij schoof zijn handen in zijn zakken. 'Heel onschuldig. Dit tenminste. Niet al mijn gedachten zijn onschuldig. Ik blijf jou steeds mee uit vragen. Je zegt dat je geen ander hebt. Is het om mij?'

'Nee.'

'Wat is er dan?'

Sophie vond Doug aardig. Als hij het zwarte schaap van zijn familie was, dan was hij een vriendelijk zwart schaap, met lang haar, lange benen, en veel tolerantie. Deze creatieve eigenschappen die hem tot kunstenaar maakten, maakten hem ook tot iemand met wie je urenlang kon zitten praten, en dat hadden ze de laatste tijd dan ook veel gedaan. Ze dacht dat ze dat misschien nog wel vaker wilde.

Ze schoof langs de trapleuning naar de tweede trede en sloeg haar armen om haar knieën. 'De vorige keer dat ik een vriend had, ben ik verkracht.'

Hij zette grote ogen op.

'We hadden een tijdje iets gehad,' zei ze. 'Ik wilde er een punt achter zetten. Dat wilde hij niet.'

'Jezus, Sophie. Wat vreselijk!'

'Dus ik ben een beetje... kopschuw geworden, zoals m'n moeder het uitdrukt.'

'Je bent sindsdien niet meer met iemand uit geweest?'

Ze schudde haar hoofd. 'Het gebeurde twee dagen voordat ik jou ontmoette.' Ze lachte even. 'Misschien was dat wel zo goed. Anders had je me misschien op slag niet gemogen. Ik bezit een perverse eigenschap... weet je, dat ik dingen wil doen alleen maar omdat anderen zeggen dat ik dat niet moet doen. Gek is dat, hoe sommige ervaringen je een toontje lager kunnen laten zingen. Dus, hoe dan ook,' zei ze verlegen, zelfs hulpeloos, terwijl ze haar hoofd schudde om een onverschilligheid te pretenderen die ze niet voelde, 'ik ben om zo te zeggen een gekneusd persoon. Ik weet niet zeker of je nog wel uit wilt gaan met mij.'

'Ik wil uitgaan met jou,' zei hij zonder enige aarzeling. 'Bovendien klink je niet gekneusd. Je klinkt heel verstandig, evenwichtig. Ben je in therapie geweest?'

'Hemel, nee. Dorians doen zulke dingen niet.'

'Waarom niet?'

'Omdat ze niet goed stáán. Of dat is eigenlijk ook niet waar. Nou ja, misschien ook wel, maar het is niet de belangrijkste reden. Wij gaan niet naar psychiaters of naar praatgroepen of zo, omdat we elkaar hebben. Dit is een sterke gemeenschap van vrouwen.' Minus één, besefte ze, maar nog steeds sterk. Ja, sterk ondanks alles.

'Dat klinkt wel heel indrukwekkend.'

'Niet voor een sterke man. En ik bedoel met sterk niet fysiek sterk.'

'Dat weet ik,' zei hij met de juiste hoeveelheid overtuigingskracht.

'En ik heb suikerziekte.'

Hij keek haar onbewogen aan. 'Moet dat mij op de vlucht jagen?'

Ze haalde haar schouders op. 'Het betekent dat ik voorzichtig moet zijn met sommige dingen. Het is een handicap.'

'Dat is het hele leven, als je het zo wilt bekijken. Maar ik bekijk het niet zo.'

Hij stond nog steeds bij de deur, met zijn handen nog altijd in zijn zakken. Grace zou haar vreselijk op haar kop hebben gegeven omdat ze hem niet binnenvroeg, dacht Sophie. Maar toen bedacht ze zich. De Grace die nu in de andere kamer zat, zou naast haar op de trap zitten en zich afvragen of Doug een Uzi onder zijn anorak had.

Er was geen Uzi. Sophie vertrouwde hem.

Ze had Gus ook vertrouwd.

Maar Gus was alleen maar lawaai geweest – hij had niets van gevoelens of hoop en angst of ware sensaties geweten. Hij functioneerde uitsluitend met zijn lichaam.

Doug functioneerde met zijn lichaam, geest en ziel. Dat wist ze zeker. Ze was een galerie in New York binnengewipt om een blik te werpen op zijn werk. Niet dat ze hem dat nu al zou vertellen. Een beetje onzekerheid was soms heel goed in de wereld van het mannelijk ego.

Maar als uit zijn werk gevoeligheid sprak, en zijn persoonlijkheid via de telefoon gevoeligheid vertoonde, en de manier waarop hij bij de deur bleef staan in plaats van zich aan haar op te dringen op gevoeligheid wees, dan was hij misschien toch wel een behoedzame poging waard.

Dus zei ze, terwijl ze een beetje heen en weer wiegde, met haar handen nog steeds om haar knieën: 'Heb je zin om binnen te komen?'

Davis bleef nog een uur door de stad rijden terwijl hij hier en daar stopte om op iets te wijzen, om een verhaal te vertellen, of om zwijgend te blijven zitten. Een van die zwijgzame stopplaatsen was bij het huis van zijn vader. Hij stapte niet uit, hij keek alleen maar.

Het huis was klein, maar minder armoedig dan de andere in het rijtje. Francine stelde zich voor dat Davis iemand had betaald om het op te schilderen, dus was het geschilderd; dat hij iemand had betaald om de stoep te repareren, dus was die gerepareerd; dat hij iemand had betaald om gras te zaaien, zodat het gras groeide en groeide en groeide. Zelfs nu het winters doods was, zag het er weelderig uit.

Francine vroeg zich af waarom Davis' zusters het niet hadden laten maaien. Ze vroeg zich ook andere dingen af, maar ze bespeurde Davis' behoefte aan stilte. Dus bracht ze haar medeleven tot uiting door zijn hand vast te houden.

'Hij wilde niet verhuizen,' was alles wat Davis zei toen hij de auto weer startte en wegreed.

Daarna gingen ze naar de huizen van zijn zusters, die diagonaal tegenover elkaar stonden, op maar korte afstand van Duncans huis. Beide vrouwen waren lang en mager. Francine vermoedde dat ze eens knap waren geweest. Nu hadden ze hetzelfde sombere, verwaarloosde uiterlijk als het gazon van hun vader.

Ze ontmoette echtgenoten, kinderen, kleinkinderen en vrienden. Ze zag dezelfde mensen, en nog meer, die avond naar het rouwcentrum komen. Daar zag ze ook Duncan Marcoux. 'Netjes afgelegd,' was de heersende mening.

'Verdomd als 't niet waar is,' mompelde Davis binnensmonds toen ze het voor de zoveelste keer te horen kregen. 'In z'n hele stinkende rotleven heeft-ie er nooit zó uitgezien. Dit is de geest van wat hij had kunnen zijn. Het echte is een vroege whiskydood gestorven.'

Francine zag de fysieke overeenkomst onmiddellijk. Waar zijn zusters slechts hier en daar een gelijkende trek vertoonden, was bij Davis alles aanwezig. Davis was een grotere, vriendelijker versie van de man die op zijn zondags in de kist was gelegd, en hij was beslist de zoon van zijn vader.

Dat alleen al had voldoende reden voor hem kunnen zijn om te treuren, maar Francine wist dat er meer was. Hij treurde om wat had kunnen zijn – om banen waarin zijn vader het nooit lang uithield, om een beter leven dat nooit werd gerealiseerd, om intelligentie die verloren was gegaan. Hij treurde om de relatie die hij nooit met zijn vader had gehad, en om de dingen die hij hem had aangeboden en die waren afgewezen. Hij treurde om zijn moeder, om wie hij in zijn jeugd niet had kúnnen treuren.

Francine begreep dit alles uit de woorden die hij mompelde, uit de manier waarop hij haar hand de hele avond vasthield, en later de manier waarop hij in slaap viel, met zijn hoofd tegen haar borst gedrukt.

Het drong tot haar door dat ze volmaakt tevreden kon zijn wanneer ze niets meer deed dan hem alleen maar in haar armen houden, wanneer hij behoefte aan steun had.

Het drong ook tot haar door dat er misschien iets te zeggen viel voor vruchtbaarheidsbehandelingen of kunstmatige inseminatie of surrogaat-moederschap of zelfs adoptie, als ze niet zwanger was.

Het drong eveneens tot haar door dat ze erachter moest zien te komen of ze het was.

Maar die gedachte werd naar de achtergrond gedrongen door de emoties van de begrafenis de volgende dag. Na afloop had Davis voldoende eten naar de favoriete bar van zijn vader laten brengen om de hele stad te eten te kunnen geven, en de hele stad kwam. De sombere stemming van condoleance en begrafenis maakte plaats voor iets bijna feestelijks, met Davis die te midden van dit alles liep te glimlachen, handen te schudden en zelfs te lachen met een paar oude vrienden.

Francines gedachten keerden naar binnen. Ze had de ruimte het liefst als een Ouija-bord willen beheersen om met haar ogen allerlei mensen heen en weer te schuiven en te blijven staan bij een persoon die haar genen droeg. Maar dat gebeurde niet.

Ze praatte met pastoor Joseph Crosby, met de gemeentesecretaris en zijn vrouw, met de bibliothecaris en met tientallen anderen die haar uitvoerig bedankten voor de edelmoedigheid van haar moeder, maar wanneer het op het stellen van vragen aankwam, werd haar tong geremd. Hoe moest je tegenover een volslagen vreemde beginnen over de vraag of je moeder, nu een prominente dame, misschien uit hun stadje afkomstig was, en misschien een geheime minnaar had gehad? Dat was zoiets intiems. Het zou een verraad aan Grace zijn geweest.

Dus voelde ze zich terneergeslagen om de gemiste kans, tegen de tijd dat de lunch ten einde liep. Toen Davis vroeg of ze er bezwaar tegen zou hebben om nog een laatste keer naar het kerkhof te gaan voordat ze naar huis gingen, was ze bijna opgelucht om zich weer op zijn verdriet te kunnen richten.

Ze bleef bij het hek van het kerkhof staan terwijl Davis terugliep, om hem deze laatste momenten van privacy te gunnen. De grafdelvers, die zich bij de rest van de stad in de bar hadden geschaard alvorens hun werk af te maken, wilden juist weggaan. Davis drukte hun de hand, schoof zijn handen in de zakken van zijn jas, en bleef staan – een donkere, verre gestalte met zijn rug naar Francine.

Een van de grafdelvers passeerde haar, met een vinger aan de rand van zijn pet. De andere bleef staan. Hij was een magere, hoekige bonenstaak met rode wangen van de kou, en te oordelen aan het borstelige grijze haar dat onder zijn pet vandaan kwam en de rimpels rond zijn ogen, vermoedelijk in de zestig.

'Ik zou u wel een hand willen geven, mevrouw Dorian, maar die is een beetje vies,' zei hij. 'Jeb George is de naam. Ik ben de begrafenisondernemer.'

Natuurlijk. Ze had hem bij de condoleance gezien en ook op de begrafenis. Hij was beide keren heel formeel gekleed geweest, met de bijbehorende afgemeten manier van doen. Maar nu, in een vormloze wollen broek en een geruit houthakkersjack, leek hij zich meer op zijn gemak te voelen.

'Ik heb nooit veel met het plechtige gedeelte van het bedrijf opgehad,' zei hij, haar gedachten lezend, 'maar het was alles wat mijn pa me te bieden had en alles wat ik had om m'n vrouw en kinderen te eten te geven, en wanneer je in een plaats als deze iets, wat dan ook, kunt krijgen, pák je het. Maar het begraven van mensen is geen leuk werk.' Hij wierp een blik in de richting van Davis. 'Neem Duncan Marcoux nou. We zijn vroeger goeie makkers geweest. Toen begon hij te drinken en had hij niet veel tijd meer voor z'n kameraden.'

Francine herinnerde zich dat Davis had gezegd dat Duncan en pastoor Jim dikke vrienden waren geweest. Ze trok haar jas wat hoger om haar hals en hield aan. 'Dus u hebt Jim O'Neill gekend?'

'Reken maar,' zei Jeb. 'Tjonge, wat vonden we het jammer dat hij na dat alles priester wilde worden, maar door weg te gaan heeft hij meer voor ons allen gedaan dan hij ooit hier had kunnen doen. Hij heeft je moeder voor ons gevonden. Ze heeft veel mensen helpen begraven die daar zelf geen geld voor hadden. Mijn dank aan u en aan haar.'

'Het is ons een groot genoegen.' Ze haalde diep adem. 'Dus u hebt pastoor Jim gekend.' Ze hield het luchtig. 'Dan moet u ook Rosellen McQuillan hebben gekend.'

'Je kunt de een niet hebben gekend zonder de ander. Ze waren eeuwig samen. Ze vertrok toen hij wegging. Kon hier niet blijven zonder hem. Hij was het enige dat haar op de been hield.'

'Waar is ze naartoe gegaan?'

Hij dacht even na, haalde toen zijn schouders op. 'Niemand heeft ooit meer iets van haar gehoord.'

'Zelfs haar familie niet?'

Jeb George maakte een minachtend geluid.

'Met zijn hoevelen waren ze daar?'

'Bij McQuillan?' Hij keek omhoog om te tellen. 'Vijf. Nee, zes. Maar die jongen is vroeg gestorven. Het was misschien wel een zegen, die vroege dood, vergeleken bij het soort leven dat hij onder Thomas McQuillan had gehad.'

Francine durfde nauwelijks adem te halen. 'Ligt die jongen hier begraven?'

'Reken maar.' Hij wenkte haar mee het kerkhof op, en voerde haar bijna terug naar de plaats waar Davis nog steeds stond. 'D'r is een tijd geleden een nieuwe steen op gezet. Het was een van de eerste dingen die pastoor Jim wilde laten doen met het geld dat hij meebracht. Hij wilde het voor Rosellen.'

Het was een simpele steen, glad op het oppervlak, ruw aan de randen. Hij stond naast drie andere. Er was er één van Hals vader, Thomas. De tweede was van zijn moeder, Sara. De derde van zijn zuster, hoewel Francine door haar tranen de naam niet kon ontwaren.

Ze drukte haar hand tegen haar borst en wist op gebroken toon uit te brengen: 'Wie was Johnny?'

'Johnny?' Jeb George grijnsde. 'Nou, Johnny, dat is Jim natuurlijk. Hij heet James John O'Neill, net als z'n pa. Maar omdat iedereen Jim tegen z'n pa zei, noemden we Jim Johnny. Klinkt misschien wat verwarrend, maar het is heel praktisch.'

O ja. Heel praktisch. En heel eenvoudig om te weten te komen. Geen moeizame strijd, geen langdurige ondervragingen. Gewoon de juiste vragen stellen, de juiste verbanden leggen.

Francine drukte haar gehandschoende vingers tegen haar bovenlip om niet in huilen uit te barsten.

Robin liet Grace de manuscriptpagina's zien die ze af had en ze vertelde haar hoe ze de hoofdstukken van *De Hartsvriendin* had ingedeeld, en ze las wat passages voor die ze zelf leuk vond.

Grace scheen te begrijpen dat het de bedoeling was dat ze luisterde, maar Robin betwijfelde of ze veel opnam. Ze keek af en toe naar de pagina's, knikte, en wierp dan weer een bezorgde blik op het raam of op Legs.

'Francine komt vanavond weer thuis,' probeerde Robin haar gerust te stellen. 'Je hoeft je echt niet ongerust te maken. Alles is goed met haar. Je hebt vanmorgen met haar gepraat. Herinner je je dat nog?'

'Ik geloof het wel,' zei Grace.

'Ze zei dat ze voor het eten hier zou zijn. Ze zou echt niet tegen je jokken. Je hebt haar opgevoed met eerlijkheid.'

'Eerlijkheid gaat voor.'

Robin meesmuilde. 'Eerlijkheid gaat voor waardigheid. Dat heb jij altijd gezegd. Dat zei mijn moeder altijd, omdat jij het zei.' Ze leunde achterover in haar stoel. 'Soms ben ik nog steeds verbaasd dat ik hier zomaar met jou zit. Jij was al die jaren een vast gegeven bij ons aan tafel, zo volmaakt, zo onbereikbaar.'

Grace fronste. 'Onbereikbaar?'

'Jij was het enige waar mijn moeder over sprak. Ze dacht dat jij briljant was. Ze las je columns aan tafel voor en vertelde ons daarna hoe ze op ons leven van toepassing waren. Ik herinner me er een. Het was het mooiste dat er bestond. "Het leven is een tuin," schreef je. "Zaad dat wordt gezaaid en verzorgd, zal groeien." Wauw,' hijgde ze overdreven, 'wat kon m'n moeder dáárover bezig blijven. Volgens haar verklaarde dit waarom wij zulke snertkinderen waren. Vergeet het verzorgen van ons zaad… wij hadden het gewoon niet goed gezááid. We bezaten de basis niet, konden niet goed optellen, niet goed lezen, niet goed schrijven, dus hadden we natúúrlijk geen hoge cijfers. Daarom konden we niet goed studeren. Daarom konden we ons niet goed kleden. Daarom konden we niet goed spréken. Dus hoe konden we zelfs maar dénken dat we goed zouden opgroeien?'

Grace staarde haar verschrikt aan. Robin hield op met praten en haalde diep adem.

Ze zei, nu iets rustiger: 'Mijn moeder voerde de dingen tot in extremen door, maar dat begrepen wij niet. We waren jong. We wisten niet hoe we ons moesten verdedigen. Ze slikte alles wat jij zei, interpreteerde het op haar manier, en probeerde het er dan bij ons in te stampen.' Ze maakte een gefrustreerd geluid. 'Van sommige dingen is het al meer dan twintig jaar geleden, maar ik kan me er nog altijd kwaad over maken.'

Grace stond op en liep naar het raam. Robin keek haar even na en kwam toen naast haar staan.

'Het punt is,' zei ze, om alles nog eens te benadrukken, 'dat het mooi is om te zeggen dat zaad dat wordt gezaaid en verzorgd, zal opschieten, maar stel dat er geen regen komt? Stel dat er een plotselinge vrieskou of een plaag komt? Stel dat het zaad om te beginnen niet goed is? Heeft de persoon die zaait en verzorgt daar enige greep op?'

Er viel een stilte, en toen kwam er een zacht 'Nee' van Grace.

'Kon ík het helpen dat ik een mooi vakantiebaantje niet kreeg omdat de andere gegadigde de dochter van de senator was? Kon ik het helpen dat mijn haar krullerig was en gewoon niet zo wilde blijven zitten als dat van Dorothy Hamill?'

Opnieuw een zacht 'Nee'.

'Kon ik het helpen dat het jeugdvriendinnetje van mijn man vlak na haar scheiding kwam opdagen, met het vaste voornemen hem van me af te pikken? Kon mijn broer het helpen dat het hem aan de fijnere motoriek ontbrak om een net handschrift te hebben?'

'Nee.'

'Dus waar het op neerkomt, is dat "het leven is een tuin" wel mooi en lief en optimistisch is, maar niet erg realistisch. Dus is het dan eerlijk om de mensen zoiets door de strot te wringen?'

'Nee.'

'Waarom dóe je het dan? Jij praat over flexibiliteit, maar er is altijd één vaste passage. Als het niet is "Stijg erbovenuit" of "Investeer in het leven" dan is het wel "Iedere wolk heeft een zilveren rand", of "Met stroop vangt men meer vliegen dan met azijn." Neem nou die laatste. Soms werkt het, soms niet. Als je met een intense rotzak te maken hebt, kun je kárrenvrachten suiker gebruiken, en het helpt niets.'

'Dat weet ik.'

'En dan is er nog "Sterkte is dat het leven doorgaat". Nou, dat is dan heel knap. Maar het feit is, verdomme, dat we nou eenmaal gewone mensen zijn.'

'Ja.'

'Geen enkel mens kan altijd sterk zijn. Of we kunnen wel sterk zijn, maar niet sterk genoeg om te doen wat er moet worden gedaan. Of we kúnnen wel heel sterk zijn, en toch niet in staat zijn om het leven door te laten gaan. Dus het is allemaal lúlkoek.'

'Het spijt me.'

'En dan verbind jij dat met liefde.' Robin daverde verder, alsof haar moeder het één keer, minstens één keer kon horen voordat ze zo snel was overleden. 'Je verwacht van alles van ons – je verwacht meer dan jíj ooit hebt gegeven – en wanneer je het niet krijgt, neem je je toevlucht tot steken onder water en denigrerende opmerkingen. O, ze zijn heel subtiel, maar ze komen eruit in plaats van uitdrukkingen van liefde, zodat ik uiteindelijk niet weet of je wel of niet van me houdt...'

'Ik hou wel van je,' riep Grace. 'Ik heb altijd van je gehouden, altijd, altijd, maar ik heb altijd méér voor je gewild, meer voor jou dan ikzelf heb bereikt.'

Robin staarde haar aan. Ze haalde beverig adem en slikte moeizaam. Het duurde een volle minuut voor ze besefte wat ze had gedaan.

Ze voelde zich opgelaten, maar vreemd opgelucht, en ze was zich er op de een of andere manier van bewust dat er een verontschuldiging was aangeboden, en ze was vervolgens nederig en verbijsterd om deze andere kant van de oude Grace te zien, een kant die zei dat ze ook menselijk was, en ze sloeg haar armen om Grace heen en drukte haar stevig tegen zich aan.

Ze beefden allebei. Grace maakte zachte, huilende geluiden, zei dat het haar speet – of misschien zei Robin het, ze dácht het zeker, maar ze vermoedde dat Grace misschien uiteindelijk de eerlijkste van hen beiden was – tot Grace zich losrukte en de kamer uitholde.

Francine bleef bij het graf van haar grootouders staan lang nadat Jeb George was vertrokken. Davis sloeg een steunende arm om haar heen, maar na hem haastig te hebben verteld wat ze te weten was gekomen, kon ze niets meer uitbrengen. Ze kon slechts bevend blijven staan. Toen ze ook van de kou begon te rillen, zette hij haar in de auto en begon weer te rijden, maar ditmaal reed hij voor haar rond.

Hij toonde haar het huis waar de McQuillans hadden gewoond. Het was niet ver van het huis van zijn vader en het verkeerde in slechtere staat, hoewel het jaren geleden was dat er een McQuillan had gewoond.

Hij liet haar het huis zien waar Jim O'Neill was opgegroeid, waar zijn ouders waren gestorven, vrij snel na elkaar, en de huizen waar Jims broers en zusters nog steeds woonden. Hij vroeg of ze hen wilde ontmoeten. Dat wilde ze. Maar ze moest eerst Jim als haar vader ontmoeten. Dus schudde ze haar hoofd.

Hij parkeerde een tijdje buiten de bibliotheek die Grace had gebruikt en toerde daarna door het stadje om wat oude plekken aan te wijzen waar zijn vader vaak kwam, en waar háár vader misschien ook vaak geweest was.

'Was jouw vader Wolf, Scutch of Sparrow?' vroeg ze, denkend dat het wel heel ironisch, zo niet wreed zou zijn als Duncan Marcoux een rol had gespeeld in de hallucinaties van Grace.

Maar Davis zei: 'Nee. Hij had ruigere vriendjes tegen de tijd dat hij zestien was. Misschien gaf Jim zichzelf er ook de schuld van dat hij het contact met Duncan was kwijtgeraakt. Misschien was dat de reden dat hij zich over mij ontfermde. Ik weet het niet.'

Francine wist het ook niet.

Maar aan de andere kant wist ze ook niet veel van Jim O'Neill. Ze had geen idee hoe een man zijn eigen dochter dag in dag uit, jaar in jaar uit kon zien, zonder zich te verraden. Zelfs niet als ze ernaar vroeg. Zelfs niet als ze erom sméékte.

Francine herinnerde zich het verhaal van pastoor Jims liefde voor Rosellen. Ze wist hoe ze had gehuild om zijn verdriet, om alles wat hij had opgegeven. Maar hij had niet alles opgegeven. Hij had het beste van beide werelden gehad. En hij had niet het fatsoen gehad haar dit te vertellen.

'Ik heb er feitelijk wel een keer aan gedacht en ik heb het als mogelijkheid uitgesloten,' zei ze op een gegeven moment. 'Ik besloot dat het gewoon te gek was om te denken dat zo'n achtenswaardige man die priester wilde worden, niet zou trouwen met het meisje dat hij zwanger had gemaakt.'

Een tijdje later zei ze: 'Het verklaart zoveel – de verjaardagscadeaus voor Sophie, schaken met mij, binnen de kortste keren naar het huis komen als er iets aan de hand was, vooral toen John stierf.' Ze hield opeens haar adem in. 'Ik vraag me af of John het wist.'

'Je zult het moeten vragen,' zei Davis, terwijl hij de pick-up stationair liet draaien. 'Het is bijna vijf uur. Je hebt tegen Grace gezegd dat je voor het eten thuis zou zijn.'

Francine schudde haar hoofd. 'Ik ben er nog niet aan toe.' Er stonden tranen in haar ogen toen ze hem aankeek. 'Waarom kon ze me dit niet vertellen? Er waren tijden dat ik dacht dat ze het niet zei omdat mijn vader een moordenaar was of zoiets. Maar pastoor Jim? Dacht ze dat ik geen geheim kon bewaren? Begreep hij dan niet dat ik me van alles zou blijven afvragen? Wat dáchten ze wel?'

Davis' semafoon ging. Hij pakte hem van het dashboard en bekeek het nummer dat erop stond. Toen reed hij naar een benzinepomp die nog geen minuut rijden verderop langs de weg stond, en liep naar de telefooncel ernaast. Toen hij naar buiten kwam, stond zijn gezicht bezorgd.

Hij klom in de auto en reed weg voor hij zei: 'Grace is weggelopen. Ze kunnen haar nergens vinden. We moeten weer terug.'

24

Winnen is minder belangrijk in het schema van alle dingen
dan degene die jou rozen geeft terwijl jij ze niet geeft.

– Francine Dorian, in De Hartsvriendin

Grace hees haar benen nog hoger op en drukte zich tegen de bakstenen muur. Ze wist waar ze was. Ze kwam hier altijd als ze heimwee had of bang was, of moe van het doen alsof ze iemand was die
ze niet was. Maar ze herinnerde zich niet dat ze omhoog was geklommen. En ze dacht niet dat ze weer omlaag kon komen. Alles
onder haar was zwart.

Maar ze was veilig. Ze zouden haar hier niet vinden.

Was het maar niet zo koud.

Ze stopte haar hoofd tussen haar armen. Haar adem was warm
en voelde plezierig aan.

Wat was er gebeurd? Ze had het eerst warm genoeg gehad, toen
ze had zitten praten met... praten met... hoe héétte ze ook alweer? Ze had zitten praten met... praten met... dat meisje, en ze
was begonnen te huilen omdat dat meisje tegen haar tekeerging.
Dat meisje wíst het.

Ze kwamen eraan. Ze wist dat ze er waren. Ze hadden haar dagenlang achtervolgd. Nu kwamen ze haar weghalen.

Ze tuurde in de duisternis en zag niets. 'Waar is mijn hond?'
vroeg ze aan de nacht. Haar hond hoorde haar te beschermen.
Maar ze was hem kwijt. 'Hónd? Waar zít je?'

Ze luisterde, maar ze hoorde de hond niet. Wat zij hoorde waren
muzikale geluiden, gedruppel en geborrel en geklater, en ze was
opeens op een andere plaats, waar ze op de grond zat met haar rug
tegen een verweerde houten betimmering, tegen de regen beschut
door de overstekende dakspanten, terwijl ze keek naar het water
dat uit de roestige regenpijp op de hoek van het dak omlaagspoot.

Maar dat was een brutaler geluid. Dit was zacht, kalmerend,
zelfs muzikaal. Omdat ze van muziek hield, stond ze zichzelf toe

ernaar te luisteren en erdoor te kalmeren. Glimlachend deed ze haar ogen dicht.

Beefde ze maar niet zo. Was het tijd voor de thee?

Ze hoorde een geluid. Ze tilde haar hoofd op en keek angstig om zich heen. Waar was ze? Hoe was ze hier terechtgekomen? Waarom kon ze niets zien?

Er was iets dat pijn deed – haar voet, dacht ze – dus strekte ze haar been en stak het voor zich uit, maar ze voelde geen grond, alleen maar lucht. Ze trok haar been snel terug en kromp ineen tegen de muur.

Toen luisterde ze weer naar de muziek. Ze hield veel van muziek. Ze hoorde het geklater van toonladders op de piano, voelde hoe haar vingers de toetsen indrukten, maar alleen als er niemand thuis was. Niemand mocht weten dat ze zo weinig wist. Niemand mocht weten hoe slecht het eigenlijk met haar was.

De oprit stond vol met auto's en het huis straalde aan alle kanten licht uit toen Francine en Davis arriveerden. Ze holden naar binnen om daar een bezorgd groepje aan te treffen.

'We hebben het huis van top tot teen doorzocht,' zei Sophie. 'We hebben het terrein afgezocht. We hebben de garage en de cottage doorzocht. Het regent weer en het is koud.' Ze zag er radeloos uit.

'Wat is er gebeurd?' vroeg Francine.

'Ik was bij haar,' zei een al even radeloze Robin. 'Ik vertelde haar over mijn moeder, en toen werd ik emotioneel – maar zij was heel helder, helderder dan ze in tijden is geweest. Ze luisterde naar me en gaf antwoord. Toen holde ze weg en ging de andere kamer in. Ik gaf haar een minuut om tot zichzelf te komen, maar toen ik haar ging zoeken, was ze er niet. Ik keek in de andere werkkamers, de serre en de salon.'

'We dachten dat ze Legs misschien was gaan uitlaten,' nam Sophie het over, 'dus zijn we over de oprit naar de weg gehold, maar we konden hen niet vinden. We dachten dat ze misschien met Jane naar de bakker was gegaan, maar tegen de tijd dat we Jane hadden opgespoord, was ze alweer op weg naar huis zonder Grace. Tegen die tijd liepen we allemáál te zoeken, en toen kwam pastoor Jim.'

Francine voelde zich alsof ze door een hamer op haar borst werd getroffen. Ze keek de kamer door, dwars door alle mannen die waren gekomen om te zoeken, naar pastoor Jim, en heel even kon ze aan niets anders denken dan aan wat ze te weten was gekomen.

Hij leek dit te beseffen. Hij liep langzaam naar haar toe, en de intimiteit tussen zijn blik en haar gedachten was zo sterk dat ze een stap achteruit deed. Hij stak een onzekere hand uit en raakte daarmee haar schouder aan.

'We moeten haar gaan zoeken,' zei hij met een stem waaraan de gebruikelijke kalmte ontbrak.

Francine slikte moeizaam. Ja, Grace zoeken had de hoogste prioriteit.

'Hubbell gaat met de helft van de mannen de weg afzoeken,' zei hij. 'De andere helft gaat naar de rivier.'

Francine huiverde bij de gedachte aan het zwarte water, dat om deze tijd van het jaar heel koud was. 'Waar is Legs?'

'Ze moet bij oma zijn,' zei Sophie. 'Ze zijn nu al víer uur weg, mam.' Het klonk als een beschuldiging.

Niemand hoefde de betekenis van de tijd uit te leggen, zeker niet aan Francine, die probeerde kalm te blijven maar die het ergste dacht.

Davis legde een troostende hand in haar nek. 'Alzheimer-patiënten zijn misschien onvoorspelbaar, maar de verzorgers hebben ontdekt dat bepaalde dingen volgens een vast patroon verlopen. De laatste herinnering gaat naar de oudste dingen. Als je "Jingle Bells" voor hen zingt, denken ze aan Kerstmis. Geef hun verse koekjes uit de oven, en ze denken aan hun moeder. Ze bewaren de angsten uit hun jeugd. Hetzelfde geldt voor vormen van troost. Wat troostte Grace als ze verdrietig was?'

Francine hoefde niet lang na te denken. Het troosten van Grace had de laatste tijd een grote rol in haar leven gespeeld. 'Tuinieren. Muziek.'

'Wat nog meer?'

'Een bad.'

'Elke vorm van water,' zei pastoor Jim. 'In haar jeugd was ze dol op regen. Ze kon urenlang onder de overstekende dakdelen naar de afvoerpijp van de dakgoot zitten kijken, geobsedeerd door het stromende water.'

Sophie kwam in beweging. 'Ze ging altijd met mij naar de rivier als ik verdrietig was. We liepen dan langs de oever naar de oude houtzagerij en klommen dan achter het waterrad omhoog…' Ze zweeg, keek van de een naar de ander, en zei toen ongerust: 'Dát zal ze toch niet hebben gedaan? Het is er veel te glibberig, te nat, te donker.'

Maar het leek Francine de meest voor de hand liggende plaats. Ze pakte een van de lantaarns die op de tafel stonden en rende door de achterdeur naar buiten, over het gazon naar de rivier. De regen was een fijne nevel die neersloeg door de kou. Ze was nog niet ver gekomen toen ze uitgleed en hard op haar bips viel.

'Wel verdómme!' riep ze en ze probeerde overeind te krabbelen terwijl ze weer uitgleed, nog kwader om haar onhandigheid dan om iets anders.

Maar Davis was een en al bezorgdheid. 'Is alles goed met je?'

320

'Help me overeind te komen.'

'Misschien kun je beter teruggaan naar het huis.'

'Maar het is mijn moeder, daarbuiten.'

'Het is ons kind, daarbinnen.'

Ze hield haar adem in. Toen pakte ze zijn gezicht en fluisterde heftig: 'Ik zou het voor niets ter wereld schade willen berokkenen, Davis Marcoux. Alles is echt goed met me, maar hoe langer ik hier zit, hoe natter ik word.'

Hij hielp haar overeind. Tegen die tijd waren de anderen dichterbij gekomen, dus liepen ze weer verder. Toen ze de rivier naderden, zagen ze aan de noordzijde de lichten van de andere zoekers. Het lawaai van het water werd luider. Ze holden verder naar de zaagmolen, terwijl ze steeds om Grace riepen, maar hun stemmen werden door de stroom mee omlaag gevoerd.

Legs kwam vanaf de waterkant naar hen toe geheld. Francine knielde neer en probeerde de kronkelende gestalte vast te grijpen, maar Legs liet zich niet pakken. Ze holde in cirkels rond, schoot heen en weer, leek volledig buiten zichzelf.

'Wat hééft ze toch?' riep Sophie. 'Ik denk dat ze ons naar Grace wil brengen!'

Maar Legs was geen speurhond. Ze bleef wild rondhollen en rende pas voor hen uit toen ze verder liepen naar de gebogen zwarte schaduw van de houtzagerij. Het pad eromheen was bezaaid met boomwortels en stenen en het was zo onbegaanbaar dat Francine niet begreep hoe Grace hier overheen had kunnen gaan. Maar ze moest het toch hebben gedaan. Het alternatief was onvoorstelbaar. Als ze het water was ingegaan, dat ijskoud en woest stroomde, dan was ze beslist dood.

'Gráce! Gráce!'

Legs blafte ergens een eind voor hen uit.

Davis, die de grootste zaklantaarn bij zich had, richtte zijn lichtbundel op het waterrad. Francine nestelde zich even tegen hem aan om wat warmte te zoeken.

Sophie drukte zich aan de andere kant tegen hem aan. 'Er is maar één plaats om te zitten. Boven in de hoek… schijn daar eens op… nee… achter het rad… verder terug… dáár.'

'Ik zie haar!' zei pastoor Jim en hij holde naar de smalle strook land tussen de molen en het water. Legs was er al en ze rende heen en weer.

Sophie wilde Jim achterna gaan. 'Ik ga omhoog. Hij is te groot.'

Francine hield haar tegen. 'Jij gaat niet omhoog. Je zult uitglijden.'

'Ik ben de beste daarvoor. Ik ben het kleinste, het slankste, het lichtste. Bovendien ben ik de enige met legerlaarzen.'

Legerlaarzen. Mooi. Sophie had stroeve zolen. Francine bedacht dat bij de zoekers verderop misschien een klimmer was, maar er was geen tijd om dat uit te zoeken. Grace zat daar heel gevaarlijk op een paar glibberige stenen in een ijskoude motregen met dunne kleren aan.

Francines handen beefden toen ze haar lantaarn op de bakstenen trap achter het waterrad richtte. Alle andere lantaarns werden er ook op gericht, met uitzondering van die van Jim. Hij stond vlak onder de plek waar Grace was en hij gebruikte zijn lantaarn om zichzelf te verlichten.

'Ik ben het, Grace,' riep hij. 'Jim. Sophie komt je halen. Blijf stil zitten. Wacht op haar. Zij zal je helpen, zodat je niet valt.'

Als Grace al antwoord gaf, was haar stem te zwak of het stromen van de rivier te luid om het te horen.

Francine kreeg een afschuwelijke gedachte. Doodsbang richtte ze haar lantaarn op Grace. Ze leek heel klein zoals ze daar nat ineengedoken zat, maar ze tilde een arm op om haar ogen tegen de felle gloed te beschermen. Ze leefde.

Francine richtte haar zaklantaarn snel weer op Sophie en hield haar adem in. Ze zag in gedachten voor zich hoe Sophie halverwege uitgleed, of Grace bereikte en dan samen met haar uitgleed, om zo'n zes meter of meer omlaag te vallen.

Davis kwam achter haar staan, tegen haar rug. Ze was blij met die steun. 'Ik wist niet dat ze daar ooit met Sophie naartoe ging,' riep ze. 'Sophie heeft me er nooit iets van verteld. Ik zou Grace het liefst haar nek willen omdraaien.'

'Nee, dat doe je niet.'

'Dat doe ik wel. Hoe is ze in 's hemelsnaam daarboven gekomen? Ze is tweeënzestig!'

'En ze verkeert in een uitstekende fysieke gezondheid. Het is een Alzheimer-dilemma om een gezond lichaam te verzoenen met een zieke geest.'

Sophie kroop langzaam langs de muur omhoog, voetje voor voetje, in het licht van de lantaarns, nat en glimmend tegen de natte en glimmende, grijze natuursteen. Toen ze de bovenkant had bereikt, schoof ze een smalle richel op en ging langzaam verder tot ze Grace had bereikt.

Francine wachtte tot ze samen terug zouden schuiven. Ze kon Sophie zien praten, ze kon de beweging van haar hoofd, van een arm zien. 'Wat is er aan de hand?' riep ze omhoog.

Het duurde even voor Sophie omlaagriep: 'Ze wil niet komen! Ze vertrouwt het niet, wie hier zijn.'

Francine probeerde te doen wat Davis had gezegd, ze probeerde te bedenken wat Grace het meest op haar gemak stelde. Er waren steeds minder mensen die dit konden. Dus draaide ze zich om naar degenen die angstig op een afstand toekeken. 'Margaret, ga jij terug naar het huis. Jane, rij jij de weg af en zeg tegen de mannen dat we haar hebben gevonden. Marny, waarschuw jij de mannen stroomafwaarts, maar laat ze niet te dichtbij komen met hun licht.'

Ze liep naar de muur van de zaagmolen. Met trillende stem en bonzend hart riep ze: 'Mam? Ik ben het, Francine! Iedereen is weg, behalve wij. Davis en Robin zijn hier. En pastoor Jim.'

'Niemand zal jou iets doen,' riep Jim met een stem die bijna net zo trilde als die van Francine. Hij liep nog dichter naar de muur toe. 'Het enige dat wij willen is jou naar huis brengen, zodat je weer warm kunt worden.'

Ze wachtten gespannen terwijl Sophie hun woorden herhaalde.

'Ze is nog steeds bang,' riep Sophie naar beneden.

'Legs is hier! Zij zal je beschermen! Ze kan niet naar je omhoog klimmen en ze wil dat je naar beneden komt!' Francine hield haar adem even in en voegde er toen aan toe: 'Alsjeblieft mam? Ik heb je nodig. En Sophie is daar boven. Als je niet gauw omlaag komt, wordt Sophie ziek. Je wilt vast niet dat Sophie ziek wordt. Je hebt zo hard gewerkt om haar gezond te houden.'

Jim was vlak bij de muur en hij strekte zich in zijn volle lengte uit; hij stak zijn armen omhoog alsof hij met slechts een paar centimeter meer Grace in veiligheid kon trekken. 'Je kunt daar niet eeuwig blijven, Gracie. Je bent vast heel moe en hongerig en koud. Kom alsjeblieft omlaag, zodat ik je kan verwarmen.'

'Hij heeft gelijk, mam,' probeerde Francine, die nat en moe was, en moeite had boven het lawaai van het water uit te komen. 'Hij staat op je te wachten. Hij heeft al zo lang gewacht. Je kunt nu naar hem toe, maar je moet je wel door Sophie omlaag laten helpen.'

'Ik ga nergens naartoe,' dreigde Jim. 'Ik ga hier niet weg voordat jij naar beneden komt, dus hoe langer jij daar blijft, hoe kouder ik word.' Zijn stem werd vriendelijker en hij smeekte: 'Maar hoe moet ik jou verwarmen als ik het koud heb? Alsjeblieft Rosie? Doe het voor mij.'

Francine hoorde een gesmoorde kreet achter zich en ze wist dat het Robin was, maar de woorden die ze wilde horen – wat Sophie zei, wat Grace zei – gingen verloren in het geraas van het water.

'Rosie?' smeekte Jim. 'Ik wil je bij me hebben, Rosie. Kom alsjeblieft naar beneden, zodat ik je naar huis kan dragen.'

'Mijn God,' hijgde Robin, dicht naast Francine, zodat ze zonder haar ogen van de richel af te wenden Francines hand kon grijpen.

Haar hart bonsde. Ze zag hoe Sophie een arm om Grace's schouders sloeg, zag haar praten, knikken, gebaren, zag Sophie opzijkijken en één gelaarsde voet in die richting bewegen. Langzaam, heel langzaam, schoof het paar de hoek uit, over het korte stuk naar de trap.

'O God,' hijgde Francine.

'Ze halen het wel,' zei Davis. Hij nam de zaklantaarn van haar over omdat die zo beefde, en hield hem op het paar gericht.

'O God.'

'Kom op. Toe dan.' Dit kwam als een gebed van Robin.

Sophie ging de smalle stenen trap op haar knieën af, waarbij ze Grace op haar achterwerk, één trede boven zich, omlaag liet schuiven, terwijl Legs blaffend heen en weer sprong en het viertal op de grond langs de muur onder hen schoof. Eén keer gleed haar voet uit, waarna een gezamenlijke kreet van ontzetting opsteeg, maar ze bedwong zich en ging verder omlaag. Tegen de tijd dat ze een meter van de grond verwijderd waren, werden ze omringd door de anderen. Davis wierp zijn jas om Grace heen, maar toen hij haar wilde optillen, was Jim er het eerste.

'Ze is van mij,' zei hij en hij nam haar in zijn armen.

Niemand stelde voor om Grace naar het ziekenhuis te brengen, waar ze alleen maar nog meer overstuur zou raken. Davis onderzocht haar en zag weinig dat een bad, hete thee en warm beddengoed niet kon verhelpen. Toen dat alles was gebeurd, en pastoor Jim geen aanstalten maakte om van haar zijde te wijken, liet Francine hen alleen.

Ze zat in een hoekje van de bank in de zitkamer, met opgetrokken knieën en een omslagdoek om zich heen, haar ogen op het schaakbord gericht, toen hij verscheen.

Hij leunde tegen de deurpost, met zijn handen in zijn zakken. 'Ze slaapt. Robin waakt bij haar, aangezien Sophie ook ligt te slapen.'

Francine knikte. Ze slikte. Dus dit was haar vader, deze James John O'Neill. Haar vader. Die haar had leren schaken en die sindsdien haar schaakpartner was geweest. Die haar had geleerd waarachtig te zijn in de ogen van God, maar die dit zelf niet was geweest.

In Tyne Valley, in Davis' auto, was ze woedend op hem geweest, maar de afgelopen uren hadden die woede afgestompt om slechts restanten van bitterheid achter te laten en een vreselijk gevoel van gekwetstheid.

'Dus nu weet ik het,' zei ze, 'na al die tijd, na al het smeken en bedelen. Wil je weten wie het me heeft verteld? Jeb George.'

Jim glimlachte. 'Die goeie ouwe Jeb. Die heeft nooit iets anders dan de waarheid verteld.'

'Ik wou dat ik dat ook van jou kon zeggen.' Ze trok de omslagdoek wat strakker om zich heen. 'Was het zó erg geweest om het zelf aan mij te vertellen?'

'Ja.'

'Waarom?'

'Omdat ik Grace had beloofd dat ik 't niet zou doen.'

'Dus het is háár schuld?'

'Nee. Het is míjn schuld. Mijn schuld, al vanaf de tijd in Tyne Valley. Ik heb haar verlaten om naar het seminarie te gaan. Als ik dat niet had gedaan, had ik geweten dat ze zwanger was en was ik zelf met haar getrouwd, en dan was er nooit een geheim geweest om te bewaren. Maar tegen de tijd dat ik het te weten kwam, was ze al getrouwd.'

'Waarom heeft ze het je niet verteld?'

'Ze wist het zelf niet. Niet toen ik wegging. Niet toen zij wegging. Ze kwam er pas achter toen ze John had ontmoet, en hij was opgetogen over de situatie, om redenen die jij kent.'

O ja, Francine begreep dat punt. Maar wat ze niet begreep waren de uitvluchten die toen waren begonnen en die voortduurden zelfs nadat John gestorven was, zelfs toen ze van zijn steriliteit hoorde, zelfs toen ze pastoor Jim om antwoorden had gesmeekt.

'Dus zelfs toen ze ontdekte dat ze zwanger was, heeft ze jou niets verteld?'

'Ze schreef me brieven, maar ze heeft die nooit gepost.'

'Waarom niet?'

Zijn blik gleed naar de vloer. 'Ze meende dat ik God had en zij John, en dat het zo had moeten zijn. Ik vermoed dat er ook een element van zelfkwelling in zat. We hadden die nacht in Tyne Valley met z'n allen zitten drinken. Ik heb met een van de jongens gevochten. Later bleek dat hij aan alcoholvergiftiging was gestorven, maar wij hadden hem opgejut. We voelden ons verantwoordelijk. We dachten dat het onze straf was dat we uit elkaar waren gehaald.' Hij keek toen op. 'Uiteindelijk hebben we toch allebei een zinvol leven gehad en ik kon in elk geval bij jullie in de buurt zijn.'

Dat was allemaal goed en wel, eind goed al goed, had Grace gezegd kunnen hebben, maar Francine liet zich niet zo snel afschepen. 'Wanneer kwam je erachter dat je mijn vader was?'

'Toen je was geboren. Ze beviel ver na de uitgerekende datum, dus dat had niets kunnen verraden, maar één blik was voldoende. Je hebt het gezicht van mijn grootmoeder.'

Dat riep minstens tien andere vragen op – over zijn grootmoeder, over zijn ouders, broers en zusters, over de zuster van Grace, over Claire, wie dat ook mocht zijn – maar dat was van later zorg. Voor dit moment spitste Francines belangstelling zich toe op haar vader, haar moeder, en op zichzelf. 'Hoe voelde je je toen je erachter kwam?'

Hij keek naar zijn voeten, dacht even na, knikte ten slotte. 'Bedrogen. Ik wist dat ik totaal geen rechten had, maar het voelde alsof ik die wel had. Ik voelde me alsof ik Rosie had verloren, en jou had verloren, en ik wist dat het waarschijnlijk de straf was voor dingen die ik had gedaan, maar toch voelde ik me bedrogen. Ik overwoog het seminarie te verlaten. Maar wat had dat opgeleverd? Grace was getrouwd. Ik wist dat ik nooit een andere vrouw zou willen. Het leek me beter om mijn leven aan God te wijden.'

Dat klonk heel nobel. Maar Francine had genoeg van schijnheiligheid. 'Dus zorgde je dat je een benoeming bij Grace in de buurt kreeg.'

Hij wierp haar een zure glimlach toe. 'Dichtbij, maar toch heel ver weg.' Hij keek omhoog. 'Een van de beproevingen die Hij voor me had uitgedacht. Met de ene hand geven en met de andere nemen. Ik kon dicht bij Grace zijn, dicht bij jou, maar slechts tot een zeker punt.'

'Je bent dat punt gepasseerd na de dood van John.'

Hij stak verdedigend een hand op. 'Nee. Nadat Grace ziek werd.'

'En dat kwam,' zei Francine beschuldigend, 'heel goed uit na de dood van John.'

Jim richtte zich op van de deur en liep naar haar toe met een woedend gezicht. 'Het komt niet goed uit wat Grace heeft. Denk je niet dat ik echt alles had willen doen om haar dit te besparen? Dacht je soms dat dít mijn dromen zijn geweest? Nee, Francine. Echt niet. Mijn dromen waren het soort dromen die we als kinderen hadden, toen alles om ons heen zo afschuwelijk was dat we een fantasiewereld schiepen.' Hij knipperde niet met zijn ogen. 'En ze waren heel vleselijk, die dromen. Dat kan ik niet ontkennen. O, er was geen enkele manier om die tot werkelijkheid te laten worden; maar toch droomde ik ze toen, omdat ze alles waren wat ik had. Ik hield haar dan in mijn armen. Ik wist hoe het was…' Hij zweeg, keek verpletterd, en wendde zich toen af. Zijn stem was minder kalm toen hij zei: 'Ik heb me vaak afgevraagd of de ziekte van Grace niet Zijn manier is om mij voor die dromen te straffen.'

Francine slikte moeizaam. 'Je had het me moeten vertellen.'

Hij draaide slechts zijn hoofd opzij en ving haar blik op, en hij leek menselijker dan ze hem ooit had gezien. 'Dacht je dat ik dat niet wilde? Dacht je dat het voor mij niet dodelijk was om hier de bezoeker te moeten zijn? Dacht je dat ik niet heb verlangd naar de vreugde van jou als mijn dochter te hebben en Sophie als mijn kleindochter, en dat jullie wisten wie ík was? Dacht je dat het gemákkelijk was om te zien hoe mijn goede vriend John door het leven ging met de mensen die ik liefhad?' Hij haalde moeizaam adem. Zijn stem werd nog scherper. 'Denk je dat het gemakkelijk voor me was om de gelofte die ik had afgelegd te verzoenen met de gedachten die ik had? Om te bidden? Om de biecht af te nemen? Om parochianen raad te geven? Om me een óplichter te voelen zoals ik daar zo rechtschapen in de kerk stond, wetend wat ik van mezelf wist?'

Francine reageerde zonder na te denken. 'Je bent een goede priester geweest.'

'Maar een slechte vader.' Hij liep stram en stijf naar het raam. 'Grace heeft haar naam met opzet gekozen toen onze vriend was gestorven en ik priester wilde worden. Ze wilde dichter bij God zijn. Dus koos ze de naam Grace, alsof de hemelse genade haar daarmee op aarde zou bijstaan.'

'Maar haar leven was een léugen.'

Jim draaide zich snel om. 'Nee. Ze deed haar best om alles zo goed mogelijk aan te pakken. Ze heeft haar man nooit bedrogen. En ze heeft mij nooit bedrogen.'

'En míj dan?'

'Ze heeft jou alles gegeven wat ze kon.'

'Maar ze heeft al die jaren gelogen.'

'Nee. Ze heeft niet gelogen. Ze heeft je alleen niet de hele waarheid verteld.'

Francine wuifde met haar hand. 'Vergeet het punt van het vaderschap. Ik heb het over Grace zelf… over haar alleen… over de Grace die op elke vraag een antwoord had en alles goed deed en ieder ander naast zich deed verbleken. Ze zette zichzelf op een voetstuk…'

'Dat deed ze niet,' viel hij haar met een plotselinge kalmte in de rede. 'Dat deed jij. Haar volmaaktheid bestond meer in jouw hoofd dan in het hare.'

Francine deed haar mond open om ertegenin te gaan, maar de woorden wilden niet komen.

'Ze was je moeder,' zei hij. 'Ze hield van je… je voelde haar liefde, je beantwoordde die met grote verheerlijking. Zo zijn kinderen. Ze denken dat hun ouders volmaakt zijn, tot er iets gebeurt dat dat beeld aan diggelen gooit. Echtgenoten kunnen dat doen. Onenigheid over belangrijke beslissingen in het leven kunnen dat doen, of gewoon fysieke afstand. In dit geval was het de ziekte van Grace. Plotseling zegt en doet ze dingen die op feilbaarheid wijzen.'

'Weet je wel,' zei Francine, nu in tranen, 'hoe… hoe ontoereikend ik me al deze jaren heb gevoeld?'

'Misschien had ze je meer moeten prijzen. Misschien had ze meer begrip moeten hebben voor jouw behoefte aan kracht van jezelf. Maar probeer het te begrijpen. Ze is afkomstig uit een plaats waar de mensen niets bereikten. Ze had dat maar al te vaak zien gebeuren. Ze wilde méér voor jou dan dat – ze wilde voor jou álles. Ik kon haar dat niet kwalijknemen. Want ik wilde het ook. Ik wil het ook.'

Ze hadden alles uitgepraat. Het punt was dat ze Jim nu als haar vader moest accepteren. Ze hield van hem, had altijd van hem gehouden, maar dit was een nieuwe ontdekking, één die gepaard ging met pijn.

'Ik heb nooit tegen je gelogen,' zei hij rustig. 'Ik heb misschien niet de hele waarheid verteld, maar ik heb nooit gelogen. Dat is in elk geval iets, naast al mijn andere zonden.'

'Welke andere zonden?'

'Mijn andere zonde is dat ik zoveel van Grace hou.' Hij slaakte een diepe, lange, opgelucht-dit-te-kunnen-zeggen-zucht. 'Al deze jaren. Zoveel van Grace heb gehouden.'

Robin kreeg een wonderlijk gevoel van vrede toen ze naar Grace keek, die lag te slapen. Ze had de kinderen gebeld en met hen gesproken, ze had hun verteld wat er was gebeurd en ze had gezegd dat ze die nacht wegbleef. Daar hadden ze geen probleem mee. Ze wilde geloven dat ze begrepen wat zij voelde, maar ze betwijfelde of dat het geval was. Ze had niet genoeg met hen gedeeld. Ze wilde dat zij wisten wat een tweede kans was, want die had zij nu ook gekregen. Ze was niet alleen bezig iets te schrijven dat een mooi boek zou worden, maar deze baan gaf haar ook een excuus om hier te zijn. Grace had alle hulp nodig. Robin was blij die te kunnen geven.

Haar oog viel op de telefoon naast het bed. Ze keek op haar horloge en daarna weer naar Grace. Ze nam de hoorn op, legde hem weer terug, nam hem nog eens op en drukte hem aan haar borst. Toen legde ze hem met de bovenkant omhoog en drukte de nummers in die weliswaar lange tijd niet waren gebruikt, maar verre van vergeten waren.

Aan de andere kant van de lijn ging de telefoon één, twee, drie keer over. Toen werd er opgenomen en zei de stem van een oudere heer, een dociele en volgzame stem: 'Hallo?'

Ze hoefde niet bang te zijn dat ze Grace wakker maakte. Haar stem klonk gedempt door de emotie die haar keel verstopte.

'Pap? Met mij, Robin.'

Jim vroeg niet één keer aan Francine hoeveel ze van het verleden in de biografie van Grace wilde opnemen. Ze vermoedde dat hij dit ook als een beproeving van God beschouwde.

Ze wist wat ze zou doen. Maar ze wilde ook weten wat Sophie en Robin zouden doen. Dus liet ze haar koffiekopje op de keukentafel staan, warmde haar handen eraan, en zweeg.

Sophie keek naar haar en toen naar Robin.

Robin keek naar Sophie en daarna naar Francine.

Sophie keek ook naar Francine. 'En?'

'En wat?' vroeg Francine.

'We hebben nu waarheden. De vraag is, wat doen we ermee?'

'Wat wil jij ermee doen?'

'Ik weet het niet. Ik ben nog steeds vreselijk geschokt. Die keurige, brave Grace, die een duistere liefdesaffaire met pastoor Jim heeft gehad.'

'Hij was toen nog geen priester.'

'Maar hij was er wel toe voorbestemd.'

Robin zuchtte. 'We zouden eigenlijk allemaal zo'n liefde moeten hebben.'

'Eens, niet zo lang geleden,' zei Sophie, 'heeft ze me verteld dat ik een goede man moest zoeken zonder me zorgen te maken over de liefde. Dat de liefde vanzelf zou komen. Waarom zegt ze zoiets na alles wat zij met pastoor Jim heeft gehad?'

'Ze dacht aan de omstandigheden van haar eigen leven en de beslissingen die zij heeft genomen,' probeerde Francine uit te leggen, zoals Jim had geprobeerd het haar uit te leggen. 'Ze dacht dat Jim voor haar verloren was. Dus deed ze wat ze dacht dat het beste was voor haar kind. Toen dat besluit eenmaal was genomen, maakte ze er het beste van. Een halfleeg glas dat ook halfvol is.'

'Probeer je haar keuze te verdedigen?'

'Nee. Alleen te verklaren. Persoonlijk vind ik het heel triest. Ik zou in eerste instantie voor de liefde kiezen.'

Sophie wierp Robin een komische blik toe. 'Voor het geval je het nog niet hebt geraden...'

'Hebben jullie al een datum bepaald?' vroeg Robin aan Francine.

Francine voelde even een steek van opwinding. 'Dit weekend. Zin om te komen?'

'Zomaar?'

'Zondag om één uur in de salon, gevolgd door een brunch. Ik heb tegen Sophie gezegd dat ze zelf mocht weten wat ze aantrok. Voor jou geldt hetzelfde.' Ze glimlachte. 'Ik zou je er echt heel graag bij willen hebben, Robin. Je blijkt reuze mee te vallen, voor een vijand. Bovendien,' haar glimlach werd nu een beetje wrang, een beetje treurig, 'zal het interessant zijn. Grace trekt witte kant aan. Het deel van haar dat af en toe afdwaalt naar een andere tijd en plaats denkt dat ze met Jim trouwt.'

'O lieve help,' zei Robin. 'Komt dat doordat ze er nog steeds bezwaar tegen heeft dat Davis en jij iets hebben?'

Francine wenste dat ze het wist. Maar bij Grace was de grootste zekerheid dat nu niets meer zeker was. Hoe moeilijk het ook te aanvaarden was, ze zou geen vrede hebben voordat ze dat accepteerde.

Neem gisteravond nou. Voorzien van drie pijlen op haar boog en een bataljon van tevoren bedachte argumenten, was ze met Grace aan de piano gaan zitten en had wat deuntjes gespeeld. Een weemoedig gestemde Grace had meegezongen, haast zonder een woord te missen.

'*Tell me why… the stars do shine… Tell me why… the ivy twines…*' En toen, ten slotte: '*…that's why I love you.*'

Francine knuffelde Grace. 'Ik hou van je, mam.'

'Natuurlijk hou je van me.'

'En Sophie en Davis ook.'

Grace zei niets.

Francine wist niet zeker of ze het had gehoord. Daarom zei ze, nu iets duidelijker: 'We gaan trouwen, Davis en ik.'

Grace zei: 'Je bent al getrouwd.'

'Nee. Lee en ik zijn jaren geleden gescheiden.'

Ze was verward. 'Dit is Lee niet?'

'Nee. Het is Davis. Hij is je dokter.'

'Maar, waarom trouw je met hem?'

'Omdat ik van hem hou.' Het was haar eerste pijl, en die had direct doel moeten treffen.

'Maar… maar…'

'Ik laat je niet in de steek. Ik zal hier elke dag bij je zijn en het is 's avonds maar tien minuten hiervandaan.'

Grace keek bezorgd.

Dus schoot Francine haar tweede pijl op haar af. 'Jim is er blij mee. Hij zegt dat zijn dochter zich geen betere man had kunnen wensen.'

'Nee?'

'Nee. Hij gaf Davis een voorzet, en Davis kopte de bal in het doel.'

'Welke bal?'

Francine koos andere bewoordingen. 'Hij gaf Davis een kans. Davis maakte daar gebruik van. Jim heeft enorm veel respect voor hem.'

Grace scheen daarover na te denken. Toen werd ze plotseling dromerig en zei: 'Ik droeg witte kant. Het was een lange, lange jurk met een… een… hoe heet zo'n ding?'

'Een sleep.'

'Een sleep. Het was prachtig.'

'Zeg dat wel. Ik heb er foto's van gezien.'

'O ja?'

'Heel vaak. We kunnen ze straks nog eens bekijken als je dat wilt. Sophie gaat foto's maken van Davis en mij. We willen de rustigste, mooiste bruiloft van de wereld. Het is heel opwindend, vind je niet? Zul je blij zijn om ons?'

'Ik ben blij,' was het plichtmatige antwoord van Grace.

'Ik wil dat je heel blij bent, en trots en opgewonden, net als ik.'

Grace zag er niet uit alsof ze dat was.

'Wil je iets héél opwindends weten?' zei Francine op samen-
zweerderstoon en ze lanceerde haar derde pijl. 'We gaan een baby
krijgen.' Ze wachtte tot Grace reageerde. 'Is dat niet ongelofelijk?'

'Een baby?' vroeg Grace.

Francine knikte.

'Ik heb een keer een baby gehad,' zei Grace en ze barstte in tranen uit.

'Moeder, moeder,' riep Francine en ze greep haar vast. 'Wat is
er?'

'Mijn baby is weg.'

'Ik ben je baby. Ik ben alleen maar volwassen geworden, dat is
alles.'

Maar Grace was ontroostbaar geweest.

'Ik denk,' zei Francine nu tegen Sophie en Robin, 'dat ze ons
misschien wel nooit haar zegen zal geven, niet met zoveel woorden.'

'Maar je weet dat ze het diep in haar hart goedkeurt,' zei Sophie.

Francine wilde dat graag geloven. Net zoals ze Davis had verteld dat een nuchtere Duncan Marcoux trots op hem zou zijn geweest, wilde ze kunnen denken dat een gezonde Grace trots op
haar zou zijn geweest.

Ze besefte dat het voor haar nu van nog meer belang was of ze
trots was op zichzelf. En dat was ze.

'Ja, Grace zou het goedkeuren,' besloot ze. 'Ze zou álles goedkeuren wat wij hebben gedaan – en dat brengt ons terug bij het
project dat wij onder handen hebben.' Ze wierp Robin een verwachtingsvolle blik toe. 'Hoeveel moeten we vertellen?'

Robin zei: 'Zeg jij het maar.'

'Nee. Ik wil jouw mening.'

'Mijn mening? Het verhaal van Grace, als dat volledig werd verteld, zou wekenlang boven aan de bestsellerslijst kunnen staan.'
Ze haalde snel adem. 'Maar wie jouw ouders zijn, is jouw zaak. De
wereld hoeft de meisjesnaam van Grace niet te weten, evenmin als
de naam van het stadje waar ze woonde, of van de man die ze liefhad. Zonder dat is het nog altijd een prachtig verhaal, een karak-
terschets van een meisje dat een onverzoenlijke omgeving achter
zich laat, naar de stad gaat, al haar spaarcentjes in mooie jurken
steekt teneinde een rol te spelen, maar die dan de hoofdrol krijgt.
Het is misschien een Assepoester-verhaal, maar het geeft een volstrekt nieuwe kijk op Grace.'

Francine probeerde zich de journaliste te herinneren die haar
best had gedaan Grace beentje te lichten. Die vrouw was verdwenen. Deze vrouw was om Grace gaan geven. En Francine was om
haar gaan geven.

Robin ging verder. 'Niemand heeft ooit iets geweten van de versleten kleren en de roestige regenpijp, van de drie mooie jurken, of het Plaza, of de club waar ze werkte. Niemand heeft ooit geweten van de zaagmolen als toevluchtsoord. Dit zijn charmante verhalen, helemaal niet ontluisterend. Ze geven de vrouw diepte.'

'En Alzheimer?' vroeg Sophie.

Robin gaf Francine met een blik het woord.

'Alzheimer,' zei Francine. Er was nog geen jaar verstreken sinds de diagnose van Grace haar leven ondersteboven had gekeerd, en de ziekte ondermijnde haar steeds verder. De nachtelijke tocht van Grace naar de houtzagerij was maar één voorbeeld. Er zouden andere volgen, en er zouden zich grotere uitdagingen voordoen naarmate ze zieker werd.

Maar Francine kon leren leven met alle opschudding. Ze kon het in het perspectief zetten van een leven dat rijker was geweest dan dat van velen. Dus was er deze nieuwe waardering, en er waren herinneringen om van te genieten. En dan was er nog altijd de toekomst. Nu ze het zaad van een innerlijke vrede had gezaaid, wilde ze het beste maken van deze laatste dagen, weken en maanden met Grace.

Ze hield van Grace. Noch Alzheimer, noch de waarheden die later waren ontdekt, noch de goedkeuring die haar misschien tot in alle eeuwigheid zou worden onthouden, konden daar iets aan veranderen.

Vol zelfvertrouwen zei ze: 'Grace heeft ons gevraagd iets niet te vertellen wanneer het haar image zou schaden. Maar *De Hartsvriendin* is veilig. En de mensen die van belang zijn, weten al wat ze heeft. Er iets over zeggen, zou misschien alleen maar de aandacht op haar ziekte richten. Als we het hebben over goddelijke wegen hier op aarde, dan zou dat Grace bevallen.'

Epiloog

Liefde is een ontmoeting van geesten tussen
onvolmaaktheid en aanbidding.

– Francine Dorian, in De Hartsvriendin

Francine streek met haar hand langs Davis' dijbeen. Ze was dol op
het bruine haar daar en de pezen eronder, dol op de manier waarop zijn heupen haar heupen omvatten, en zijn voorkant tegen haar
achterkant was gedrukt. Ze was dol op de manier waarop zijn
mond in haar nek snuffelde. Ze hield van zijn kracht en van zijn
vuur, en van de loomheid van seks die hen omhulde in plaats van
lakens.

Ze was in de hemel, en waarom niet, met de man die ze liefhad
tegen haar ruggengraat en de baby die ze aanbad aan haar borst?

Sinds haar huwelijk was er een jaar voorbijgegaan en het was
een heel emotioneel jaar geweest. Er waren hoogtepunten geweest met Davis en de baby, ups en downs met Sophie die zichzelf
zocht, en dieptepunten, voornamelijk dieptepunten met Grace.

Maar Francine had alles overleefd en was sterker geworden.
Voor de allereerste keer wist ze wie ze was, wat ze wilde, waar ze
heen ging. Voor ieder verdriet was er een grotere vreugde, voor iedere mislukking een groter succes.

'Kijk eens naar haar,' fluisterde Davis.

Francine kon nergens anders naar kijken. Roomzachte wangen,
een mopsneusje, donzige plukken honingkleurig haar, en boven
dit alles uit het geluid van drinken – het was als een droom.

'Heb je ooit zoiets moois gezien?' vroeg hij.

Dat had ze niet. En ze had ook nog nooit zoiets gevoeld, dat
trekken dat in haar borst begon en dat verder naar binnen ging. Ze
had Sophie nooit zelf gevoed. Borstvoeding was nooit aan de orde
geweest in het Dorian-huishouden, waar een kinderverzorgster
was om de jonge moeder rust te geven. Maar Francine deed ditmaal alles anders.

Haar leeftijd speelde daarbij een rol, en dat was nu eens een prettige bijkomstigheid. En Davis speelde er ook een rol in.

'Ik heb me nooit dit soort vrede voorgesteld,' zei hij. 'Hebben alle jonge ouders dit?'

'Ik had 't niet bij Sophie. Ik heb vanaf het begin waanzinnig veel van haar gehouden, maar ik was te jong om ogenblikken als deze naar waarde te schatten.' Alleen al om die reden was het heel bijzonder om Kyla te hebben. Als Francine in het ergste geval dezelfde ziekte mocht krijgen als Grace, dan waren er deze herinneringen om tot het laatst toe te bewaren.

Davis zuchtte tegen haar wang. 'Ik zou hier wel eeuwig kunnen blijven.'

'Vandaag niet. We moeten er over een uur zijn. Denk je dat Grace er iets van zal begrijpen?'

'Dat het haar verjaardag is? Ze zal begrijpen dat het iemands verjaardag is als de taart te voorschijn komt. Maar dat het háár verjaardag is? Waarschijnlijk niet.'

Francine wilde dit ontkennen, maar ze kon het niet. Grace kende geen namen, herkende vaak geen gezichten. In toenemende mate kende ze geen gevoelens of emoties meer. Ze bracht haar dagen door met een aantal activiteiten die waren bedacht om haar alert en actief te houden, maar ze werd er min of meer doorheen gevoerd, eerder als een toeschouwer dan als een deelnemer, een passagier in een trein die langzaam naar beneden reed. Ze had het punt bereikt waarop ze dag en nacht moest worden verzorgd, ook al besefte ze dat nauwelijks. Ze werd vandaag drieënzestig.

Davis begreep in welke richting Francines gedachten gingen en hij streelde haar over haar wang. 'Je zorgt goed voor haar. Ze krijgt veel liefde en aandacht. Dat heeft ze nu het meeste nodig.'

'Net als Kyla,' zei Francine.

De baby deed haar ogen open. Het waren Davis' ogen, heel donker en uitdagend, maar in alle andere opzichten was ze delicaat en vrouwelijk, op en top een kleine Dorian-dame.

'Hallo lieverd,' zei Francine kirrend. 'Was dat lekker? Je bent een kleine teutebel om er zo lang over te doen. Amuseer je je een beetje?'

Kyla schonk haar een tandeloze grijns.

Davis lachte verrukt. Francine voelde hoe zijn lach, en haar eigen lach, regelrecht tot in haar hart drongen.

Hij ging rechtop zitten, pakte de baby op en legde haar met veel gekraak van papieren luiers tegen zijn schouder. Francine draaide zich om om naar hen te kijken. Er waren voorzichtige handen tegen een bipsje en ruggetje, een sussende stem, weldra een boertje, en toen was er Davis, die spiernaakt door de kamer liep met zijn dochter in de holte van zijn elleboog, die afleiding ging zoeken ter-